06 Mayo 2008

D1026715

DAY TRADING
Negociación intradía:
estrategias y tácticas

Si todavía no está puntualmente infor-
mado de la aparición de nuestras noveda-
des sobre libros empresariales, con sólo
enviar su tarjeta de visita a:

EDICIONES DEUSTO
Tfno.: 93 492 69 70
Fax: 93 492 69 75
Internet: www.e-deusto.com

recibirá periódicamente, sin compromiso
alguno por su parte, información detallada sobre los títulos recién editados.

DAY TRADING
Negociación intradía: estrategias y tácticas

Técnicas rentables para todo tipo de estrategias de trading

Oliver Velez
Greg Capra

Revisión de la edición española
a cargo de Guillermo Zobel

EDICIONES DEUSTO

La edición original de esta obra ha sido publicada en lengua inglesa por McGraw-Hill, Nueva York,
con el título *Tools and tactics for the master day trader*

Autores: *Oliver Velez* y *Greg Capra*
Traducido por: *Isabel Murillo*
Diseño cubierta: Slovinsky Estudio Gráfico

© 2000 The McGraw-Hill Companies, Inc.

y para la edición en lengua española

© 2005, Ediciones Deusto
  Planeta DeAgostini Profesional y Formación, S.L., Barcelona
  Avda. Diagonal, 662-664
  08034 Barcelona

ISBN: 84-234-2322-0
Depósito legal: M-1.367-2005
Fotocomposición: gama, s.l.
Impresión: Rotapapel

Impreso en España - *Printed in Spain*

Este libro está dedicado a mi esposa Brenda, bella, eternamente paciente y siempre a mi lado, la mejor inversión de mi vida, y a mi hija Rebecca y a mi hijo, Oliver Jr., los dividendos más dulces que nunca haya recibido.

Este libro está dedicado también a mis amados padres, Dwight Velez y Louise Velez, que me enseñaron que el dominio de la vida sigue fácilmente a aquel que se domina a sí mismo.

O.V.

A mi esposa Lori, por su amor, apoyo y comprensión a lo largo de este apasionante viaje.

G.C.

Índice

PRIMERA PARTE
Las semillas de la sabiduría del maestro de la inversión
La preparación mental del inversor para alcanzar la grandeza

SEGUNDA PARTE
Herramientas y tácticas del maestro de la inversión
El desarrollo del arsenal de un maestro de la inversión

Agradecimientos

Nos gustaría dar las gracias a todos aquellos que, a lo largo de los años, han puesto en nuestras manos su independencia financiera. Son ellos quienes han animado nuestro deseo de escribir este libro y encendido este objetivo para toda la vida.

Por encima de todo queremos agradecer el amor, guía y sabiduría de nuestros padres. Y los interminables sacrificios llevados a cabo por nuestras maravillosas esposas, Brenda y Lori, a quienes estamos eternamente agradecidos por su amor.

Deseamos expresar nuestro reconocimiento a la energía y entusiasmo sin fin que Dave Bush ha demostrado hacia este proyecto. Sus inagotables y apasionados esfuerzos para ayudarnos a organizar y editar el material son evidentes a lo largo de todo el libro. Nos gustaría también dar las gracias a Mike Campion por prestar a esta obra sus extensos conocimientos sobre Nivel II del Nasdaq.

Por último, deseamos ofrecer nuestro especial agradecimiento a Jeffrey Krames y Stephen Isaacs de McGraw-Hill. Su paciencia y apoyo durante nuestros muchos retrasos y contratiempos, demostraron una fe tremenda en nuestras capacidades. Realmente no habríamos terminado sin su ayuda.

Sobre los autores

Oliver Velez y Greg Capra son cofundadores de Pristine Capital Management, Inc., y de su valorado sitio *web* Pristine.com. Cuando no se dedican a realizar detallados análisis técnicos de los mercados, a ofrecer opiniones inversoras a los suscriptores de su sitio *web*, o a estrechar lazos con otros inversores en el campo de batalla electrónico (tal y como llevan haciendo durante una década), Velez y Capra son dos de los conferenciantes más solicitados en el sector de la inversión electrónica.

Prefacio

Allí estaba yo, hace casi seis años, sentado delante de lo que entonces era un sofisticado sistema de inversión, esperando a que el mercado iniciase su sesión. Estaba ansioso por realizar una inversión. Era mi inicio como inversor de día profesional. Sonó la campana de apertura de la sesión. E, instantáneamente, las cifras centelleantes en verde y rojo, junto con los marcadores cambiantes del NASDAQ, empezaron a luchar por captar mi atención. Mi ordenador parecía su campo de batalla. En medio de aquel caos de precios, vi lo que *pensé* que era una oportunidad ideal. Estaba nervioso. Había llegado por fin el momento de la verdad y, por un breve instante, dudé. Pero estaba decidido a salir adelante como inversor de día. Con tantas facturas de tarjetas de crédito, una esposa y un hijo recién nacido... *tenía* que hacerlo. El miedo se apoderó de mí por un instante, suplicándome casi que lo dejara correr. «No», me dije. *Tenía* que hacerlo. Tenía que realizar la inversión. Rocé el teclado y cerré los ojos un momento. Varios golpes de tecla más tarde, era el propietario de 4.000 acciones de Microtouch, Inc. (MTSI), uno de los valores con mayor movimiento de la jornada. Estaba asombrado de lo rápidamente que había sido capaz de comprar valores por un importe de 150.000 dólares. Momentos después, habían subido unos asombrosos 4.000 dólares. No podía creer lo que veían mis ojos. En pocos minutos, había acumulado más dinero que el que podía ganar en dos meses enteros con mi anterior trabajo. Me sentía bien, increíblemente bien, en realidad. Y la vida en aquel momento era, simplemente, grandiosa.

Entonces ocurrió. MTSI empezó a caer. Luché con la idea de realizar mis rápidas ganancias. Al fin y al cabo, un rendimiento de 4.000 dólares era una forma impresionante de empezar la primera jornada de mi nueva vida como inversor de día. «Sí —me dije—. Venderé. Me haré con el dinero y llegaré a casa como un héroe.» Toqué el teclado una vez más. Y antes de que pudiera actuar, la cotización de MTSI cayó en picado. Se me paró el corazón. Sólo reinaba el silencio. En un instante, mis 4.000 dólares de ganancia se habían quedado a la par y, en ese momento, el miedo que con tanta arrogancia había despreciado, decidió venir a visitarme de nuevo. «¿Cómo ha podido suceder?», pregunté. Me recosté en la silla. Sorprendido. Confuso. De pronto, la cotización de MTSI se hundió de nuevo. «¡Dios mío!», grité. Estaba *perdiendo* 4.000 dólares. ¿Qué sucedía? Miré rápidamente a derecha e izquierda para ver si alguno de los cerca de setenta inversores me miraba. No. A juzgar por las pocas caras que vi, allí cada uno batallaba con sus propios problemas. Luché por recuperarme, para recuperar de algún modo mi equilibrio mental. Pero MTSI no había terminado todavía conmigo. Otra caída de un dólar aumentó mi déficit hasta 8.000 dólares. Apenas podía respirar. Mi mejor opinión suplicaba que realizara las pérdidas, pero algo me impedía hacerlo. No podía moverme. No podía moverme, físicamente. Lo único que podía hacer era mirar, y mirar fue lo que hice.

A lo largo de los 25 minutos siguientes, observé agonizante como MTSI se me llevaba más de 16.000 dólares. Desalentado, deprimido y vacío de toda esperanza, reuní finalmente el coraje suficiente como para matar la operación. Se había acabado. *Todo* parecía haberse acabado. Una vez más, miré a mis dos lados. Quería comprobar si alguien había sido testigo de la atrocidad que acababa de ocurrirme. Pero nadie parecía haberse dado cuenta. Y de hacerlo, parecía no importarles. «¿Qué voy a hacer?— me pregunté en silencio—. ¿Qué voy a decirle a mi mujer, a mi familia y a los socios que me han apoyado?» Incapaz de encontrar una respuesta coherente a esas preguntas, hice lo único que podía hacer. Hundí la cabeza entre las manos y lloré.

Me llamo Oliver L. Velez y esta fue mi primera experiencia en lo que se conoce como inversor de día profesional. Muchos podrían verse tentados a denominarlo como mi día de inauguración, pero yo siempre lo he denominado mi día de graduación. Porque fue en ese penoso y oscuro día que abandoné las filas de los inversores de día soñadores que piensan ingenuamente que la norma en los mercados es el dinero fácil y las ganancias fáciles. Abandoné para siempre ese grupo lleno de novatos y me gradué en el grupo más inteligente de realistas que ven y aprecian el arte de la inversión diaria por lo que en realidad es: una de las empresas más exigentes del planeta Tierra. No me cabe duda de que aquel día murió una gran parte de mí, allí delante de aquel monitor. Pero en su lugar, cobró vida algo más espléndido, algo más grandioso. Y lo hizo en forma de una rabiosa determinación de darle sentido a todo aquello. Aquel día nefasto me convertí en un hombre nuevo. De las cenizas de un inversor derrotado, surgió un hombre decidido a descubrir un método sensible, una estrategia inteligente que fuera mucho más allá de ese estilo que consiste en protegerse bien las espaldas y que practica la mayoría de la gente. Ese día se desarrolló una sed atroz por querer *más*. Quería *más* conocimientos, *más* disciplina, *más* habilidades, *más* dirección y me decidí a conseguirlo, costase lo que costase. Por suerte lo conseguí.

A lo largo de los seis años siguientes, conseguí formular una filosofía de inversión con sentido. Lentamente fue tomando forma un plan de inversión basado en dicha filosofía, un plan paso a paso que no sólo sonaba bien en teoría, sino que además funcionaba en el mundo real y servía para ganar dinero. El libro que tiene ahora en sus manos cubre una buena parte de esta filosofía de inversión y de este plan de inversión. Lo he ido escribiendo a lo largo de todos estos años.

Jamás le expliqué a mi mujer lo que sucedió la tarde de aquel día desolador. Era bastante evidente que lo sabía, pero me permitió conservar mi autoestima guardando silencio sobre el tema. Pasaron muchos meses antes de que fuera capaz de abrirme a ella, de explicarle verbalmente lo que había sucedido. Por aquella época, mi recién descubierta determinación empezaba a dar frutos. La cuenta de la que era responsable estaba unos 250.000 dólares por arriba y, por vez primera, mi esposa había dejado de pedir dinero prestado a sus tíos y de pagar los pañales con tarjeta de crédito. Diez meses después de eso, la cuenta superó la barrera del millón de dólares y decidí dejar la sociedad de la que formaba parte e instalarme por mi cuenta.

Hoy en día, puedo decir sinceramente que «lo conseguí». Cacé al elefante, como dicen, derroté al mercado. Con gran esfuerzo y muchas horas de estudio cada día y cada noche, concebí una filosofía de inversión y un plan sensible. Y lo que es más importante, gané dinero. A pesar de que la mayoría del dinero ganado no fuera mío, me sentía contento. Me sentía cómodo. Y todo siguió así hasta que conocí al inversor que me ayudaría a pasar incluso a niveles aun superiores de inversión. Se llama Greg Capra, mi socio, mi hermano y mi amigo.

Me llamo Greg Capra, colega, socio y amigo de Oliver L. Velez. Fue sólo un poco antes de que Oliver pasara por esa experiencia que le cambiaría la vida que saboreé en serio, por vez primera, el juego del mercado. Antes de eso, mi actividad de mercado se limitaba al aburrido terreno de los bonos municipales y al algo más apasionante de los fondos de inversión. Fue entonces natural que decidiese realizar mi primera incursión en el dinámico mundo de la inversión, en el mercado más volátil del planeta: el mercado opciones financieras sobre índices y valores. Según mi novel manera de pensar, me parecía que las acciones no se movían con la suficiente rapidez. Necesitaba acción. Quería algo capaz de marcar cifras impresionantes *y* lo quería rápidamente. No respetaba la estrategia de «unos pocos dólares de allí, unos pocos dólares de allá» que otros intentaban, aquello estaba superado. O así lo creía. Además, llevaba ya casi diez años ganándome bien la vida como hombre de negocios. Por aquella época de mi vida, tenía mis necesidades vitales más que cubiertas. La calderilla ya no me atraía y mis ansias de sólo hacerlo bien ya estaban superadas. Buscaba el placer. Sí. Ese meganegocio. Y quería que me llegase de golpe, de forma emocionante. Las opciones financieras me proporcionarían eso y mucho más. Y fue precisamente ese «mucho más» lo que casi echa a perder mis oportunidades de llegar a convertirme en el inversor de día que soy hoy. Mis armas eran un satélite de alta tecnología que escupía las cotizaciones y una cuenta de valores con una de las más destacadas firmas de Wall Street. Una reciente suscripción a una de esas gacetas sobre «cómo hacerse rico rápidamente» me convertía en peligroso. Estaba a punto. Cogí el teléfono, marqué el número de mi agente y le grité la orden: «¡Compra doscientas opciones de March XYZ!» En el otro lado de la línea hubo un silencio. «¿Está seguro, señor?» «¿A qué se refiere con que si estoy seguro? —rugí a modo de respuesta—. ¡Hágalo, y ya!» Colgué inmediatamente el teléfono y esperé impaciente la llamada de costumbre informándome sobre en qué punto había adquirido aquel destacado número de opciones. Sonó el teléfono y la voz me reveló con nerviosismo mi precio de entrada. Empecé inmediatamente a ver el retraso de mis cotizaciones. La cuenta oscilaba salvajemente a cada nuevo anuncio y la adrenalina corría por mis venas. Era tan inexperto en ese juego que no me di cuenta de que doscientas opciones equivalían casi a ser propietario de veinte mil acciones de un valor muy volátil de Internet, un tamaño increíble para un novato. Se acercó entonces un cliente que deseaba que le ofreciera un servicio. Recuerdo lo qué me costó separarme de la pantalla. Cuando diez minutos después regresé a mi despacho descubrí, horrorizado, que mi cuenta llevaba unas pérdidas de 26.000 dólares. Me quedé helado. Con la cabeza llena de ideas contradictorias, conseguí marcar la tecla de llamada rápida del teléfono y contactar con mi agente. Me dijo por teléfono que estaba pegado a su pantalla, viendo cómo mi dinero se evaporaba en el aire. Permanecí en silencio. «¡Hola! ¡Hola!», repitió el agente. Respondí a su llamada con un gruñido. «Señor Capra —dijo solemnemente—. ¿Es usted?» Yo seguía en silencio. No podía hablar. Por vez primera en mi vida, era incapaz de hablar. La voz del otro lado del teléfono preguntaba por el señor Capra. Y por primera vez en mi vida *no* quería ser el señor Capra. Lo más importante es que no quería hacer lo que sabía que debía hacer. No quería realizar aquella gran pérdida vendiendo. Pero debía hacerlo. Llevaba bastante tiempo en el mundo de los negocios como para saber que la única acción inteligente que podía emprender en ese momento era recortar pérdidas. Recuperé el habla y murmuré a duras penas las palabras más dolorosas que existen en el vocabulario de nuestra profesión: «Deshazte de ello —dije—. «¡Deshazte de toda esa maldita cosa!» «¡A precio de mercado!», dijo mi agente. «Sí —afirmé yo—. «Sea cual sea.» Colgué el teléfono, cerré la puerta del despacho y me alejé del resto del mundo.

En esa inversión perdí prácticamente 30.000 dólares. No era bastante dinero para perjudicarme económicamente, pero allí no se trataba de dinero. Lo que estaba en juego era mi orgullo y la confianza en mí mismo. Había salido airoso de casi todo lo que me había propuesto hasta entonces. Y nadie suponía que aquello fuera a ser distinto. Esa noche volví a casa luchando con la idea de dejarlo

Introducción

No se equivoque, amigo mío. Estamos en el umbral de una era completamente nueva. Si tuviéramos que darle un nombre a esta era, sería *era del poder en uno mismo*, y la revolución que ha marcado el amanecer de esta era no está más que en su infancia. Un declive durante veinte años de las comisiones, aunado con las nuevas reglas de gestión de las órdenes, junto con la aparición de Internet y los increíbles avances tecnológicos, han ayudado a nivelar el terreno de juego y a abrir la puerta oculta de Wall Street. Los antiguos caminos llenos de vigilancia, concebidos para mantener al público alejado del verdadero acceso, están derrumbándose en estos mismos momentos, los viejos centros de beneficios siempre ocultos están ahora a la vista y el inversor, cada vez más sofisticado, exige que la situación siga esta tendencia. La total democratización de Wall Street no ha estado nunca en la historia tan cercana como ahora. Y nunca antes el individuo medio había estado tan próximo a Main Street. Y esta oportunidad será aún mayor en los próximos años. Es por eso que le preguntamos: «¿Está usted preparado?»

Vemos un día, en un futuro no muy lejano, en el que los intercambios fragmentados habrán desaparecido de los Estados Unidos. En estos momentos se establece el escenario para un gigante, el Mercado de Valores de los Estados Unidos. Poco después de eso, veremos un día en que habrá un único mercado mundial de valores que llevará a las cuatro esquinas del universo el verdadero capitalismo en su forma más pura.

Poco después de eso, o incluso antes, llegará el día en que cualquier ordenador que se venda en el planeta llevará preinstalada una plataforma que permita el acceso directo a este mercado mundial, dando a todo el mundo la capacidad de negociar cualquier cosa que se mueva en ese terreno: valores, bonos, opciones, futuros, piedras, árboles, suegras. Bien, suegras tal vez no, pero aun así debemos volver a preguntarle: «¿Está usted preparado?»

El escenario está preparado para que se produzca una representación increíble que, sin lugar a dudas, tendrá lugar entre los cinco y diez próximos años, y los que empiecen a prepararse hoy, los que se formen ahora, tendrán una muy buena oportunidad de convertirse en los nuevos titanes del nuevo juego de Wall Street.

Estamos en un nuevo día, y a quienes no les guste, mejor que se acostumbren a ello, porque *los inversores con poder en sí mismos están aquí para permanecer durante tiempo*.

¿Qué es lo que ha traído esta nueva revolución?

A lo largo de los diez últimos años se han producido hechos significativos que, bajo mi punto de vista, han puesto en marcha una revolución fenomenal que está sólo en su infancia:

1. La caída en picado de las comisiones durante la última década ha aumentado la rentabilidad potencial, así como la posibilidad de realizar inversiones a corto plazo. Antes de que se produjera esta caída, sólo las instituciones y las personas con contactos en las altas esferas disfrutaban de comisiones bajas. Hoy en día, acceder al mercado de valores cuesta unos céntimos.
2. El colapso mundial de los tipos de interés ha convertido en fundamental la propiedad de valores. Este cambio, junto con la actitud alcista, llevan a un elevado nivel de sofisticación y a una necesidad en aumento del poder propio de cada uno.
3. Los increíbles avances tecnológicos han acercado Wall Street a la altura de cualquier calle. Como resultado de ello, grandes y pequeños, ricos y pobres, novatos y profesionales, pueden, con un clic de ratón, acceder directamente a los mayores mercados mundiales desde la comodidad del salón de su casa. Estas maravillas tecnológicas han ayudado a acercar el terreno de juego al inversor individual. Han eliminado las barreras de acceso y, al hacerlo, han eliminado gran par-

te de las injustas ventajas de las que disfrutaban los miembros del «club».

4. La nueva normativa para gestionar las órdenes ha cambiado para siempre la manera de trabajar de Wall Street. Los cambios recientes que afectan la gestión de nuestras órdenes por parte de las empresas gestoras, no sólo implican mayor equidad y transparencia, sino que además ayudan al usuario en el desarrollo de instrumentos que acabarán cambiando definitivamente la forma de hacer negocios del mundo financiero: el ECN, conocido también como Red de Comunicaciones Electrónicas (*Electronic Communication Network*).

5. Por último está la aparición de Internet. Nada desde la aparición del teléfono de Alexander Graham Bell había provocado un cambio tan radical en nuestra forma de pensar y de vivir. En la actualidad, el vacío de información entre el origen y el receptor ha quedado reducido prácticamente a cero. Gracias a Internet nos hemos convertido en una sociedad auténticamente global. Cualquier consumidor local es hoy un consumidor global. Un estudiante de sexto grado de Sycamore Drive, Carolina del Norte, es ahora un estudiante del mundo, y un negocio que en su día dominaba un nicho cerrado en una zona geográfica determinada, puede hoy expandir su negocio a todo el mundo. Internet guiará nuestra forma de pensar, caminar, hablar, vivir y amar en este milenio, y los que no adopten los cambios se convertirán en los años venideros en parte de la historia prehistórica.

¿Qué es invertir correctamente?

En muchos sentidos, la inversión correcta es un subproducto del «pensamiento» correcto. Una de las primeras cosas que este libro va a hacer será generar en usted una revolución mental. Le cambiará su forma de pensar y ver los mercados. Por ejemplo, una de las primeras lecciones que impartimos es que «usted no invierte en valores, invierte en gente». Son muchos los inversores noveles en el mercado que no se dan cuenta de que en el otro lado de cada transacción que llevan a cabo siempre hay alguien. Cada vez que usted compra, hay alguien que le vende en el otro lado de la transacción. Cada vez que usted vende, hay también alguien comprándole en el otro lado de la transacción. La pregunta del millón es: ¿Quién es el más inteligente? ¿Usted o la persona situada en el otro extremo de la transacción? Este libro le ayudará a asegurarse de que el más inteligente es usted y lo hará entrenándole en el arte de actuar con la gente.

Le mostraremos que las inversiones de éxito se basan en la capacidad de encontrar dos conjuntos de individuos inadecuadamente informados: los que están dispuestos a darle su mercancía a un precio barato y los que están dispuestos a comprarle su mercancía a un precio elevado.

En otras palabras, y espero no sonar excesivamente insolente con esto, invertir con éxito es el arte de encontrar un idiota. Con este libro se asegurará de que el idiota no sea usted.

Creemos que la inversión de día tiene un alcance mucho más amplio de lo que cree la mayoría de la gente. Desgraciadamente son muchas las personas, dentro y fuera del sector, que han definido erróneamente la inversión de día como una acción de compra y venta frenética y rápida que obliga a no llevarse nunca ningún valor a casa por la noche. Mientras que esta definición es un tipo de inversión de día, no es la única modalidad.

Nuestro punto de vista es que usted es un inversor de día si está comprometido a realizar sus inversiones diariamente y aplica diariamente su atención y su foco a los mercados. Por otro lado, usted no es un inversor de día si practica lo que nosotros denominamos la estrategia de Rip Van Winkle, que consiste en comprar un valor, echarse a dormir durante cinco años y esperar que todo esté perfecto cuando se despierte.

Es muy importante comprender que el trabajo del inversor de día no consiste en invertir. En muchos aspectos, se trata de dos actividades diametralmente opuestas.

¿Qué pretende conseguir este libro? ¿Qué obtendrá de él?

Este libro se ha concebido para ayudar a los inversores de día autónomos a adquirir los conocimientos y las herramientas necesarias para abordar los mercados con inteligencia y con un plan de inversión bien diseñado. En otras palabras, le ayudará a saber qué es lo que debe hacer, pero no acaba aquí, ya que saber «lo que» debe hacer no garantiza que usted vaya a hacerlo. El 85 por ciento del proceso inversión es psicológico por naturaleza, y por este motivo le ayudaremos también a afrontar algunos de los retos psicológicos y emocionales con los que se enfrenta cualquier participante en un mercado activo.

¿Qué método utiliza usted para elegir los valores?

Nuestro enfoque es básicamente técnico. Se basa en diversos modelos gráficos muy fiables que representan los cambios claves a corto plazo en la psicología del mercado. Existen ciertos modelos gráficos que señalan la presencia de un cambio en el equilibrio de poder entre compradores y vendedores. Le enseñaremos no sólo a identificar estos modelos de cambio, sino también a desarrollar tácticas y estrategias concebidas para explotarlos rentablemente.

Los gráficos son las huellas que va dejando el dinero. Y permítame que le diga una cosa, los gráficos no mienten. Son como las radiografías que ofrecen al médico una visión en mayor profundidad de su paciente. En el caso del inversor, su paciente es el mercado.

Por ejemplo, hemos descubierto que los valores que experimentan un momento alcista importante tienden a corregir (o a descansar) durante un período que oscila entre los tres y los cinco días, antes de continuar con sus movimientos ascendentes. Esta bajada de entre tres y cinco días supone típicamente una oportunidad única para el inversor que conoce bien los cambios. Le enseñaremos *cuándo* el inversor debería vender, *dónde* situar su stop de protección y *qué* debería tener en cuenta el inversor para invertir en ello.

Primera parte

Las semillas de la sabiduría del maestro de la inversión

La preparación mental del inversor para alcanzar la grandeza

Las técnicas y las tácticas de inversión tendrán un valor escaso o nulo si la mentalidad que las apoya no ha sido debidamente preparada. Esta sección se ha concebido específicamente para sembrar en la cabeza del inversor pequeñas semillas de sabiduría que irán germinando con el paso del tiempo y que darán lugar a un estado de conciencia elevado y a un nivel más profundo de comprensión. Es lo que denominamos *profundidad*. Una de las verdades más desconocidas del día se encuentra en el hecho de que una de las mayores riquezas del inversor de éxito reside en su pensamiento, no en los métodos que utilice. Los buenos métodos siguen al inversor poseedor de una buena mentalidad. Para decirlo de otra manera: la inversión correcta es el resultado de una forma adecuada de pensar. Creemos firmemente que el inversor que lea y digiera las secciones que siguen saldrá de esta experiencia como un individuo más maduro. Cada vez que se absorben estas perlas de sabiduría, se obtiene una sensación más profunda de comprensión, una conciencia mental superior y un mayor dominio emocional. En el interior de estos breves ensayos se encierran algunas de las perlas de sabiduría más potentes que conocen muy bien los inversores de éxito. Se trata de gemas eternas que han enriquecido la vida inversora de muchas personas de todo el mundo a través de nuestra publicación diaria, *The Pristine Day Trader*. Estamos seguros de que también a usted le proporcionarán la oportunidad de disfrutar de una vida más rica y plena en los mercados.

Seguramente descubrirá elementos reiterativos en muchos de los temas que siguen. Pero siempre hemos apoyado el concepto de que la repetición tiene un gran valor. Lo que no penetre las diversas barreras que impiden comprender un tema puede hacerlo cuando la verdad y la sabiduría se comunican a través de otro método. Deseamos que disfrute de sus primeros pasos en el camino del dominio de la inversión.

1. La iniciación del maestro de la inversión

Comprender el mundo del maestro de la inversión

¿Comprende lo elevado del coste?

¿A cuánto asciende el coste de ser un maestro de la inversión? Mientras que el verdadero precio resulta difícil de cuantificar, llevamos el tiempo suficiente en el negocio de las inversiones como para saber que es más elevado de lo que la gente supone. Y en la mayoría de los casos, es superior a lo que la mayoría de la gente está dispuesta a pagar. Dígame de alguien que esté dispuesto a abandonar su actual trabajo para convertirse en inversor de día y le diré de alguien que probablemente no alcanza a comprender lo que significa ser un inversor de día. Los que piensan que se trata de un juego que se puede conquistar o dominar en cuestión de pocos meses se equivocan por completo. Obtener el dominio del mercado no sólo requiere muchos meses o años de esfuerzo incansable, sino que, además, destacar en la profesión surge únicamente después de aprender y experimentar todas las formas imaginables de pérdidas. La verdad del tema es que el dolor, la agonía, las heridas que sufre el inversor experimentado son prolongadas y profundas. El aspirante que no posea una cantidad considerable de fortaleza, carezca de resolución y pasión y no esté dispuesto a darlo todo, no durará en su intento. Los individuos que realmente desean obtener el éxito en los mercados deberán pagarlo con su sangre, su dinero y una parte importante de sus vidas. Un precio elevado. Nadie lo niega. Pero la recompensa que reciben los que están dispuestos a pagarlo es inmensurable. Los inversores de éxito disfrutan de una independencia que la mayoría no puede ni tan siquiera imaginarse. Con un ordenador portátil y una línea telefónica, tienen la libertad de invertir y acumular beneficios desde cualquier parte del mundo. Pueden ganar más dinero en dos horas que la mayoría de la gente puede ganar en un mes. Con un clic de ratón y tocando unas cuantas teclas, los inversores de éxito pueden dar vida a cualquier deseo material y olvidarse de las preocupaciones diarias que típicamente agobian a la media de la población. Respondiendo adecuadamente fa los impulsos electrónicos que centellean en la pantalla del ordenador, los inversores pueden crear el mundo que ellos elijan, llevar un estilo de vida que supera el más apasionado de los sueños y descansar con seguridad en el hecho de que nadie en el mundo puede quitarles lo que han conseguido. Pero para llegar allí, *¡es imprescindible aguantar!* Y para alcanzar este nivel tan elevado al que nos referimos, *es imprescindible sobrevivir*, por difíciles que se pongan las cosas. Y eso, amigo mío, no es tarea fácil. Por lo tanto, el mejor consejo que podemos darle, si está usted dispuesto a pagar el precio, es el siguiente: Desarrolle un plan, encuentre un mentor que le enseñe, *¡y no se rinda nunca!* Hágase la idea desde este momento de que se trata de ascenfder o morir en el intento. Y entonces deje que su decisión inquebrantable se ocupe de los detalles. Puede hacerlo. Y *sabemos* que es verdad, porque nosotros lo hicimos.

SEMILLA DE SABIDURÍA

Reconozca primero que el coste de ser un maestro de la inversión es muy elevado. Entonces, siempre y cuando acepte ese coste, tome la decisión de convertir en su «máxima obsesión» la idea de alcanzar una vida de éxito. Avive la llama de su pasión hasta que prenda en un cálido deseo de alcanzar ese maravilloso estado que nosotros denominamos *la maestría en la inversión*. Convierta en su única misión superar todos los obstáculos que se interpongan en el camino hacia el éxito, sin pensar en ningún momento en abandonar. Este deseo ardiente de dominar el mundo es el viento que empuja las velas de todo inversor rentable. Es lo que proporciona al nuevo inversor su capacidad de sobrevivir durante este primer año de su nueva vida lleno de trabas.

El maestro de la inversión precisa pocas herramientas

Siempre hemos creído que lo único que se necesita para convertirse en un inversor de éxito es el dominio de unas pocas herramientas de inversión. Muchos se ven coartados por la idea errónea de que para poder vivir de las transacciones bursátiles es imprescindible acumular una gran riqueza de conocimientos que sólo proporcionan muchos años de experiencia. Y esto no sólo no es cierto, sino que la verdad es más bien lo contrario. De hecho, nuestra experiencia nos dice que aquellos que poseen una cantidad limitada de conocimientos sobre el mundo de las inversiones tienen mejores probabilidades de convertirse en jugadores efectivos en el mercado que los colegas más expertos. ¿Por qué? Pues porque las experiencias variadas de mercado que no se utilizan e interpretan correctamente ayudan a cristalizar creencias erróneas. Y las creencias erróneas cuya existencia sobrevive acaban floreciendo en forma de ideologías completas y erróneas que dan como resultado la ruina del inversor que las defiende. Saber es poder, pero sólo cuando se trata del saber correcto. Si llega usted a dominar dos o tres de las muchas técnicas de inversión que se incluyen en la sección de «Tácticas» del libro, estará en camino de convertirse en un inversor consistentemente rentable. Alcanzar la cima de este juego que denominamos inversión, exige literalmente la utilización de dos o tres técnicas, y estamos seguros de que con este libro tendrá más que suficiente a este respecto.

Semilla de sabiduría

Los mejores inversores son minimalistas. Son los que encuentran dos o tres tácticas que les funcionan de manera consistente.

Una vez dan con ellas, se dedican simplemente a aplicarlas una y otra vez. La repetición tiene aquí un verdadero valor.

Persiguiendo el éxito en este lugar conocido como el «aquí y ahora»

Mirar hacia atrás para comprender cuándo y por qué el mercado ha desarrollado un cáncer, por decirlo de alguna manera, tiene su sentido. Pero no hay nada más valioso que saber por qué desarrollará un cáncer, *antes* de que se produzcan los hechos. Y si es así, ¿por qué tantos analistas de Wall Street y técnicos de mercado se sienten más cómodos mirando hacia atrás? Quizá es porque mirar hacia delante exige que alguien se moje y arriesgue una reputación que le ha costado mucho alcanzar. No sólo exige que alguien estudie y lleve a cabo una montaña de deberes, sino también que alguien revele los resultados de ese estudio al resto del mundo. Y no es necesario que le expliquemos que habitamos en un mundo muy crítico. Considerando el riesgo, no es de sorprender que las empresas y servicios que más tienen que perder sean los que más se nieguen a dar un paso adelante hacia el limbo. Y ahí es donde han entrado en juego servicios como *The Pristine Day Trader* y muchos otros. Durante los últimos seis años, Internet ha impulsado la aparición de muchas empresas y servicios de mercado dispuestos a dar un paso adelante en este sentido. Somos de la opinión de que el jugador activo de mercado del mundo actual encuentra más valor en estas empresas y servicios que en los titanes establecidos de Wall Street, que tienen mucho más que perder dando los mismos pasos.

En el transcurso de unos pocos años, nuestro servicio ha conseguido atraer seguidores procedentes de hasta 48 países distintos. ¿Por qué? ¿Por qué tenemos un dominio tan completo? Muy sencillo. Porque nosotros (y otras firmas que representan esta nueva generación) hemos estado dispuestos a jugarnos a diario nuestra reputación intentando decirle de la mejor manera posible lo que *sucederá*. Dedicamos poco tiempo a pensar en lo que *ya* ha ocurrido, en algo cuyo valor académico es mínimo. La mayoría de nuestros esfuerzos se dirigen hacia lo que pensamos que sucederá. Y el inversor del mercado actual, mucho más sofisticado que los jugadores del pasado, apuesta por ello.

Todo esto, no obstante, tiene un lado oscuro que es muy importante no pasar por alto. Mientras que consideramos extremadamente importante abordar los mercados mirando hacia el futuro y menos importante mirar hacia atrás, no siempre resulta beneficioso proyectar las ideas y/o las perspectivas de mercado hacia un futuro demasiado lejano. Esta es la razón por la cual mostramos poco interés por lo que pueda pasar de aquí a ocho meses. Esto es, de hecho, una carga adversa detrás de la que históricamente se ha escondido de las miradas más críticas una falta tremenda de talento y se ha jugado a lo seguro. Como antiguo directivo responsable de informar periódicamente de mis puntos de vista sobre el mercado, aprendí rápidamente una regla secreta que se utilizaba con mucha frecuencia en Wall Street y que me maravilla que el público inversor en general no conozca lo suficiente. La regla era la siguiente: *Cuando no estés seguro y te veas superado por las dudas, ofrece tu perspectiva del mercado para de aquí a seis u ocho meses.* Con esto se gana una buena cantidad de tiempo durante el que es posible ir obteniendo pistas. Y si no obtienes pistas (algo que sucede a la mayoría), siempre puedes cambiar tu perspectiva (el público tiene poca memoria) o emitir una nueva perspectiva, que a su vez vuelve a ofrecerte un nuevo plazo de seis a ocho meses. No es necesario decir lo patético que resulta todo esto. Aunque resulte extraño, los verdaderos talentos de la calle no necesitan ocultarse detrás de un vacío de tiempo de entre seis y doce meses. No siempre tienen razón, naturalmente. Pero son fiables y dispuestos a mojarse a diario, en caso de necesidad, y a decir: «Esto es lo que pensamos que debe tener usted en cuenta y esto es lo que le proponemos para que pueda obtener beneficios.» Siempre que escucho este tipo de frase intuitiva en boca de un analista, la leo en una publicación o la veo defendida por un servicio de inversiones, lo primero que hago es quitarme el sombrero y presentarle mis respetos. En segundo lugar, me ocupo de conocer a quien lo ha dicho, bien a través del servicio que representa o incluso personalmente, a ser posible.

Este es nuestro tema. Por lo que a nosotros respecta, nuestro dominio es el del aquí y ahora. No vivimos arrastrándonos en el pasado, ni tampoco evitamos las realidades del momento pensando en un futuro lejano. Como jugadores activos en el mercado, nuestra vida entera está perpetuamente dedicada a un espacio de tiempo que oscila entre los dos y los diez días. ¿Lo ha captado? Anótelo. En otras palabras, desglosamos el mercado en períodos perfectamente digeribles que oscilan entre los dos días y las dos semanas. Anótelo también. Si lo hacemos bien, solemos ganar un buen dinero. Si lo hacemos mal (y a veces lo hacemos) nos recuperamos lo antes posible del golpe y seguimos adelante. Siempre existe el siguiente período de entre dos y diez días para poder hacerlo bien. Pero incluso aun pasándonos de esta proyección de entre dos y diez días, lo que es evidente es que no perdemos nunca un tiempo de entre ocho y doce meses equivocándonos terriblemente. En nuestro libro, esto sería un crimen: un crimen que no es perdonable en un mundo que cambia tan rápidamente como el nuestro. ¿Por qué correr ese riesgo?

SEMILLA DE SABIDURÍA

No gaste mucha energía mirando hacia atrás. Aborde el mercado con una perspectiva de futuro que se prolongue entre dos días y dos semanas. Nosotros, como inversores que somos, no podemos invertir en el pasado y tampoco poseemos la capacidad de ver exactamente en un futuro muy lejano. Sin embargo, sí que dominamos el período de tiempo que tenemos justo ante nosotros. A falta de una frase mejor, denominamos este período de tiempo el aquí y el ahora. Y es en este lugar donde nos sentimos cómodos y donde encontramos el éxito y la exactitud que perseguimos.

Por qué el maestro de la inversión utiliza los gráficos

La mayoría de nuestro trabajo de mercado se basa en el análisis técnico que, bajo nuestro punto de vista, proporciona al inversor que trabaja a corto plazo una base sólida para llevar a cabo decisiones inteligentes de compra y venta. Como muchos inversores conocen a través de la experiencia personal, incluso las empresas con mejor valoración fundamental pueden caer entre dos y diez dólares en cuestión de días, horas incluso, mientras que las empresas con peores fundamentales pueden subir y hacer exactamente lo contrario. El valor de estos fundamentales, útiles a veces, se encuentra cuando se consideran períodos que oscilan entre el año y medio y los cinco años. Pero los inversores que trabajan a corto plazo se apoyan en tecnicismos (como probados modelos de comportamiento del precio, soportes y resistencias, características de volumen, acumulación y distribución institucional, roturas alcistas y roturas bajistas, etc.) y ello se debe a que se basan en el aquí y ahora del que antes hemos hablado. Pero de lo que debemos darnos cuenta, sobre todo, es del hecho de que los tecnicismos y los modelos gráficos son sólo guías, ni más, ni menos. Ayudan a valorar la probabilidad de que se produzca un movimiento particular, a ver sus méritos y sus riesgos en el momento actual. No son garantías. No son infalibles. Y, definitivamente, no proporcionan la comodidad de la certeza absoluta. Pero ¿qué podría proporcionarla? Bajo nuestro punto de vista, los tecnicismos y los gráficos son el mejor barómetro para calcular la probabilidad de que algo ocurra.

Ahora bien, puede suceder que muchos noveles mal informados sean testigos del fracaso de un determinado concepto técnico, como el de un soporte en un determinado nivel para un valor concreto, y entonces supongan erróneamente que se trata de un concepto poco fiable e inútil. Un gran error que debería evitarse como una plaga. El inversor astuto aprende tanto, sino más, del fracaso de un concepto técnico como de su éxito. Si fracasara de repente un determinado nivel de soporte, algo que está comprobado que es tremendamente fiable, dispondríamos de una información muy útil y valiosa. Bajo nuestro punto de vista, no sería el fracaso de un concepto. Se trataría más bien de un concepto técnico que nos está revelando el mensaje más potente y valioso de todos: el mensaje del cambio. Miremos un ejemplo. A mediados de octubre de 1988, Intel Corporation rompió el nivel de soporte fundamental que en los últimos tres meses estaba situado en los 90 dólares. Sin duda alguna, hay quien vio el fenómeno y dijo: «¿Veis lo poco fiable que es el análisis técnico? ¡El nivel de soporte fracasa!» Muchos de estos críticos fueron exactamente los mismos que salieron malheridos de la posterior caída de Intel Corporation a 70 dólares. No, amigo mío, la rotura del nivel de soporte de Intel en 90 dólares no fue el fracaso de un concepto técnico. Fue un *mensaje*: ¡que muchos desearían haber comprendido!

Semilla de sabiduría

Los fundamentos, aunque importantes, no ayudan al inversor a evaluar los riesgos y los conflictos del aquí y ahora. Ahí es donde los tecnicismos y los gráficos hacen sombra a los fundamentos. Sería de la más tremenda ingenuidad esperar o pensar que los conceptos gráficos funcionan siempre. No es así. A veces se equivocan, pero incluso así, ofrecen al inversor astuto mensajes muy valiosos. El inversor sólo tiene que aprender a escucharlos.

Los gráficos no mienten

Existen muchos jugadores de Bolsa casuales que no tienen ni la más mínima idea de lo que es el análisis técnico ni de en qué consiste el arte de interpretar gráficos. No es necesariamente culpa suya; sin embargo, la parte triste reside en el hecho de que muchas de estas personas mal informadas se sitúan entre los críticos más destacados de este arte. Como hemos mencionado antes, lo que hacen los gráficos de precios no es más que mostrar gráficamente lo que denominamos la «pista» del dinero. Muestran la psicología humana en funcionamiento y los ciclos repetitivos de miedo, orgullo e incertidumbre. Lo que siempre nos ha gustado de los gráficos es que son factuales. Mire, en *CNBC, MSNBC* o en *Moneyline* puede aparecer un director financiero y mentir sobre lo mucho que le gusta un determinado valor, cuando lo que pretende es generar las compras suficientes como para compensar todas sus órdenes de ventas. Pero ¿sabe qué? Los gráficos no mienten. Toda orden de venta aparecerá en el gráfico en el instante en que se produzca y el volumen revelará lo grande que es esa orden de venta. Es gracias a los gráficos que podemos decir «¡Lo tenemos!». Imagínese que un destacado analista emite un informe declarando que XYZ se encuentra posicionado para dominar su sector. Usted puede averiguar si lo que dice es realmente cierto. ¿Cómo? Pues si el gráfico del valor sube con mayor rapidez que el conjunto de su sector, puede decir confiado: «ese analista es mi amigo». Ahora bien, si el gráfico parece una escalera que conduce hacia las profundidades intermedias del purgatorio, diga: «Ya te tengo, tío. ¡O estás mintiendo o no tienes idea de lo que dices!» Gracias a una contabilidad sofisticada, los informes de beneficios pueden dibujar una imagen falsa, pero los gráficos no mienten. Puede aparecer un director general pronunciando un discurso y realizando declaraciones inexactas sobre una empresa, pero el gráfico, amigo mío, nunca miente. Los inversores, tanto grandes como pequeños, apuestan con su dinero, no con su boca. Puede que la apuesta no sea siempre la correcta, pero al menos sabrá usted que sus apuestas (compras y ventas), que son las que construyen el gráfico, están basadas en verdaderas convicciones, en verdaderas creencias. Y por si acaso lo ha olvidado. El gráfico está compuesto por las distintas apuestas. Los gráficos no mienten.

Semilla de sabiduría

Todo movimiento de valores está dirigido por una de estas tres emociones: avaricia, incertidumbre y miedo (de ellas, la incertidumbre significa la parada técnica entre la avaricia y el miedo, las dos emociones dominantes). El valor va a la alza cuando el grupo dominante de inversores de un valor está regido por la avaricia. Es lo que denominamos la *fase alcista*. Cuando el grupo dominante de inversores de un valor experimenta los dolores del *miedo*, el valor irá a la baja. Cuando el grupo dominante muestra *incertidumbre*, se queda en la barrera, por decirlo de algún modo, los precios se estabilizarán siguiendo un modelo lateral, como si por un breve período no tuvieran un hogar dónde ir o una dirección hacia la que viajar. Los gráficos nos dan el poder de ser capaces de valorar rápidamente lo que experimentan los inversores *reales* de cualquier valor. Los gráficos no mienten. Revelan lo que siente y lo que hace el grupo de accionistas. Quien no utiliza gráficos en su análisis, corre el riesgo de ser uno de los muchos ingenuos de los que se aprovechan quienes conocen la situación. Dicho de forma muy sencilla, el inversor astuto no puede permitirse vivir sin gráficos.

Siguiendo la pista del dinero

Muchos de nuestros suscriptores potenciales o nuevos se sienten preocupados cuando descubren que basamos la mayoría, si no todo, nuestro análisis en modelos gráficos y otros indicadores técnicos, en lugar de hacerlo en la información convencional de los fundamentos. Históricamente, el público inversor en general se ha sentido más cómodo con análisis que observan aspectos como los beneficios de una empresa, su coeficiente entre precio y beneficio, su nivel de endeudamiento, los desarrollos del sector, etc. Los aspectos técnicos, como la repetición frecuente de modelos gráficos, la ruptura de precios, los aumentos de volumen, las jornadas de reversión, la media móvil, etc., no sólo han sido criticados, sino además evitados y descartados como trampas y camelos. Pero la verdad de la cuestión es que ese análisis técnico, o gráfico, para ser más concretos, no es más que el arte de seguir el flujo del dinero. Y por si acaso no lo sabía, *el dinero no miente*. Mire, los inversores, los analistas y las empresas de Wall Street pueden y dirán todo lo que les apetezca. Emitirán sus opiniones y consejos libre y generosamente. Pero después de todo lo que digan y hagan, sólo será posible descubrir sus verdaderas creencias llevando a cabo un seguimiento sobre cómo realizan sus inversiones, controlando cómo y dónde gastan su dinero. No podría decirle cuántas veces puede una destacada empresa de corredores de Bolsa reiterar que un determinado valor debe «comprarse» cuando, de hecho, sus grandes clientes institucionales, a quienes ellos también asesoran, están vendiendo precisamente este valor. ¿Tiene usted idea de lo habitual que es que el director de una empresa o sus altos ejecutivos proclamen incansablemente las maravillosas perspectivas de su empresa, mientras que todos sus empleados, desde el director general hasta el conserje, se dedican a deshacerse de sus valores en el mercado secundario? El dinero saca la verdad a relucir. Seguir sus movimientos ayuda a liberarse de la fachada, de un exterior que puede ser equívoco. Revela las verdaderas intenciones de los inversores más destacados. Y esta es la razón por la cual los inversores astutos utilizan los gráficos. Reflexione sobre ello. ¿No cree que un gráfico de precios es como la pista que deja a su paso el dinero de verdad? Es evidente que los beneficios y otros aspectos tienen también su importancia. Pero las cifras y los informes no mueven los valores. Lo único que los mueve es el dinero. Y es por eso que decimos que no nos enseñen informes. *¡Que nos enseñen el dinero!*

Semilla de sabiduría

Como profesionales activos que somos, no somos muy distintos de los médicos especialistas que sólo pueden realizar correctamente su trabajo después de observar el interior de los pacientes, después de estudiar una radiografía. Sí, los médicos especialistas pueden obtener informes completos de sus pacientes en los que les relatan cómo se sienten y qué sienten. Pero los buenos médicos no se quedan ahí. Mientras que escuchan los informes orales de sus pacientes, les preparan también para someterse a una radiografía que les proporcionará la visión de su «interior». Si los médicos no actuaran de esta manera, los catalogaríamos de farsantes de primera categoría. Los inversores que trabajan a corto plazo se encuentran en situaciones similares. Se ven constantemente bombardeados, tanto por noticias estupendas como por noticias horribles, con *esta* opinión que contrasta con *aquella* opinión. Todo el mundo quiere influir sobre su forma de pensar, incluso sobre lo que los inversores ven y creen, desde los amigos personales hasta los directores ejecutivos de las empresas de la lista *Fortune 500*. Y aunque el inversor astuto es capaz de asimilarlo todo, sabe que sólo podrá librarse de las influencias externas después de llevar a cabo su visión «interna», su radiografía, por decirlo de algún modo. Es por eso que los gráficos explican al inversor quién miente y quién es sincero. Gracias a los gráficos observan el flujo del dinero, cuándo y dónde los grandes inversores colocan sus mayores apuestas, o cuándo hacen las maletas para volver a casa. Miremos con escepticismo a aquellas personas que tienen un interés personal en que creamos y pensemos de una determinada manera. Nuestros verdaderos amigos son los gráficos. Representan las pistas que va dejando el dinero. Y, por si acaso no lo sabía, el dinero es el amigo definitivo del inversor. Por lo tanto, ¿por qué no tener un mapa que nos lleve a él?

Dadme la técnica o dadme la muerte

A muchos inversores les parece asombroso que basemos nuestro análisis de las inversiones casi por completo en factores técnicos (volumen, modelos de precios, momentum, etc.), sin considerar en profundidad la historia o los fundamentos que hay detrás de un determinado valor. De hecho, confiamos tan exclusivamente en la técnica que durante la jornada apenas si miramos las noticias, exceptuando las de *CNBC*, que utilizamos para las actualizaciones del mercado y para reírnos de vez en cuando (la *CNBC* realiza un gran trabajo en cuanto a convertir los temas aburridos en entretenidos). No queremos decir con ello que la historia o la información fundamental carezca de valor. Sólo estamos insinuando que el valor de estos aspectos es relativamente pequeño y que, a veces, totalmente irrelevante en lo que a la inversión a corto plazo se refiere. ¿Por qué es así? Permítanos que se lo expliquemos. Supongamos que hemos comprado una acción por 20 dólares. Nuestro precio objetivo es de 22,5 dólares y nuestro precio stop lo hemos definido en 19 dólares. Aparece de pronto en las noticias una historia negativa de algún tipo y el valor baja lo suficiente como para desencadenar nuestra orden de venta. ¿Cuál es el resultado? Una pérdida de un dólar (omitimos las comisiones para simplificar). Contemplemos ahora el escenario desde otra perspectiva. El mismo valor que hemos comprado a 20 dólares cae lo bastante como para desencadenar nuestra venta a 19 dólares, y lo hace sin motivos aparentes. En otras palabras, no surge ningún tipo de noticia que actúe a modo de catalizador. ¿No se produce el mismo resultado de una pérdida de un dólar? ¿Cuál es el verdadero valor de conocer qué es lo que *causa* la caída si el plan previamente pensado es de salirse igualmente de la inversión en cuanto se alcance el punto de stop fijado? De hecho, lo que suele provocar el hecho de conocer la *causa* es que el inversor tenga una fuerte tendencia a desentenderse que le haga difícil, a veces, actuar cuando surge la necesidad de hacerlo. No podría explicarle las muchas ocasiones en que he permitido que una noticia, un analista sobradamente remunerado de Wall Street, o cualquier tipo de rumor me haya hecho quitarme de encima un valor para luego verlo subirse por las nubes. También me he sentido extremadamente culpable de lo contrario. Pero mis años de experiencia me han convencido de que cualquier acción que llevemos a cabo debería venir dictada por un plan de inversión bien pensado, no por los rumores o las historias. Esta es la única manera de mantener la disciplina en un momento de caos. Esta es la manera con que los mejores inversores conservan su integridad cuando todo el mundo se queda paralizado o confundido. En resumen, esta es la manera con la que el maestro de la inversión hace dinero, escuchando y centrándose en lo único que cuenta: el movimiento del valor. Todo lo demás es superfluo. Todo lo demás es pelusilla. Bajo nuestro punto de vista, todo inversor debería pronunciar la siguiente afirmación, procedente de Patrick Henry, el padre de nuestra revolución: «Desconozco el camino que tomarán los demás, pero por lo que a mí refiere, dadme la técnica o dadme la muerte.»

SEMILLA DE SABIDURÍA

Las noticias, las historias y los consejos pueden, a veces, ayudar a encender bruscos movimientos en los asuntos subyacentes a los que van dirigidos. Pero el inversor astuto no permitirá que estas fuentes externas alteren su plan, especialmente en lo referente a la decisión de venta. El motivo que pueda haber detrás de la caída de un valor debería significar muy poco para el inversor astuto que trabaja a corto plazo. Una vez haya establecido, basándose en la técnica, en qué punto de precio piensa vender el valor, ya lo tiene todo. Ninguna noticia ni rumor alterará su plan. Los inversores noveles que buscan justificaciones y motivos para haberse aferrado a valores perdedores se formulan a menudo preguntas como las siguientes: «¿Por qué está cayendo como una piedra XYZ?» «¿Hay noticias sobre por qué ABCD se está hundiendo?» Muy a menudo, las noticias que hay detrás de una caída les llevan a racionalizar. «Oh, esa noticia tampoco es tan mala. Quizá si conservo el valor una hora más o un día más, se recuperará.» Los maestros de la inversión se aferran a toda costa a la técnica y al punto predeterminado de venta. Actúan donde la técnica y donde su precio stop les dice que lo hagan y las preguntas las plantean más tarde. Nuestro punto de vista es que las cuestiones deberían formularse de modo lateral. Dicho de otra manera, las preguntas deberían plantearse antes y después de la batalla, no durante la misma. Mientras estamos en las trincheras (cuando estamos invirtiendo), debemos adherirnos a nuestro plan (estrategia de inversión), que a su vez está basado en nuestros mapas (gráficos). Piénselo. ¿Se sentiría seguro en las trincheras con alguien nervioso que no parara de formularle preguntas?

No te presentes en un tiroteo con un simple cuchillo

Allí estaba yo, siendo intensamente bombardeado por un periodista canadiense que quería saber por qué *The Pristine Day Trader* era una publicación tan considerada en su país. «*¿Es usted un inversor profesional?*», me preguntó. «Sí», le respondí. «¿Cuánto tiempo lleva en esto?», me preguntó a continuación. «Doce años: seis como profesional y seis como novato.» «¿Ha perdido alguna vez?» «Le apuesto a que sí. Uno de los mejores.» «Espere un momento. Deje que lo entienda —dijo—. ¿Era usted un perdedor?» «Sí, y de los consistentes.» «¿Por cuánto tiempo?», preguntó con incredulidad. «Oh, durante cuatro o cinco años.» Llegados a ese punto de la entrevista, puedo decir que el periodista canadiense se quedó sin saber qué decir. Estaba hablando con Oliver L. Velez, editor jefe de *The Pristine Day Trader,* el servicio que *Barron's* clasificaba como el mejor servicio de inversiones diarias de la *web*, y estaba oyéndome decir sin alterarme que en su día fui un perdedor consistente. «Pero... pero... *Barren's* ha clasificado su servicio como el mejor», prosiguió. «¿Y? Mi servicio es un ganador, pero eso no significa que yo no fuera un perdedor», le espeté a modo de respuesta. Siguió una dolorosa y prolongada pausa y me negué a ser yo quien rompiera el silencio. Empezaba a disfrutar de su incomodidad. «Bien, dígame entonces una cosa», dijo finalmente. «Lo que sea, caballero.» «¿Es usted *ahora* un ganador?» Ya sabía lo que quería escuchar aquel tipo. No estaba acostumbrado a hablar con alguien que le contara la fría verdad, dura y sin adulteraciones. Se había desequilibrado y no se encontraba en su elemento. Debo admitir que me lo pasé en grande. La verdad es que temía tener que obedecer. Pero lo hice. «A veces gano, caballero», respondí. Siguió una nueva pausa. «¿La mayoría de las veces?», preguntó con su curiosidad elevada al máximo. «Sí. Ahora gano más que pierdo.» Una nueva pausa. Sería la última por parte de él. «Una pregunta final, señor Velez.» «Dispare.» «¿Puede evitar que *otra gente* pierda?», preguntó forzado. Ahí estaba la trampa. Ahí era donde muchos otros fabricantes, promotores y especialistas en marketing se habrían equivocado. Pero yo no. No pensaba caer en un intento de trampa tan evidente. Sabía que a aquel tipo le habría encantado que le dijera que yo soy la respuesta a todas las oraciones de los inversores para así salir en busca de montones de gente que hubiera perdido dinero utilizando mis servicios. «¡No. No puedo evitar que otros pierdan!» «Bien, entonces ¿qué *puede* usted hacer, señor Velez? Si no puede evitar que los demás pierdan, ¿para qué le pagan *exactamente*?» Entonces fui yo quien hizo la pausa. «¡Para asegurarles de que no se presenten en un tiroteo con un simple cuchillo, caballero!» Soltó una carcajada.

La mayoría de inversores que buscan nuestras instrucciones se sorprenden cuando les decimos que no podemos convertirles en ganadores. Como editores de una popular publicación de asesoría, esperan que les vendamos la idea de que somos fabricantes de milagros, creadores de sueños y garantía de esperanza, fortuna y riqueza. Los que nos conocen mejor saben que nunca prometeremos ni promocionaremos este tipo de cosas. Mire, la verdad del asunto es que nadie es capaz de transferir el dominio de la inversión. No podemos, sólo moviendo una mano, entregarle la mentalidad, la actitud, la disciplina y los modales de un ganador. Sólo *usted* puede hacerlo. Sólo la misma persona puede ganarse el derecho a ganar. Todo inversor en potencia posee la capacidad de ganar, pero esa posibilidad permanece dormida y sólo la misma persona puede despertarla. Se trata de un reto personal que nadie más llevará a cabo en lugar del mismo inversor. Lo único que nosotros, y otros mentores como nosotros, podemos hacer es ayudar a guiar y a dirigir al inversor a lo largo del camino. Incluso con nuestros conocimientos, lo único que podemos hacer es destacar los muchos obstáculos y trampas concebidas para complicarle la vida. Podemos enseñarle lo que funciona y lo que no. Podemos incluso entregarle parte de los conocimientos que tanto nos ha costado conseguir, y revelarle tácticas y técnicas que nos han demostrado fiabilidad. Pero independientemente de lo que hagamos, *no podemos* controlar lo que los inversores hagan con todas esas cosas. *No podemos* controlar la forma de pensar de los inversores o cómo sienten o reaccionan. Y *no podemos* influir sobre sus miedos o alterar su bagaje psicológico y emocional. Lo que sí podemos es asegurarnos de que se presenten en el juego con todo lo indispensable. Pero después de hacerles la maleta, por decirlo de alguna manera, y después de habernos arrodillado a su lado para murmurarles al oído algunas palabras de ánimo y fe, los inversores empiezan a correr por su cuenta y riesgo. No podemos pasar el examen por ellos. Lo único que podemos hacer es ayudarles a prepararlo. Esa es nuestra misión. Este libro está concebido para eso. Para eso nos pagan los inversores de todo el mundo. Y para intentar conseguirlo es por lo que pasamos noches enteras sin dormir. Hemos escrito este libro con un único objetivo en mente, que no es otro que asegurarnos de que nunca se presente en un tiroteo con un simple cuchillo.

SEMILLA DE SABIDURÍA

El dominio de la inversión no se alcanza nunca sin antes disponer de un cierto grado de *autodominio*. La realidad es que el maestro, independientemente de que se manifieste en forma de instructor o de servicio, tiene una capacidad infinitamente limitada en cuanto a entregar o transferir el éxito en la inversión. El único papel que puede desempeñar el maestro es el de asegurarse de que su alumno vaya adecuadamente equipado y bien preparado para la batalla que le espera. Nunca olvide, sin embargo, que la batalla es suya. Nadie puede luchar en su lugar. Nadie puede ocupar su puesto ni tan siquiera aliviarle en las empresas más duras. El éxito depende sólo de usted. Y con la guía adecuada, podrá conseguirlo, y lo conseguirá.

Busque en primer lugar los conocimientos, los beneficios en segundo

El éxito es un término muy vago, cuyo verdadero significado debe ser determinado por cada individuo. ¿Por qué? Porque cada uno de nosotros tiene su propia y única definición de lo que es el éxito y de lo que significa. Pero el fracaso, en el extremo opuesto, queda definido por una sola cosa, y esta es *el acto o costumbre de magnificar las cosas pequeñas*. La mayoría de la gente pasa gran parte de su existencia persiguiendo y centrándose en las minucias de la vida, en las cosas que ofrecen el valor más pequeño. Veamos rápidamente un ejemplo. Nuestra publicación diaria intenta ofrecer dos beneficios potenciales: conocimiento del arte de la inversión e inversiones rentables. Ahora bien, mientras que lo más probable es que la rentabilidad sea lo que capta mayor atención, los conocimientos son, de lejos, lo más importante. Una ganancia de dos o tres dólares desaparece para siempre una vez realizada. Pero adquirir el conocimiento que ha producido esa ganancia, convierte la rentabilidad en una posibilidad eterna. Como dice un proverbio chino: «Dale un pez a un hombre y lo tendrás alimentado para un día. Enséñale a ese hombre a pescar y lo tendrás alimentado para toda la vida.» En nuestra publicación incluimos un apartado educacional porque queremos que los inversores se centren en lo que es importante. Por todos los medios, queremos que persigan los beneficios y los obtengan. Y con todo, lo que pretendemos es que se aseguren de obtener los conocimientos que finalmente determinarán no sólo su rentabilidad del momento, sino su rentabilidad *duradera*.

SEMILLA DE SABIDURÍA

En cuanto a grado de importancia, el conocimiento debe ir siempre en primer lugar. Los inversores astutos colocan su deseo de obtener beneficios por detrás de su deseo de conocer. Los inversores que buscan conocimientos, incluso a costa temporalmente de la rentabilidad, descubren que los mayores beneficios son los que les esperan en un futuro cercano. Asegurarse primero el conocimiento significa la llegada de abundantes beneficios a continuación, reales, auténticos y muy duraderos. Busque aprender de todas las maneras posibles y pronto descubrirá abundantes beneficios.

El corto plazo: la llave maestra para conseguir una mayor precisión inversora

Como hemos dicho anteriormente, tenemos la costumbre de mantener a nuestros alumnos y suscriptores al día de cómo sentimos el mercado visto a un plazo muy corto (*de dos días a dos semanas*). Sin embargo, hay ocasiones en las que nuestros suscriptores solicitan nuestros puntos de vista a medio y largo plazo sobre el mercado, para con ello ayudarles a determinar cuál será nuestra estrategia en los meses venideros.

En este momento, suponemos que es usted plenamente consciente del hecho de que prestamos muy poca importancia a las llamadas del mercado que van más allá de unas pocas semanas. Ello
se debe principalmente a que somos inversores a corto plazo, pero
existe además otro motivo que merece particular atención. Para
nosotros es bastante constatable que la exactitud cae dramáticamente a medida que aumenta el marco de tiempo analizado. Sin
embargo, la mayoría de académicos y de analistas de Wall Street
afirman todo lo contrario, lo que no tiene sentido ni al nivel más
fundamental. ¿No es cierto que la claridad de nuestra visión disminuye a medida que aumenta la distancia entre el espectador y el objetivo *visualizado*? ¿No es más probable que sepamos lo que vamos a hacer en un cuarto de hora que de aquí a un año? Por
supuesto. Y lo mismo sucede con los mercados. La exactitud a corto plazo puede ser enorme, pero las innumerables circunstancias
que pueden cambiar, y cambiarán, en un período de tiempo más
prolongado, hacen que resulte infinitamente más complicado ser
exactos. Y esa es precisamente la razón por la que nos centramos
en un período de tiempo que oscila entre los dos y los diez días.

SEMILLA DE SABIDURÍA

El inversor de *tipo swing* astuto sabe que las probabilidades de
acertar en los próximos días son infinitamente mayores que las
de hacerlo en los próximos años. El inversor *de día* astuto sabe que
las probabilidades de acertar en las próximas horas son mucho mayores que las de hacerlo en los próximos días. Y el microinversor
astuto comprende perfectamente que las probabilidades de acertar
en los próximos minutos son impresionantemente mejores que las
de hacerlo en las próximas horas. No pierda nunca de vista el hecho de que los buenos inversores, sean del tipo que sean, son gran-
diosos jugadores de apuestas. Mientras que es verdad que nunca se
puede alcanzar la certeza absoluta, los inversores que operan en
plazos de tiempo cercanos tienen el poder de sesgar las probabilidades del mercado hacia condiciones más favorables. Los inversores muy buenos comprenden perfectamente este matiz, razón por la
cual los inversores muy buenos tienden a considerar y abordar el
mercado en el corto plazo.

Por qué el corto plazo es el plazo más seguro

Es durante las épocas más problemáticas del mercado cuando más afortunados nos sentimos de ser inversores a corto plazo. El enfoque del mercado a largo plazo, aunque siempre viable, se pone a prueba hasta sus límites cuando cunde el pánico en el mercado. Y mientras que el paisaje para nosotros es también más negro durante los períodos de agitación, la ventaja siempre queda para quien juega a corto plazo. ¿Por qué? Porque pueden tomarse las cosas, por negras que lleguen a ponerse, día a día. Los inversores a corto plazo disfrutan el lujo de lanzar la moneda al aire. Pueden agitarla, cambiar de lado a la velocidad de la luz, cambiar posiciones e incluso posicionarse para capitalizar el miedo durante un rato. Pueden cambiar de posición tan pronto como la situación empieza a mejorar. Nadie puede negar el hecho de que es en las épocas oscuras cuando más brilla el inversor que entra y sale continuamente, épocas en las que cualquier cosa que sugiera el largo plazo recibe duros golpes, si no es machacada por completo. Consideremos la situación casi de colapso que sufrió el todopoderoso fondo de cobertura, «Gestión de Capital a Largo Plazo», a finales de 1998. De no haber sido por la poderosa Reserva Federal y la gran cantidad que pusieron en juego los mayores bancos de los Estados Unidos, como Merrill Lynch y J.P. Morgan, uno de los mayores y más reverenciados fondos del mundo se habría quedado en un recuerdo. Ahora bien, tampoco sé si se habrían comportado mucho mejor de haber sido su nombre, y su enfoque, «Gestión de Capital a Corto Plazo», en lugar de «Gestión de Capital a Largo Plazo». Pero pensando bien en lo que les sucedió, podríamos considerarlo seriamente. ¿Adónde quiero llegar con eso?, estará usted preguntándose. A que se alegre de ser un inversor que trabaja a corto plazo. Cuando las cosas no van bien y un mercado rabioso se decide a hacerle sentir su ira, puede doler de verdad. Pero sepa que los jugadores a largo plazo son quienes salen más dolidos. En el nuevo mundo actual, lo mejor es trabajar a corto plazo.

SEMILLA DE SABIDURÍA

Hubo un tiempo, no muy lejano, en el que ser un inversor ágil que entraba y salía se consideraba como una actividad llena de estrés que producía migrañas y úlceras. Se creía también, entonces, que la única seguridad que permitía mantener la salud al inversor era la de conservar todos los valores a largo plazo. Sin embargo, la excesiva volatilidad del mercado actual, aunada con sus frecuentes brotes de debilidad que solían producir caídas de entre el 40 y el 60 por ciento en determinados valores, han convencido prácticamente al inversor de jugar más a corto plazo. Hoy en día, ser un inversor ágil que trabaja a corto plazo significa estar más libre de estrés. Ver que nuestro valor cae un 40 por ciento en dos semanas es una situación muy estresante, mientras que ver desde la barrera que el valor cae un 40 por ciento no lo es. Los inversores que trabajan a corto plazo pueden actualmente jactarse de practicar el juego más seguro. Bajo nuestro punto de vista, no hay excusas para permitir que una acción se mueva en su contra un 40 por ciento. Los mejores inversores nunca lo permitirían. ¿Por qué? Porque creen en los siguientes puntos:

1. En caso de duda, lo mejor es salir del juego.
2. Volver a entrar siempre es posible.
3. Vender aclara siempre las ideas.
4. Hay momentos en que el mercado recompensa a los cobardes.
5. Una pérdida del 5 por ciento en un valor que cae el 20 por ciento es una victoria, no una pérdida.
6. Una buena defensa es, a veces, la mejor ofensiva.
7. Quedarse fuera garantiza seguir con vida para poder jugar al día siguiente.

Invertir a largo plazo con fondos de inversión y acciones de empresas sólidas cuidadosamente seleccionadas (véase la sección «Herramienta de mercado n.º 5: El índice de los cinco magníficos» en el capítulo 10) siempre será un enfoque viable para inversiones pensadas de cara a la jubilación. Pero para conseguir dinero a partir de esos vehículos, lo que prima es el corto plazo.

Mis tres mayores descubrimientos

Me gustaría compartir brevemente con usted varios descubrimientos que me han llevado a desarrollar una maravillosa carrera como inversor profesional. No es frecuente que alguien sea capaz de destacar el par de descubrimientos que han alterado dramáticamente su vida. La sensación de que he conseguido ser uno de ellos, me permite suponer que lo que voy a explicarle a continuación caerá en manos de personas que lo encontrarán útil y esclarecedor.

Ganarse la vida con la inversión es, sin duda alguna, el objetivo y la ardiente aspiración de prácticamente todo inversor novel que experimenta su primera inversión. La independencia total, la libertad absoluta y el potencial de conseguir grandes recompensas económicas son sólo algunas de las posibilidades que pasan por su imaginación, mantienen vivas sus esperanzas e invaden todos sus sueños. Hace ya trece años (tenía yo veinte entonces) que la obsesión de dominar los mercados empezó a cautivarme. Al principio, mi estilo era el de un fundamentalista estricto; creía que todo el conocimiento sobre los futuros precios de los valores se encontraba en los informes financieros, altamente manipulados, generados por contables bien remunerados y medios de comunicación impresos avanzados. Después de un período de frustración muy prolongado como fundamentalista amante de los coeficientes, acabé dándome cuenta de que conocerlo todo es saber que una empresa *no* te dice cuándo y dónde comprar los valores de esa empresa. Después de un período perdedor de varios años y de un botín de guerra reducido drásticamente, realicé diversos descubrimientos que me cambiaron la vida y que ahora le presento para su reflexión:

1. Mis pérdidas consistentes hicieron muy aparente que un inversor podía comprar *el valor correcto* en *el momento inadecuado* y perder la camisa e incluso los pantalones. Pagué mucho para aprender esta lección, pero una vez aprendida, revolucionó mi forma de pensar y abordar el mercado.

2. Igualmente importante constituyó el descubrimiento de que un inversor podía comprar *el valor erróneo* en *el momento adecuado* y conseguir una fortuna. Este descubrimiento constituyó el elixir mágico que colocó mi pensamiento por encima de todo. Me ayudó a darme perfecta cuenta de que muchos de los conceptos y prácticas generalmente aceptados por Wall Street eran muy débiles.

3. Los descubrimientos 1 y 2 me obligaron a comprender totalmente una verdad básica abrumadora que todos los inverso-

res *afirman* ya conocer, cuando no es así en realidad. Ese principio fundamental es el siguiente. Existe una única fuerza en el planeta Tierra capaz de hacer subir un valor, y ese poder, amigo mío, no es otro que *¡COMPRAR MÁS QUE VENDER!* Eso es. Los buenos fundamentos hacen subir la acción. La buena dirección no hace subir los precios. Tampoco unos buenos beneficios. La fuerza directa que hay detrás de todo posible movimiento al alza de un valor es *comprar más que vender*. Pueden ser muchos los motivos que enciendan esta fuerza. Pueden ser diversas las circunstancias que disparen la acción, pero la fuerza directa detrás de todo movimiento no es otra que comprar más que vender.

Estos descubrimientos contienen algunos puntos sutiles, la potencia de los cuales puede pasarse fácilmente por alto si no procedemos con cuidado. El último punto contiene una de las excepcionales llaves maestras para el éxito en la inversión. ¿Subiría la acción de una empresa que informara de espléndidos beneficios en una jornada festiva en la que nadie participara en los mercados? Por supuesto que no. Si nadie apareciera para comprarla, el informe sería inútil, lo que demuestra claramente que los informes no suben los valores y sí lo hace un gran volumen de compras. Es fácil pensar que se trata de un juego de palabras, pero si consigue usted captar su sutileza, la pista silenciosa que contiene, habrá algo en su mentalidad que cambiará radicalmente. Después de realizar estos descubrimientos, era bastante evidente que podía utilizar los gráficos para controlar el nivel de «compras» en marcha relacionado con el objeto de mi elección. Si era capaz de utilizar lo bastante bien los gráficos como para ser capaz de detectar el momento en que las compras empezaban a superar las ventas, podría pillar rápidamente valores al alza mucho *antes* que las descubriesen aquellos inversores que mantienen la cabeza permanentemente pegada a los informes financieros anuales. Esto significaba que, utilizando gráficos, podía consistentemente derrotar a la masa entrando antes en los valores y saliendo antes de ellos. ¿Y sabe qué? Enseguida me encontré haciendo precisamente eso. A partir de aquel momento, decidí comprar todo aquello que mis gráficos me dijesen que comprara, especialmente si mi formación fundamentalista me decía que no comprara. ¿Por qué? Porque el gráfico favorable, acompañado por una imagen fundamentalista poco favorable, significaba que era muy probable que entrara antes que el resto de la gente, antes de que los que contaban judías averiguaran lo que estaba sucediendo en realidad. Si un valor en alza presentaba un coeficiente de precio y beneficios ridículamente elevado y mis gráficos me decían que adelante, *lo compraba*. ¿Que no era rentable? Ningún problema. Siempre y cuando el valor fuese a la alza (en resumen, que estuviesen comprándolo), me metía en ello. Los niveles elevados de endeudamiento, los coeficientes absurdos de facturación en los libros y los flujos de efectivo negativos sonaban en mis oídos como música celestial *cuando no impedían el avance del valor. Consejo:* Lea de nuevo esta afirmación, pues contiene una clave importante para alcanzar el éxito en las labores de gráficos. No es necesario que diga que estas gemas pasadas por alto ganaron un lugar muy especial en mi portafolio de inversión: el de arriba de todo.

Para resumir una muy larga historia, después de centrarme en los valores en sí, y no en las historias, declaraciones, consejos, rumores y promesas vacías sobre futuras ganancias realizadas por los riquísimos directores generales, me encontré en el lado ganador del mercado de forma mucho más consistente. A los 26 años de edad empecé a ganarme totalmente la vida a partir de las inversiones. El resto, amigo mío, es historia.

Quiero que todo lector de este libro sepa, sin la menor sombra de duda, que la lectura de gráficos es algo *real*. A pesar de todo lo que usted haya podido escuchar por parte de la vieja tropa convencional de Wall Street, el análisis técnico funciona. Toda mi vida profesional como inversor, y el elevado nivel de exactitud del que disfrutan nuestros servicios, sirven como prueba diaria de ello. El análisis fundamental tiene un determinado valor y debería tener su puesto en su arsenal general de inversiones. Pero lo que cualquier inversor a corto plazo necesita comprender es que los elementos básicos de una empresa no responden a la pregunta más importante que un inversor puede formular. Y es la siguiente: «*¿Cuándo* compro?» «Ahora que sé que la directiva actúa de forma correcta, que la empresa dispone de un buen producto y que los beneficios trimestrales se aceleran, *¿cuándo* compro?» Los inversores que trabajan a corto plazo y que se concentran únicamente en el «qué» (¿qué empresa es la buena?) y no en el «cuándo» (¿cuándo apuesto?) fracasarán, asimismo, a muy corto plazo.

SEMILLA DE SABIDURÍA

Los inversores astutos comprenden que los precios de la acción se mueven antes de que lo hagan las cifras fundamentales de Wall Street. Ello se debe a que el mercado es un mecanismo de descuento. Colectivamente, el mercado intenta anticipar los acontecimientos entre dos y seis meses. Los inversores que esperan a que las cifras fundamentales muestren lo que el precio del valor lleva comunicando hace tiempo, estarán siempre con varios meses de retraso y con unos cuantos dólares menos. Lo que es más, la lectura de gráficos, combinada con unas cuantas reglas técnicas, constituye la única forma de análisis que responde a la siguiente pregunta: «Ahora que sé que la empresa es buena, ¿*cuándo* compro?» Por lo tanto, si alguien se atreve a decirle que estudiar gráficos es muy aburrido y no funciona, mándenos a esa persona. De hecho, mejor que le entregue un ejemplar de nuestra publicación y le pregunte: «¿Y eso cómo te lo explicas? Estos chicos se dedican a leer gráficos.»

Amor: el mayor poder del inversor

Thomas Edison, uno de los mayores inventores, era famoso por decir: «En mi vida no he trabajado ni un día. Siempre me he divertido.» En lo que a las inversiones se refiere, debo admitir que me siento exactamente igual. A pesar del hecho de que las inversiones ofrecen una mezcla interminable de placer y frustración, cuando más vivo me siento y cuando el tiempo parece detenerse es cuando me siento delante de mis gráficos a tiempo real y mi sistema de ejecución de órdenes. Incluso cuando el entorno de mercado es más difícil y las oportunidades favorables se convierten en un bien escaso, sigo sintiendo emoción cada mañana al despertarme. Mi amor por ese juego me lleva a ver cualquier período escabroso como las espinas que no restan belleza a la rosa. Este juego, que denominamos inversión, es una de las empresas más complicadas que pueden llevarse a cabo. Pero a pesar de ello, la sigo amando con todo mi corazón y mi alma. De hecho, la amo porque es dura. La amo porque la mayoría de la gente no puede con ella y no sobrevive en ella, y mi supervivencia me ofrece una sensación de logro que pienso no podría obtener en nada más. No me gusta perder, como a cualquiera, pero incluso haciéndolo, el amor por la inversión sigue fluyendo libremente de mil maneras distintas. Creo firmemente que si hubiese más gente que amara la inversión por ella misma, y no sólo por lo que la inversión puede generar, la habilidad sustituiría la avaricia, la negligencia daría paso a la prudencia y la inteligencia destacaría en todas las acciones. Creo honestamente que poseo un arma secreta, un arma que me mantiene siempre por delante de esa multitud avariciosa que estaría feliz de poder tener mi cabeza en una bandeja y mis restos en sus bolsillos. Mi arma secreta es mi amor por la inversión, firme y sin adulteraciones. Y cuando hablo de este amor, no me refiero a la forma más débil de amor que se utiliza, a menudo, en conjunción con cosas como la pizza y los atardeceres soleados. No. Cuando aquí utilizo la palabra «amor» me refiero a esa condición del espíritu humano que es tan profunda que no hay fuerza ni presencia en la Tierra capaz de poder con ella. El amor del que hablo es ese amor profundo, ese tipo de amor que deja *boquiabierto*. Esta es mi arma secreta y no la abandonaría por nada del mundo. Mi amor, mi arma secreta, me ayuda a sobrevivir. Me garantiza mi supervivencia por encima de la multitud. Me asegura que superaré cualquier obstáculo que se interponga en mi camino hacia el éxito y me da fuerzas para soportar cualquier nubarrón, cualquier tribulación y cualquier momento oscuro que el mercado y/o mi estupidez personal pueda urdir. Una vez más, le digo con el mayor orgullo que amo la inversión. Y sobre todo en los momentos de prueba, amo el hecho de amar la inversión, porque de no hacerlo, habría pasado ya a la historia. Si intenta usted amar la inversión tal y como yo la amo, puede que ella decida amarle también a usted. Y déjeme que le diga una cosa, cuando la inversión y el mercado deciden amarle, la vida se convierte, de verdad, en algo grandioso.

SEMILLA DE SABIDURÍA

El amor está considerado por muchos filósofos como la fuerza más potente conocida por el ser humano. Cuando damos amor a nuestros hijos, crecen fuertes y con caracteres nobles que les conducen con éxito y audacia hacia los brazos de un futuro prometedor. Cuando el amor se dirige hacia la pareja y/o el propio trabajo, cada momento trae consigo un cálido felpudo de bienvenida que le conduce eternamente hacia el interior de la casa de la prosperidad. No me cabe la menor duda de que la vida y el mundo son totalmente un producto del poder del amor. Y los que lo tienen en abundancia y lo gastan con generosidad se ven ricamente recompensados. Creo que si quien aspira a ser inversor es capaz de aprender de verdad a amar este arte que denominamos inversión, no habrá obstáculo capaz de interponerse a la potente fuerza generada por la combinación del amor con el deseo de disfrutar del éxito. Cuando a un inversor le gusta la inversión, por sí misma, las pérdidas no se interpondrán jamás en su camino. Soportará más fácilmente los malos momentos. Y las adversidades y los períodos de crisis se considerarán como oportunidades y razones convincentes para actuar aún mejor. El amor es algo poderoso, incluso para los inversores. Y por si acaso considera usted que este concepto no encaja en el contexto general del libro, le reto a que lleve a cabo una prueba. Intente encontrar un inversor de éxito que admita que odia la inversión. Intente encontrar a alguien que domine el mercado de forma increíble y desprecie su trabajo. Busque en cualquier rincón del planeta y le garantizo que no lo encontrará. No es casualidad. Los inversores de hoy en día, magníficamente dotados con la habilidad de obtener beneficios más allá de lo imaginable, le dirán que aman su trabajo con todo su corazón. La pregunta es: ¿aman su trabajo porque hoy son ganadores? ¿O son hoy ganadores porque su amor por el arte de la inversión les mantiene con vida cuando la mayoría de la gente carente de ese amor va abandonando por el camino? Me apuesto lo que sea a que la respuesta cae en la segunda parte. Intente amarlo.

Inversores y pitonisas

El deseo de disfrutar de comodidades y certidumbre es una característica humana. Hemos crecido para quererlo, venerarlo y perseguirlo. De hecho, pasamos gran parte de la vida mordiendo, arañando y luchando por ello, habitualmente bajo el disfraz de otra cosa. Por ejemplo, pensamos querer una buena educación para nosotros y para nuestros hijos, cuando mirándolo con mayor detalle, esta actitud no refleja otra cosa que un deseo de seguridad. No consideramos normalmente la educación como un beneficio. Más bien la abordamos como un medio para conseguir un fin, y ese fin es la seguridad y la certidumbre. La persona que trabaja muchas horas en un trabajo que odia, lo hace por un deseo de certidumbre. En cierto sentido, prácticamente todo lo que hacemos se relaciona con el deseo de sentirnos seguros. Pero lo que resulta interesante es que la certeza es algo muy difícil de conseguir en la vida. Y cuando volcamos nuestra atención hacia el mercado, ese espejo casi perfecto de la vida, descubrimos que esta afirmación es incluso más cierta. La verdad es que la certeza es un mito. ¿Por qué? Porque la certeza sólo puede hacerse realidad cuando se conoce totalmente el futuro. Y estamos seguros de que no es necesario que le digamos que nosotros, como seres humanos y como inversores, no hemos sido agraciados con el beneficio de conocer el futuro. Podemos suponer lo que nos traerá el mañana y a veces acertar. Pero nunca podemos estar seguros de tener toda la razón. Por lo tanto, en cierto sentido, la búsqueda de la certeza es un intento inútil que conduce invariablemente a la frustración y al desengaño. Hay muchos inversores que buscan la certeza en los mercados, y esta es la razón por la que tantos de ellos se frustran y se sienten desengañados y van cambiando de un servicio a otro, de este gurú a aquel. En lugar de querer ser inversores, estas personas ingenuas albergan en secreto el deseo de ser pitonisas y lectoras de hojas de té. No parecen reconocer que lo único que podemos esperar es disponer de una habilidad excelente para valorar las probabilidades de estar en lo cierto. Los buenos inversores son, en realidad, especialistas en probabilidad. Eso es todo. Nunca *lo saben*. Pero han aprendido a vivir con ello.

SEMILLA DE SABIDURÍA

El deseo de certeza es una trampa en la que muchos inversores siguen cayendo. Debemos darnos cuenta de que en la vida es imposible encontrar la certeza y que tampoco es posible encontrarla en el mercado de valores. Los inversores deben aprender a aceptar el hecho de que nunca podemos estar seguros de lo que nos deparara el

2. El desarrollo de la mentalidad del maestro de la inversión

Claves para corregir el comportamiento del inversor

¿Juega o invierte?

Jugar en la Bolsa es una de las actividades más apasionantes que pueden llevarse a cabo. Cada día, cada hora e incluso cada fluctuación de precio puede aumentar dramáticamente, o disminuir, el bienestar económico del participante activo en el mercado. Las ganancias pueden ser rápidas y enormes, mientras que las pérdidas, si no se anda con cuidado, pueden igual de rápido expulsarle del juego para siempre. El potencial de adquirir una riqueza rápida y duradera, unida a la extrañamente excitante posibilidad de caer en la ruina económica, convierten la inversión profesional en una de las actividades más deseadas del universo financiero. Sin embargo, la mayoría de los que se inician en esta exigente profesión acaba fracasando. Y fracasan miserablemente. Esta fría y dura realidad se debe a varios motivos, pero me gustaría destacar uno de los más dañinos. Lo que garantiza el fracaso de incontables inversores novatos es su incapacidad de ver las diferencias entre un «juego» y una «inversión profesional». Cargarse de un valor justo antes de que la empresa libere lo que se «espera» sean beneficios positivos, y comprar valores que se derrumban a la velocidad de la luz, son sólo dos de las acciones que encajan con el criterio de juego sin sentido. Mientras que estos «disparos» pueden dar excelentes resultados ocasionalmente, su mayor valor se encuentra en la diversión que suponen, no en su enfoque inteligente. Son movimientos que no tienen nunca lugar en un programa de inversión inteligente y bien planificado. Si desea usted divertirse, mejor y más barato ir al cine. Si quiere ganar dinero en el mercado consistentemente, mejor que sus métodos sean profesionales y extremadamente disciplinados. Esta es la razón por la cual los artículos que ofrecemos a los suscriptores de *Pristine Day Trader* van acompañados por una estrategia de inversión profesional y muy detallada. Poco dejamos en manos de la improvisación y las corazonadas, y nos centramos enteramente en la ejecución: (1) un punto de partida adecuado, (2) una gestión correcta de la posición y, naturalmente, (3) un punto de salida adecuado. Cuando aborde el mercado de esta manera, con un plan inteligente y bien pensado, es posible que muchas de sus jugadas carezcan de la pasión del «juego» y que ocasionalmente no cumplan sus expectativas de dinamismo. Pero, igual que todos los inversores profesionales, tendrá la seguridad de poder salir a invertir un día más, un año más, y quizá, incluso una década más. La inversión inteligente implica la creación de un plan. Jugar no es más que comprar y vender con poco más que la *esperanza* de hacerlo bien. Por lo tanto, invertir con inteligencia es de vital importancia. No pierda nunca de vista este hecho: *para ganar, es necesario perdurar*. Los que invierten con inteligencia, perduran, mientras que no es el caso de los que juegan. Todo inversor debe aprender a reconocer qué es qué.

SEMILLA DE SABIDURÍA

El deseo de puntuar alto, en otras palabras, de jugar, es una de las características del inversor novel. Los profesionales reconocen plenamente que el arte de la inversión a corto plazo se reduce a un juego de octavos y cuartos, y a veces de cuartos y mitades. Piénselo. Los jugadores más astutos de Wall Street son los creadores del mercado y los especialistas. En un momento dado, pueden estar controlando decenas de millones de dólares. Las empresas que representan son inmensas, influyentes y muy poderosas. En un sentido muy real, estos maestros de la inversión son Wall Street. Son los titanes del juego, los reyes del escenario y, como resultado de ello, disfrutan de un espacio permanente en la cima de la cadena alimenticia financiera. Los creadores del mercado y los especialistas son verdaderos profesionales, y ¿cuál es su único propósito? ¿Lo sabe usted? *Su objetivo, en cualquier momento de su vida como inversores, es simplemente ganar en el margen o en la diferencia entre el precio de oferta y demanda de los valores en los que invierten.* Lea de nuevo esta frase porque en ella se incluye una de las llaves maestras que da acceso al éxito en la inversión a corto plazo. Las empresas más grandes y poderosas, los dioses financieros que han amasado y controlado fortunas inenarrables, van única y exclusivamente detrás de una sola cosa: *el margen*. No van detrás de obtener una ganancia de cuarenta dólares en Amazon.com. Tampoco intentan capturar un avance robusto de cuatro dólares en American Online. En resumen, no son jugadores de apuestas, son inversores profesionales de primera categoría cuyo único objetivo es ganar en el margen. Se esconde aquí un mensaje muy potente. Los que lo hayan captado habrán comprendido una de las verdades más escondidas y más protegidas de este juego. Mientras que el novel puede tener suerte de vez en cuando y hacer el día con una ganancia de las que llenan la boca, el verdadero profesional va detrás de una ganancia menor, pero segura. Y la disfruta miles de veces. El novato, carente de esta habilidad, es el que piensa que la única forma de ganar es haciendo la jugada de su vida. El novato que no formula un plan y que pierde el momento una y otra vez, piensa que el billete para un futuro brillante en el mundo de la inversión viene en la forma de boleto de lotería. Los inversores más astutos de Wall Street no compran ni esperan boletos de lotería. Los venden a los novatos. Invierta, por encima de todo. No se limite a jugar.

Las ganancias no siempre son ganancias y las pérdidas no siempre son pérdidas

¿Determina el beneficio el hecho de que una inversión fuera buena o correcta? Si perdemos dinero con una inversión, ¿deberíamos suponer automáticamente que lo hemos hecho mal? ¡La respuesta a ambas preguntas es un grandioso *no*! El resultado final de una inversión concreta no determina que el método utilizado o la decisión de realizar la inversión sea correcta o incorrecta. Los muchos inversores que desconocen esta verdad dudan y saltan eternamente de técnica en técnica, sin acabar obteniendo experiencia en el proceso. Son muchos los inversores que no se percatan de que incluso lanzar una moneda al aire puede, a veces, ser lo adecuado. Pero lo que es seguro es que una estrategia de «comprar cabezas y vender colas» no es un método correcto, a pesar de las ganancias ocasionales que pueda generar. A lo que queremos llegar es a lo que sigue. No todas las inversiones que se realizan en el mundo real, por buena y aplicable que sea su estrategia, van a acabar resultando ganadoras. Habrá momentos en que la técnica será buena y el resultado final seguirá siendo una pérdida. Por otro lado, habrá veces en que ganará, a pesar de haber abordado la inversión erróneamente. El profesional sabe que mientras se concentre en asegurarse de que los componentes individuales de cada inversión se gestionen debidamente (la espera, el tiempo de ejecución, la entrada, la gestión del dinero, la salida, etc.), las ganancias vendrán solas. Por lo tanto, en lugar de utilizar el resultado final de una inversión para determinar si una táctica de inversión concreta es buena, debería utilizarse el resultado final de, por ejemplo, diez inversiones. De hecho, los inversores deberían siempre recordar, antes de realizar cualquier inversión, que esa inversión no es más que una más en toda una vida de inversiones. Por lo tanto, una ganancia aquí o una pérdida allá no marca una gran diferencia en el esquema de las cosas. Esto debería ayudar psicológicamente a los inversores que pasan mucho tiempo preocupándose por el resultado final de todas y cada una de sus inversiones, una actividad que provoca el miedo, la pérdida de oportunidades y, finalmente, la enfermedad mental.

SEMILLA DE SABIDURÍA

Convertirse en inversor profesional debería considerarse como un proceso que dura toda una vida y que nunca termina. El inversor equipado con esta mentalidad considera cada jugada como una inversión diminuta en una vida entera de inversiones. Es insignificante por sí misma, tanto si el resultado es una pérdida como si es una ganancia. Si aborda de esta manera cada una de sus decisiones de inversión evitará gran parte de la presión que experimentan los inversores principiantes. Le ayudará a generar una paz y una claridad mental que animarán la independencia de actuación y las decisiones inteligentes. Pero el tema central, el que todos los inversores serios deben comprender debidamente, es que una sola inversión no puede, y no podrá, comunicarle dónde se encuentra usted como inversor o cuál es su nivel. El nivel se revela únicamente después de ejecutar un bloque importante de inversiones. A los perdedores les toca la lotería de vez en cuando y se sienten como los reyes del día. Los ganadores pierden de vez en cuando y, por un breve período de tiempo, no pueden mostrar su grandeza al mundo. Pero después de diez o doce inversiones, suele separarse lo *real* de lo *falso*. Es después de realizar un buen bloque de inversiones que las taras se separan y emergen los verdaderos ganadores y ocupan el lugar que les corresponde como reyes en la cima de la colina. Nunca juzgue su éxito o fracaso a partir del resultado de una única inversión. Puntúese después de haber realizado diez. Después de diez o doce inversiones consecutivas, sabrá todo lo que necesita conocer sobre quién es usted y dónde se sitúa como inversor. La verdad se revela en grupos de diez. Recuérdelo.

Las masas no pueden ganar durante mucho tiempo

En épocas de agitación bursátil, muchos de los contactos que tenemos entre los brokers nos revelan cuándo sus clientes, inversores individuales, se alejan del mercado en manadas. Siempre que esto sucede, es un fuerte indicador de que el fondo de la reciente caída del mercado de valores está cerca. El mercado de valores posee una tendencia innata a sacudirse de encima lo que nosotros denominamos «manos débiles», antes de volver a despegar hacia arriba. El intenso nivel de frustración y el elevado nivel de euforia entre los clientes de los brokers son, de hecho, misteriosos barómetros de mercado que algunos inversores astutos utilizan para señalar los máximos y los mínimos del mercado. Y debemos admitir que estos barómetros se comportan bastante bien. Pensándolo bien, tiene todo el sentido del mundo. Los mercados financieros no están concebidos para beneficiar a la mayoría y esta es la razón por la cual las correcciones tienden a obliterar al inversor típico (la mayoría), mientras que los inversores astutos (evidentemente, la minoría) aguantan lo suficiente como para recoger los pedazos cuando el mercado finalmente da el vuelco. Los profesionales dominan el hecho de mantener perpetuamente al inversor medio en el lado erróneo de la ecuación. Cuando el novel desea comprar, el profesional está dispuesto a venderle. Cuando el novato desea tirar la toalla y vender, el profesional está perfectamente dispuesto a aliviarle su dolor comprándole. Y lo que le preguntamos aquí es: «¿Qué personaje es usted en esta grandiosa comedia?» ¿Forma parte del grupo de los tristes y manipulados que se rinden justo cuando el juego está a punto de cambiar a su favor? En este negocio sólo sobreviven los hábiles y, evidentemente, los supervivientes son los únicos que logran el éxito. Haga todo lo posible para ser un superviviente. Su éxito depende de ello. Cuando las cosas se ponen duras, los ganadores se ponen más duros. Para ganar en este juego es imprescindible sobrevivir en él. La próxima vez que se descubra pensando en abandonar, formúlese la siguiente pregunta: «¿Qué papel estoy jugando en esta grandiosa comedia?» Esto debería ayudarle a disfrutar de un momento de claridad en el que puede surgir la respuesta correcta.

SEMILLA DE SABIDURÍA

El juego de la inversión es una batalla perpetua entre la minoría y la mayoría, los astutos y los ignorantes, los que tienen y los que no tienen. Y debe comprenderse que los que tienen, los que saben, casi siempre ganan. Los mercados están concebidos así. Para tener éxito es imprescindible formar parte del grupo ganador. Pero la realidad es que son muy pocos los que consiguen abandonar el gran grupo de los perdedores para pasar a ese envidiado grupo minoritario de los vencedores. Como ya hemos dicho, los mercados no están concebidos para recompensar a la mayoría. De hecho, el objetivo de la mayoría, la razón por la cual la mayoría tiene permitido jugar, es proporcionar alimento (beneficios eternos) a los dioses, los vencedores. La siguiente metáfora debería demostrarle claramente cómo se concibió el funcionamiento de los mercados.

La teoría del vagón orquesta: una mirada al auténtico funcionamiento del mercado

Imagínese un vagón orquesta que avanza a paso rápido. En cada extremo del vagón hay altavoces por donde suena una música muy agradable al oído y en la parte trasera del vagón hay un grupo de gente que se lo está pasando en grande. La música, fuerte y clara, empieza a atraer a otros mirones que estaban sin hacer nada por otros lados. Estos mirones, incapaces de resistirse a los dulces sonidos de la música, corren a unirse a la fiesta que parece estar desarrollándose allí. Progresivamente, más y más mirones se amontonan al final del vagón y los que al principio se encontraban disfrutando de la primera fase de la fiesta empiezan a marcharse. A medida que aumenta la multitud de juerguistas, al vagón le cuesta cada vez más seguir avanzando a la misma velocidad. Baja el ritmo, permitiendo con ello que cada vez más mirones, viendo lo bien que se lo pasan allí, puedan unirse al grupo. La multitud es cada vez mayor. Y aumenta y aumenta hasta que el vagón orquesta, cargado hasta los topes de juerguistas borrachos, no puede seguir avanzando. Finalmente se detiene. Cuando el vagón orquesta está *completamente* quieto, sigue subiendo más gente. ¿Y por qué no? Llegado este punto resulta muy fácil unirse a la diversión. No cuesta nada, las personas que quieren unirse a la masa ya no tienen que correr para saltar a bordo del vagón. Pero la naturaleza del vagón es seguir avanzando. Quedarse inmóvil no es natural y, por lo tanto, es una situación que no puede prolongarse. Intenta avanzar, pero no puede. La multitud que se amontona en la parte trasera es excesiva. Debe liberarse de su pesada carga. Y lo hace. Cambia rápidamente de dirección y parte de los juerguistas salen disparados. La música se detiene. Empiezan a surgir caras sorprendidas entre la multitud. Antes de que nadie se entere de lo qué está sucediendo, se produce una nueva sacudida, esta vez más violenta. Cae de nuevo otro grupo de gente. Volvemos a la realidad. La diversión se ha convertido en una pesadilla de proporciones épicas y empieza a cundir el pánico. Algunos deciden saltar y morir. Una nueva sacudida manda a un grupo aún mayor de borrachos, personas que no pueden mantener el equilibrio, de bruces al suelo enfangado. No para. Las sacudidas prosiguen, cada vez más violentas. Llegado este punto, sólo aguantan los más fuertes, su vida pendiente de un hilo. Viendo que no puede liberarse del todo, el vagón orquesta se agita con todas sus fuerzas y esta última sacudida resulta tan maligna que sus ruedas delanteras se levantan incluso del suelo, suspendiendo momentáneamente el vagón en posición perpendicular. Los últimos ocupantes caen al suelo, rotos y maltrechos. Llegado este punto, surge del bosque un nuevo grupo de espectadores. Van limpios y están sobrios. Todos sus movimientos son deliberados y llenos de energía porque no han tomado parte de la tragedia que acaba de finalizar. ¿O sí? Algunos de los que quedan por los suelos se los miran bien y se les revela algo interesante. Aquel grupo aparentemente nuevo no es nuevo en absoluto. Se trata del mismo grupo que abandonó tranquilamente el vagón antes de que llegara aquel fin tan violento. Los espectadores derrotados observan con mayor detalle y ven algo más asombroso, si cabe. Se trata no sólo del grupo que se marchó antes, sino además *del grupo que originó* la fiesta. «Dios mío», exclama alguien. Paralizados e incapaces de moverse libremente, lo único que pueden hacer los derrotados es observar cómo los maestros del juego se ponen *de nuevo* en marcha. Tan pronto como las ruedas del vagón orquesta rozan el suelo, los profesionales suben rápidamente a bordo. Fácil. El vagón orquesta, liberado de aquella enorme multitud, avanza libre y ágilmente, transportando cómodamente en su interior al grupo más astuto. Acelera y pronto desarrolla un elegante avance. Después de unos cuantos kilómetros de movimiento ininterrumpido, alguien de este grupo de maestros toca un interruptor y se inicia de nuevo la música. Alguien grita: «Atención todo el mundo. Ahí vienen. Hagámoslo otra vez.» En cuestión de segundos, los que fueron las víctimas del desastre anterior parecen de nuevo interesados. Es como si la música les despertase de la tumba. Y una vez más, se repite el interminable ciclo.

SEMILLA DE SABIDURÍA

La analogía que acaba de leer vale muchas veces el precio que le haya costado este libro, siempre y cuando capte todo su contenido. Si ha escuchado realmente el mensaje y capta la sabiduría que impregna las metáforas, se encontrará pidiendo un nivel superior de comprensión y dominio. Con cada lectura descubrirá un punto de vista más profundo sobre los funcionamientos internos del mercado y el modo con que los sabios de Wall Street lo manipulan para obtener beneficios. Como hemos declarado anteriormente, el objetivo de este libro es ayudarle a pasar del gran grupo de los novatos a ese grupo mucho más pequeño para el que hay muy pocas invitaciones. Si no da el salto, no será más que uno de los muchos juguetes de aquellos que sí lo han dado. Y cuando ya no pueda divertir a los dioses con sus ganas de practicar al juego, le devolverán roto, asolado y deprimido. No permita que le suceda. Las respuestas que busca están en estas páginas. De hecho, la teoría del vagón orquesta incluye una pista muy significativa de este juego que denominamos inversión. ¿Por qué no vuelve a leerla ahora mismo? Su futuro puede depender de ello.

El dinero no lo es todo

Oscar Wilde, a quien he citado varias veces, escribió: «Cuando era joven pensaba que el dinero era lo más importante de la vida. Ahora que soy mayor, sé que lo es.» Una afirmación que no podía ser más cierta para el inversor que trabaja a corto plazo. Nuestro éxito definitivo como jugadores viene, y vendrá siempre, determinado por nuestra habilidad para hacer dinero. Por lo tanto, en un sentido muy verídico, el dinero *es* lo más importante. Sin embargo, a pesar de ser cierto, también es posible llevar demasiado lejos la afirmación del señor Wilde. Por ejemplo, una inversión perdedora, en sí misma, no indica necesariamente la ejecución de una estrategia errónea. Jamás debemos perder de vista el hecho de que vivimos en un mundo real y que las mejores intenciones del mundo real, incluso sus mejores estrategias, no siempre funcionan. Una pérdida aquí y otra allí no es prueba suficiente para determinar la efectividad general de una estrategia concreta. Una sola pérdida podría ser resultado de las malas condiciones del mercado, de un cambio repentino en las probabilidades, de una noticia inesperada, de una entrada tardía, de una salida temprana, de una mala ejecución, etc. Cuando ponemos a prueba la efectividad de una estrategia concreta, debemos observar los resultados después de diez inversiones. Si después de diez o doce inversiones, preferiblemente distanciadas por distintos entornos de mercado, el resultado se decanta hacia lo positivo, podemos asumir que la estrategia es prometedora. Por otro lado, si el resultado está en números rojos, podemos entonces, y sólo entonces, decir con certeza que el enfoque es erróneo. Nuestros 25 años sumados de experiencia nos han llevado a darnos cuenta de lo siguiente. Cuando la estrategia o el enfoque es el correcto, el dinero viene solo. Enseñamos a nuestros alumnos a centrarse en su técnica. Les decimos que de hacerlo, todo lo que están buscando llegará solo.

SEMILLA DE SABIDURÍA

Es imperativo que el inversor sea capaz de separar las pérdidas debidas a una mala estrategia de aquellas causadas por la mala implementación de una estrategia. El inversor que no sepa hacerlo puede acabar mordiéndose la cola eternamente. El progreso evita a los inversores que saltan constantemente de una estrategia a otra, sin permitir tiempo a que cada una de ellas demuestre sus méritos. No se puede permitir que el dinero o la rentabilidad influyan sobre la opinión que tenemos sobre una determinada estrategia. En este aspecto, el dinero no lo es todo, ya que puede darse el caso de que una estrategia mal construida recompense al inversor durante una temporada. Por otro lado, algunas de las mejores pueden aportar pérdidas temporalmente. Pero serán mayoritariamente las buenas las que acaben demostradas con el tiempo y, para nosotros, el tiempo se mide en bloques de diez. Si la estrategia no ha dado ningún fruto después de diez inversiones, entonces, y sólo entonces, podrá cuestionarla legítimamente. Como hemos mencionado antes, el progreso se hace patente en grupos de diez. No lo olvide.

El peligro de preguntar «por qué»

Siempre me río cuando escucho comentarios entre los inversores del tipo «El mercado de valores es complejo y muy confuso». Se trata de un concepto que no suscribimos y que tampoco debería suscribir usted. La verdad del tema es que los mecanismos del mercado de valores son muy sencillos. Aunque la mayoría de la gente se muestre, de entrada, en desacuerdo, pensarlo un poco demuestra que es una verdad innegable. Considere lo siguiente: un valor y/o un mercado, sólo puede hacer tres cosas:

1. Subir.
2. Bajar.
3. Oscilar lateralmente.

Eso es todo. Eso es literalmente todo lo que pueden hacer los valores. Subir, bajar u oscilar levemente. Pero «sencillo» no significa «fácil». ¡Oh, no! Si invertir fuera fácil, todo el mundo sería económicamente independiente. Mientras que invertir en el mercado está lejos de ser fácil, los mecanismos son bastante sencillos. Consideremos otra verdad fundamental que de tan sencilla que es, muchos pasan por alto su significado o deciden ignorarlo:

Verdad: Un valor (o el mercado) sólo puede subir si hay más compra que venta.

Naturalmente esto significa que un valor sólo puede bajar si hay más venta que compra. «Pero, Oliver y Greg, ¿no estáis sólo afirmando una evidencia?», nos preguntará. No estamos seguros de que este concepto sea tan evidente como parece, especialmente dadas las incontables preguntas que recibimos a diario preguntando cosas como esta:

Pregunta: «He vendido sin ganar nada Intel Corporation, pero está subiendo. ¿Por qué sube?»

Pristine: Porque hay más gente dispuesta a comprar acciones que a venderlas.

Pregunta: «¡Sí! Pero ¿por qué?»

Pristine: Estimado caballero. Intel Corporation se presentó esta mañana con malas noticias y a pesar de estas noticias negativas, el valor está subiendo. Esto sólo puede significar una cosa: que el lado comprador (demanda) está superando el lado vendedor (oferta), independientemente de las noticias negativas. Bajo nuestro punto de vista, sólo le queda un cami-

no que tomar. ¿Por qué le importa el «motivo»?
Una pérdida de tres dólares es una pérdida de tres
dólares, sea cual sea el motivo, ¿verdad?

Esta última afirmación saca a relucir otro punto que merece la
pena mencionar. Siempre que nos encontremos mirando el «porqué», en lugar del «qué», sabemos con absoluta certeza que tenemos problemas. *Lo que* un valor haga es mucho más importante
que el *por qué* lo hace. El «por qué» queda siempre reflejado en el
precio del valor. En resumen, ¡el gráfico lo dice todo! Hay innumerables motivos por los que un valor puede subir. Pregúnteselo a
cualquier fundamentalista. Como técnicos que somos, lo único que
nos importa es que el valor sube y que tenemos que aprovecharlo.
Al fin y al cabo, ¿no es eso lo que determina la rentabilidad?

SEMILLA DE SABIDURÍA

Preguntarse «por qué» en medio de una transacción es un signo
clarísimo de que se encuentra usted atrapado en un estado de confusión y quizá paralizado, y, por lo tanto, incapaz de actuar. La in-
terrogación «por qué» en este contexto resulta peligrosa. Siempre
que sorprendemos a uno de nuestros inversores preguntando «por
qué», le pedimos que recorte por la mitad su inversión. Si esto no
acaba rápidamente con la pregunta «por qué», le pedimos que acabe con la totalidad de la inversión. Y es entonces cuando le decimos: «*Ahora* ya puedes preguntar "por qué" cuantas veces quie-
ras.» Lo hacemos porque el campo de batalla no es lugar donde
cuestionar el plan de juego. En el momento en que se empieza a dudar del plan se inicia el camino hacia la salida. Preguntar «por
qué», buscar el motivo, es prueba de estar perdido y de haber abandonado el puesto de mando. El único momento adecuado para preguntar «por qué» es antes y después de la transacción. En plena batalla, la única opción es la acción, no las preguntas. Pregunte con
antelación o busque las respuestas después, en la seguridad de su
escondite. Hacerlo en el campo de batalla es peligroso, a menos
que le guste recibir alguna que otra bala.

Cuando la exactitud se convierte en un problema

Como editores de una de las publicaciones de asesoría de inversión más populares de los Estados Unidos, y con suscriptores en 48 países distintos, siempre habíamos creído que lo habíamos oído y visto *todo*. Y cuando decimos todo, nos referimos a todo. Pero no hace mucho tiempo, se hizo evidente que nos equivocábamos por completo. Una fría mañana de diciembre de 1998, recibimos una llamada de un potencial suscriptor que llevaba casi una semana recibiendo el *Pristine Day Trader*. El rendimiento de nuestras elecciones había sido bastante estelar durante los anteriores cinco días laborables, y a nuestro nuevo amigo no le había pasado por alto ese impresionante hecho. Pero por extraño que parezca, nuestro éxito representaba para aquel caballero un gran problema, ya que concretamente mencionaba el hecho de andar buscando una publicación que perdiera dinero, no que lo ganara. Con términos de lo más precisos decía, y así lo cito: «Llevo cinco días controlando su publicación y debo admitir que la aciertan con más frecuencia que se equivocan. Pero esto no me hace ningún bien, porque estoy buscando una publicación que elija valores que vayan a la baja. Sus valores no van a la baja. Suben.» Estaba asombrado. «Y bien, ¿qué te parece esto? —le pregunté a Greg—. Un hombre a *quien no le gusta* nuestra exactitud.» Al principio nos echamos a reír con todas nuestras fuerzas. Pero esa fue nuestra primera respuesta. Poco después, dejamos de reír para empezar a percatarnos de algo. Aquel caballero era prisionero de una ideología, de la que soporta la muy popular idea de que el dinero se obtiene siempre a partir de la compra de valores que van a la baja. No le importaba que nuestros resultados dijeran lo contrario. Era leal a la idea, *no* a los resultados. Tan pronto como nos dimos cuenta de esto, caí en la cuenta de que todos habíamos sido culpables de este crimen de muchas otras maneras. No puedo decirle cuántas veces he cometido el error de vender un valor porque creía que estaba subiendo con excesiva rapidez. ¿No era esta la misma idea de la que me había reído? Por supuesto que sí. Sólo que al contrario. El punto es que mientras que las ideas y los conceptos de inversión ocupan su lugar, lo que cuenta al final son los resultados. A veces, los conceptos que seguimos son tan atractivos que tendemos a perder de vista el hecho de que nuestro objetivo no es ser inteligentes, ni divertirnos, ni tan siquiera hacerlo bien, sino simplemente ganar dinero. Nada más, nada menos. Soy consciente de que le he dicho que el dinero no lo es todo, y eso es verdad. Pero si descubre que su idea le gusta, pero no gana dinero después de desarrollar unas diez inversiones, ha llegado el momento de encontrar otra idea o de cambiar la inversión por el bridge, el dominó o la filosofía, donde ser un ideólogo es mucho más barato.

SEMILLA DE SABIDURÍA

Como he mencionado en una anterior sección, el dinero no lo es todo. Pero en un momento dado, sí puede serlo todo. Cuando se trata de un concepto, táctica o técnica, los primeros diez intentos no deberían despertar en nosotros ninguna opinión. Pero después de unos diez intentos, el concepto que estemos utilizando debería verse sometido a una revisión microscópica que tuviese como base el dinero. Al fin y al cabo, estamos invirtiendo para ganar dinero, no para fabricar ideas. Los que se enamoran en exceso de sus puntos de vista corren el riesgo de ignorar signos de que sus sofisticadas estrategias necesitan cuestionarse, cambiarse o, incluso, descartarse. Como inversor profesional, no puede permitirse ser fiel a ideas o conceptos de inversión que estén de moda. Al final, su lealtad debe consagrarse a lo único que cuenta, y eso es el progreso, el avance, y sí, ¡el dinero!

La entrada es el 85 por ciento de la inversión

Ser un inversor de éxito viene determinado por una importante cantidad de factores. Debemos dominarlos todos, pero mi experiencia como inversor profesional me ha convencido de que *saber en qué momento acceder a un valor, constituye prácticamente el 85 por ciento del éxito del inversor*. Soy perfectamente consciente de que hay quien cree que la clave de una buena inversión es vender adecuadamente, pero mi propia experiencia me lleva a no estar de acuerdo con esta postura. La mayoría de los problemas que encontramos como inversores se vinculan directamente a momentos y lugares incorrectos de entrada. El inversor puede convertir una buena inversión en una inversión perdedora por haber entrado en ella inadecuadamente. Por otro lado, inversiones no tan buenas pueden acabar resultando ganadoras si la entrada se ha realizado en el punto y el momento adecuados. Por lo tanto, la base de la inversión a corto plazo es la entrada. El inversor que accede a un valor adecuadamente y en el momento justo, se encuentra en cuestión de minutos (horas en algunos casos) en terreno favorable. El inversor que realiza una mala entrada y con un precio excesivamente elevado tiene muchas probabilidades de que la inversión se vuelva en su contra casi de inmediato. Toda experiencia está determinada por un factor: cuándo y dónde se ha realizado la entrada, en otras palabras, cuándo ha apostado. Y resulta sorprendente que la comunidad de inversores profesionales haya conseguido salir adelante ignorando el más crítico de todos los puntos. ¿Cuántas veces ha oído usted a «un broker» importante recomendando un valor para «comprar»? ¿Y qué significa eso exactamente? Le han dicho *lo que* tiene que hacer, pero han dejado en el aire el factor más importante, *cuándo* hacerlo. Su rentabilidad vendrá determinada por cuándo compre usted lo que le han recomendado, no por si compra usted lo que le han recomendado. Está muy bien conocer el «qué» (comprar, vender o conservar). Pero lo que le convertirá en un gran inversor es saber «cuándo» hacer el «qué». Domine el arte de la entrada y no tendrá que preocuparse tanto de dónde salir cuando quiera liquidar sus beneficios. En la segunda parte del libro, nos adentramos en los componentes necesarios de la entrada (véase el capítulo 14). Cuando termine, estará bien instruido en la ciencia de acceder a un valor.

SEMILLA DE SABIDURÍA

Un axioma comúnmente aceptado en Wall Street nos dice que la clave para dominar el juego de la inversión está en saber cuándo vender. Mientras que no podemos descartar por completo este concepto, lo que sí podemos decir con un elevado grado de certeza, es que entrar debidamente en un valor disminuye en mucho los problemas asociados con saber cuándo vender. Todo inversor acaba percatándose de que las mejores inversiones son aquellas que resultan rentables al instante. No provocan ningún dolor desde su inicio hasta el momento en que se liberan. ¿Cuál es la diferencia entre un valor que va a la baja poco después de adquirirlo y otro que se dispara momentos después de entrar en él? La diferencia estriba únicamente en la entrada. La inversión con una entrada adecuada es como un niño maravillosamente criado que no provoca problemas. Hace *lo que* se supone que debe hacer y *cuando* se supone que debe hacerlo. Obedece todas las órdenes. Vender una inversión en la que se ha entrado correctamente es mucho más fácil porque la única pregunta que debe preocuparle es la siguiente: «¿Cuándo tengo que pasar por el banco?» Una pregunta muy distinta a la de: «¿Pasaré algún día por el banco con esta inversión?», o «¿Tendré que malvender esta inversión?». La primera pregunta es la de un vencedor. Las otras dos las de un perdedor, una víctima. Una entrada adecuada le colocará con frecuencia en la posición de poder formular preguntas ganadoras. Sí, es importante saber cuándo vender, pero cómo y cuándo entrar lo es más. Estudiaremos en profundidad el arte de entrar adecuadamente en un valor en la segunda parte.

Su percepción se convertirá en su realidad

La mayoría de los inversores no se dan cuenta de que su realidad inversora, su experiencia, viene, en gran parte, determinada por su interpretación del mercado. No necesariamente por lo que el mercado haga. En otras palabras, lo que determina nuestros resultados no es la realidad del mercado, sino que lo que los determina es nuestra interpretación de esa realidad y nuestra respuesta a ella. Es posible que todo esto le suene más filosófico que práctico, pero podemos decirle que a nosotros nos ha servido de mucho. Consideremos, por un momento, la naturaleza del mercado en general. El mercado, por sí mismo, no es más que un potaje de números cuánticos. No ofrece ninguna guía, dirección u orden. Nosotros, como inversores astutos que somos, debemos *ponerle* orden. El orden no es responsabilidad del mercado, sino *nuestra*. Pongámoslo de otro modo, el mercado por sí mismo no puede afectar nuestra vida ni tan siquiera determinar nuestros resultados. Lo que les afecta es nuestra respuesta al mercado, y nuestras respuestas vienen determinadas por nuestras propias interpretaciones. Esta perspectiva sitúa toda la responsabilidad en el lugar donde debería estar, en *nosotros*. Piense cuántas veces le han abordado con la siguiente pregunta: «¿Qué tal *te* trata el mercado?» ¡Como si el mercado fuera capaz de elegir sus amigos y sus enemigos! La verdadera pregunta es: «¿Cómo está *usted* tratando, o respondiendo, al mercado?» Nunca somos víctimas. Sí, podemos perder o experimentar dolor debido a una interpretación incorrecta o una lectura defectuosa del mercado. Pero esa interpretación es siempre nuestra, o al menos, es la que hemos elegido aceptar.

SEMILLA DE SABIDURÍA

El mercado es un espejo casi perfecto de la vida. Esta es la razón por la cual, a menudo una vida de éxito se refleja asimismo como una inversión de éxito. Gran parte de lo que nos da la vida depende de la percepción que tengamos de ella.

Una percepción negativa

Una persona experimenta sólo desgracias, desengaños y fracasos. Como resultado de ello, todo lo que esa persona ve es oscuridad, negativismo y un montón de razones que confirman las condiciones trágicas que está experimentando. Poco sabe esta persona que la vida, un espejo perfecto de sus percepciones, refleja todo lo que ha creado y sigue creando. No es de sorprender que todos los pasos que dé esa persona le lleven a la desgracia.

Una percepción positiva

En el lado opuesto encontramos a otro individuo con circunstancias prácticamente idénticas al primero, pero que responde de forma distinta a las condiciones. En lugar de preguntarse: «¿Por qué la vida se muestra tan enojada conmigo?», se pregunta: «¿Cómo puedo conseguir que mi vida sea mejor que ahora?». En lugar de ver la desesperación, ve las posibilidades, las oportunidades. En lugar de ponerse como víctima de su situación actual, toma la postura de alguien al mando de la situación. Para esta persona, la vida empezará pronto a manifestar circunstancias que encajen con su punto de vista. ¿Por qué? Pues porque la vida es el perfecto espejo de nuestros pensamientos, nuestras respuestas y nuestras creencias. Y hemos descubierto que el mercado actúa de la misma manera.

El efecto espejo del mercado

Previamente, nos hemos referido a individuos que se enfrentan al efecto espejo de la vida en general, y el mercado tiene el mismo efecto espejo. Todo inversor que pierda de forma consistente verá el mercado como un rabioso enemigo que debe superar, engañar o, incluso, conquistar. En la mentalidad del perdedor, el mercado está allí para apoderarse de él. Lo percibe como un importante enemigo, y el mercado, siendo como es un espejo perfecto, retorna esta imagen negativa con todos sus detalles. En otras palabras, la percepción que del mercado tiene el inversor perdedor se hace realidad. El ganador, por otro lado, ve el mercado de un modo completamente distinto. Para el ganador, el mercado es un amigo. Su objetivo es servirle y recompensarle. El ganador no ve el mercado como un demonio sediento de sangre dispuesto a acabar con él. El ganador lo ve como un lugar donde los sueños se hacen realidad, un lugar en el que su vida mejora todos los días. Para el ganador, el mercado es un amigo, un socio y un hermano, que es capaz y está dispuesto a abrirle los cofres de la oportunidad, la fortuna y la prosperidad. Puede que todo esto suene excesivamente filosófico para algunos, pero no podemos llegar a decirle lo mucho que nuestras inversiones se han visto ayudadas al percibirlas como algo sano y amigable. La inversión es percepción. Tenga la buena y ganará. Tenga la mala y perderá con gran dolor. Al final lo que perciba se hará realidad. ¿Por qué no decidir ver el mercado como un amigo y ponerse de su lado? ¿Por qué no unir fuerzas con él?

Como nota final, le diré lo siguiente. Tenemos un alumno que después de dos años de formación ha alcanzado el máximo nivel, que denominamos maestría de la inversión. No es excepcional que este alumno gane entre 60.000 y 100.000 dólares semanales. Sí, en una semana. ¿Cómo cree que este inversor de enorme talento considera el mercado? ¿Cómo un amigo o como un enemigo? Caso cerrado.

Los hechos no se convertirán en dinero

¿Se ha preguntado alguna vez por qué un valor cae ante noticias positivas, mientras que otro sube ante lo que parecen noticias dañinas? ¿Cuántas veces se ha rascado la cabeza asombrado, intentando desesperadamente comprender por qué el mercado o un valor en particular parece, a veces, desafiar totalmente los hechos y/o la lógica? Bien, la verdad del tema es que en el mundo de la inversión la realidad no importa. Lo que importa es la *percepción* de la realidad. Lo factual rara vez, si alguna, moviliza los valores. La *interpretación* que los inversores como un todo hacen de estos hechos es la realidad, la fuerza que dirige el movimiento de los valores. Esta es la razón por la que los valores pueden tratarse con lógica. Y este es el fenómeno que hace difícil invertir. Como inversores, no nos limitamos a apostar por los distintos valores. Y los que así lo crean, perderán a menudo. De hecho, apostamos por cómo se *sentirán* los demás con respecto a esos valores. ¿Por qué? Porque es la gente y sus sentimientos y emociones quienes finalmente mueven los valores y, como bien sabe, la gente es mucho más impredecible que cualquier otra cosa que exista. Por lo tanto, la próxima vez que una empresa aparezca con unos beneficios impresionantes que tomen a todo el mundo por sorpresa, sería inteligente no dar ciegamente por sentado que sus acciones subirán como la espuma. Naturalmente, esto también funciona en sentido contrario. Nunca debemos perder de vista el hecho siguiente: *Invertimos en gente, no en valores*.

Semilla de sabiduría

Los inversores que pasan su vida inversora explorando los hechos que Wall Street y los servicios de noticias publican sin cesar, no tendrán tanto éxito como los que aprenden a centrarse y a capitalizar las reacciones de la gente a esos hechos. Los inversores astutos reconocen que el potencial de hacer dinero recae en la reacción y/o la respuesta, y los mejores inversores comprenden perfectamente que la percepción y/o la reacción de la gente a los hechos puede no estar en sincronía con la realidad de dichos hechos. Hay veces en que la reacción puede incluso ser diametralmente opuesta a estos hechos, algo que expulsa del mercado a los inversores más noveles. En resumen, el maestro de la inversión sabe que lo que convierte una inversión en algo verdaderamente rentable es comprender a la gente y lo que la mueve. Los auténticos capitanes del juego nunca preguntan: «¿Qué noticias hay?» Lo que preguntan, en cambio, es: «¿Cómo responderá la gente a estas noticias?» Esta es la gran diferencia, una diferencia que realmente se nota en la cuenta del banco.

En Wall Street, la verdad no cuenta

Si usted, como inversor, cree que el mercado responde a lo que es real y cierto, está tristemente equivocado. Lo que es peor, si juega en el mercado basándose en este supuesto erróneo, está garantizándose una carrera inversora perdedora. La verdad del tema es que los valores suben y bajan en base a creencias, no a hechos. ¿Lo ha comprendido? Compréndalo, por favor, porque es tremendamente importante. Lo que intentamos comunicar aquí es que la realidad no importa. Nunca lo ha hecho y nunca lo hará. Es la percepción de la realidad, la percepción de los hechos, lo que dirige el mercado. Cuando arriesgamos nuestro dinero no jugamos con las acciones. Lo que compramos cuando formalizamos una orden de compra en el sistema no es parte de una empresa. No. No. No. No. «¿Entonces qué es lo que estoy comprando?», se preguntará. *Compramos personas y las creencias que estas personas tienen sobre el valor subyacente.* Piénselo. Cuando nosotros, como inversores, ponemos dinero en juego, estamos apostando a que sabemos cómo la gente, otros inversores, percibirá al día siguiente, aproximadamente, el valor que a nosotros nos gusta. Son las *personas* las que moverán el valor en una u otra dirección, no los hechos. Un hecho nunca ha movido un valor, y nunca lo hará. Y permítanos añadir una concepción más profunda a nuestra pequeña discusión. La percepción puede ser, y normalmente es, más peligrosa que la realidad. Piense en los miedos reanimados sobre un aumento de las tasas de interés. ¿Cuántas veces el mercado ha vendido a precio de liquidación como resultado de los temores relacionados con un *po-*

sible aumento de los intereses por parte de la Reserva Federal? ¿Importa mucho que la Reserva Federal no haya ni tan siquiera dado pistas de aumentar las tasas? No. En absoluto. Lo que importa es que los inversores *perciben* como posible un aumento de las tasas. Y eso es suficiente para provocar el caos. Lo que deben comprender plenamente los inversores es que el mercado se anticipa por naturaleza. Intenta jugar sobre lo que *ocurrirá*, no sobre lo que *ha ocurrido*. Los hechos son restos del pasado. Nos cuentan muy poca cosa sobre el mañana. Esta es la razón por la que los verdaderos profesionales tienden a comprar con los rumores (percepciones) y a vender con las noticias (hechos). No se deje engañar. Lo que gana en el mercado no es la verdad. Es la percepción de esa verdad.

SEMILLA DE SABIDURÍA

Habrá veces en que la verdad (hechos) y la percepción de la gente de Wall Street serán idénticas, estarán perfectamente sincronizadas. Habrá otras veces en que la verdad y su percepción serán completamente opuestas y no estarán sincronizadas. Es este último escenario el que confunde a la mayoría de inversores noveles. Para permanecer en guardia y permitir que estos acontecimientos le aporten beneficios, el inversor debe permanecer siempre mentalizado de que la oportunidad está en la reacción que la multitud tenga ante los hechos, no en los hechos en sí. La verdad no siempre gana en el corto plazo. Es por eso que una empresa perfectamente sana puede verse reducida a la mitad, cuando merece exactamente lo contrario, y una empresa sin ningún valor puede verse aupada a una capitalización de mercado de un billón de dólares. Siempre puede discutirse que la percepción y la realidad no estarán eternamente fuera de sincronía y que lo que al final prevalecerá es lo *real*. ¿Pero quién trabaja para siempre? Es un plazo que no existe para los inversores a corto a plazo. No tienen el lujo de trabajar a largo plazo. Su pan, su forma de vida, su bienestar dependen enteramente del aquí y el ahora. Y en este aquí y ahora, no siempre cuenta la verdad.

Para invertir con éxito se debe ser inhumano

Después de varios ejercicios ganadores y muy rentables, el inversor tiene una tendencia natural a mostrarse complaciente, a dormirse en los laureles de un mercado favorable. Como personas que luchamos a diario en los mercados, hemos aprendido que la *comodidad* es el mayor enemigo del inversor. ¿Por qué? Porque invertir adecuadamente es una de las actividades más *poco naturales* que un individuo puede llevar a cabo. En la mayoría de los casos, lo psicológicamente placentero *es malo*. Por otro lado, si una estrategia resulta psicológica y emocionalmente difícil de sacar adelante, las probabilidades de que sea correcta son muy elevadas. Esta es la razón por la que el sentimiento de complacencia o de contento es normalmente una señal de que estamos haciendo algo equivocado. Lo correcto no es siempre lo más fácil, y lo equivocado va a menudo acompañado por una atractiva sensación de facilidad. No es necesario decir que es precisamente esta paradoja la que tanto complica el dominio del arte de la inversión. Desgraciadamente para nosotros, es la gran desventaja de ser humanos, de tener emociones humanas. Sin embargo, para el inversor duradero, esta condición, esta guerra entre lo que es correcto y lo que es fácil, no se prolonga eternamente. Mediante la vigilancia y el esfuerzo constante de hacer lo correcto antes que optar por lo equivocado y fácil, los inversores van tornándose poco a poco *in*humanos. Las diversas experiencias de alegría y dolor, de triunfo y fracaso, van entrenando sus sistemas internos para que se sientan como si les hubieran *dado la vuelta*. A través de la experiencia se establecen nuevos caminos neurológicos que establecerán nuevos procesos de pensamiento, nuevas respuestas y nuevos sentimientos. Después de avanzar en este sentido, lo que *sea correcto* empezará también a *sentirse como correcto*. Una vez producida esta transformación, la acción errónea, incluso los pensamientos erróneos, mandarán un mensaje de dolor e incomodidad al sistema nervioso central, que actuará como un centro automático de alarma interna. En otras palabras, los inversores, a través de un proceso de crecimiento continuo, empiezan a cambiar toda su red de respuestas psicológicas y emocionales. Aun haciéndolo lentamente, pasan de ser modelos pavlovianos que ensalivan sólo con el sonido de una campana, a ser individuos de pensamiento consciente para quienes lo fácil es también la acción *correcta* a desarrollar. En resumen, los inversores que han alcanzado un determinado nivel de logros dan la vuelta al proceso natural para convertirse casi en inhumanos.

SEMILLA DE SABIDURÍA

Los psiquiatras nos dicen que desde el principio de los tiempos, los seres humanos han tenido siempre la sensación de que la acción correcta es la más difícil de llevar a cabo, mientras que la acción incorrecta es siempre la que resulta más fácil de desarrollar. Esto se debe a que hemos sido condicionados para buscar la felicidad y el placer y evitar la incomodidad del dolor. Pero la verdad es que el dolor acompaña a menudo lo correcto, mientras que lo incorrecto suele producir una sensación temporal de comodidad. Considere el siguiente escenario para ilustrar este aspecto. Un inversor, que ha sufrido pérdidas consistentes después de comprar incorrectamente un valor, se enfrenta a la pregunta: «¿Debería vender, conservarlo o comprar más?» El inversor sabe que comprar más no es la respuesta, porque sería como añadir más leña al fuego. El inversor sabe también que conservar el valor tampoco es la respuesta correcta, porque sería participar en el peligroso juego de la esperanza, y la esperanza no tiene cabida en el mundo de las buenas inversiones. Esto deja al inversor con una única opción, la de vender. Intelectualmente, el inversor se da totalmente cuenta de que vender es la única opción inteligente, y razona que la inversión estuvo mal concebida desde un principio y que intentar corregirla de cualquier forma que no sea acabar con ella y seguir adelante, podría dar como resultado unas pérdidas terribles. Pero a pesar de lo que le dice su intelecto, su personalidad psicológica lucha con violencia contra la idea de vender. ¿Por qué? Porque vender haría que la pérdida pareciera todavía más real. Sería una acción que emitiría una aguda señal de fracaso a través de todos los sistemas mentales y psicológicos, provocando en el proceso un gran dolor psicológico y físico. De modo que el inversor opta por la comodidad temporal. En lugar de actuar, el inversor decide no moverse, permanecer a la espera y no hacer nada. El inversor se ve aliviado temporalmente al tomar esta postura. A pesar de que no se trata de la acción correcta, esperar le proporciona una sensación de esperanza, que a su vez, proporciona una sensación de comodidad. Ha perdido la batalla de hacer lo *correcto* a favor de lo *fácil*. A menudo juzgamos nuestros progresos como inversores juzgando cómo nos sentimos con respecto a toda acción que sabemos es correcta. Cuando lo correcto empieza a sentarnos bien y lo incorrecto es lo que nos provoca dolor e incomodidad, estaremos realizando la importante transformación que nos convierte de humanos en inhumanos.

La oportunidad se encuentra allí donde la mayoría tiene miedo de ir

¿Se ha dado cuenta alguna vez de que las inversiones más difíciles son a menudo aquellas que más espectacularmente prosperan? ¿Por qué? ¿Por qué nuestro rechazo a actuar se ve a menudo recompensado o respondido con una pérdida de rentabilidad? Lo primero que me viene a la cabeza es el hecho de que la oportunidad se encuentra muchas veces donde la mayoría de las personas no se atreve a ir. ¿Cuántos miles de dólares quedan constantemente sin solicitar por aquellos a quienes les cuesta comprar valores de empresas con un coeficiente de precio sobre beneficio por encima de veinte o treinta? ¿Cuántos inversores han perdido pequeñas fortunas por no querer invertir en valores NASDAQ debido a la volatilidad y los amplios márgenes? Pero el mayor culpable detrás de nuestras negativas es el deseo de *estar seguros antes* de actuar. Como seres humanos condicionados que somos, queremos *saber* si la inversión resultará ganadora *antes* de dar el salto. Queremos estar seguros de que funcionará. Pero la fría y dura realidad es que la inversión de éxito siempre será difícil de conseguir porque exige actuar *antes* de saber. Afrontemos el hecho innegable de que las decisiones nunca son «seguras». ¿Por qué? Porque desconocemos el futuro. Nunca podremos conocerlo. Lo único que honestamente podemos hacer es desarrollar una buena estrategia de inversión, basada en probabilidades detalladamente evaluadas. Nuestras diversas publicaciones, junto con la información en tiempo real de la *web*, se encargan de evaluar las probabilidades. ¡Lo que *no podemos* hacer por nuestros seguidores es actuar! Ese es su trabajo.

Semilla de sabiduría

La necesidad o el deseo de certidumbre es una de esas características humanas que todo aspirante a inversor debe aprender a superar. ¿Por qué? Porque la certeza es un mito. No existe en la vida en general y tampoco existe en el mercado. Es un fantasma, un sueño que ha perseguido y sigue persiguiendo a muchos inversores. Como inversores, debemos ser capitalistas de lo desconocido. Jamás podemos escapar del hecho de que nos vemos obligados a actuar en presencia de la incertidumbre. Los que necesiten conocer todos los hechos antes de invertir, se verán siempre adelantados por la oportunidad. La fortuna espera en las sombras de la incertidumbre. Se esconde en el camino menos transitado. El inversor activo encontrará las mayores oportunidades donde nadie esté dispuesto a ir. El inversor nunca puede estar seguro de que una inversión funcionará. Puede evaluar adecuadamente las probabilidades e incluso concebir una estrategia inteligente en un intento de explotarlas. Pero toda inversión seguirá albergando la capacidad de defraudar. Todo intento esconde un fracaso potencial. El aspirante a inversor debe aprender a vivir con esto y a actuar antes de saber. Porque cuando lo sepa, la oportunidad ya habrá volado.

¿No hay nubes en el cielo? ¡Cuidado!

¿No hay nubes en el cielo? ¡Cuidado! ¡Vigile! Hace tiempo aprendimos que el momento de aumentar nuestro estado de alerta es cuando no hay signo alguno de problemas, cuando todo es de color de rosa y aparentemente libre de problemas. Los inversores astutos empiezan a comerse las uñas cuando pasan por una época en la que ganar dinero es excesivamente fácil y la persona «media» de la calle empieza a pensar que es un hacha. ¿Por qué? Porque el mercado raramente recompensa a la «media» durante períodos prolongados de tiempo. Justo en el momento en que el señor Mediocridad se siente mejor, el juego empieza a cambiar. Podemos asegurarnos de que no estamos nunca en compañía de esta persona manteniendo una mentalidad contraria en estos puntos críticos. Debemos protegernos de la mentalidad del rebaño que con tanta fre-

cuencia acaba con muchos inversores potenciales. Recuerde que el futuro no puede predecirse, pero que sí podemos estar preparados para las posibilidades. Y una manera de estar preparado para el posible peligro es huir hacia las montañas cuando las cosas pintan demasiado bien.

SEMILLA DE SABIDURÍA

Se ha dicho que el mercado trepa por un muro de preocupaciones. Acabe con ese muro y el mercado empezará a perder su deseo de trepar. Los inversores astutos reconocen que el momento de preocuparse es aquel en el que no hay nada en el horizonte por lo que preocuparse. Es casi como si al mercado no le importasen los períodos de calma. Recuerde que todo el sistema financiero en el que jugamos no se concibió para recompensar a la mayoría. Por lo tanto, si la mayoría está contenta y no hay nubes en el cielo, lo mejor que podemos hacer es correr en busca de cobijo, porque la historia nos dice que la calma siempre precede a la tormenta.

La verdadera medida del inversor de éxito

Tex Cobb, el único boxeador que ha perdido los quince asaltos en un campeonato, dijo una vez algo que captó de inmediato mi atención: «Cualquiera puede ser un héroe cuando se va hacia arriba. La verdadera medida de un hombre es lo que sucede cuando nada funciona y tiene todavía agallas para salir adelante.» Esta afirmación captura adecuadamente la esencia de lo que realmente es un inversor de éxito. Los que han seguido adelante con la idea de dominar el arte de la inversión han aprendido, sin duda, cómo actuar en momentos en los que todo parece ir mal. Todos los inversores en desarrollo pasan por períodos en los que el cielo y la tierra parecen aunarse en su contra, en los que el mismo mercado parece no querer otra cosa que machacarles a cada paso. Pero para tener éxito, para adquirir la experiencia necesaria que finalmente conduce al estado de maestría, los inversores deben armarse de valentía y afrontar los tiempos difíciles. Deben aprender a seguir adelante, a seguir presionando. Los mayores avances no se realizan en las épocas en las que todo va bien. Igual que el oro más puro, avanzamos y nos libramos de las imperfecciones mientras soportamos el fuego de los tiempos más duros. Nuestro carácter como inversores crece solamente cuando presionamos para avanzar y afrontamos las dificultades. Si conseguimos levantarnos después de cada caída durante estos tiempos difíciles, dispuestos a afrontar un nuevo asalto, lo haremos cada vez como inversores más maduros. No queremos decir con ello que todos los progresos se realicen cuando todo va mal, sino que cada vez que conseguimos levantarnos en estos momentos significa un gran paso adelante. La misma habilidad de saber levantarse es una prueba de ello. Durante los años de desarrollo, la verdadera medida del potencial de éxito puede calcularse a partir de la capacidad de afrontar el mañana cuando todo lo que se experimenta hoy suplica no seguir adelante. Debemos seguir recordándonos que para ganar, es imprescindible durar. Y mientras que durar, por sí solo, no garantiza la victoria, lo que sí es seguro es que si no duramos, nunca podremos ganar.

SEMILLA DE SABIDURÍA

Por naturaleza resulta muy difícil seguir presionando cuando abundan las pérdidas y los fracasos. Más duro es aún ver o aceptar la idea de que en medio de esas pérdidas está desarrollándose el progreso y el crecimiento del inversor. Pero igual que la flor que crece primero debajo de la superficie antes de mostrar todo su esplendor al mundo, los inversores se desarrollan primero interiormente. Sus circunstancias externas y sus informes de pérdidas y ganancias pueden parecer apuestas extremas durante una época, pero siempre, escondidas, las fuerzas del progreso trabajan incansablemente. Pero este maravilloso acontecimiento tiene únicamente lugar en aquellos inversores que saben gestionar correctamente este período. La ley del progreso oculto funciona sólo para aquellos inversores decididos a levantarse cada vez que caen, para los que afrontan los sucesivos retos con una decisión cada vez mayor. Los que aprendan a hacerlo descubrirán, a menudo en retrospectiva, que el objetivo de cada asalto perdido en su combate contra el fracaso es ayudarles a prepararse para el siguiente. Este aparente

K.O. definitivo es sólo temporal y pensado únicamente para demostrarles que el mayor acto que puede llevarse a cabo es el de levantarse después de cada caída.

Cuando la mejor acción es no entrar en acción

El grito más frecuente de Daniel Berrigan al abordar la importancia, tanto del pensamiento como de la acción, en las protestas contra la guerra que tuvieron lugar en la década de los 60 fue: «No os limitéis a hacer algo, quedaos ahí.» Breve, y evidentemente concisa, esta frase contiene la fuerza de una gran sabiduría. Sabemos que, como seres humanos, somos criaturas de acción, o al menos luchamos por serlo. Nuestra sociedad idolatra al individuo que lucha, alcanza, consigue y hace. La historia siempre ha tratado bien al «hacedor», la persona de acción. Y mientras que hacer o actuar tiene gran importancia, no debemos perder nunca de vista la necesidad de equilibrio. Si la acción es importante, una existencia equilibrada exige un período de inacción. De hecho, he descubierto que la calidad de mis períodos de acción viene normalmente determinada por la calidad de los períodos precedentes de inacción. Y lo mismo sucede con mis inversiones. Muchos inversores activos de hoy en día, incluso los que integran el programa de inversión de Pristine, se sienten tristes y aburridos cuando no invierten. Cuando el mercado se tranquiliza y hay escasas oportunidades, los inversores que siempre necesitan estar haciendo algo empiezan a forzar inversiones, como si pudiesen forzar al mercado para que ofreciera condiciones más favorables. Estos mismos inversores no se dan cuenta de que, a veces, la mejor acción es la ausencia de acción. No comprenden el hecho de que permanecer quieto, a veces, aporta una muy necesaria sensación de calma y claridad. Los momentos en los que el mercado entra en una oferta monótona nos ofrecen la oportunidad de reagruparnos y reflexionar. Nos ayudan a recuperar la compostura, a engrasar nuestros mecanismos, por decirlo de algún modo, para así estar preparados para el próximo período que exija acción rápida. He aprendido a respetar la necesidad de limitarse a quedarse quieto. He aprendido a utilizar la ausencia de acción como un medio para prepararme para la acción. Ralph Waldo Emerson dijo en una ocasión: «Hazlo, y tendrás el poder.» Muy cierto. Pero se olvidó de decirnos que permanecer quieto de vez en cuando nos ayudará a conservar el poder. Sea un inversor activo, por favor. Pero dese cuenta de que, a veces, también ayuda el permanecer quieto.

SEMILLA DE SABIDURÍA

Permanecer quieto es, a veces, la acción más productiva que podemos llevar a cabo. Es, a veces, en los períodos tranquilos cuando hallamos nuestro equilibrio. La claridad mental suele recuperarse cuando abandonamos la acción y pasamos a ser observadores imparciales. Como inversores, debemos reconocer nuestra necesidad de disfrutar de estos períodos. Estar involucrado en la batalla tiene su razón de ser, pero necesitamos también tiempos de paz, aunque sea únicamente para recuperar facultades y rejuvenecer los sentidos. Cada vez que nos alejamos del mercado para ser observadores, retornamos a él más fuertes. La próxima vez que el mercado se muestre no cooperativo, o que algo en el ambiente parezca ir mal, *permanezca quieto*. Observe cómo la *ausencia de acción* le aporta una sensación mejor sobre cuál debe ser su *siguiente* acción.

Quedarse quieto: la mayor actividad

Trece años de experiencia inversora me han enseñado que hay momentos en que la *mejor acción* es la *ausencia de acción*, que permanecer sentado es más apropiado que levantarse y que observar es mucho mejor que hacer. En la cultura occidental ponemos excesivo énfasis en el individuo perpetuamente en acción, en el hacedor, perdiendo totalmente de vista el hecho de que la falta de acción puede, a veces, representar una acción mucho más inteligente.

SEMILLA DE SABIDURÍA

La acción es necesaria, tanto que no podríamos conseguir completar nada o ganar dinero invirtiendo sin ella. Pero debemos dar-

nos cuenta de que muchos inversores tienen la impresión de que
deben estar siempre en movimiento, invirtiendo siempre o siempre
preparados para invertir. Se trata de una idea equivocada que, de
ponerse en práctica con excesiva frecuencia, puede resultar muy
dañina para los que se encuentran en fase de desarrollo. Hay ocasiones en que la mejor acción es *permanecer quieto*, no hacer nada,
sino mirar y observar el desarrollo de las cosas. No se nos ha otorgado el poder de manipular de forma significativa el comportamiento
del mercado. No podemos dictar el conjunto de probabilidades que
se nos presentará un día determinado. Debemos afrontar la realidad
de que habrá veces en que todos los sistemas estarán en marcha y
todo parecerán oportunidades. Y habrá otros momentos en que el
mercado se mostrará tan poco cooperativo que escaseen las oportunidades de operaciones de bajo riesgo y abunden las trampas y los
campos minados. Si nos enfrentamos a este último escenario, la
mejor acción no es sólo la ausencia de acción, sino que a menudo,
es la única acción de la que disponemos para no perder dinero. Para
ilustrar la importancia del concepto, examinemos la experiencia de
un inversor entusiasta que empezó a trabajar con nosotros en la oficina de White Plains. En este caso, llamaremos a este inversor señor Entusiasta.

Una lección sobre el arte de permanecer quieto

Era el primer día del señor Entusiasta en Pristine como inversor
interno y, comprensiblemente, estaba muy emocionado. Por desgracia, aquel primer día con nosotros el mercado no le recibió muy
bien. De hecho, el mercado parecía furioso, ya que el contrato de
futuros de S&P había bajado cerca de diez puntos antes de que so-
nara la campana anunciando el inicio de la sesión y la preocupación que envolvía la dimisión de un importante político reverbera-
ba en el ambiente financiero. Pero todo aquello parecía traer sin
cuidado al señor Entusiasta. Con su flamante y limpia cuenta por
valor de 50.000 dólares, empezó inmediatamente a tentar la suerte
con varias inversiones de tiro rápido al inicio de la sesión. Aquello
resultó ser un grandísimo error. Su total falta de respeto por el mensaje anterior a la apertura del mercado le costó cerca de 850 dólares

en media hora. Después de respirar hondo, se le ocurrió que estaba cayendo en sus modales antiguos de inversión y decidió calmarse. Finalmente empezó a poner en funcionamiento algunas de las técnicas para buscar oportunidades que le habíamos enseñado durante un curso de formación de dos semanas de duración. Pero al cabo de un par de horas, se encontró con muy pocas inversiones que cumplieran el estricto criterio que a propósito establecemos en estas técnicas. Esto le obligó a tomar una actitud de «ausencia de acción» que le incomodaba. Aquel tipo estaba acostumbrado a la acción. Era evidente que permanecer quieto no era su *modus operandi* y casi era posible percibir la frustración apoderándose de sus facciones. De haber estado todavía invirtiendo por parte de su antigua empresa, ya habría completado diez o veinte inversiones, sino más. Eran cerca de las doce del mediodía y se estaba durmiendo. Algo *tenía* que cambiar. Estaba decidido a *hacer algo* aun a pesar de las escasas oportunidades de bajo riesgo que cumplían nuestros criterios predefinidos de inversión. En cuestión de minutos, llevó a cabo diversas inversiones que no debería hacer realizado de haber seguido fiel a nuestro plan. El resultado fueron pérdidas. Ansioso aún, probó con varias inversiones más. Como puede usted suponer, significaron nuevas pérdidas. Siguió así, nosotros observándolo desde la barrera (a veces es necesario permitir que los inversores se enfrenten con sus fracasos para que valoren el remedio). Durante la última hora de inversión, la frustración que reflejaba la cara del señor Entusiasta fue cediendo paso a la rabia. Al cierre de la sesión, una hora después, el señor Entusiasta había perdido 2.950 dólares.

Ese día, el señor Entusiasta tuvo justo lo que quería. Acción. Pero la obtuvo a expensas de malas inversiones. Lo que nos diría luego, naturalmente, es que quería obtener beneficios, pero lo que en realidad deseaba eran emociones. Lo que ese inversor pasó por alto es que la ausencia de acción, marcada por nuestro estricto criterio de inversión, era el elemento que le salvaría de sí mismo y de las terribles probabilidades del mercado. La inacción, o la ausencia de acción en este caso, no le habría dado algo que combatir, sino algo que adoptar, especialmente con la tendencia que mostraba ese día el mercado. Tampoco fue capaz de ver que la postura de «ausencia de acción» no estaba marcada por la cobardía, algo que habría sido igualmente problemático. Estaba marcada, en cambio, por la implementación de unas buenas técnicas de inversión que, simplemente, poseían estándares y condiciones muy elevadas, condiciones que el mercado no estaba en condiciones de cumplir. El señor Entusiasta desconocía el hecho de que todo aquello era una forma inteligente de «ausencia de acción». Era una ausencia de acción que servía para no perder dinero. Seguramente, de haber seguido apegado a la postura de *inmovilidad,* es muy posible que al final del día no se hubiese jactado de una jornada muy rentable, pero al menos se habría ido a casa siendo 2.000 dólares más rico. Pensamos que este ejemplo ilustra con claridad que, a veces, la ausencia de acción es la mejor acción.

«Hey, tío, no me enseñes a pensar. ¡Enséñame a invertir!»

«Hey, tío, no me enseñes a pensar. ¡Enséñame a invertir!» Una respuesta similar a las que obtenemos siempre que abordo un tema que exige pensar, en lugar de actuar sin pensarlo previamente. De lo que no se dan cuenta las personas ansiosas que exigen esta metodología es que pensar correctamente equivale a invertir correctamente. Los vemos con mucha frecuencia. Los inversores piensan que pueden llegar a nuestro despacho en White Plains, N.Y., asistir a uno de nuestros detallados seminarios de inversión a corto plazo, salir a la calle y empezar de inmediato a ganar, ganar y ganar hasta acumular una fortuna lo bastante considerable como para poder disfrutar del resto de sus días en el sur de Francia, tomando capuccinos por las tardes y descorchando botellas de vinos sofisticados por las noches. ¡Sorpresa! Por frustrante que parezca, saber *qué* hacer (el punto central de nuestros seminarios) no garantiza que usted vaya a hacerlo. Esta es la fría y dura verdad y la razón por la que la parte de «pensamiento» de la inversión es tan importante, tan primordial. Considere lo siguiente. Podemos facilitar al inversor todas las herramientas, técnicas y tácticas de inversión que necesite para alcanzar el éxito, todo ello en el transcurso de un breve seminario de tres días. Un fin de semana largo. Créalo o no, aprender precisamente qué hacer en el mercado y entrar en posesión de tácticas de inversión dinámicas para ganar dinero *no* es la parte complicada. Es seguir, practicar, hacerlo, lo que es complicado. ¿Cuántas veces ha conservado un valor a la baja mucho más allá del punto en el que *sabía* que debía haberlo vendido? ¿Cuántas veces, sabiendo que *no* debía comprar un valor, ha acabado comprándolo? El problema en la mayoría de los casos consiste en *hacer* lo que usted sabe que es lo correcto, no en saber qué es lo correcto. Este juego potencialmente ganador, que llamamos inversión, es principalmente mental. Es psicológico en un 85 por ciento. Una vez dispone de todas las herramientas y técnicas de la inversión, será la calidad de su proceso mental el que determine su éxito o su fracaso. No siempre morimos por *falta* de conocimientos. En muchos casos, morimos por negarnos a *tener en cuenta* estos conocimientos.

SEMILLA DE SABIDURÍA

El 85 por ciento de la gente que intenta ganarse la vida invirtiendo en el mercado fracasa durante los primeros seis meses. La parte más triste es que muchos de ellos fracasan debido a algo muy simple: falta de conocimientos. No cabe duda de que la gente muere en el mercado por falta de conocimientos. Es la razón número uno del fracaso. Sin embargo, incluso los que consiguen obtener los conocimientos, a través de seminarios, libros, o años de prueba y error, lo pasan mal avanzando hacia un nivel que acabe aportándoles beneficios duraderos. ¿Por qué? Porque los conocimientos son el primer obstáculo a superar en el largo viaje hacia el dominio de la inversión. Disponer de las herramientas correctas le pondrá muy por encima de otros participantes. Y ello se debe a que la mayoría ni tan siquiera llegan al punto de «saber». Pero tenga presente lo que sigue. El hecho de poseer el cinturón de herramientas del carpintero no le convierte en un maestro de la carpintería. Se trata del primer paso hacia ello, sin duda, pero nadie es maestro en carpintería hasta que domina todas y cada una de las herramientas.

Una de las mayores herramientas disponibles para los inversores es su cabeza. Utilizarla adecuadamente asegura prácticamente el éxito en su carrera como inversor. Utilizarla de forma errónea e improductiva le lleva a la muerte financiera. Otro aspecto que nunca debería olvidarse es que los inversores pueden disponer de las herramientas adecuadas, como tácticas y técnicas de inversión, y un proceso mental erróneo y, debido a ello, fracasar. Hay miles de personas que asisten a cursos de Pristine, pero no todas ellas alcan-

zan la maestría en la inversión, por mucho que paguen por ello. Y
yo soy el primero en dar las gracias a Dios. Gracias a Dios, no todo
el mundo alcanza los conocimientos necesarios. Incluso diré gracias a Dios que todos los que alcanzan los conocimientos necesarios no tienen la mentalidad necesaria. ¿Por qué? Porque si fuese
de otro modo, las oportunidades que existen para aquellos que tienen los conocimientos y la mentalidad necesarios disminuirían
drásticamente. Francamente, no estamos preparados para que esto
suceda. La ignorancia es un enemigo para aquellos que la poseen.
Pero la ignorancia de los demás es el poder de los que tienen los conocimientos y una fuente interminable de riqueza para aquellos
que poseen los conocimientos y saben cómo pensar.

¿Qué está haciendo usted con lo que tiene hoy?

Tener más de lo que tenemos ha sido la forma americana de
vida durante muchas décadas. Algunos observadores de la historia
y de los movimientos sociales dirían que el intenso deseo de tener
más ha formado parte de la cultura norteamericana desde sus principios. Sea cual sea el caso, tenemos la sensación de que si dispu-
siéramos de *más* dinero, *más* tiempo y *más* conocimientos, seríamos capaces de responsabilizarnos de los negocios, de mover la
vida. Pero, ¿qué ocurre con el dinero que ya tenemos? ¿Qué ocurre
con el tiempo y los conocimientos, por *limitados* que ambos sean,
que tenemos en estos momentos a nuestra disposición? ¿Los aprovechamos al máximo? En otras palabras, ¿estamos siendo totalmente responsables de nuestros limitados bienes, antes de dedicar-
nos a buscar otros superiores? Mi observación personal, realizada
en el seno de mi vida diaria, ha revelado una urgente necesidad de
observar esta tendencia humana a buscar más, sin agotar lo que
tengo en estos momentos a mi disposición. Soy de la mentalidad de
que si no apuramos todo el tiempo libre que controlamos en estos
momentos, no tenemos derecho a más tiempo. El exceso de dinero
sólo busca a aquellos que lo utilizan con inteligencia, cuando es un
bien limitado. Y el conocimiento, una de las mayores riquezas, aumenta en cualquiera que sea responsable con la cantidad de él que
tenga ahora. ¿Y cómo se relaciona todo esto con la inversión, esta-

rá preguntándose? Bien, todo lo que pertenece a nuestras tendencias humanas pertenecerá a nuestra inversión. Porque todas nuestras tendencias humanas, buenas o malas, aparecerán en nuestra inversión diaria. Esta es la cuestión. Nuestro deber es asegurarnos de que estamos siendo responsables con todo lo que tenemos y sabemos hoy en día, antes de buscar más. Hoy, cualquier miembro de Pristine conoce la importancia de los stop. No sólo los utilizamos a diario en nuestros servicios, sino que hemos escrito numerosos artículos sobre su importancia y explicado con detalle cómo deberían implementarse. La pregunta es: ¿Estamos siendo responsables con estos conocimientos? ¿Estamos respetándolos? Todos nuestros suscriptores conocen la importancia de esperar el momento correcto de entrada, lo importante que es no perseguir la acción. ¿Pero nos aferramos siempre a estos conocimientos? Algunos de nuestros inversores quieren más valores donde poder elegir, especialmente en los días en que muchos valores no cumplen nuestros estrictos criterios de entrada. Pero ¿somos responsables con los valores elegidos que obtenemos? Antes de buscar más, dominemos lo que tenemos y sabemos hoy.

SEMILLA DE SABIDURÍA

Querer más no es malo. El deseo de más ha estado en la base de todos los logros humanos. Por lo tanto, no deberíamos avergonzarnos de nuestra necesidad de extender las alas y volar lejos. Pero siempre que buscamos más sin agotar por completo lo que tenemos hoy, nos convertimos en culpables de un pecado llamado avaricia. Los aspirantes a inversor caen con mucha frecuencia en esta trampa. En su búsqueda del Santo Grial, saltan de un lado a otro siempre en busca de más. Asisten a seminario tras seminario en su camino sin fin en busca de más de *esto* y mucho más de *aquello*. Más tácticas, más juegos, más trucos. Más, más y más. Y la mayoría de estos inversores no hace inventario de lo que llevan acumulado. Rara vez controlan lo bien que están utilizando las tácticas aprendidas aquí o los conocimientos que han adquirido. Un seminario de inversión de un día, e inmediatamente quieren pasar al curso de inversión de tres días, y luego al curso de formación de dos semanas. Sin ni tan siquiera empezar a digerir, utilizar o maximizar los conocimientos que ya han adquirido. No les permiten que echen raíces, que crezcan hasta convertirse en algo sustancial. Quieren más. ¿Cómo podemos saber que seremos responsables con *más* conocimientos, *más* sabiduría, *más* tácticas de inversión, si no nos hemos demostrado tan siquiera que podemos ser responsables con los conocimientos de los que ya disponemos? Maximice lo que tenga hoy. Decida, ahora mismo, hacer inventario de todas las técnicas de inversión que haya aprendido. Y luego utilícelas, amigo mío. Póngalas en práctica en el mundo real. Entonces, y sólo entonces, se habrá ganado el derecho a pedir más.

¿Se interpone el pasado en su camino?

Existe un axioma que provoca muchas reflexiones y que afirma: «Si no sabes de dónde vienes, no sabrás adónde vas.» Me suena a cierto, y de haberlo sabido cuando estaba en el colegio, tal vez hubiera prestado más atención en la clase de historia. Lo siento, señorita Nardiello. Fue mi profesora de historia en sexto. Pero ¿es *siempre* valioso el pasado? ¿Es algo que debería respetarse religiosamente, adorarse, amarse y llevar siempre encima? De eso no estoy tan seguro. De hecho, estaría dispuesto a decir que la respuesta es *no*. Al menos, no siempre. Y especialmente si este pasado pertenece al mundo de la inversión. Y aquí llega la complicación, lo sé, porque incluso en la inversión aprendemos de errores y fracasos pasados. Existen incluso estas raras ocasiones en que podemos aprender de nuestras victorias pasadas. Pero cargar demasiado con el pasado puede provocarle al inversor graves problemas. De hecho, puede ir en su detrimento. La principal razón de que así sea descansa en el hecho de que el 85 por ciento del juego que denominamos inversión es psicológico. Podemos disponer de todas las tácticas, técnicas, consejos y trucos que podamos manejar, pero si no disponemos de la mentalidad adecuada, si no poseemos la ecuanimidad correcta, si carecemos de la extremadamente necesaria claridad mental, nos arruinaremos cada vez. Piense en el inversor que ha perdido cuatro veces seguidas y lo está pasando francamente mal para encontrar el equilibrio en el mercado. Este inversor debe ser capaz de pasar a la inversión cinco como si las cuatro inversiones anteriores no hubiesen existido. No puede permitirse que la historia de inversión «pasada» se derrame sobre sus futuras inversiones. El inversor que arrastra los residuos de la inversión número cuatro sobre la inversión número cinco, trabaja con limitaciones. Invertir con éxito es lo bastante duro ya sin las batallas del pasado, además de las actuales. El presente debe ser limpio, puro e inocente como un recién nacido. Y para que sea así, las pérdidas anteriores deben ser como el agua que pasa por debajo de un puente. Los signos de que estamos contaminados por nuestras anteriores pérdidas son:

1. Dudas crónicas, ocultas por el deseo de poseer la certeza.
2. Miedo a apretar el gatillo, que no es otra cosa que el deseo de saber más.
3. Buscar la rentabilidad con excesiva rapidez.
4. Vender o comprar fuera del precio planificado.

Así que, recuerde, el pasado puede convertirse también en un enemigo.

SEMILLA DE SABIDURÍA

Invertir con éxito se relaciona con el equilibrio. Para poder movernos libremente por el mundo de la inversión debemos equilibrar con delicadeza muchas cosas. Debemos equilibrar las buenas con las malas noticias, que a menudo se emiten simultáneamente. Debemos equilibrar puntos de vista opuestos de analistas, señales en conflicto procedentes de los indicadores técnicos y luchar contra nuestras propias emociones. Todo es cuestión de equilibrio y, en lo que al pasado se refiere, el asunto no es distinto. No cabe duda de que el pasado es importante para el inversor. En cierto sentido, es nuestro mejor maestro y nuestro «espejo en el que mirarnos». Pero en otro sentido, puede convertirse en nuestro peor enemigo, capaz de arruinarnos el futuro en un abrir y cerrar de ojos. Dicho de forma muy sencilla, cargar encima un exceso de pasado puede resultar dañino. Y ahí es donde entra en juego el equilibrio. No podemos poner tanto énfasis en el pasado como para permitir que se derrame y manche nuestro futuro. El pasado debería servir únicamente como una ventana abierta a lo que *fue*, no necesariamente una ventana abierta a lo que *será*. Debería utilizarse tan sólo como una herramienta que nos ayuda a abrocharnos correctamente el cinturón, por decirlo de algún modo. Pero una vez tengamos el cinturón bien abrochado, la herramienta debería dejarse a un lado, ya que carece de posterior utilidad. Los inversores deben aprender a liberarse del pasado cada vez que entren en un nuevo juego. No tiene cabida cuando afrontamos los muchos factores del presente. Deje el equipaje en casa. Durante la jornada de inversión, tenemos que viajar ligeros.

Rompiendo el ciclo de dolor y placer

Como todos los inversores, en los delicados años de mi juventud inversora oscilaba constantemente entre los extremos del dolor y el placer. Siempre que ganaba, o experimentaba una serie de inversiones rentables, se me inflaba el pecho con una sensación tremenda de logro y el máximo de esa sensación, denominada *placer*, acaparaba mi ser por entero. Era durante estas épocas que, enardecido por mi éxito, me sentía como un dios de la inversión. Pero cuando experimentaba el dolor de la pérdida, mi corazón se hundía. Me dolía el cuerpo y mi mundo se inundaba de una profunda sensación de desesperación. Eran los tiempos peligrosos en los que todo se volvía negro y la belleza de la vida provocada por mis anteriores victorias se convertía instantáneamente en oscuridad. Entonces, de repente, unas cuantas inversiones ganadoras me devolvían al resplandor de la fe y, una vez más, brillaba la esperanza. En otras palabras, el ciclo volvía a empezar. Pasé años como esclavo cautivo de estos dos maestros, dolor y placer. A veces pasaba más tiempo con uno que con el otro, pero siempre visitaba a ambos con frecuencia. Hasta que finalmente, muy despacio, los dos extremos empezaron a soltarme. Al principio, lo encontraba raro, pero cada vez que perdía me daba cuenta de que el dolor ya no era tan agudo, de que no era insoportable. Observaba con curiosidad cómo mi desesperación daba paso a un sentimiento de ambivalencia.

Por otro lado, empecé también a sentir menos placer cuando ganaba. Una observación detallada reveló que el subidón mental y psicológico que antes acompañaba los éxitos iba convirtiéndose gradualmente en algo tranquilo y sereno. Poco después, descubrí mi inversión personal catapultándose a un nivel completamente nuevo, mucho más elevado. Esta experiencia me enseñó una lección muy valiosa. Es importante que los resultados obtenidos no afecten a los inversores. Muchas veces no nos damos cuenta de que el resultado de la inversión no debería influir en nuestra forma de sentirnos o de pensar. Los verdaderos inversores, los que han madurado a través de innumerables experiencias de mercado, emergen de cada inversión intocables, imperturbables, calmados y, por supuesto, serenos. Estos inversores maduros saben que el resultado no es tan importante como el proceso. Reconocen que ganar o perder es un simple subproducto de sus elecciones. Cuando nos centramos en los componentes individuales de cada inversión, en lugar de aplicar nuestra atención a lo que puede suceder al *final* de cada inversión, nos liberamos de repente del círculo vicioso de dolor y placer. Y sólo cuando esto sucede podemos esperar elevarnos hasta el nivel de la maestría en la inversión.

Semilla de sabiduría

Es un hecho comprobado que la mayoría de la gente dedica toda su existencia a buscar el placer y evitar el dolor. Este modelo excesivamente predecible del comportamiento humano se abre también camino en el mundo del inversor. Como inversores, dedicamos todos los momentos del juego a intentar escapar de las pérdidas y a hacer todo lo que esté en nuestro poder para experimentar únicamente victorias. A pesar de que se trata de una necesidad muy natural, el inversor debe encontrar una forma de elevarse por encima de esta lucha dual. ¿Por qué? Porque, en realidad, es una trampa. Intentaremos explicarlo. «El viaje de mil kilómetros se inicia con un solo paso», ¿verdad? Lo dijo Confucio. Pero, en cierto sentido, no terminó la frase. Lo que Confucio olvidó mencionar es que el viaje sólo conducirá hacia el éxito si todos y cada uno de los pasos que realizamos sean correctos. Todos queremos alcanzar ese destino lejano que llamamos victoria, *pero ¿y los pasos?* ¿Capta usted esa sutil diferencia? Si simplemente nos centráramos en asegurarnos que todas las elecciones, todas las decisiones, fueran las correctas, la victoria vendría sola. Debemos no sólo querer la victoria, sino además, desear ardientemente ser ganadores. Y el ganador es aquel que cuida cada paso de su viaje, asegurándose de que es el correcto. La persona que quiere la victoria (el viaje exitoso), sin trabajar en lo que le lleva hacia la victoria (los pasos individuales), es en realidad un ladrón. Quiere la cosecha, sin trabajar duro. Esa persona persigue el fruto, sin plantar el árbol, y si no controla usted de cerca a esa persona, se entrometerá en su mundo en busca de prebendas. «¿Tienes algún buen consejo?» Nuestros alumnos saben que creemos en sustituir el deseo de ganar por el deseo de ser un ganador, que realmente es el deseo de hacer bien todas las partes de cada inversión. El análisis, la reflexión, la decisión, el momento, la entrada, el stop inicial, el equilibrio mental, la espera, el ajuste del stop, la salida, etc. Les digo que el resultado final de su inversión (el destino) no importa, siempre y cuando las partes (los pasos) sean las correctas. Les digo que ignoren a los que ganan por casualidad, a los que ganan con consejos, apostando sobre rumores y jugando sobre informes de beneficios. Les digo que si las partes individuales de la inversión son correctas, la victoria llegará sola. Esta es la sutil, pero importante diferencia entre *ser* un ganador y limitarse a *buscar* una victoria. Y este es el punto que todos debemos alcanzar. Existe un gran espacio entre dónde empieza una inversión y dónde finaliza. En lugar de centrarnos sólo en dónde puede terminar, asegurémonos de que lo que ocurre en medio es lo correcto.

Las buenas técnicas conducen a buenos instintos

Un periodista deportivo del *New York Times* escribió recientemente: «Enseñar instintos a un jugador de béisbol es como intentar comer un plato de sopa con tenedor. Imposible...» Lo mismo aplica a la inversión. Los instintos, por importantes que sean, no pueden enseñarse ni transferirse a los inversores. Los instintos deben desarrollarse lentamente, evolucionar gradualmente, a través de innumerables situaciones y a lo largo de años de experiencia. Lo que sí puede enseñarse es una técnica adecuada. Una vez los inversores hayan desarrollado una técnica, una vez hayan reunido un arsenal de herramientas y tácticas de inversión rentables, su frecuente utilización hará que los instintos aparezcan gradualmente. En otras palabras, los instintos son el resultado de aplicar buenas tácticas de inversión una y otra vez. Esto es lo que nos proponemos hacer cuando impartimos nuestros cursos avanzados de uno y tres días. Enseñamos numerosas técnicas de inversión de *supervivencia* y diversas tácticas de inversión, tipo guerrilla, que no están sólo concebidas para aportar beneficios, sino también para desarrollar gradualmente un nivel creciente de instintos profesionales. Los instintos, los profesionales, son la marca que distingue al verdadero profesional. El problema que muchos inversores afrontan es que aplican técnicas erróneas y, en consecuencia, desarrollan instintos erróneos. Y estoy seguro que no es necesario que mencione que no hay nada más peligroso para un inversor que tener instintos erróneos. La inversión no es una ciencia exacta y debido a ello exige un elemento de arte, dirigido por instintos adecuadamente desarrollados. Los inversores bajo nuestra tutela diaria nos preguntan a menudo: «¿Cómo es que sabíais que debíais salir de esa inversión en este momento exacto?» o «¿Entrar en esta inversión, justo antes de su explosión?». Con más frecuencia que no, nuestras acciones con respecto al momento de actuación son el resultado de una sensación sutil, de una pista silenciosa que delicadamente acaricia el cerebro y el sistema nervioso, desencadenando la acción correcta en el momento correcto. Nos frustra, a veces, porque desearíamos poder comunicar adecuadamente este proceso. Pero estamos seguros de que nuestros inversores acabarán desarrollando estos instintos. ¿Por qué? Porque están practicando las técnicas adecuadas.

SEMILLA DE SABIDURÍA

Las tácticas y las técnicas de inversión son como las ruedecillas adicionales de una bicicleta. Sirven para mantenernos en equilibrio mientras aprendemos a adquirir el dominio. Una vez conseguido este dominio, dejamos de necesitar ruedecillas adicionales. En ese punto, habremos adquirido la intuición del inversor, o lo que llamaremos instintos, que, como hemos dicho, no pueden enseñarse. Estos instintos nos ayudarán a saber cuándo deben cambiarse las reglas de una determinada estrategia, ignorarse o, incluso, violarse.

En realidad, nunca podremos meter el mercado en una cajita apretada. No es posible aplicar rígidamente reglas al comportamiento del mercado, y eso es lo que intentan hacer las tácticas y las técnicas. Pero eso no significa que carezcan de valor. Las técnicas y las tácticas de inversión, las ruedecillas adicionales de la bicicleta, son inmensamente valiosas porque son la guía de *nuestras* acciones. Sistematizan nuestras respuestas y entrenan nuestra cabeza para que piense correctamente. Pero después de un período prolongado de utilización, el inversor empezará a desarrollar lo que puede denominarse un sexto sentido. Este sexto sentido se alejará a veces del camino trazado de una técnica rígida. Exigirá al inversor cambiar o incluso romper, las reglas, precisamente cuando deban cambiarse o romperse. Cuando el sexto sentido empieza a tomar forma, es señal de que el inversor ha pasado al reino de la maestría, un reino que no tiene tanta necesidad de los beneficios de la rigidez. Antes de alcanzar este reino, es necesario que los inversores soporten rígidamente reglas, tácticas y técnicas, aunque sólo sea para protegerse de las partes más oscuras de su personalidad emocional y psicológica. Pero cuando salgan a escena los instintos, este sexto sentido, los inversores pasarán a un reino casi sin técnicas. Y ese es el mundo en el que rigen los instintos.

Un poco de paranoia es buena para el alma

Soy de la opinión de que un poco de paranoia es un ingrediente esencial del éxito. Creo que es cierto en casi cualquier tarea que se emprenda. Creo, de hecho, que es un *prerrequisito* para el éxito en los años de formación del inversor. Hay demasiados inversores novatos que, en busca de la fortuna rápida y la huida fácil de la cárcel mundana que constituye el horario de nueve a cinco, saltan temerariamente al mercado sin respetar su fuerza de destrucción. Asustarse, al menos al principio, es una señal de inteligencia. El inversor honra la fuerza del mercado con un poco de paranoia. La historia demuestra claramente que el tirano y el bruto, que no muestran ningún respeto hacia sus oponentes, acaban siendo aniquilados. Infravalorar lo que el mercado puede hacernos, especialmente en los años de desarrollo y formación, lleva a la ruina financiera y quizás a la expulsión del juego.

Muchos antiguos inversores aprecian sólo a posteriori el hecho de que el mercado es un mecanismo gigantesco y aterrador.

> «El miedo nace de la ignorancia, pero el principiante que no tiene miedo es demasiado ignorante como para saber que es ignorante.»
>
> OLIVER J. VELEZ

En las fases de desarrollo del inversor, es muy fácil caer víctima de las innumerables trampas que esperan a los que carecen del conocimiento y las herramientas adecuadas. Esta es la razón por la cual un poco de miedo resulta beneficioso y un poco de paranoia puede salvarnos. Pero cuando la experiencia lleva hacia mayores conocimientos y el conocimiento lleva hacia más poder, el miedo y la paranoia dan paso a una profunda sensación de fuerza. Y de la misma forma gradual, quizá incluso más despacio, el mercado, en su día un terrible adversario, se convierte en un amigo fiel. Y entonces todo va bien. Aprenda a respetar al mercado y finalmente también él le respetará.

SEMILLA DE SABIDURÍA

El miedo es un instinto primario que tiene la habilidad de hacernos mucho bien. En el mercado existen incontables libros destinados a eliminar el miedo, un objetivo erróneo bajo mi punto de vista. El miedo no es algo que deba aniquilarse. En su debido lugar, es un amigo, no un enemigo. Como cualquier otra herramienta, se trata simplemente de comprenderlo y utilizarlo debidamente. Cuando nos enfrentamos a un peligro, el miedo nos ayuda a huir de él a mayor velocidad o a luchar con más ardor. Cumple su máximo objetivo cuando aumenta nuestro estado de alerta y maximiza nuestras capacidades. El miedo es especialmente valioso para los inversores que empiezan e intentan encontrar su camino. Les ayuda a permanecer alerta, cuidadosos y siempre con los pies en el suelo. Cuando es el momento de huir, acelera su velocidad y aumenta su conciencia del peligro. En resumen, les ayuda a mantenerse alejados de problemas. Pero por encima de todo, es el miedo el que impide que los inversores que empiezan cometan uno de los mayores errores que existen: *perderle el respeto a la capacidad de destrucción del mercado*. Si alguien debe reconocer este poder, es el inversor novel. El número de inversores que se han visto expulsados para siempre del mercado por carecer de este respeto es incalculable. Preferimos tratar con un inversor novel miedoso que con uno carente de miedo. El primero tiene probabilidades de sobrevivir. El segundo no es más que alguien esperando sumarse a las estadísticas.

Invertimos en gente, no en valores

El inversor astuto no debe nunca olvidar que, como inversores que somos, invertimos en realidad en *gente*, no en valores. Hay muchos inversores noveles que no llegan a captar este punto. Como resultado de ello, permanecen siempre confusos con respecto a por qué los valores contradicen a menudo la racionalidad y el sentido de la razón. Los valores no pueden hacer nada por sí solos. Es la percepción de la gente lo que determina sus precios. Y como usted bien sabe, las percepciones de la gente están totalmente controladas por sus emociones. Son estas emociones, principalmente la avaricia y el miedo, las que provocan a menudo que los valores vayan demasiado lejos, tanto hacia arriba como hacia abajo. Cuando el mundo parece cálido y confortable, la avaricia domina el paisaje y los valores tienden a moverse muy *por encima* de sus niveles razonables. Ahí es donde se confunden, y a veces se enfadan, muchos de los analistas tradicionales de Wall Street. No comprenden por qué los valores no se comportan de acuerdo a su valía matemática netamente calculada. Si se dieran cuenta de que los valores no tienen vida propia, no estarían tan perplejos. Cuando la actitud o emoción dominante cambia de la avaricia al miedo, los valores, guiados por esa misma gente, tienden a caer muy *por debajo* de sus niveles razonables. Ahí es cuando los optimistas eternos del mercado se sienten frustrados y confusos, porque no alcanzan a comprender por qué los valores descienden tan rápidamente. Esta amplia y frecuente vacilación desde estados excesivamente deprimidos a otros excesivamente eufóricos nunca se ha detenido, y nunca lo hará. Es lo que genera oportunidades de inversión en espacios de tiempo grandes y también pequeños. Es lo que mantiene la entrada de nueva gente en el mercado y lo que genera el abandono de los derrotados. *El inversor astuto, compren-*

diendo todo esto, construye sus habilidades sabiendo cuándo un estado emocional está a punto de dar paso al otro. Eso es todo. *Eso es la inversión,* en dos palabras. No saber cuándo la rentabilidad de un valor va a ser mejor de la esperada o intentar suponer cuándo una empresa anunciará un nuevo producto. Todo se basa en la gente y en sus emociones, y por ello nos resulta tan importante la interpretación de los gráficos. Los informes de balances y de beneficios presentan una imagen del pasado, un pasado al que la gente ha reaccionado ya *emocionalmente.* Los gráficos, por otro lado, son un mapa viviente del actual estado emocional del inversor, construido inversión tras inversión. Bajo nuestro punto de vista, es la herramienta definitiva del inversor activo y los que juegan en el mercado a corto plazo sin ellos, están en una posición de tremenda desventaja.

SEMILLA DE SABIDURÍA

Es un hecho incontestable que los inversores invertimos en la gente. No invertimos en valores. Esta es la afirmación más importante de todas. Los inversores que ven el mercado en forma de gente, y no en forma de las cifras o los impulsos binarios que aparecen en una pantalla, tienen más oportunidades de alcanzar el estado de maestría en la inversión. Comprenderán mejor las razones ocultas detrás de los movimientos repentinos de precios, que les situarán en posiciones más viables para poderse aprovechar de dichos movimientos. Los verdaderos maestros nunca olvidan que cada vez que efectúan una operación hay alguien en el otro lado operando en sentido inverso. Pero debido a que estos inversores maestros son en realidad maestros de la inversión en gente, los pobres que están en el extremo opuesto de sus operaciones son normalmente los ignorantes. Reconozca que está invirtiendo en gente y tendrá todo el potencial para ganar. Si es incapaz de reconocerlo, se convertirá en el próximo ignorante.

La actitud mental positiva marca la diferencia

La victoria en el mercado de valores tiene tres componentes principales: mentalidad, método y dinero. El doctor Alexander Elder, autor de *Trading for a Living,* las denomina las «tres M».[1] Dominarlas todas es primordial, pero la mentalidad es, de lejos, la más importante de las tres. Porque sin una actitud ganadora, sin la mentalidad adecuada y sin la necesaria ecuanimidad mental, incluso el mejor de los métodos conduce a una pérdida de dinero. De hecho, *el ganador se define más por su equipaje mental que por el método o el dinero.* Esta es la razón por la cual el inversor con una actitud ganadora y un enfoque erróneo, todavía puede producir resultados positivos, mientras que el inversor con mentalidad de perdedor tropezará y caerá, a pesar de poseer un enfoque excelente. ¿No lo cree así? ¿Qué piensa usted que provoca que un inversor invierta y gane seis veces seguidas y que otro experimente ocho pérdidas consecutivas? ¿Cómo es que un inversor que utiliza una publicación diaria gana y otro que también la utiliza pierde? ¿Qué cree usted que diferencia a la persona que compra XYZ y gana de la persona que compra también XYZ y pierde? La diferencia estriba en la mentalidad, así de simple. Uno de los axiomas más revolucionarios con los que me he encontrado jamás es el siguiente: «El hombre es tal y como piensa su corazón.» Y esta verdad universal es tan aplicable a los inversores como a cualquier otra persona. Controle la actitud de ganador y encontrará un nivel de confianza y seguridad prácticamente increíble. Y mientras que muchos cometerán el error de suponer que los ganadores se sienten confiados y seguros *porque* ganan, la verdad es que los ganadores ganan consistentemente *porque* se sienten confiados y seguros. Por bueno que sea un método, no funcionará para aquellos inversores que se imaginan mentalmente perdiendo antes de realizar la inversión. Y ningún dinero ahorrará el individuo que secretamente albergue la creencia de que «todo lo que toco se convierte en polvo». Como individuos capaces de elegir, debemos abordar esta actividad sagrada, que denominamos inversión, eligiendo un conjunto de pensamientos positivos. Nunca fracasará, ni sentirá como tales los fracasos, si reconoce el sencillo hecho de que *usted no es sus resultados*. Usted los crea, lo que significa que posee el poder de alterarlos. Arriba hay cabida para todos los inversores que lo luchen, pero el primer paso es creerlo. El segundo es empezar a *actuar* en consecuencia. Piense en una parte,

---

1. *Mind, Method and Money,* en inglés. *N. de la T.*

actúe sobre una parte, y el resto misteriosamente vendrá solo. Pero no se limite a creerlo. Inténtelo.

SEMILLA DE SABIDURÍA

La mentalidad o la actitud pueden marcar toda la diferencia del mundo en los años de desarrollo del inversor. Si le cuesta creerlo, busque cinco inversores perdedores (no le resultará difícil) y tome nota de su actitud. Descubrirá que cada uno de estos inversores tiene un estilo distinto de perder, pero lo que todos tienen en común es una mala actitud con respecto al mercado y/o una mentalidad preocupada. Como resultado de esa mala mentalidad, todas sus acciones carecerán de fuerza y estarán faltas de resolución. Sus decisiones serán débiles y sus miradas revelarán terror. Por otro lado, si buscara cinco ganadores, notaría de inmediato una forma completamente distinta de pensar. Estos inversores le parecerían de otro mundo. Su postura en la silla le parecería casi regia. Su mirada sería aguda, clara y fiera, a la espera de la siguiente oportunidad. Sus movimientos serían deliberados, sus decisiones rápidas y precisas. Aunque estarían al corriente continuamente de cualquier negocio, parecerían relajados y cómodos. Cuando ganaran, no tendrían necesidad de gritarlo al resto del mundo porque no sería nada extraño. Muchos pueden cometer el error común de suponer que estos inversores tienen esta mentalidad porque ganan. Algo muy alejado de la realidad. Una mirada más detallada revelaría que son ganadores gracias a su mentalidad. El inversor de éxito hecho a sí mismo no tiene una actitud positiva debido a sus victorias. Gana porque se ha atrevido a tener una actitud positiva. Recuérdelo.

Invertir con actitud

¿Cuál es su visión mental del mercado? ¿Ve el mercado como una masa de histeria caótica rara vez comprendida por los principiantes? ¿O ve el mercado como un gran mal enemigo al que derrotar cada vez que se aventura en una inversión? ¿Qué es el mercado bajo su punto de vista? ¿Un amigo o un enemigo, bueno o malo, constructivo o destructivo? Se trata de preguntas muy importantes porque ayudan a sacar a la luz las actitudes que utilizamos para abordar el arte de la inversión. Muchos aspirantes dedican gran parte de su tiempo a dominar sus técnicas, perfeccionar sus estrategias de inversión y desarrollar nuevas tácticas. Pero muy pocos comprenden el significado que alberga una actitud correcta. Si considera el mercado como una especie de monstruo gigante presto a demolerle, todas sus decisiones serán tímidas y carentes de resolución. Todas sus acciones reflejarán debilidad y no tendrán efectos duraderos, y el monstruo que ha creado en su cabeza le acompañará hasta la casa de los pobres. Por falta de una frase mejor, preferiría ver el mercado como «el campo de todas las posibilidades», mi «terreno de juego». Se trata del único lugar donde soy realmente yo y, a pesar de que ese nivel puro de independencia puede espantar a veces, confío con gran placer en el hecho de que mi destino recae en mí y en nadie más. Si fallo, es debido a mí. Si triunfo, soy un dios. El mercado no quiere víctimas, amigo mío. Todo lo contrario, es un libertador y como tal debería estar considerado. En él está en potencia la posibilidad de cumplir todos sus deseos, pero es un potencial que debe encontrarse, cogerse, no debemos suplicar por él. Por lo tanto, la próxima vez que alguien le pregunte: «¿Cómo te trata el mercado?», respóndale diciendo: «No, quieres decir "¿Cómo trato yo al mercado?"» El mercado es el mundo del inversor astuto. Invierta en él con *actitud*. Es lo que nosotros hacemos.

Semilla de sabiduría

La actitud con la que abordamos el mercado tiene una forma divertida de materializarse en nuestra experiencia. En cierto sentido, es como un espejo que reflejará tanto nuestros puntos fuertes como nuestros puntos débiles y que revelará al resto del mundo nuestros deseos más ocultos. Tener miedo de que el mercado no le trate como un amigo es invitarse a luchar contra la ira de un enemigo que no cederá jamás. Considere el mercado como un lugar, o un terreno de juego, del que puede extraer cantidades obscenas de dinero. De este modo tendrá más probabilidades de que sus deseos materiales se hagan realidad. Cada día al levantarme me recuerdo que el mercado se abre por una razón, única y exclusivamente: *permitirme* ganar dinero. Bajo mi punto de vista, el objetivo de todo inversor es colocarse en el otro extremo de *mis* inversiones, soltar sus valores cuando yo lo quiera y tomar mis valores cuando yo quiera librarme de ellos. Puede que suene presuntuoso, pero considero el mercado como *mi* mundo, y los resultados que suelo obtener de él sugieren que así es.

Alimento diario para el cerebro

Le hemos ofrecido algunas de nuestras ideas sobre palabras, acciones y emociones comúnmente utilizadas en un intento de revelar el papel que desempeñan en nuestras decisiones diarias de inversión. Le animamos a que lea de nuevo estos puntos a menudo, ya que están especialmente concebidos para mantenerle psicológicamente en forma y al corriente de algunos errores mentales que plagan todos los inversores activos.

1. *Pensar*. Demasiado no es bueno. Puede que suene extraño a la mayoría, pero la mayoría de los maestros de la inversión están situados más allá de la necesidad de pensar. Es sólo cuando se les pregunta por qué hicieron determinada cosa que tienen que pararse a «pensar». Mi experiencia me dice que los mejores inversores ni tan siquiera parecen comunicar adecuadamente lo que hacen. Quizá es porque son «hacedores» que ya no tienen necesidad de pensar en «hacer».
2. *Imaginación*. Puede ser un problema. La imaginación es una cualidad o elemento que no actúa en el mundo de los hechos. Los inversores de éxito permanecen apegados a lo que es real y factual. Procesan constantemente lo que *es*, no lo que puede o podría ser. No imaginan, suponen o esperan. Se limitan a procesar y reaccionar a los hechos, segundo a segundo, minuto a minuto, con escasa o ninguna imaginación u opinión.
3. *Miedo*. El miedo es la perdición de la acción inteligente. No sólo paraliza la cabeza, que a su vez paraliza el proceso de opinión, sino que además erosiona las facultades intuitivas

que son tan importantes para los inversores maduros. El miedo es un veneno que destruye toda virtud necesaria para ser grande en cualquier cosa. Es uno, sino el mayor, de los impedimentos para lograr cosas.

4. *Avaricia*. Lo que mejor resume esta palabra es la frase que dice: «Los alcistas y los bajistas ganan dinero, pero los cerdos no.» Los marcadores de *home-runs* deberían quedarse en el béisbol. Perseguir un buen marcador es algo que no funciona en la inversión y, por sorprendente que parezca, el deseo de puntuar algo es la marca distintiva del novel. En lugar de buscar 10.000 dólares de una sola vez, el maestro de la inversión buscará ganar 1.000 dólares cada vez. La ganancia de 1.000 dólares será más rápida y menos arriesgada que una única de 10.000 dólares.

5. *Información*. Cuanta menos mejor. Un exceso de información ayuda a estimular la imaginación, y ya sabemos que esto no es bueno. Empiezan a formarse opiniones y, antes de que pueda darse cuenta de ello, habrá adoptado el punto de vista del distribuidor de la información. Nunca debemos olvidar que la importancia de la información no estriba en su mensaje. Su importancia recae en cómo reaccionan los demás a su mensaje.

6. *Expectativas*. Demasiadas expectativas o expectativas demasiado elevadas son signos seguros de un novel inmaduro. Las expectativas razonables siempre están bien, pero deben ser seguras. Los que no saben qué están haciendo tienen expectativas exageradas. Son los signos distintivos de los que todavía no han experimentado las dificultades que van de la mano del camino del éxito. Muéstrenos inversores con expectativas infladas y le mostraremos noveles aprendiendo a respetar el mercado, *a las duras*.

7. *Exceso de análisis*. Un exceso de análisis evita la acción y aumenta la incertidumbre. Analizar es elegir, diseccionar. Considere el hecho de que un alza, una vez diseccionada, deja de ser un alza. Todo inversor de éxito sabe que dispone de unas pocas formas básicas y sencillas de determinar si debería comprar, vender, conservar o ignorar. No se complica la vida Y siempre está dispuesto a limitarse a «hacerlo» y ver qué sucede.

8. *Esperanza*. La esperanza es peligrosa, sobre todo para los inversores. Es el gran enemigo de los que se crean el hábito de conservar posiciones perdedoras. La esperanza, en este caso, promueve la ausencia de acción precisamente cuando la acción es necesaria. Alienta la comodidad y la complacencia, cuando lo último que se debería hacer es quedarse quieto. La esperanza es como una droga que roba la capacidad de razonar con inteligencia. Los que esperan se ciegan ante los hechos y siempre quedan a merced de los que se ganan la vida vendiendo esperanza. Si se me presentara la alternativa, elegiría siempre ser vendedor de esperanza, no comprador. Siempre que invierta, evite la esperanza como una plaga.

3. Perder

El requisito previo del poder y el éxito en la inversión

El poder de la adversidad

Hace trece años, a la temprana edad de veinte años, experimenté mi primera inversión en el mercado de valores. Fue una inversión perdedora, pero desde ese mismo momento supe que había encontrado mi alegría, mi amor, en resumen, el objetivo de mi vida. La emoción, la precipitación y, sí, incluso el dolor, me hacían sentir como si acabara de descubrir algo que realmente encajaba con la descripción de ser «lo más divertido que se puede hacer vestido». A pesar del fracaso del principio, no me sentí disuadido en lo más mínimo. ¿Por qué? Porque no me permití dejarme disuadir. Estaba decidido a conquistar el mercado, a aprender todos sus misterios. Pero seré el primero en admitir que el peaje que tuve que pagar fue muy alto. Me llevó seis años empezar a ver progresos consistentes. ¿Me sentí desanimado en algún momento? En absoluto. ¿Derrotado? Por supuesto que no. Hubo momentos en los que estuve tan cerca del fondo del precipicio que la única dirección posible a tomar era hacia arriba. Y entonces sucedió. En un determinado momento, empecé a marcar un paso rítmico que me condujo a una zona crepuscular gloriosa en la que creo estar desde entonces. Dos años después, me encontré obteniendo del mercado grandes beneficios de forma consistente. Me convertí en una fuerza con la que contar y dejé de ser una víctima. En la actualidad, me preguntan casi a diario: «¿A qué atribuye su destacado éxito en los mercados?» Y mi respuesta es siempre la misma: «Hoy soy un éxito porque ayer fui un terrible fracaso.» Al final, fueron mis pérdidas lo que me animó a descubrir todas las tácticas, todas las técnicas y todas las estrategias ganadoras que he venido utilizando hasta hoy. Mirándolo en retrospectiva, lo veo todo con mucha claridad. Mis ganancias me enviaban al bar a jactarme de ellas con mis amigos, una actividad muy *poco rentable*, añadiría. Pero fueron mis pérdidas las que me devolvieron a la mesa del despacho, una actividad excepcionalmente rentable. Bien, le he contado todo esto como un camino para ofrecerle el consejo más valioso que jamás podré ofrecerle. Y es el siguiente: *La adversidad, perder, es el mayor regalo que puede hacerle el mercado.* Perder no es más que una oportunidad disfrazada. Cada equivocación, cada error, ofrecen al inversor una oportunidad para aniquilar un fallo, destruir un demonio. De hoy en adelante, le animo a que inicie un «diario de pérdidas». Anote toda inversión que acabe en pérdidas, empezando con el símbolo del valor, la fecha, el precio de entrada, el precio de salida y los motivos de ambos. Cuando haya acumulado cinco o más pérdidas, repáselas. Estúdielas. Busque el denominador común de todas ellas. Créame, lo encontrará. Una vez lo haya encontrado, ¡*mátelo!* Repítalo una y otra vez y su problema no será perder dinero, sino la falta de pérdidas de las que aprender más.

SEMILLA DE SABIDURÍA

Llevo casi trece años invirtiendo, pero es sólo recientemente que he llegado a apreciar plenamente el período duradero de pérdidas y frustración que tuve que sufrir. En aquella época, era como si estuviese luchando por mi vida. Ahora me doy cuenta de que aquel período estuvo ayudándome a ganarme la vida. Mis pérdidas me mantenían despierto por las noches, estudiando, corrigiendo y revisando mi perspectiva y mis métodos. Me motivaron para quitarme de encima todo aquello que no funcionaba y acentuaron lo que sí. Hoy en día, con el beneficio que otorga la perspectiva, puedo decir que aquellos años de pérdidas frecuentes constituyeron la base de los maravillosos años de éxito que he disfrutado hasta ahora. De poder formular un deseo, desearía que todo aspirante a inversor desarrollara la idea madura de que la pérdida no es ningún enemigo. El verdadero adversario es no hacer nada con las pérdidas.

Consiga que sus pérdidas trabajen a su favor

El camino que conduce al dominio de la inversión es un viaje a menudo plagado de innumerables peligros. El peligro, la pérdida, las pruebas y las tribulaciones que un aspirante a inversor debe soportar, son suficientes para partir la espalda y arruinar el alma de la mayoría de las personas que se atreven a seguir su curso. Es una vergüenza que demos tan rápidamente por sentado que los individuos que han perfeccionado sus habilidades y dominio de los mercados con increíble destreza han tropezado accidentalmente con este don por algún tipo de tendencia innata o cualidad natural. Algo muy lejos de la realidad. Dolor. Pérdida, frustración. Confusión. Incertidumbre. Inconsistencia. Son los maestros que proporcionan la formación necesaria para alcanzar los niveles deseados de grandeza. Todo inversor que disfruta actualmente de cierto nivel de éxito tiene que haber sufrido el dolor y la agonía de ser ayer un perdedor. Como seres humanos que somos, aprendemos poca cosa de nuestros éxitos. Son sólo los fracasos los que parecen iluminar el camino y mostrarnos por dónde ir. Sabemos que no se debe tocar el fuego porque, en algún momento, de pequeños, nos quemamos con él. Lo mismo sucede con la inversión. Aprendemos a ganar sólo después de aprender *todas* las formas de perder. Este fue el método utilizado por Thomas Edison al inventar la bombilla. Y por eso tengo para usted la siguiente pregunta: ¿Qué está haciendo con los fracasos que cosecha en el mercado? ¿Se deshace de ellos y no los utiliza para nada? ¿O le sirven como ejemplos valiosos de lo que no se debe hacer? Recuerde que para saltar grandes longitudes es necesario dar primero un paso hacia atrás.

SEMILLA DE SABIDURÍA

Comprensiblemente, dedicamos una gran cantidad de energía y esfuerzo a intentar evitar las pérdidas y el dolor asociado a ellas.

¿Pero nos hemos parado alguna vez a contemplar el grandioso objetivo de las pérdidas? ¿No es sólo a través de unas pérdidas frecuentes que podemos asegurarnos de la necesidad de corregir nuestras acciones? En su estado más puro, el dolor de la pérdida actúa como mensajero personal del cambio. Cada vez que violamos una ley, nos dice, en términos inconfundibles, que nuestras acciones exigen un cambio drástico. Esta es la razón por la que crecemos a través de las pérdidas y mejoramos a través del camino del dolor. La incomodidad nos lleva a actuar, a salirnos del camino y a hacer *algo*. Sin la agonía de la derrota y el dolor que surge de ella, dudamos de si nuestras inversiones llegarán a crecer algún día. Aprenda a respetar las pérdidas porque, en cierto sentido, son precisamente las que le abrirán el camino hacia el futuro que usted desea.

Pequeñas pérdidas: el sello distintivo del gran inversor

Perder dinero en los mercados no es nunca agradable, pero como bien saben todos los inversores inteligentes, es algo que forma parte permanente (y siempre formará) del paisaje de la inversión. Muchos noveles ingenuos agotan su energía, sin mencionar sus preciosos recursos financieros, en busca de esa inversión perfecta o sistema de inversión que promete erradicar para siempre el lado perdedor de la ecuación. No es necesario que diga que lo único que logran estos individuos es engañarse, pues el Santo Grial no existe en el mundo real. De hecho, gran parte del éxito del inversor depende de lo bien que sepa gestionar sus pérdidas, no de lo bien que las *elimine*. Más significativo aún es el hecho de que los ganadores poseen una forma exclusiva de cuidarse de sí mismos, de modo que los inversores astutos que se centran únicamente en gestionar sus pérdidas seguirán siempre en la cima. En resumen, perder es un arte y si queremos alcanzar un nivel elevado de maestría, es imprescindible dominarlo. ¿Por qué? Porque nuestro profesionalismo como inversores se mide no por nuestras ganancias, sino por lo bien que sabemos mantener «controlables» nuestras pérdidas. Aprenda a perder profesionalmente y el resto de los detalles se colocará automáticamente en su debido lugar. ¿Y qué es exactamente una pérdida profesional?, se preguntará. Una pérdida pequeña, naturalmente. Tenga siempre presente este concepto, por favor. El mensaje subyacente es mucho más valioso de lo que pudiera nunca pensar.

SEMILLA DE SABIDURÍA

Se ha dicho que la diferencia entre una inversión ganadora y una perdedora puede medirse en octavos y cuartos. De ser esto cierto, y creemos que lo es, la gestión de las pérdidas es lo que marca una enorme diferencia entre el ganador y el perdedor. Afrontémoslo. Es habitual que los inversores prueben suerte en inversiones ganadoras. De hecho, con un mercado alcista es posible probar suerte frecuentemente con inversiones ganadoras, simplemente porque la marea alta sube el nivel de *todos* los barcos. Esto nos conduce al hecho inevitable de que las inversiones ganadoras no son siempre el indicativo más certero de que estamos ante un inversor ganador. En realidad, el profesional tiene un único sello distintivo: las *pérdidas pequeñas*. Independientemente de cómo sean los principiantes afortunados, la verdad sobre ellos se descubre echando un vistazo a la cuantía de sus pérdidas. Por otro lado, independientemente de cómo se encuentre en este momento un inversor profesional, podemos estar seguros de que es bueno si sus pérdidas son consistentemente minúsculas. Este es el punto al que debemos llegar. Todo el mundo puede fingir y ser ganador durante una temporada, lo que no se puede es fingir o probar suerte con pérdidas consistentemente pequeñas. Este sello distintivo pertenece exclusivamente al astuto, al profesional, al ganador. Los novatos no pueden perder poco consistentemente. Conseguirlo exige mucha habilidad y disciplina. Pueden tener suerte y ganar mucho ocasionalmente, pero las pérdidas acabarán superándolos cada vez. El sello que distingue a los ganadores no es cómo ganan, sino lo bien que pierden. Aprenda a gestionar sus pérdidas y nunca tendrá que buscar victorias. Serán ellas quienes le encontrarán a usted.

El mercado nos habla

El mercado, bien mirado, debería considerarse como un amigo, aunque un amigo mudo e incapaz de hablar, tal y como nosotros lo concebimos. Se trata de un amigo que no puede coger una silla y ungirnos con sus planes para interrumpir el curso regular de su acción. No puede hablarnos de sus intenciones de dar un vuelco inesperado a la baja. Lo que sí puede hacer es ponernos sobre aviso a través de sus acciones. Como amigo que es, nos habla en forma de *fracasos:* fracasos en el liderazgo de los cinco magníficos [America Online (AOL), Citigroup, Inc. (C), General Electric (GE), General Motors (GM) y Microsoft (MSFT)], o intentos fallidos de repunte de precios superiores a dos o tres días. Parte de su lenguaje son también los intentos fallidos de responder a períodos fuertes históricamente, como el fenómeno de Santa Claus de final de año. El mercado comunica con nosotros de esta forma. Es su forma de ponernos sobre aviso. Es su forma de hablarnos, a través de los fracasos. ¿No le parece interesante? El mercado utiliza el lenguaje del fracaso para difundir su evangelio. Y los jugadores que estén lo bastante atentos y sean lo bastante astutos como para recibir lo antes posible el mensaje (más fácil de decir que de hacer) serán los supervivientes, o al menos los que mejor respondan. Así pues, la próxima vez que el mercado se niegue a hacer lo que «debería», considérelo como un mensaje amistoso de cansancio y ¡salga pitando!

SEMILLA DE SABIDURÍA

Todo maestro de la inversión ha aprendido a descifrar los mensajes ocultos del mercado. Obsérvelos con detalle y verá que no les pasa nada por alto y que casi parecen saber cómo interpretarlo. ¿Cuál es su secreto? ¿Cómo son capaces de hacerlo? Su secreto estriba en su capacidad para comprender el *fracaso*. No se echan a llorar si un valor que han adquirido debería actuar de una determinada manera, pero de pronto empieza a actuar de otra y les aporta pérdidas no deseadas. Todo lo contrario, dicen «gracias». ¿Por qué? Porque reconocen que el mercado les envía mensajes de alarma a través de los fracasos. Cuando un concepto técnico fiable empieza de repente a fracasar, no se ponen a dudar sobre la eficacia del análisis técnico. Lo que hacen, en cambio, es considerarlo como un mensaje amistoso del mercado, una advertencia de que hay más temas complicados por venir. E imaginemos que una estrategia de inversión comprobada empieza de repente a perder su exactitud. ¿Piensa que la desecharían? No. Lo considerarían como si el mercado estuviera susurrándoles en voz baja: «Sólo quería hacerte saber, amigo, que estoy cambiando de nuevo de humor. ¿Has captado el mensaje?» Todo aspirante a inversor que pretenda alcanzar la maestría debe aprender a hacerlo. Debe estudiar y aprender a comprender el lenguaje del fracaso. Es una de las escasas formas de que dispone el mercado de comunicar con nosotros.

Cómo se pierde el camino hacia el éxito

Una de las lecciones más valiosas que he aprendido en todos mis años como inversor es que los problemas pueden ser algo maravilloso siempre que les permitamos que provoquen en nosotros una revolución, un cambio. Esto se debe a que en lo más profundo de todo problema yace la respuesta que necesitamos. Consideremos el ejemplo siguiente. A pesar de que somos capaces de informar a diario de que la mayoría de los valores que hemos seleccionado han proporcionado atractivas ganancias a corto plazo, hablamos con muchos suscriptores que nunca parecen encontrarse entre estos ganadores de dos, tres o más de cuatro dólares. Si tres de cada cuatro de nuestras recomendaciones resultan ganadoras, ellos se deciden siempre por la única perdedora. Mientras que la imposibilidad de comprar todos y cada uno de los valores recomendados crea la necesidad de elegir, no podemos ignorar el hecho de que la simple ley de la media matemática dicta que los inversores deberían experimentar una mayoría de victorias. Por lo tanto, cuando la norma son las pérdidas consistentes, es que hay un problema. Lo que debería animar a esos perdedores es que el problema esconde la respuesta que necesitan. La observación detallada del problema revelará la existencia de alguna característica común que los perdedores, consciente o inconscientemente, temen o rehúyen. Por ejemplo, puede darse el caso de que esos inversores estén evitando valores por encima de los cincuenta dólares. O que no estén considerando los valores del sector de Internet, o que ignoren los que presentan un amplio margen de oferta. Sea cual sea el caso, algo hay que les impide elegir los valores ganadores y ese «algo» es lo que debe encontrarse, porque es la respuesta. Todos debemos aprender a pensar más allá de las cuatro paredes que nos rodean, ser casi perversos. Si nos alejamos por timidez de los valores que ascienden durante la sesión y estamos perdiendo, la respuesta es evidente. Debemos comprar valores que asciendan durante la mañana. Si las ganancias de calidad se encuentran consistentemente en valores de precio elevado y usted descubre que son esos precisamente los que siempre evita comprar, tiene también la respuesta. Compre valores de precio elevado. Los valores ganadores están ahí, amigo mío. Si no obtiene la porción que de ellos le corresponde, permita que sus pérdidas le revelen todo lo que necesita cambiar. Las pérdidas hablan por los codos, si desea escucharlas.

SEMILLA DE SABIDURÍA

Toda pérdida que experimentemos nos habla un poco sobre nosotros mismos. Una todas las pérdidas y sabrá más de usted de lo que puedan saber sus seres queridos. Los inversores no podrán nunca eliminar por completo las pérdidas (forman parte permanente de la experiencia de la vida), y es por ello que deben aprender a utilizarlas en su beneficio. Para ello deben buscar la gema que se oculta en el fondo de toda pérdida. Esta gema, o lección, contiene un valioso mensaje que revelará precisamente lo que tienen que hacer o cambiar la próxima vez. La respuesta está, invariablemente, en sus pérdidas. Decida hoy mismo que no permitirá que se produzcan más pérdidas en su vida sin que extraiga de ellas todo el oro que llevan dentro. Convierta en una «magnífica obsesión» la búsqueda del diamante que lleva dentro cualquier pérdida. Hágalo y esta magnífica obsesión le conducirá hacia una magnífica carrera como inversor.

Empezar de cero cada día

Oigo a diario historias sobre inversores que han quedado emocionalmente incapacitados debido a una pérdida reciente o a las pérdidas sufridas en general. Y dada la tendencia del mercado a sufrir brotes frecuentes de dificultad, no puedo hacer otra cosa que imaginarme que muchas de las personas que lean este libro necesitan un poco de ánimos, además de una mano amiga, algo que siempre estamos dispuestos a ofrecer. A estas personas en concreto les digo lo siguiente: la vida del inversor debería empezar de cero cada día. Si alcanza ese nivel tan supremo de éxito que tanto desea, debe aprender a desarrollar la habilidad de olvidarse de los fracasos pasados o, más concretamente, de olvidarse de los desengaños que le hayan provocado y conservar las valiosas lecciones que le hayan aportado. Debería darse cuenta de que cada error cometido es en realidad un error menos que tendrá que sufrir en el futuro, siempre y cuando haya aprendido la lección que el error en cuestión podía enseñarle. Bajo este punto de vista, las pérdidas acaban convirtiéndose en nuestra fuerza, los errores en un componente más del futuro éxito. A veces, me sorprende la facilidad con que los inversores se dan por vencidos después de unas pocas inversiones fallidas. Aunque, después de reflexionar sobre el tema, mi sorpresa disminuye decididamente. La grandeza, en cualquier tipo de empresa, estriba en la capacidad de perseverar hasta haber superado todos los obstáculos. El individuo «medio» carece, por desgracia, de esta determinación, razón por la cual la superioridad y la grandeza son bienes tan escasos. Si hoy superamos los mercados años tras año es porque ayer tuvimos fracasos, eso sí, pequeños fracasos que nos ayudaron a aprender de nuestros errores. Disfrutamos hoy de un nivel de exactitud de mercado que otros no pueden ni tan siquiera soñar porque muchos años atrás nos dimos cuenta de que cometer errores no es ninguna vergüenza, siempre y cuando se aprenda de ellos. Toda pérdida, toda inversión con pérdidas, esconde una gema que debemos descubrir, una lección preciosa que nos acerca un paso más hacia la riqueza. Encuéntrelas y acabará acumulando grandes recompensas.

SEMILLA DE SABIDURÍA

El inversor puede perder únicamente a través de un número concreto de maneras. Esta afirmación destaca claramente el hecho de que sólo existe un puñado de errores posible. El reto que afrontamos como aspirantes a inversor no es el de evitar perder. Es el de seguir adelante a pesar de ello y aprender de cada fracaso. Si de algún modo pudiéramos llegar a experimentar todas las formas de pérdida posibles y absorber por completo las lecciones que cada una de ellas contiene, nuestra sabiduría y habilidad inversora nos catapultarían hacia el nivel más alto que fuera posible alcanzar. Debemos recordar que toda pérdida, después de ser examinada brevemente, debe depositarse en la mesa de operaciones. Es la lección que debemos llevar con nosotros. Debemos olvidar para siempre la pérdida en sí, que es sólo el envoltorio que contiene la lección. De este modo garantizamos que empezamos cada día de cero. Armados con esta nueva lección aprendida, sumada a la de que sólo existe un número limitado de formas de derrota, cada día será un paso más hacia los elevados estados de la maestría.

Aprenda a aceptar lo que no puede cambiarse

Existe una oración que esconde un mensaje increíblemente poderoso para los inversores, y es la siguiente: «Señor, otórgame la fuerza para cambiar lo que pueda cambiar, la serenidad para aceptar lo que no puedo cambiar, y la sabiduría para ver la diferencia.» ¡Soberbia! ¡Potente! ¡Profunda! Creo firmemente que los inversores deberían tener siempre presente esta oración porque en ella se esconde una llave de acceso hacia una inversión rentable y una vida rentable. Resulta fascinante ver cómo los preceptos relacionados con llevar una vida de éxito se aplican también a jugar con éxito en los mercados. Disfruto del lujo de hablar, enseñar y asesorar anualmente a miles de inversores, y he descubierto que muchos de ellos dedican un tiempo y un esfuerzo considerables a cambiar, sino a eliminar por completo, lo único que jamás puede cambiarse: perder. Todo negocio tiene cosas con las que *debemos* tratar. Y como inversores, deberemos siempre tratar con las pérdidas. ¿Qué *podemos* hacer entonces, se preguntará? Los inversores astutos pueden gestionar sus pérdidas. Pueden *reducirlas. Disminuirlas. Mantenerlas* al mínimo, controladas. Pero nunca serán capaces de eliminarlas por completo. Y concentrarse en conseguirlo es una pérdida de tiempo y esfuerzo que no conduce a nada. Las pérdidas, amigo mío, estarán siempre presentes. Tenemos que aprender a vivir con ellas. Es algo permanente que debemos aprender a gestionar. Y cuanto antes adquiramos la sabiduría suficiente como para comprenderlo, antes podremos trabajar en lo que debemos cambiar. *La sabiduría nos ofrece la verdad de que una vida de éxito no está tan determinada por cuánto podemos ganar, sino por lo bien que podamos gestionar nuestras pérdidas.* Y lo mismo sucede con las inversiones. Con el paso de los años, he llegado a comprender que ganar, misteriosamente, es algo que se produce por sí solo. Como inversores, tropezamos a veces casualmente con inversiones ganadoras. Nuestro problema no es ganar. Tampoco lo es perder. Lo que nos desazona es no saber gestionar nuestras pérdidas. *Eso* es lo que exige nuestra atención. *Eso* es lo que podemos cambiar. Y *eso* es lo que, finalmente, nos catapultará hacia la estratosfera del éxito.

SEMILLA DE SABIDURÍA

Resulta irónico que todo aspirante a inversor inicie su carrera intentando hacer lo único que nunca puede llegar a hacerse: evitar las pérdidas. Nunca podremos conseguir evitar las inversiones perdedoras. Estarán siempre con nosotros. Lo único que podemos hacer es aprender a gestionar las pérdidas y, de hacerlo correctamente, dichas pérdidas perderán su potencial de hacernos daño. Una mirada observadora nos revela que los inversores con mayor talento pierden también, y a veces lo hacen incluso con frecuencia. Pero a pesar de ello acaban siempre la semana como ganadores, y es así porque ya no dedican su energía a evitar las pérdidas sino que emplean el tiempo en gestionarlas. El inversor que comprenda este concepto descubrirá algo milagroso: que si se centra en gestionar debidamente sus pérdidas, las experiencias ganadoras que antes le evitaban se producirán automáticamente.

Perder puede ser ganar

Ganar consistentemente en el mercado de valores se relaciona directamente con lo exitosamente que se produzcan las pérdidas.

¿Lo ha oído bien? Lo diremos de otra manera, para que esta afirmación tan revolucionaria quede bien comprendida: saber cómo perder *correctamente* es la piedra angular de cualquier metodología de inversión. Finalmente, para aquellos que sólo entienden las verdades directas, diré lo siguiente: *si no sabe cómo perder, mejor que empiece a hacer las maletas, pues tiene los días contados como participante en el mercado de valores.* Disfrute, entonces, del viaje mientras dure. Puede que suene muy duro, pero es la pura realidad. Pensar que nunca va a perder es engañarse. Perder constituye una parte muy real (y a veces muy frecuente) de la inversión, y saber cómo hacerlo *bien* es el secreto de la supervivencia. Todo el mundo puede tener suerte y hacer una fortuna por casualidad. El precio de un valor sube, el jugador gana dinero y todo va bien. Muy sencillo. ¿Y cuándo el valor va a la baja? ¿Qué sucede entonces? ¿Vende usted? Y de ser así, ¿dónde? ¿Cuándo? ¿Cómo? Sólo los profesionales tienen la respuesta a estas preguntas *antes* de iniciar la inversión. El principiante, como el avestruz, entierra la cabeza en la arena e ignora lo que sucede. ¿Por qué? Porque carece de un plan predefinido para afrontar la situación. Si todos los inversores siguieran nuestra estrategia de pérdidas, se verían obligados a gestionar una caída como profesionales. En la actualidad, nunca iniciaríamos una inversión sin antes tener un punto predefinido donde acabar con nuestras pérdidas. ¿Habrá valores que empezarán a subir tan pronto como los hayamos vendido en el punto definido? ¡Sí! ¿Es posible que a veces nos odiemos por haber vendido en el punto determinado previamente y no haber conservado el valor? ¡Por supuesto! Este tipo de acontecimientos desagradables forman parte del juego que hemos elegido practicar. Ahora bien, tenga por seguro que nunca estaremos cinco, diez, quince o veinte puntos por debajo en *nada*. Nunca sufriremos pérdidas del quince, veinte o cuarenta por ciento. De hecho, como resultado de nuestra estrategia de retirada con pérdidas mínimas, tendemos a perder menos del tres por ciento en cada inversión. Sí, puede que nos salgamos con frecuencia cuando el mercado va a la baja, pero cuando empiecen de nuevo a soplar buenos tiempos, seremos los primeros en subir al vagón orquesta. ¿Por qué? ¡Muy sencillo! ¡Porque tendremos dinero! Los que no tienen un stop predefinido, o no se aferran a él, no lo tendrán.

Semilla de sabiduría

Cada vez que se salga de un valor cuidadosamente elegido porque su precio alcanza el mínimo que haya predeterminado, usted no pierde, sino que gana. Esto es lo que enseñamos y a menudo predicamos una y otra vez a nuestros alumnos. Intentamos conseguir que cambien su paradigma, que consideren cada stop como una victoria, no como una pérdida. Al principio, a muchos les cuesta creernos. Lo ven como un trabalenguas sin base real. Pero no se trata de eso. Retirarse al precio de stop marcado *significa* que usted ha ganado. ¿Por qué?, se preguntará. En primer lugar, los inversores que se retiran de sus inversiones han recuperado una buena parte de su dinero. A muchos antiguos inversores les gustaría poder decir lo mismo. Forman parte de la historia, de una historia olvidada, porque carecían de precios de stop. En segundo lugar, los inversores que se retiran en el stop predeterminado disponen de otra oportunidad de hacerlo bien. Una vez más, existen innumerables personas que, independientemente del tiempo que lleven en el mercado, no disfrutan de más oportunidades. En último lugar, los inversores que se han retirado en el stop predeterminado obtienen el mayor regalo que un inversor puede recibir: respeto, amor propio. Cada vez que un inversor sigue el plan que tenía marcado, fortalece su disciplina y aumenta su poder de resolución. Cuando estos inversores hacen lo que tenían previsto hacer, es posible que su valor no aumente, pero sí lo hace el valor que llevan en su interior. Hay regalos que ofrecen enormes dividendos en el futuro. Perder por seguir una estrategia de retirada bien definida no es en absoluto una pérdida. Bajo nuestro punto de vista, es una victoria.

Aprenda a evitar las grandes pérdidas

Siempre que un exceso de volatilidad, debido a un período de vencimiento de opciones o a otro acontecimiento que impacte el mercado, convierte el mercado en un escenario difícil, resulta inevitable que aumente el número de salidas mediante stop predeterminado que realice el inversor. Esta es la parte mala. La parte *buena*, sin embargo, es que estas pérdidas nunca serán graves si sabemos aplicar puntos de stop relativamente estrechos. En Pristine odiamos las pérdidas, pero si tuviéramos que elegir algo que aborrecemos más que las pérdidas, eso serían las *grandes* pérdidas. Desgraciadamente, las inversiones con pérdidas forman parte inevitable de este juego de subidas y bajadas al que amorosamente nos referimos como inversión. Y la longevidad de los jugadores depende totalmente de conseguir que sus pérdidas sean pequeñas. Afrontémoslo. Todo el mundo puede tener suerte y ganar. Los valores o suben o bajan, lo que hace que la probabilidad de cerrar una operación ganando sea del cincuenta por ciento. Pero sólo el inversor profesional es capaz de mantener en el mínimo la parte perdedora de su cuenta de pérdidas y ganancias. Busque los balances de un profesional y le apuesto lo que quiera a que sus pérdidas son de cantidades mínimas. Por otro lado, busque los balances de un novel y aparecerá una serie de pérdidas lo bastante grandes como para llenar varios baches del asfalto de Nueva York. Mientras que perder nunca es agradable, forma inevitablemente parte del juego. Si alguna vez nos toca perder, ¿por qué no perder poco? Recuérdelo. Puede que no siempre tenga la oportunidad de elegir, pero cuando la tenga, decídase por perder poco.

Semilla de sabiduría

La mayoría de las cosas que perseguimos en la vida no son en absoluto pequeñas. En nuestros momentos de mayor sinceridad, admitiríamos que queremos poseer una sustanciosa cuenta bancaria, enormes beneficios, un coche lujoso y una casa bien grande, con un jacuzzi junto a un embarcadero desde el que se dominara el grandioso paisaje de un mar eterno. Pero si lo que pretendemos es ser inversores de éxito, tendremos que acostumbrarnos al concepto de que algunas cosas buenas tienen que ser pequeñas. En el caso del inversor, hay dos cosas que deberían ser pequeñas: las pérdidas y los errores. Las pérdidas pequeñas son el sello distintivo del inversor profesional. Hablan de la madurez del inversor y de su rapidez para apartarse del mal camino. Los pequeños errores son incluso mejores porque son a menudo los acontecimientos que llevan a las pequeñas pérdidas. Si tuviera la posibilidad de dar un único consejo al aspirante a inversor, sería que aprendiese el *arte de per-*

der poco. Los que solamente se centran en el *arte de ganar a lo grande* no sabrán qué hacer cuando se presenten los inevitables períodos de pérdidas. Los que hayan aprendido a dominar el arte de las pequeñas pérdidas se asegurarán mucho tiempo para conseguir sin problemas la parte ganadora. Aprenda a perder bien, que es lo mismo que decir que aprenda a tener *pequeñas* pérdidas, y perdurará. Y tal y como hemos dicho ya repetidas veces, no espere ni tan siquiera ganar en la inversión a menos que primero haya aprendido a perder. Perder poco se lo garantizará.

Las dos vidas de un gran inversor

> «Si sólo se pudieran tener dos vidas: la primera sería para cometer los errores, porque parece que es necesario cometerlos; y la segunda sería para beneficiarse de ellos.»

Esta sabia declaración, realizada por D.H. Lawrence, es alimento para el cerebro, sobre todo para el de los inversores. El señor Lawrence, sin embargo, parece cuestionarse la posibilidad de vivir las dos vidas de las que habla. Pues bien, yo iré tan lejos en este sentido que llegaré a afirmar que si *no* vive usted esas dos vidas, nunca podrá alcanzar el éxito en nada, y mucho menos en la inversión. Mire, la primera fase del desarrollo de un inversor implica siempre ser un perdedor. En el transcurso de los últimos trece años, he conocido y enseñado personalmente a centenares de inversores, y puedo decir sinceramente que aún tengo que conocer al inversor de éxito que no haya experimentado primero la sensación de ser un perdedor. Naturalmente, sólo los que se benefician de la primera fase de su vida como inversores ganan el derecho a pasar a la segunda fase, que es la que implica ganar. Independientemente de cómo se separe o divida, la verdad del tema es que nosotros, como inversores, primero debemos aprender a tratar con las pérdidas, antes de pretender ser capaces de tratar con el éxito. De hecho, el éxito o la victoria vienen determinados por lo bien que gestionemos nuestras pérdidas. La parte amarga de la cuestión es que la mayoría de los aspirantes a inversor no llega nunca a acercarse a experimentar la alegría de la segunda vida de la victoria, principalmente debido a que no aprenden las lecciones que les ofrece su primera vida como perdedores. Y lo que es más desgraciado es que la mayoría no son ni tan siquiera conscientes de los errores que cometen *para* aprender de ellos. En Pristine hemos dedicado nuestra vida profesional a ayudar a los inversores a soportar su primera vida como tales, lo que implica caminar, tropezar y, a veces, caer. Mediante dedicación, disciplina y conocimientos, nuestros inversores acaban renaciendo en una segunda vida. Y es en esa en la que dejamos de ser necesarios. Pero mientras lo seamos, seguiremos aquí enseñando a los inversores a sobrevivir a los peligros de la primera vida. Gracias por permitirnos guiarle en su viaje.

Semilla de sabiduría

Toda persona, en cierto sentido, vive dos vidas, una como niño o adolescente en desarrollo y otra como adulto desarrollado. Todo inversor tiene asimismo una infancia, pero muy pocos acaban aguantando lo suficiente como para licenciarse en la vida adulta. La vida adulta, como inversor, exige tener sabidas, digeridas y practicadas, todas las lecciones de la infancia. Cuando no se produce este proceso de maduración, el inversor permanece atrapado en las profundidades de la infancia, luchando por conseguir la madurez. La mejor manera de garantizarse que está aprovechando al máximo el proceso de aprendizaje durante la infancia es siguiendo un diario de inversiones. No sólo debería realizar el seguimiento y anotar comentarios sobre cada jugada que realice, sino que debería también anotar sus pensamientos con respecto a la inversión, conservar las ideas y las nuevas percepciones. Debería inmortalizar cada lección aprendida otorgándole un lugar destacado en su diario. Este diario será como un espejo que refleje quién es usted y le servirá también como mapa de carreteras indicándole dónde tiene que ir. Adquiera la costumbre de anotar todas las experiencias, todas las emociones, todos los pensamientos, y se asegurará con ello un proceso continuo de crecimiento que le llevará finalmente hasta ese deseado estado de adulto. Es en esa segunda vida como adulto donde todo el trabajo duro y las luchas soportadas durante la primera se manifestarán en su experiencia inversora diaria.

El crecimiento es una flor que florece con el tiempo

Sé que puede parecer extraño, increíble incluso. Pero es imperativo que los inversores en formación eviten juzgar su crecimiento o éxito a partir del resultado de sus inversiones individuales. Sí, el objetivo de toda inversión es ganar dinero. Y sí, decimos que un inversor tiene éxito cuando consigue ganar con mayor frecuencia que perder. Pero los inversores ganadores son realmente las versiones sénior de los inversores que se han convertido en ganadores. En otras palabras, los inversores no alcanzan el éxito porque ganen. Ganar es la flor que florece *después* de realizar el largo y exitoso viaje del crecimiento. Rara vez, si existe alguna, se produce una victoria a lo largo de este viaje, y lo que sí es seguro, es que no puede producirse antes del viaje. Dicho de otro modo, los inversores que avanzan paso a paso, progresivamente, en su viaje de crecimiento, siguen todavía perdiendo. De hecho, son las pérdidas las que siembran las semillas de ese crecimiento. Mire, existe un período durante el cual los éxitos externos del inversor, es decir, sus inversiones ganadoras, no se revelan por ellas mismos a pesar de que por debajo esté produciéndose un crecimiento fenomenal. Ello se debe a que el crecimiento primero tiene lugar debajo de la superficie. Gradualmente, casi en secreto, va creciendo en nuestro interior, de un modo similar a cómo se desarrolla durante nueve meses el bebé concebido y aún por nacer, sin testigos externos. Desgraciadamente, muchos inversores nunca llegan a darse cuenta de que entre sus dolorosas pérdidas está teniendo lugar un crecimiento. No se dan cuenta de que cada pérdida está en realidad empujándoles más cerca del objetivo final del éxito. Y esta miopía es la que hace que muchos caigan y abandonen en pleno viaje de progreso. Juzgar su nivel interno de crecimiento a partir de sus ganancias y pérdidas externas es un error. Una forma mejor de calcular el crecimiento consiste en juzgar con cuánta frecuencia está usted perdiendo de la misma manera. Voy a repetirlo. *Una forma mejor de calcular el crecimiento consiste en juzgar con cuánta frecuencia está usted perdiendo de la misma manera.* Tener las cuentas en rojo no significa que no esté usted avanzando. Si lo maneja adecuadamente, el rojo irá cambiando de color y, antes de que se dé cuenta de ello, empezará a percibir los primeros resplandores de la maestría. Pero nunca debe olvidarse que la maestría nace. Se desarrolla. Nunca cobra vida instantáneamente. Exige un período de incubación durante el cual gana peso y fuerza. Los que se percaten de ello tienen mayores probabilidades de perdurar. Y, una vez más, nos vemos tentados a recordarle que, para ganar, es necesario durar.

SEMILLA DE SABIDURÍA

Siempre que los jardineros siembran semillas de nuevas flores, saben que parte del crecimiento de la semilla debe tener lugar debajo del suelo. Los que pasean por el jardín en busca de signos externos de ese crecimiento estarán defraudados, aunque no los jardineros. Estos lucirán una sonrisa permanente generada por su comprensión de la naturaleza. Aunque no son capaces de ser testigos de este proceso *exteriormente*, siguen tranquilos porque saben que el milagro del crecimiento tiene lugar *internamente*. Pronto, ese crecimiento oculto se dará a conocer al mundo exterior. Saben que llegará un momento en que saldrá a la luz en forma de una flor gloriosa, cuyo esplendor deleitará a todos los que la observen.

Nosotros somos los jardineros de muchos aspirantes a inversor. Las semillas que plantamos en la cabeza de nuestros alumnos exigen un tiempo de germinación. Y una vez lo hacen, se inicia un proceso de crecimiento milagroso. Con el paso de los años hemos sido testigos innumerables veces del milagro del crecimiento. Casi siempre pasa desapercibido a la mirada, y es así porque el hecho de que no se produzcan inversiones ganadoras no significa que no esté teniendo lugar. Habrá momentos en que usted, como muchos alumnos, se desanimará y perderá de vista el hecho de que en su interior están produciéndose cosas maravillosas. Intente no desanimarse durante mucho tiempo. Si es capaz de calmarse, alejar sus temores y aguantar lo suficiente en el proceso hasta llegar a completarlo, saldrá a la luz un inversor glorioso que destacará como un testigo viviente del hecho de que los que perduran son los que acaban ganando.

Cuando las pérdidas son insoportables

En uno de nuestros recientes seminarios, una alumna me expresó el sueño de su vida en tono entusiasta y utilizando un discurso eufórico. Su apasionado deseo era convertirse en inversora profesional y poder ganarse la vida a partir de ello. «Pero —dijo, con cierta tristeza al darse cuenta del nubarrón que se cernía sobre su sueño—, estoy perdiendo, Oliver, estoy asustada.» «¿Por qué?», le pregunté. «Porque cada vez que pierdo —prosiguió—, me alejo un paso más de conseguir mi pleno objetivo. Tengo que dejar de perder, de lo contrario tendré que abandonar mi gran sueño. Ayúdame, Oliver. Mi barco se está hundiendo y necesito ayuda.» Me quedé allí sentado, permanecí unos minutos en silencio, mi cabeza dando vueltas en busca de las palabras más adecuadas que podía pronunciar. ¿Cómo podía decirle a mi amiga que lo que estaba ocurriéndole era lo mejor que podía estar experimentando? ¿Cómo podía explicarle, sin parecer un maníaco, que para ser un ganador es necesario ser primero un perdedor con talento? La victoria nace siempre a partir de la pérdida. ¿Cuántas veces hemos oído hablar del emprendedor que venció a lo grande, sólo después de fracasar una y otra vez? ¿No aprende el niño a caminar después de caer repetidas veces? Por perverso y prepotente que parezca, perder es el billete del inversor para pasar a momentos mejores. Es el puente que finalmente le conduce hacia ese reino que denominamos maestría. Lo que mucha gente no alcanza a comprender es que ese estado deseado que llamamos victoria, el círculo de los ganadores, tiene un coste, un coste elevado. Y, sinceramente, cuando el momento se acerca, muchos no están dispuestos a pagarlo. La inversión no es un juego pensado para todo el mundo. Es por ello que muchos han fracasado y fracasarán. Sólo los que perseveran, los que duran más allá de la época de pérdidas crónicas, tienen buenas probabilidades de conseguirlo. ¿Se ha preguntado en alguna ocasión por qué los mejores inversores del mundo fueron un fracaso o un caos en otras partes de su vida? Son buenos invirtiendo porque han aprendido a tratar con el fracaso. Han aprendido a afrontarlo, a utilizarlo. No conseguí responder a mi amiga con ningún pensamiento profundo, pero lo que debería haberle dicho era: «¡Bien!»

Semilla de sabiduría

George Bernard Shaw no podía tener más razón cuando dijo: «No se aprende a permanecer en el mundo estando en guardia, sino siendo atacado y defendiéndose debidamente.» La vida para el inversor que empieza es una historia continua de defenderse debidamente. Pero igual que los árboles mejores del bosque se hacen fuertes resistiendo el viento, los inversores que consiguen levantarse cada vez que caen llegarán a experimentar un día en el que se yergan y merezcan el respeto de los que sepan apreciar la magnificencia de un vencedor. Queremos que sepa que cada pérdida que soporte le servirá para reforzarle de cara a la siguiente. Queremos que sepa que cada vez que se levante, lo hará como una persona más iluminada. Entre los dos reunimos más de veinte años de experiencia inversora y todos estos años nos han llevado a la misma verdad que descubrió muchos siglos atrás Séneca el Joven: «La adversidad nos hace más sabios; experimentar la prosperidad demasiado temprano destruye nuestra apreciación de lo que es correcto.»

Obtenga el máximo partido de su matrícula

Mencionamos de nuevo lo que dijo Bernard Shaw en una ocasión: «No se aprende a permanecer en el mundo estando en guardia, sino siendo atacado y defendiéndose debidamente.» No estoy seguro de si el señor Shaw se interesó alguna vez por los mercados financieros, pero su afirmación contiene una sabiduría que puede beneficiar a la mayoría de los inversores. El mercado exige que todos los inversores que desean aprender paguen una determinada cantidad en concepto de matrícula. Desgraciadamente, por ser inversores, pagamos esa matrícula en forma de dinero perdido. Pero junto con ese dinero perdido llega una rica formación que, si se utiliza debidamente, acaba finalmente llevando a menos pérdidas y mayores ganancias. La pregunta que le formulo, entonces, es la siguiente: «¿Qué está haciendo usted con sus experiencias de mercado, sobre todo con sus experiencias perdedoras? ¿Caen en saco roto o las utiliza como obstáculos a superar en el camino hacia el dominio del mercado? ¿Está aprendiendo de sus errores? ¿Está analizando todos y cada uno de sus errores? ¿Está encontrando la gema, la joya, que esconde todo error de inversión?» Espero que así sea, amigo mío. Porque así se adquiere el dominio del mercado, a través de una formación enriquecedora adquirida mediante las pérdidas.

Semilla de sabiduría

Nuestras ganancias, aunque placenteras, no nos enseñan nada. Son nuestras pérdidas las que nos guían por el camino del dominio de la inversión.

4. La formación del maestro de la inversión

Cómo ahorrarse años de perder tiempo y dinero

Encuentre un ganador a quien emular... luego supere a ese ganador

Si se toma realmente en serio lo de ganarse la vida con la inversión, una de las primeras cosas que debería establecerse como objetivo es la de encontrar un ganador a quien emular. Y cuando decimos «ganador», nos referimos a un ganador de verdad, a alguien que invierta a diario o casi a diario y gane dinero en los mercados de forma consistente. Estamos seguros de que no es necesario que le alertemos sobre el hecho de que existen muchos ganadores de palabra y muy pocos en hechos. Los que hablan de un juego ganador, siempre superarán en número a los que realmente practican un juego ganador. Es por ello que no es tan fácil encontrar un ganador, y mucho menos uno dispuesto a responsabilizarse de actuar como mentor. Sin embargo, a pesar del desafío que pueda suponerle esta búsqueda, siga en ella hasta encontrarlo y no abandone. ¿Por qué insistimos tanto en ello? Porque no hay una forma más rápida de aprender los dimes y diretes de esta exigente tarea que denominamos inversión de día. Y el tiempo y dinero ahorrado que supone encontrar un mentor personal ganador no tiene sustituto. Creemos de tal manera en la figura del mentor para conseguir el éxito en la inversión a corto plazo, que siempre procuramos que cada inversor de Pristine que contratamos quede emparejado con un inversor sénior que ya esté ganando dinero. Emparejar los nuevos inversores con un ganador que ya haya viajado por los caminos pedregosos que siguen siendo extraños para los noveles, sirve para reducir ostensiblemente el período de prueba y error en el que se pierde dinero y que tantos inversores sin mentor se ven obligados a sufrir. Y el triste hecho es que los que carecen de mentor, rara vez salen con vida de este período de prueba y error. La combinación de fuerzas del nuevo inversor con las del inversor establecido que ha conquistado ya los infiernos que todavía tiene que enfrentar el aspirante, acelera la llegada del día en que nuestro inversor más reciente pueda avanzar solo como una persona independiente, libre de preocupaciones y desprovisto de miedo. La aceleración del proceso formativo ayuda a aumentar las posibilidades de supervivencia. Prepara un camino mucho más suave hacia ese estado que denominamos maestría de la inversión. Pero como acabamos de mencionar, le va a resultar difícil encontrar por su propia cuenta a un ganador. Encontrar un ganador dispuesto a ampararlo bajo su ala va a ser aún más complicado. Y si lo consigue, agárrelo con fuerza y no lo deje escapar. Haga todo lo que sea necesario hacer para conseguir que le guíe. En otras palabras, su objetivo es convertirse en una sanguijuela y absorberle las ideas al ganador. Asegúrese, no obstante, de ser la sanguijuela más gentil del planeta. Invítele a comer. Compre regalos para sus hijos. Dele parte de sus beneficios si eso le funciona. Plantéese un servilismo total durante un período de tres a seis meses, si es necesario. Si el mentor seleccionado es un verdadero ganador, no tiene precio.

Una vez este ganador haya aceptado guiarle a lo largo de la primera fase llena de trampas de su formación, su misión será primero emular al ganador, luego superarle. Como estudiante de cualquier tema, nunca debería intentar limitarse a emular a su maestro. Esto le convertiría en un simple seguidor. El objetivo es *superar* a su maestro. Y permítanos desarrollar más este punto tan crítico diciendo lo siguiente. Todo *verdadero* maestro impartirá sus conocimientos con el único objetivo de que su alumno le sobrepase. Se trata de una cualidad excepcional, pero creemos en su existencia. Nos resulta demasiado duro considerarnos únicos en este sentido.

Así pues, busque a fondo. Nada le garantiza que vaya a encontrar a un verdadero ganador, pero si lo consigue, considere ese día como el principio de una nueva vida. Su nueva vida como maestro de la inversión.

El carácter de su maestro es importante

Una idea compartida por muchos occidentales es que el carácter que tenga el maestro carece de importancia mientras dicho maestro posea la información. Completamente equivocado. De hecho, es precisamente el carácter y la personalidad del maestro lo que da vida a la información impartida. Es lo que da sentido al conocimiento. El maestro y sus cualidades son lo que evocan el verdadero aprendizaje y esa pasión y experiencia asentadas. Como persona que forma y enseña a inversores de todo el mundo, he llegado a percatarme de que enseñar exige algo más que liberar nuestros conocimientos. Los hechos, por ellos solos, no dan alas a la mente ni levantan los ánimos en ningún sentido. Impartir sabiduría exige unos dones especiales. Exige la presencia de herramientas únicas que aumenten el nivel de conciencia de los demás. Y estas herramientas que convierten al maestro en un gran profesor no se enseñan. Factores como la pasión, el entusiasmo, la integridad, la energía, la conciencia, la preocupación, el cariño y la sensibilidad, no son productos que puedan comprarse o adquirirse en un curso para aprender a hablar en público. Son cualidades inestimables que evolucionan a lo largo de muchos años. Cuando están presentes en un maestro, permanecen allí como un testimonio dinámico de que usted ha encontrado a una persona merecedora de su tiempo y su atención. Los que buscan maestros especializados en el arte de la inversión deberían centrarse en aquellos que posean la información adecuada, además de los rasgos de carácter adecuados. Los orientales reconocen, más que los occidentales, lo sagrado de la relación entre maestro y alumno. Ellos se han dado cuenta de que la unión entre ambos debe manejarse con precaución extrema. Le sugerimos que maneje del mismo modo su futuro en el mundo de la inversión. Y ello puede hacerse asegurándose de hablar con numerosas personas que hayan tenido experiencias de aprendizaje con el maestro buscado. Puede que parezca un aspecto sin importancia, pero tenga en cuenta que el maestro elegido será el filtro a través del cual fluirán los conocimientos que usted busque. En muchos aspectos, estará poniendo en manos de esta persona su camino y su dirección futura, algo que no debería tomarse a la ligera. Confíe en el maestro equivocado y se encontrará en un camino sin retorno y lleno de baches. La calidad de su maestro determinará la calidad de la formación de su maestro. Debe recordarlo.

No sea tacaño con su futuro

En lo que a su formación como inversor se refiere, lo último que debería hacer es ser tacaño. Nunca debería olvidarse que obtenemos aquello por lo que pagamos y el dicho no es en ningún lugar tan correcto como en el terreno de la inversión. Hoy en día, cualquiera afirma ser un maestro en la enseñanza de la inversión. Pero se dará cuenta de que no todo el mundo es ni un inversor de verdad, ni un maestro de verdad. Uno de los signos más flagrantes de haber tropezado con un falso inversor y/o con un fraude formativo, es que venga acompañado de un precio barato. Si le ofrecen una formación supuestamente de primera categoría a cambio de un precio ridículamente bajo, es muy probable que esa formación ni tan siquiera exista. La norma de muchas de las escuelas de negocios salidas de la nada parece ser «cuando no haya valor, compite estrictamente en el precio». Hemos descubierto que cuando una verdadera empresa de inversión ofrece algo con un valor significativo, suele permitir que los méritos de ese valor brillen con luz propia. No necesita de las triquiñuelas de un vendedor de coches de segunda mano para atraer seguidores. Piénselo. ¿Alguien ofrece un Ferrari a un precio inferior que un Ford? Por supuesto que no. Y de ser así, ándese con cuidado. Lo mismo se aplica a la formación en el terreno de las inversiones. No pretendemos sugerir con todo esto que el precio sea la única medida del valor de la formación. No es más que una de ellas, una que pocos aplican. Los mejores formadores no salen baratos. Apueste lo que quiera. Los maestros con mayor talento conocen su valor y no sucumbirán a desacralizar dicho valor ofreciéndolo a un precio barato. Si han pagado un precio por alcanzar el éxito, es muy poco probable que abaraten sus logros con una oferta a precio de ganga. ¿Por qué motivo un inversor de éxito compartiría el fruto de su duro trabajo a precio de ganga? ¿Por qué debería regalar a cambio de unas pocas monedas los años que haya invertido en llegar a la edad adulta como inversor en el mercado de valores? De ser este el caso, es muy posible que no haya frutos que compartir. Los que tienen mucho que ofrecer saben lo valiosos que son los conocimientos que imparten. Saben que lo que ellos poseen puede alterar positivamente y para siempre la vida de quienes lo pongan en práctica. Han alcanzado el éxito y no tienen ninguna necesidad de enseñar, y preferirían no tener ningún alumno antes que tener uno que no honre ni respete las empresas superadas y las batallas vencidas. Por lo tanto, cuando busque un maestro, asegúrese de obtener una respuesta convencida a las siguientes preguntas:

1. *¿Invierte a diario el profesor?* Si la respuesta a esta pregunta es «no», salga por la puerta o cuelgue el teléfono. No hay excusa aceptable. Nada de «peros». ¿Pagaría lecciones de vuelo a un instructor que no volase? Si una empresa especializada en inversión a corto plazo no es capaz de proporcionarle un profesor de verdad que invierta e invierta bien, quizá es porque no dispone de ninguno. Si la respuesta es «sí», averigüe si el profesor es un inversor *rentable*. Quedaría sorprendido al descubrir la cantidad de centros que venden clases impartidas por inversores cansados y quemados que han acabado con sus propias cuentas bancarias y que quieren enseñarle a hacer lo mismo. Una nueva pregunta que formularse. ¿Asistiría a las lecciones de vuelo impartidas por un instructor que ha sufrido un accidente cada vez que ha intentado volar? ¿Es necesario que sigamos?

2. *¿Imparte esta empresa formación a un precio increíblemente barato?* Si el precio de esta especie de formación de inversión a corto plazo es demasiado bueno para ser cierto, es que probablemente es eso, una «especie». Averigüe por qué ofrecen conocimientos «inestimables» a precio de ganga. Si obtiene respuestas del tipo: «No queremos exprimir al público» o «Somos baratos porque el dinero lo obtenemos con las inversiones», salga corriendo a toda la velocidad que pueda. Observe que no hemos dicho que salga *andando*.

Queremos que lo haga *corriendo*. Porque se trata de los disfraces y las excusas de los charlatanes. Lo que importa es que si quiere usted recibir una educación de Harvard, tendrá que pagar precios de Harvard. Recuerde, un Ferrari nunca se venderá al precio de un Ford, por rico que sea el concesionario o lo humano que afirme ser. Los concesionarios filantrópicos de coches realizarán donaciones a organizaciones sin animo de lucro, pero no pretenda que le ofrezcan un Ferrari al precio de un Ford. Y si lo hacen, vigile. Porque el Ferrari que le vendan al precio de un Ford no va a funcionar.

3. *Después del seminario o de las clases de inversión, ¿puede usted quedarse por allí para ver como invierten los profesores?* Tenemos la sensación de que si el profesor no permite que le vean en acción es porque quizá no merece la pena constatar su acción inversora. Los que pueden, lo hacen. Los que no pueden, es posible que instruyan. Pero los que pueden hacerlo *y*, además, instruyen, no pondrán ninguna pega para que sus alumnos les vean en acción. Si ponen pegas o salen con excusas, bórrelos de la lista.

4. *¿Imparten en la clase técnicas reales de inversión, o su único propósito es enseñarle a utilizar un software de inversión concreto?* Mientras que aprender a utilizar un *software* de inversión es importante, creemos que las empresas de inversión no deberían disfrazar este tipo de formación como el tipo de formación que proporciona técnicas y tácticas de inversión universales. La forma más eficaz de formación inversora tendrá siempre aplicación, independientemente del sistema de *software* utilizado. Esta es la formación con mayor valor. El tipo de formación relacionada con un sistema de inversión concreto, aunque útil si piensa utilizar dicho sistema, posee escaso valor. ¿Y si en el futuro decide utilizar otro sistema de inversión? ¿Se quedará obsoleta esta formación por la que ha pagado? Cuando hablamos de formación en el campo de la inversión, no nos referimos a formación de *software*. Esto es algo que nosotros, como empresa inversora, ofrecemos gratuitamente a nuestros clientes. Cuando hablamos de formación, nos referimos a esos conocimientos intemporales que pueden utilizarse y de los que pueden obtenerse beneficios, independientemente de que el inversor

utilice un teléfono para realizar las inversiones o el sistema de inversión NASDAQ nivel II más rápido que exista. El vehículo desde el que invierta, aunque importante, no es el principal problema. Un sistema de inversión superrápido puesto en manos de un inversor sin formación, sólo servirá para que fracase con mayor rapidez. Ejecutar con rapidez es únicamente un punto positivo para quien sabe lo que está haciendo. De lo contrario, provoca una muerte dolorosa y rápida.

5. *¿Puede permanecer en contacto con el profesor para asegurarse de que no se extinga la hoguera de sus conocimientos?* Algo muy importante. ¿Por qué? Porque la brecha cada vez más amplia entre el momento presente y el curso de formación al que haya asistido vendrá a menudo acompañada por una disminución de la confianza en las fases iniciales. La empresa que ofrece cursos de seguimiento gratuitos, o a un precio nominal (recuerde, usted ya ha pagado antes), es una empresa responsable y piensa formalmente en el progreso de sus alumnos.

Estas son sólo algunas de las preguntas que deberían tener respuesta antes de depositar su dinero. No son exhaustivas en ningún sentido, pero deberían ayudarle a iniciar su proceso para empezar con buen pie.

Hoy, los que pueden, hacen y enseñan

Ya no es cierto el dicho que afirma que, por un lado, están los que hacen y por el otro, los que enseñan. Hubo un tiempo en el que esto podía ser cierto en el sector de la inversión. Y quizá, en algunos casos, sigue todavía teniendo algún viso de fiabilidad. Pero ahora más que nunca, existen en este sector inversores con talento responsables además de la dura, aunque espléndida tarea, de enseñar. Me siento orgulloso de poder decir que muchos de los mejores instructores de los Estados Unidos son antiguos alumnos de Pristine. Llevo prácticamente cinco años enseñando a inversores el arte de ganarse la vida en los mercados. Una de las preguntas más frecuentes que recibo en nuestros seminarios de formación es: «¿Por qué enseñas?» «Si tan buenos sois, ¿por qué perdéis el tiempo con nosotros?», es otra de las preguntas más frecuentes. Ambas, cuestiones excelentes de difícil respuesta si no recurro a algunas de mis creencias personales y filosóficas. A lo largo de los últimos cinco años, he descubierto que la delicada coacción que supone la preparación de los seminarios ha hecho más mías las tácticas y las técnicas de inversión que enseño. Y siempre que he pasado largos periodos sabáticos sin dedicarme a la enseñanza, he sentido salir de mí algunos de sus detalles más intrincados. Puedo decir sinceramente que nunca he impartido un seminario sin que me haya cambiado un poco, siempre para mejor. Siempre que doy clases, dejo de algún modo en la experiencia una persona mayor, más ilustrada. Cada experiencia me enriquece, me aporta conocimientos, me hace más poderoso y más astuto. Darme cuenta de todo ello me ha llevado a creer que el hecho de compartir conocimientos los hace más míos. De un modo misterioso, he descubierto que cuando ofreces tus conocimientos a los demás, das cabida a muchos más conocimientos. Ahora que miro hacia atrás y veo los últimos años, me alegro extremadamente de que mi pasión por la inversión se haya convertido en compasión hacia los inversores. Como resultado de cinco años de enseñanza continuada, mi crecimiento como inversor ha avanzado a un ritmo que no podría haber soñado alcanzar sin la ayuda de la enseñanza. Hoy en día, es enseñar lo que hace de mí una persona completa. Mientras siga creciendo como inversor, cualquiera que haya asistido a mis clases podrá decirle que es la enseñanza lo que realmente me hace sentir vivo, lo que hace fluir mi adrenalina y lo que bombea mi corazón. No sé por qué es así, pero así es. ¿Y a qué viene todo esto, se preguntará? ¿Qué mensaje estoy intentando transmitirle? El mensaje es, simplemente, intentarlo. Intente ayudar a otra persona a que se convierta en un inversor inteligente. Intente situar a otra persona a su nivel o incluso a un nivel superior, y verá cómo suben sus progresos como inversor. Rápidamente se dará cuenta de que es imposible ayudar a otro inversor sin, en cierto sentido, ayudarse también a sí mismo.

Un hombre muy sabio me dijo en una ocasión que si alguna vez deseaba algo con todas mis fuerzas, todo lo que tenía que hacer era dar eso que quería. Si quería amor, tenía que dar más amor. Si quería conocimientos, tenía que dar mis conocimientos. Dinero, lo mismo. Me explicó que era posible que no recibiera una cantidad enorme de lo que quería, pero que por poco que diese, mi problema no sería la ausencia de ello, sino encontrar lugar para dar cabida a más. Como persona que ha dedicado toda su existencia profesional a enseñar a los inversores a convertirse en maestros de la inversión, puedo afirmar que mi amigo tenía razón. Sea cual sea su nivel de conocimientos, enséñelos. Delos. Grítelos desde el tejado más alto de su vecindario. Luego, espere a ver qué sucede. Si decide hacerme caso, sólo tengo una pregunta que formularle: «¿Está dispuesto a emprender el vuelo?»

5. Los siete pecados capitales de la inversión

Cómo combatirlos y derrotarlos

Pecado mortal n.º 1: No cortar enseguida las pérdidas

Como inversores profesionales con formación propia que hemos enseñado a centenares de jugadores el arte de ganarse la vida en los mercados, recibimos con mucha frecuencia la siguiente pregunta: «¿Cuál es el error que más a menudo cometen los aspirantes a inversor?» Y nuestra respuesta es: *No aceptar las pérdidas y no acabar rápidamente con ellas*. Somos de la escuela de pensamiento que cree que el bien más preciado del inversor es su capital original y que el inversor está condenado al fracaso si no hace todo lo que esté en su poder para prevenir su degradación. Asumir pérdidas rápidas, pero pequeñas, es la única postura, la única herramienta, si quiere llamarlo así, que los inversores tienen para conseguirlo. Pero los inversores no sólo deben estar dispuestos a aceptar pérdidas rápidas, pero cómodas, sino que deben *aceptar* también el hecho de que las pérdidas son, y siempre serán, parte permanente de su existencia inversora. Se trata quizá del hecho más singularmente difícil de comprender. La mayoría de los inversores pasa su vida en la profesión intentando huir de las pérdidas. Saltan eternamente de broker en broker, de servicio en servicio, de boletín de noticias en boletín de noticias, de sistema de inversión en sistema de inversión, esperando, rezando, muriendo por encontrar el «Santo Grial», ese castillo en el aire que les proporcionará beneficios jugosos, increíbles, de los que hacen la boca agua sin el mínimo rastro de pérdidas. En una palabra, eso es *imposible*. ¿Por qué? Porque la inversión de éxito, igual que una vida de éxito, viene determinada por lo bien que *gestionemos* nuestras pérdidas, no por lo bien que sepamos *evitarlas*. Si desea realmente convertirse en un inversor astuto, la llave maestra no es otra que aprender a perder con profesionalidad, manteniendo las pérdidas al mínimo. *Esa* es la habilidad que necesitamos, *ese* es el camino hacia las grandes ganancias, y *eso* es lo que nos proporcionará longevidad en el negocio de la inversión. Ocúpese de sus pérdidas procurando que se mantengan pequeñas y le aseguramos que las ganancias vendrán solas.

SEMILLA DE SABIDURÍA

Toda pérdida es como un cáncer y alberga un potencial de extenderse por la totalidad de sus cuentas y destruirle su vida financiera. Por lo tanto, para garantizarse una longevidad en el negocio de la inversión, los inversores deben librarse rápidamente de este cáncer, siempre que asome su terrible cabeza. Todas las pérdidas suelen empezar siendo pequeñas. Ese es el momento en el cual controlarlas, o librarse por completo de ellas, provoca poco o ningún dolor. El problema para el inversor surge cuando permite que la pérdida o cáncer se extienda. El inversor y su capacidad de acción se tornan más débiles cada vez que se permite que un valor caiga más en el territorio de lo negativo. Igual que un cáncer, la pérdida creciente roba el intelecto del inversor y devora sus capacidades mentales y físicas, hasta que lo deja completamente consumido y relegado a ser un esclavo. Si quiere tener éxito, debe controlar cualquier enfermedad que albergue el potencial de robarle su futuro.

Cómo eliminar el pecado de no cortar enseguida las pérdidas

Los pasos siguientes le ayudarán a no caer presa del enemigo más mortal de todos... no acabar a tiempo con las pérdidas:

1. *Nunca realice una inversión sin antes determinar dónde arriar velas si las cosas se ponen feas.* Es lo mismo que decir «nunca realice una inversión sin disponer de un precio de stop predefinido, llegado el cual iniciar la retirada». Realizar una inversión sin determinar previamente el precio en el que correrá en busca de cobijo es como correr montaña abajo a máxima velocidad y sin frenos. Puede que acabe sobreviviendo, pero es algo que sólo intentarían aquellos a quienes agrade flirtear con la muerte.

2. *Aférrese siempre al precio de stop predeterminado.* No tendría que ser necesario decirlo, pero nos vemos obligados a mencionarlo porque hay muy pocos aspirantes a inversor capaces de reunir la disciplina suficiente para hacerlo. ¿Por qué es tan difícil? Porque vender valores al precio de stop es admitir claramente que nos hemos equivocado. Se trata de una acción que no provoca un sentimiento de orgullo, ni aumenta la sensación de confianza. Pero los verdaderos maestros de la inversión han aprendido a superar estas dificultades. Se han convertido en expertos en acogerse a sus stops a una velocidad cegadora. Y es así porque han desarrollado una intolerancia hacia los valores que no les funcionan y acaban con ellos al primer signo de problemas. Enseñamos a nuestros inversores a considerar cada valor que adquieren como un empleado que ha sido contratado para realizar una única tarea: subir. Si el valor da el mínimo signo de no saber realizar la tarea por la que ha sido contratado, les aconsejamos que lo despidan de inmediato, igual que despedirían a un empleado que se niega a realizar sus tareas. Entrenamos a nuestros inversores para que sean tan intolerantes con los valores que no saben cumplir las expectativas en ellos depositadas que, a veces, les despiden antes de que alcancen su stop.

3. *Si le cuesta aferrarse a sus precios de stop, empiece a adquirir la costumbre de vender la mitad de lo que tenga.* Adquirir la disciplina necesaria para reducir pérdidas religiosamente requiere tiempo. Establecer y cumplir los stop tiene que ver con el arte de perder, razón por la cual, normalmente, nos cuesta hacerlo y lo hacemos con dolor. En el caso de los alumnos que no parecen capaces de vender al precio

de stop sin antes pensárselo dos veces, les animamos a que vendan la mitad de lo que tienen. Esta acción alternativa es mucho más fácil de llevar a cabo, ya que tiende a complacer ambos impulsos: (a) el impulso de quitarse de encima un valor que no funciona, y (b) el impulso de dar al valor la oportunidad de recuperarse. Al recortar el problema por la mitad, los inversores adquieren mayor claridad y concentración mental. Psicológicamente, los inversores ven la situación como una carga menos onerosa y se sienten mejor con ellos mismos. Sigue estando presente el problema de qué hacer con la segunda mitad, pero con la otra mitad del problema solventado, resulta más sencillo elaborar un plan alternativo. *Nota*: En el capítulo 15 tratamos con detalle el arte de determinar los precios de stop.

Pecado mortal n.º 2: Contar el dinero

Oscar Wilde dijo en una ocasión: «Cuando era joven pensaba que el dinero era lo más importante de la vida. Ahora que soy mayor, sé que lo es.» El objetivo y el punto central de todo inversor a corto plazo es la rentabilidad. La diversión, la acción, la emoción de la victoria, incluso la agonía de la derrota, pueden resultar tremendamente atractivas. Pero es el potencial de aumentar sustancialmente la propia riqueza lo que ensaliva el paladar y enciende el fuego de la mayoría de los jugadores. En resumen, ganar dinero es la fuerza motriz que se esconde detrás del deseo de invertir. Pero mientras que la rentabilidad es, y debería ser, el principal objetivo, una vez realizada una inversión, los inversores deben trabajar de cara a olvidar los beneficios obtenidos. ¿Confuso? Expliquémonos. Controlar constantemente las subidas y bajadas de una inversión es una actividad destructiva que ha robado grandes beneficios a los inversores durante muchos años. Este proceso no sólo aumenta el miedo, sino que anima una incertidumbre momento a momento y evita la concentración en la aplicación de la técnica adecuada. Y es la aplicación de la técnica adecuada lo que acaba determinando nuestra rentabilidad. ¿Cuántas veces el miedo a obtener una rentabilidad diminuta le ha hecho salirse de un valor, justo antes de que empezara a puntuar hacia arriba? ¿Cuántas veces el efecto paralizante de una pérdida le ha impedido deshacerse de un valor, precisamente cuando debería haberlo hecho? El hecho es que centrarse en exceso en dónde estamos, a expensas de no centrarse en lo que se supone que deberíamos estar haciendo, lleva a reacciones reflejas y a respuestas rápidas carentes de inteligencia y razonamiento. Lo que deben hacer los inversores es asegurarse de que su técnica es la adecuada en cada paso; y si realizan esto como es debido, los beneficios vendrán solos. «¿Estoy entrando en el punto adecuado?» «¿He establecido (mental o de otra manera) correctamente mi stop?» «¿Cuál es mi precio objetivo y qué acción debo llevar a cabo una vez lo haya alcanzado?» Se trata sólo de unas pocas preguntas que los inversores tendrían que formularse constantemente. Las acciones del inversor deberían venir dictadas por un plan de inversión bien pensado, que le proporcionaremos en este libro, no por los cambios minuto a minuto que se produzcan en su cuenta. Una buena técnica conduce automáticamente a unos buenos beneficios.

SEMILLA DE SABIDURÍA

Contar el dinero es un pecado cometido normalmente por los inversores que están poco acostumbrados a ganar. Tan pronto como tienen la suerte de conseguir una pequeña ganancia, el miedo a perderla hace que les salten los ojos de las órbitas, que les suden las manos y que su ritmo respiratorio se acelere. En algunos casos, el dinero, que todavía no es suyo, empieza a quemar en los bolsillos y a producir un agujero, hasta que la urgencia de liquidar la inversión excesivamente temprano les consume por completo. Esta terrible costumbre de contar los montoncitos de monedas como un avaro, no sólo roba al inversor ganancias cuantiosas, sino que además provoca una incertidumbre crónica, el miedo a perder y un desequilibrio emocional capaz de desencadenar acciones destructivas. Los soldados (inversores) que empiezan a etiquetar los botines de guerra (beneficios) antes de ganar la batalla (inversión) están especializándose en lo menos importante que tienen a su alcance. No reconocen o se niegan a reconocer que una batalla bien luchada y ganada trae consigo automáticamente un botín. Centrarse excesivamente en el botín es apartar la atención de la batalla. Y los guerreros que apartan su atención de la batalla, acaban perdiendo el botín y la cabeza.

Cómo eliminar el pecado de contar el dinero

A los inversores que trabajan para nosotros les enseñamos a centrarse en su técnica, no en sus ganancias o pérdidas. Les enseñamos a que permitan que sean las estrategias bien ejecutadas las que se ocupen de sus inversiones. Si nota que deja de obtener grandes ganancias debido a la mortal cuenta del dinero, plantéese dar los pasos siguientes:

1. *Para cada inversión, establezca dos precios potenciales de salida, en los cuales podrá vender la totalidad de su inversión.* El primero de estos precios de venta debería situarse por debajo del precio actual. Es lo que llamamos *precio de stop con pérdida.* El segundo debería situarse por encima del precio actual. Es el punto donde usted espera que vaya a parar el valor y hace las veces de precio objetivo. Por ejemplo: Usted compra 400 acciones XYZ a un precio de 20 dólares. Establece inmediatamente un precio de stop con pérdida de 19 dólares. Puede ser un stop mental o real. Establece también, en este caso mentalmente, un precio objetivo de 22 dólares. *Consejo*: toda inversión que realice debería tener siempre un punto de entrada y dos puntos de salida, el precio objetivo y el precio de stop con pérdida. El precio de stop con pérdida se utiliza a modo de protección. El precio objetivo se utiliza para obtener beneficios. En un capítulo posterior trataremos el tema con mayor detalle.
2. *Venda únicamente si el valor viola el stop con pérdida o alcanza el precio objetivo, lo que primero suceda.* Los inversores que siguen esta regla ponen el destino de cada inversión en manos de su estrategia inversora, no en manos de la avaricia o el miedo. Siguiendo con el anterior ejemplo, usted vendería XYZ si descendiera por debajo de 19 dólares, dando como resultado una pérdida de 400 dólares. También vendería XYZ si subiera a 22 dólares, dando una ganancia de 800 dólares.

3. *Si la necesidad de salir antes de alcanzar cualquiera de los puntos de venta se hace insoportable, satisfaga dicha necesidad vendiendo sólo la mitad y conservando la mitad restante sin tocar hasta que la estrategia le ordene la venta.* Por ejemplo, digamos que XYZ sube hasta 21 dólares poco después de adquirirlo. Tiene ahora, sobre el papel, unos beneficios de 400 dólares, pero su estrategia no le permite todavía que lleve a cabo ningún tipo de acción. Sin embargo, la ganancia de 400 dólares que puede conseguir ahora empieza a parecerle demasiado deliciosa como para ser ignorada. Mientras que reconoce que 800 dólares sería mejor, su conteo de dinero le impide pensar correctamente y el miedo de que la ganancia de 400 dólares se evapore está creándole una tremenda necesidad de tomar el dinero y echar a correr. Puede vender 200 acciones a 21 dólares, reuniendo una ganancia de 200 dólares, y dar a las 200 acciones restantes la oportunidad de recorrer la distancia total. Al hacer esto, satisface la necesidad de vender y conserva la integridad de su estrategia de inversión. Estos tres pasos le ayudarán a debilitar, sino a eliminar por completo, ese pecado mortal de contar el dinero.

Pecado mortal n.º 3: Cambio de plazos

El inversor puede jugar en cuatro plazos de tiempo determinados: micro plazo, corto plazo, medio plazo y largo plazo. En nuestro mundo, el micro plazo se refiere al que incluye entre minutos (segundos, a veces) y horas. El corto plazo abarca entre días y semanas. El medio plazo cubre entre semanas y meses y el largo plazo comprende entre meses y años. Como las últimas tres definiciones indican claramente, no existe un momento preciso en el que termine un plazo para empezar otro. Se solapan en los puntos coincidentes. Y si estoy definiendo esto es con el objetivo de destacar un error de inversión muy común cometido por muchos inversores: *el error de comprar en un plazo de tiempo determinado y vender en otro.* Funciona como sigue. Un inversor compra un valor con la idea de capturar una buena ganancia a corto plazo. Pero en este caso, la inversión no funciona según se pensaba, de modo que, en lugar de vender (en los confines del corto plazo), el inversor decide conservar el valor como una jugada a medio o incluso a largo plazo. ¿Le suena? Los inversores profesionales de todos los niveles sucumben ocasionalmente a este pecado mortal. El problema con este «cambio» de plazos de operación, no es otra cosa que una racionalización para ignorar los stop que, como sabemos, son la única protección contra el desastre. *Cambiar* protege, además, el ego de los inversores porque evita verse obligados a admitir que se han equivocado. Mientras no vendan el valor, los inversores que cometen este pecado no visualizan la pérdida como algo real. Esta actitud de esconder la cabeza como el avestruz, puede, de hecho, funcionar en presencia de un potente mercado alcista. En realidad, he visto a muchos inversores seguir adelante cometiendo durante meses este pecado, aunque es muchísimo más frecuente verlos atrapados en su actitud. Tristemente, este pecado mortal ha relegado a lo largo de la historia a innumerables inversores a vivir en ese oscuro, frío y húmedo calabozo que tanto temen los que luchan actualmente por sobrevivir en los mercados. En este purgatorio, por decirlo de algún modo, los prisioneros parecen zombis y llevan colgado un cartel que reza: «Cuidado con el cambio. Yo fui un inversor.» Créame. No quiera ir a parar allí. Evite este pecado.

SEMILLA DE SABIDURÍA

Cambiar plazos temporales es un acto disfrazado de cobardía. Ayuda al cobarde a huir temporalmente de su triste condición. Al cambiar de un plazo de tiempo a otro, el inversor pospone el sentimiento definitivo de verse perdedor, camufla sus pérdidas con un plan débil y se arrastra a un estado mortal de negación albergando un falso sentimiento de esperanza. Los inversores culpables de este pecado no valen para invertir y el mercado no tolerará su presencia durante mucho tiempo. Finalmente, el pecado de cambiar plazos acabará devorando la determinación del inversor, le robará su capacidad de pensar y actuar libremente y le relegará a la posición permanente de víctima patética.

Cómo eliminar el pecado de cambiar plazos temporales

No se puede permitir la existencia del pecado mortal de cambiar plazos temporales. Es necesario eliminarlo por completo porque minimiza al inversor cada vez que cae en él. Una vez adquirida la costumbre, es muy difícil de romper. A pesar de ello, hemos esbozado unas cuantas normas útiles para combatir este pecado:

1. *Si inicia una inversión en un plazo de tiempo determinado, asegúrese de determinar sus puntos de salida en el mismo plazo de tiempo.* Por ejemplo, si ha comprado XYZ basándose en un gráfico diario de precios, asegúrese de utilizar el gráfico diario de precios para elaborar sus estrategias de salida. Recuerde que cada inversión debería tener un punto de entrada y dos de salida. Los que invierten a diario utilizando gráficos diarios, son quienes más necesitan controlar de cerca caer en este error. Entrar en un valor a partir de un gráfico de entre cinco y quince minutos debe estar respaldado por una estrategia de salida basada en un gráfico de entre cinco y quince minutos. Cambiar a media inversión a un gráfico de hora o diario, sería un acto de negación.

2. *No ajuste su stop con pérdida (punto de salida uno) hacia abajo, cuando trabaje a largo plazo (hacia arriba cuando lo haga a corto).* Este es el principal signo de estar cometiendo el pecado de cambiar plazos de tiempo. Imaginemos que ha comprado XYZ a 20 dólares basándose en un gráfico diario (hablaremos más sobre gráficos en el capítulo 11). Establece su stop con pérdida y su stop con beneficios en base a ese gráfico diario. Si XYZ baja y se acerca al punto de salida de la inversión fijado en 19 dólares, no sucumba a la necesidad de ajustar su stop a 19 dólares y pasarlo a 18 dólares o a cualquier precio inferior. Ajustar hacia arriba para proteger los beneficios es correcto, si se hace correctamente. Pero ajustar hacia abajo el stop con pérdida elimina el beneficio de la retirada y anima cobardemente el rechazo a realizar lo que se ha planteado de antemano hacer. Una vez cometido el pecado, volverá a cometerlo una y otra vez hasta que los puntos de stop con pérdida pierdan su poder para salvarle del desastre. Este par de normas evitarán que sucumba al pecado mortal de cambiar de plazos temporales.

Pecado mortal n.º 4: Necesidad de saber más

En este excitante juego que llamamos inversión, nosotros, como participantes activos en el mercado, estamos obligados a tratar con prácticamente cualquier elemento disuasorio del éxito que se nos presente. Debemos superar a diario la confusión generada por los puntos de vista contrapuestos de esa miríada de supuestos expertos. Debemos sortear la corriente interminable de informes de empresas y de nuevos productos e intentar determinar qué es lo que tiene valor y qué es una completa insignificancia. Y por si esto fuera poco, estamos obligados a ser eternos maestros de nosotros mismos porque los demonios psicológicos que acechan a los inversores son mucho más peligrosos que los que podemos ver, sentir y tocar. Una de las mayores enfermedades psicológicas es el miedo a apretar el gatillo. ¿Cuántas veces ha querido usted invertir en un valor, pero ha decidido no actuar hasta que subiera un octavo de punto más? ¿Cuántas veces se ha perdido una gran victoria porque las pérdidas acumuladas le han hecho dudar, pensárselo dos veces y/o detenerse por temor a volver a perder? El principal culpable de estos escenarios es el deseo de certeza o la *necesidad de saber más*. Es natural querer estar seguros antes de actuar, estar superseguros. Pero lo que importa es que *la medalla del ganador va a parar a aquellos que actúan inteligentemente, sin necesidad de saber más*. El mercado es anticipativo y las grandes ganancias tienden a producirse por delante de los acontecimientos. El que necesite *saber más* antes de apostar, siempre llegará tarde y se situará en el lado equivocado de la curva. Los inversores que no están prisioneros de la necesidad de disponer de más información tienen libertad de actuación. Cuando verdaderamente comprendan la sabiduría de la incertidumbre, se convertirán en creadores de gráficos, no sólo en lectores de los mismos. Este es el punto. Usted, como inversor, no puede permitirse la comodidad que ofrece la certeza o la necesidad de saber más, porque cuando haya conocido todos los hechos, la oportunidad habrá desaparecido.

Semilla de sabiduría

«¡Compre con el rumor! ¡Venda con la noticia!», axiomas que se han recitado durante décadas en Wall Street. Y aun así, la necesidad de conocer todos los hechos antes de invertir ha empujado siempre a los inversores a hacer exactamente lo contrario: comprar las noticias. Durante la fase de rumores, o lo que los técnicos denominan la fase analítica, es imposible conocer todos los hechos. Y por extraño que parezca, es en esta fase donde se encuentran las oportunidades. Si invertir en el mercado fuese tan fácil como reunir los hechos y actuar sobre ellos, o esperar a conocer todos los hechos, todo el mundo sería un dios en Wall Street. La necesidad de saber más es un pecado mortal que impulsa la ausencia de acción cuando es acción lo que se necesita, y que anima a la acción precisamente cuando la mejor elección es no actuar. El pecado es como un ladrón dispuesto a robar las oportunidades a los inversores. Sirve también para que los inversores se sitúen eternamente en el lado malo del juego, regalando su mercancía (valores) cuando deberían conservarla, y comprando la mercancía a los demás cuando deberían alejarse de ella. ¿Presentará Microsoft Inc. buenos beneficios de aquí a dos semanas? Si espera la respuesta, llegará tarde, a buen seguro. ¿Aprobará este nuevo fármaco la FDA? No lo sabremos hasta que sea demasiado tarde como para invertir con inteligencia. ¿Se mantendrá el precio por tercera vez? ¿Quién sabe? Todo lo que podemos hacer es jugar, confiar en que sea nuestra estrategia de inversión bien planteada la que guíe nuestros pasos. ¿Puede la media móvil de doscientas sesiones evitar la subida de un valor? Quizá sí. Quizá no. Somos jugadores de probabilidades, no pitonisas, y los inversores incapaces de actuar sin conocer todos los hechos, nunca tendrán éxito.

Cómo eliminar la necesidad de saber más

Si su necesidad de saber más provoca que entre con retraso en las inversiones y/o le produce la pérdida de buenas oportunidades de inversión, deberá seguir los siguientes pasos para librarse de la enfermedad:

1. *Muéstrese reacio a comprar inmediatamente después de escuchar buenas noticias.* Y lo contrario en el caso de malas

noticias. Como que los profesionales tienen la costumbre de comprar con el rumor y vender con la noticia, los valores que informen de buenas noticias tenderán a subir, mantenerse durante un período, para luego volver a bajar, a veces abruptamente. Es lo que se conoce como el *reverso de la noticia* y es una de las trampas en las que con mayor facilidad cae el novel. Es muy difícil que una empresa dé buenas noticias sin que los inversores expertos tengan una buena idea de lo que las noticias pueden o podrán suponer. Esta es la razón por la cual el dinero de los inversores expertos está normalmente puesto en el valor antes de los cambios significativos. Las buenas noticias provocan entre la multitud de principiantes lo que denominamos el *efecto «caray»*. «Caray, XYZ acaba de anunciar noticias positivas. Creo que compraré algo.» El profesional, que ya ha entrado previamente, utiliza las prisas del novato para descargar toda o parte de su pesada carga. *Consejo:* Las instituciones necesitan un número considerable de compradores para liberar un número importante de valores. Cualquier cosa que anime a los noveles a comprar los valores será gratamente acogida por quienes tengan una cantidad importante que vender. «Venid, chicos, ¡el agua está deliciosa!»

2. *Utilice los gráficos para determinar sus decisiones de compra y venta.* Por si acaso no lo sabía todavía, los gráficos no mienten. Las noticias pueden ser, y a menudo son, engañosas. Los valores pueden caer en presencia de buenas noticias (normalmente, cuando dichas noticias eran de esperar) y pueden subir en presencia de malas (normalmente, cuando ya han caído con fuerza como avance de las noticias). Sea como sea, una buena interpretación de los gráficos de precio revelará lo que están haciendo y diciendo los peces gordos. En un capítulo posterior cubriremos con detalles técnicas relacionadas con gráficos.

3. *Si duda porque le gustaría saber más, párese a preguntarse: «¿Es necesario para la inversión eso que estoy buscando, o simplemente busco una mayor comodidad?»* Esta pregunta le ayudará a dar en el clavo. Si ha seleccionado correctamente el stop con pérdida para el valor adquirido y se descubre buscando un motivo por el que su valor ha des-

cendido hasta alcanzar este punto, lo más probable es que lo que esté buscando sea la comodidad. No hay necesidad de saber más, ni tan siquiera el porqué. El valor ha caído hasta el punto de venta que usted ha predeterminado. Ya conoce todo lo que necesita saber.

Pecado mortal n.º 5: Ser demasiado complaciente

Cuando el mercado se porte muy bien con usted y todo parezca funcionar en las inversiones, no se permita caer en las destructivas manos de la despreocupación. Cuando una serie de victorias le hayan llenado bien el bolsillo, haga todo lo posible para conservar lo que tanto le ha costado ganar y la mentalidad inteligente que le ha ayudado a conseguirlo. Es una desgracia, pero todo inversor acaba dándose cuenta de que las ganancias consistentes acaban haciendo bajar la guardia e impeliendo avanzar el comatoso estado de la complacencia. Si espera seguir siendo un inversor de nuestro estilo, no debe sucumbir a esta tendencia tan común. Es precisamente cuando todo va bien que debe aumentar sus niveles de precaución. ¿Por qué? Porque aprenderá que los mayores fracasos vienen pisando los talones de los mayores éxitos. Una época larga y beneficiosa es una buena razón para dar un paso atrás y disfrutar del dulce aroma de las victorias. Incluso un jugador profesional de póquer se aleja de la mesa para contar sus muescas de vez en cuando. Lo mismo debería hacer el inversor ganador.

Semilla de sabiduría

Es bastante habitual que las grandes rachas ganadoras vengan seguidas por grandes pérdidas. Es casi como si el mercado estuviese ahorrando todas las pérdidas que no se sufren a lo largo de una racha ganadora para darlas al inversor en una o dos jugadas. Enseñamos a nuestros inversores a no luchar contra esta tendencia matemática. Después de que nuestros inversores experimenten una racha duradera de ganancias, les animamos a que den algunos pasos cautelares que detallamos a continuación. Lo hacemos para que no caigan víctimas del pecado de ser *complaciente*. Se trata de algo que muchos inversores novatos no comprenden porque no se dan cuenta de que después de llevar una temporada larga de ganancias, el entorno favorable de mercado en el que tan a gusto han estado jugando está cerca de adquirir un carácter distinto. De hecho, en muchos casos, eso y las probabilidades que ofrece ya han cambiado. Piénselo bien. Un inversor experimenta una racha de cinco días ganadores. Durante este tiempo, el mercado ha estado también subiendo durante cinco días seguidos. Llegado este punto, el mercado se ha extendido al máximo en lo que al corto plazo se refiere y necesita respirar durante dos o tres días. No es el mismo mercado en el que el inversor empezó a actuar el primero de esos días. Tiene un carácter diferente, con un conjunto de probabilidades distintas. Y aun así, es precisamente cuando el mercado está a punto de cambiar que el inversor inmaduro se siente lo bastante presuntuoso como para dar un paso más y buscar el placer. Sin darse cuenta de que el entorno que le ha ayudado a conseguir su racha ganadora ya no es el mismo, el inversor principiante presiona la situación ingenuamente y corre el riesgo de perder lo que tanto le ha costado ganar. Siempre que los inversores empiezan a sentirse confiados, complacientes y engreídos, el mercado está a punto de dar un giro, simplemente porque fue probablemente un entorno de mercado determinado el que les ayudó a sentirse engreídos. Y se lo prometemos. Ese tipo de entorno no dura mucho tiempo.

Cómo eliminar el pecado de ser demasiado complaciente

Aprenda a dar un paso atrás después de cualquier racha ganadora que experimente y haga cualquiera de las dos cosas siguientes, o ambas:

1. *Reduzca a la mitad el tamaño de su lote de inversión. Si normalmente invierte en paquetes de 1.000 acciones, pase a paquetes de 500.* La mayoría de los inversores comete el grave error de hacer precisamente lo contrario. Después de experimentar una racha ganadora, se sienten más confiados de aumentar el tamaño de su lote. Pero lo hacen precisamente cuando están cerca de romper su racha ganadora con una pérdida. Es la forma en que muchos inversores se sacan de

encima todas sus ganancias en sólo un par de inversiones. Lo último que debe hacer es sentirse culpable por ganar con sus lotes más pequeños y perder con los de tamaño considerable. *Consejo:* Hemos descubierto que el mejor momento de poner esta acción en práctica es después de experimentar cuatro o cinco inversiones ganadoras seguidas.

2. *Disminuya la frecuencia de sus inversiones.* Si estaba invirtiendo cuatro veces al día, disminuya ese número a dos. Sólo sugerimos esta alternativa cuando el inversor ya ha empezado a experimentar el cambio de suerte. Si el inversor todavía no ha experimentado la pausa en la racha ganadora, la mejor alternativa es la 1. Cuando está inspirado, lo está. No tiene sentido retrasar la racha invirtiendo menos. Pero como hemos mencionado antes, invertir *con* menos es una postura inteligente. *Consejo:* Es mejor poner en práctica la acción 2 después de que se produzcan dos pérdidas consecutivas después de la racha ganadora.

Pecado mortal n.º 6: Ganar por el camino equivocado

Somos muy conscientes de que el dinero puede ganarse honestamente y de un modo correcto. Y por otro lado, sabemos que, asimismo, puede ganarse con poca honestidad y criminalmente. El resultado final, que en este caso es el dinero, puede ser perfectamente el mismo, pero los medios para conseguirlo pueden ser tremendamente diferentes. Y con esto llega la eterna pregunta: «¿Justifica el fin los medios?» No es necesario decir que la respuesta es un «no» como una casa. Es muy similar a preguntar si deberíamos considerar de la misma manera a un cirujano cardiaco y un traficante de drogas, ambos personas que ganan mucho dinero. Naturalmente que no. Y el mismo concepto aplica al mundo de la inversión. *Muchos inversores noveles no se dan cuenta de que existe la posibilidad de ganar dinero en los mercados siguiendo el camino equivocado.* Considere a las personas que no han seguido un precio de retirada al llegar a un punto determinado y que haciéndolo han acabado consiguiendo dinero. Mientras que en Pristine tendremos que informar de que hemos perdido dinero en esa jugada, estas personas estarán satisfechas de *no* haber honrado su stop porque el «resultado final» ha significado un beneficio. Poco saben estos individuos que han cometido un crimen contra su persona, al que seguirá una retribución. Estas personas han saboreado un éxito *falso* y el mercado se asegurará de que reciban tarde o temprano su merecido. ¿Cuál cree que será su actitud la próxima vez que esos individuos estén en una jugada que desencadene su stop de protección? Ignorarlo de nuevo, naturalmente. ¿Por qué no? La última vez que lo deshonraron recibieron una buena recompensa, ¿por qué no iban a obtenerla otra vez? Pero esta vez, el valor no repunta como en aquella ocasión. Esta vez pueden verse atrapados en un valor que tan sólo acaba de iniciar una caída libre de varias semanas que no acabará hasta que sus cuentas lo sufran de verdad. Sepa que ganar dinero incorrectamente refuerza las malas costumbres y las acciones irresponsables. Una vez los inversores saborean el éxito obtenido a las malas, se sienten casi atraídos a repetir ese error hasta que les roba lo que en su día ganaron de forma incorrecta y más. El mercado es algo muy divertido. Parece que no le gusta dar beneficios a quienes realmente no se los merecen. Intente ganar correctamente. Es más duradero.

SEMILLA DE SABIDURÍA

A los maestros de la inversión no les interesa tener suerte en el mercado. No buscan, esperan, ni tan siquiera disfrutan de las victorias que les llegan, a pesar de sus errores o actos de inversión fracasados. De hecho, cada vez que una inversión se ve recompensada por la casualidad, en lugar de por la habilidad, muchos de estos inversores se sienten como si hubiesen perdido. ¿Por qué? Porque los auténticos inversores ganadores comprenden perfectamente que el mercado no da regalos. Lo que parece ser un cálido obsequio es, en realidad, una fría deuda disfrazada que deberá ser pagada posteriormente con elevados intereses. Son sólo los novatos, carentes de las habilidades necesarias, los que buscan ganar sea como sea. Los inversores sin desarrollar se encuentran con tan escasa frecuencia en situaciones ganadoras que desean obtener beneficios de la manera que puedan. En el caso del principiante, cada victoria *no ganada* o no esperada va seguida por una alegría infantil e ingenua.

Como no debería haber ganado, tiene la sensación de que puede respirar un poco. Tiene la sensación de haberlo superado, de haber capturado su presa y escapado de las fauces del peligro. Pero lo que no sabe es que no puede reclamar para sí los beneficios que no sean resultado de sus propias habilidades. No son más que préstamos que bien podrían haber sido otorgados por los tiburones. Porque finalmente tendrán que pagarlos, a veces con su propia sangre. Las acciones correctas y los métodos adecuados, no siempre aportan beneficios a los inversores conscientes. Pero una cosa es segura. El acto equivocado, cometido repetidamente, acabará volviéndose en contra del inversor. Permanezca libre de deudas. Asegúrese de ganar correctamente.

Cómo eliminar el pecado de ganar por el camino equivocado

Veamos a continuación unos sencillos pasos que le mantendrán en guardia contra este pecado mortal:

1. *Después de realizar una inversión ganadora, revise todos los componentes de dicha inversión: la entrada, el establecimiento del stop, la espera, la gestión del dinero, la salida, etc.* Busque errores o violaciones de las reglas. Si encuentra alguno, anote la inversión en su diario como una *pérdida* y con los comentarios que describan lo que necesita rectificar en otra ocasión. *Consejo:* Uno de los principales problemas es el de asociar los sentimientos de victoria a las inversiones que, en realidad, no lo son. Siempre que un inversor se permite sentirse ganador en inversiones que, en realidad, no son victorias, envía a toda su persona un mensaje de que lo que ha llevado a cabo es lo correcto y ha estado bien. Esto tenderá a reforzar los actos erróneos y animar su repetición. No es necesario decir que los errores acaban superando al inversor.
2. *Reconozca que los dos principales demonios, esperar y conservar, serán los principales culpables de las victorias que se producen tomando el camino equivocado.* Jugar en el mercado como lo haría un avestruz suele funcionar cuando el mercado es firmemente alcista. Afrontémoslo. La marea alta hace subir de nivel a todos los barcos. Y si los inversores que llevan a cabo una mala acción inversora en un entor-

no de mercado alcista son capaces de aguantar lo suficiente, el mercado acabará pronto borrando su déficit. Pero cuando este hecho sucede una y otra vez, los inversores empiezan a creer que esta forma de actuar, que podríamos denominar «hunde la cabeza en la arena y espera», es el comportamiento adecuado, siempre que se encuentren con una inversión perdedora. Esta creencia errónea es un verdadero veneno que se extiende en silencio hasta consumir por completo la vida financiera del inversor. Cuando el mercado no es tan acomodaticio, se apodera de todos los beneficios mal ganados y pasa factura. Esta factura es a menudo tan grande y dolorosa que muchos inversores caen en la bancarrota y jamás vuelve a oírse de ellos. Reconocer que estos dos demonios, esperar y retener, producen finalmente la desaparición del inversor es una forma de mantenerse vivo.

Pecado mortal n.º 7: Racionalizar

Veamos si puede usted adivinar qué es lo que hizo mal el inversor del caso que relatamos a continuación. Un inversor emocionado ve en un gráfico intradiario que se está preparando una buena jugada. Todas las piezas parecen ir colocándose en el lugar adecuado, un retorno intradiario con buenas características de volumen, al soporte, un stop estrecho, etc. Y todos los indicadores de mercado cobran vida después de una tarde de consolidación de precios en una jornada de mercado excepcionalmente positiva. Entonces... ¡BAM! Se llega al precio de entrada. El inversor ejecuta la orden. Después de una breve subida, el valor cae abruptamente, perdiendo su breve ganancia, y oscila en torno al precio de entrada. «¿Qué pasa?», se pregunta el inversor. «¡Tendría que estar arriba!» Con la subida de última hora de la tarde completamente evaporada, el mercado empieza a debilitarse y se torna vengativo. A tan sólo un punto del precio de stop, el inversor empieza a examinar el valor en busca de pistas sobre el porqué de su caída. Después de buscar la posible aparición de alguna noticia (no hay noticias), el inversor comprueba el gráfico diario. «Sí. El gráfico tiene buena pinta. Realmente buena —observa—. Bajaré el stop por debajo del míni-

mo del día. Sí. ¡No debería llegar ahí!» Diez minutos después, se
supera el nuevo stop arrastrando con él todo el dinero. Frustrado, el
inversor liquida el valor y no puede ni creerse todo lo que ha perdido. ¿Dónde se equivocó el inversor? ¿Ignoró la debilidad creciente
del mercado? No exactamente. El inversor cometió los siguientes
tres pecados mortales:

1. *Cambiar plazos temporales.* Habiendo elegido y jugado la
   salida en un plazo *intradiario*, con un punto de entrada intradiario y un stop intradiario muy ajustado, el hecho de pasar a
   un gráfico diario y ajustar el stop basándose en él, altera por
   completo la jugada original, volviendo el porcentaje original de riesgo/recompensa en contra del inversor.
2. *Planificar la inversión y no seguir el plan.* Seguir el plan
   original (sea cual sea el plazo de tiempo) es algo absolutamente *esencial*. No seguir el plan coloca al inversor a merced del mercado y erosiona la confianza necesaria para invertir con efectividad.
3. *Racionalizar.* La raíz psicológica de los dos errores anteriores, racionalizar un cambio de plazo temporal o los planes,
   es una forma de negación: la negación de la realidad de lo
   que está realmente sucediendo. La honestidad, la honestidad
   de verdad, por horrorosa que sea la verdad, le colocará por
   encima de la mayoría de inversores incapaces de reunir tanta fuerza interior, prefiriendo, en cambio, sentirse cómodos
   y echar la culpa de sus pérdidas a algo o alguien que no sean
   ellos.

Semilla de sabiduría

Planificar todas y cada una de las inversiones es imprescindible
para abordar el mercado con inteligencia. La mayoría de los inversores perdedores se mueven de un lado a otro sin saber siquiera
cómo construir un plan de inversión. Sin embargo, planificar la inversión y luego no ejecutar el plan es un error muy grave. Los que
saben lo que tienen que hacer y luego no lo hacen son los que menos merecen saberlo, y el mercado les da su merecido: pérdidas.
Debería quedar claro que racionalizar es el culpable que se esconde

detrás de este y muchos otros pecados capitales. La gente suele ser optimista por naturaleza y por eso le cuesta concluir cualquier acto que signifique una pérdida o provoque dolor. Cuando llega el momento de actuar, son muchas las personas que son incapaces de reunir la fuerza y la valentía necesarias para dar el salto, por decirlo de algún modo. Lo que hacen, en cambio, es iniciar un proceso de racionalización. Este proceso de conversación interna en torno a la acción correcta, acaba apartando completamente del juego al inversor.

Cómo eliminar el pecado de la racionalización

Eliminar o controlar el proceso de racionalización puede hacerse siguiendo los dos pasos que detallamos a continuación:

1. En primer lugar, el inversor debe darse cuenta de que está racionalizando. Los principales signos de estar manteniendo una conversación interna sobre una acción son:
   a. Preguntarse «por qué» un valor está actuando de una determinada manera. La razón detrás del comportamiento de un valor no debería influir sobre la acción predeterminada del inversor. Si el plan era salir de XYZ cuando bajara por debajo de 20 dólares, no tiene ningún sentido averiguar por qué el valor ha bajado. La acción correcta del inversor es salirse primero, luego formularse las preguntas.
   b. Buscar noticias. Estar al corriente de las noticias relacionadas con un determinado valor no es, en sí misma, una mala cosa; sin embargo, cuando el verdadero objetivo detrás de buscar noticias es posponer una acción que ya estaba planificada, no es más que un ejercicio de escapismo.
   c. Pensar en términos de «a lo mejor». Siempre que un inversor empieza a utilizar la palabra «a lo mejor» cuando debe entrar en acción y ejecutar un stop al llegar a un precio objetivo, significa que reina la incertidumbre. Casi siempre es mejor seguir un plan de inversión determinado de antemano que decidirse por cambiar a medio camino. Seguir estrictamente el plan, no siempre ofrece los mejores resultados, pero sí anima la disciplina, una cuali-

dad invalorable que todo inversor debe poseer. En cuanto
el inversor vislumbra los signos de racionalización, la
única acción adecuada es la que sigue a continuación.
2. Salirse del valor. Puede que suene duro, pero mis muchos
años de experiencia me han convencido de que la racionalización hace más mal que bien. Si le resulta difícil salirse por
completo de la operación, aligere como mínimo la carga
vendiendo la mitad de lo que tenga. En resumen, si intenta
buscar un motivo para seguir conservando ese valor, es evidente que no hay razón aparente. Y el inversor que conserva
un valor sin disponer de un motivo firme para ello, acabará
siendo un inversor perdedor.

Cómo encontrar y eliminar a su demonio más mortal

Yoghi Berra estaba orgulloso de afirmar: «Lo único que no
quiero es estar seguro de cometer el error equivocado.» Un comentario fascinante pronunciado por un hombre fascinante. No sé si
este legendario entrenador de béisbol jugó alguna vez a la Bolsa,
pero su frase se refiere decididamente al desafiante juego de la inversión. Los inversores deben tener siempre presente que existen
dos tipos de errores o pérdidas: (1) los debidos a la ley de las medias y, por lo tanto, inevitables, y (2) los que son resultado de los
siete pecados capitales y/o de la ejecución errónea del plan de inversión. Los inversores no sólo deben ser conscientes de este hecho, sino que deben además aprender a diferenciar entre las pérdidas que se producen debido a los «pecados» y las que se deben a las
estadísticas. Nunca debe olvidarse que la pérdida es, y siempre
será, parte permanente del juego de la inversión. Por mucho que sepamos, las inversiones perdedoras formarán siempre parte de nuestra realidad. Nuestro reto como inversores está en no evitar por
completo las pérdidas. Se trata de gestionar con inteligencia las
pérdidas que suframos y asegurarnos de experimentar únicamente
aquellas que se produzcan por el hecho de que no podemos ganar
siempre. Debemos también fijarnos el objetivo de erradicar por
completo de nuestra vida inversora las pérdidas equivocadas. En
otras palabras, debemos mantener eternamente una «misión de

búsqueda y destrucción» de los demonios (los errores) que evolucionan a partir de los «pecados» y tienen el poder de apartarnos del juego. Hemos detallado aquí una actividad que enseñamos y exigimos a todos los inversores que trabajan con nosotros. Estamos seguros de que también le resultará útil en su caso.

La preparación

Antes de empezar a diferenciar las pérdidas «buenas» de las «malas», es necesario organizar un apartado en su diario que facilite el seguimiento de sus avances. Lo conseguirá llevando a cabo los tres pasos siguientes:

1. Divida en dos columnas una página de su diario.
2. Titule la columna izquierda como «No puedes ganar siempre».
3. Titule la columna derecha como «Mátalos o te matarán». Estamos seguros de que capta por dónde vamos.

Ahora ya está listo para iniciar el importante proceso de la «separación». Denominamos esta actividad como «separación de las pérdidas buenas de las pérdidas malas».

Separación de las pérdidas buenas de las pérdidas malas

1. Revise concienzudamente los componentes individuales de cada inversión perdedora: la entrada, la gestión de la inversión, es decir, la determinación inicial del precio de retirada y el método de seguimiento de la retirada, la salida, etcétera.
2. Si después del repaso comprueba que no ha cometido errores, anote la inversión en la columna de «No puedes ganar siempre» y pase a la siguiente inversión. Estas inversiones «sin errores» pueden ignorarse en este punto.
3. Si después del repaso admite que ha cometido un error evitable, anote la inversión en la columna de «Mátalos o te matarán» bajo una subcategoría con el nombre del error. Esto se hace para ayudarle a diferenciar un error de otro. Algunos ejemplos de estas subcategorías serían: «entrada excesivamente tardía», «salida excesivamente temprana», «stop ig-

norado», etc. Como verá, en el capítulo 6 hemos detallado un proceso similar.

Encontrar y matar el demonio principal responsable de su caída

Después de una serie de inversiones perdedoras, se dará cuenta de que existe una subcategoría de errores que supera a las demás. Una vez haya detectado este fenómeno, habrá encontrado el demonio principal responsable de su caída. Y debe inmediatamente decidirse a matarlo, sin piedad. Su único objetivo en la vida, llegado este punto, será erradicar por completo de su existencia este error que comete con frecuencia. Cueste lo que cueste, sea cual sea el esfuerzo necesario, debe poner fin a este error. Si el error es «stop ignorado», debe ponerse como objetivo ser siempre fiel a sus stop. Si esto significa vender antes, hágalo. Venda antes. Pero haga lo que haga, no permita que otra inversión caiga por debajo del stop predeterminado, *nunca*. Prométase que en los días venideros, semanas o meses, la columna titulada «stop ignorado» será la que tenga el número inferior de anotaciones.

Cuando esta subsección de errores se haya convertido en el menor de sus problemas, empiece a trabajar en la siguiente categoría que destaca ahora como el mayor problema. Acostúmbrese a seguir toda la vida con este proceso. Finalmente, su mayor problema ya no será decidir qué demonio matar, sino encontrar demonios que matar, y punto.

6. Doce leyes para invertir con éxito

Las reglas de supervivencia del maestro de la inversión

Ley n.º 1: Conózcase

Es crucial que los inversores sepan *quién* son y *lo qué* son. Porque sólo entonces serán capaces de saber cómo deberían jugar en el mercado. Mire, el estilo de juego del inversor debería basarse enteramente en sus tendencias, deseos, apetencias, temores, etc. Si el inversor intenta encajar en un estilo que va en contra de su fondo psicológico, por así decirlo, los resultados podrían ser desastrosos. Por ejemplo, pensemos en aquel inversor que era tremendamente impaciente. A este inversor le resultará muy duro conservar un valor más de diez días. De hecho, incluso cinco días le parecerían una eternidad. Así pues, si aparece un rasgo de carácter tan dominante como esa impaciencia, realizar una inversión a largo plazo de dos meses o más sería un gran error. El inversor, en efecto, estaría luchando consigo mismo a través del mercado. Sabiendo esto, ese inversor debería limitar sus jugadas a aquellas que potencialmente ofrezcan un movimiento más rápido e inmediato. Y mientras que la frecuencia de pérdidas sería mayor, este tipo de jugadas, sincronizadas con su personalidad, cuajarían mucho mejor. Y como resultado de ello, tomaría mejores decisiones. ¿Capta el aspecto? Veamos a continuación algunas preguntas que debería formularse para descubrir quién, qué y dónde se encuentra como inversor. Cuando conozca las respuestas, le será mucho más fácil determinar si tiene, o no, naturaleza de inversor.

1. *¿Soy paciente?* Si la respuesta es sí, es usted por naturaleza un inversor a medio y largo plazo. Si no es paciente por naturaleza, lo mejor sería jugar a corto plazo para complementar su fondo emocional y psicológico.

2. *¿Me siento seguro en manos del tiempo?* Sí, significaría que tiende a pensar y confiar en que con el tiempo las cosas acaban solucionándose. Esto le convertiría, por naturaleza, en un inversor a medio y largo plazo. Si tiende a derrotar al tiempo, a solucionar los problemas más rápidamente de lo que el tiempo podría hacerlo, es inherentemente un inversor a corto plazo o intradía por naturaleza.

3. *¿Me pongo nervioso a medida que pasa el tiempo?* Si al segundo después de iniciar una inversión empieza a sentir un ligero nerviosismo, es usted definitivamente un inversor a corto plazo o intradía. Si se pone más y más nervioso respecto a una inversión (pierda o gane) a medida que pasa el tiempo, lo adecuado para usted es el corto plazo. Si puede comprar un valor y salir inmediatamente a dar un paseo, llamar a un amigo, comprar un bocadillo o leer el periódico, *no* es usted un inversor a corto plazo o intradía.

Las respuestas a las siguientes preguntas determinarán en qué plazo de tiempo de operación debería usted centrarse: micro, corto, medio o largo plazo.

1. *¿Hasta qué punto me siento cómodo con el riesgo?* Si estar 250 dólares abajo en una inversión le hace sentirse un fracasado, su estilo correcto de juego es el del corto plazo. Si puede estar 1.000 dólares abajo en una jugada y sentirse todavía bien con las perspectivas, lo mejor es que juegue a largo plazo.

2. *¿Estoy dispuesto a sufrir grandes pérdidas a cambio de, potencialmente, poder conseguir grandes rentabilidades?* De ser así, lo mejor es que juegue a largo plazo.

3. *¿Tiendo a sentirme más cómodo persiguiendo movimientos de precios pequeños y poco significativos y manteniendo mis pérdidas en el mínimo?* Si la respuesta a esta pregunta es sí, es usted un inversor a corto plazo por naturaleza y lo que mejor le irá será jugar a micro plazo.

Estas preguntas ayudarán al inversor a determinar en qué técnicas y tácticas concentrarse.

1. ¿Soy un jugador?
2. ¿Me gusta apostar a lo grande?
3. ¿Me gusta ir ganando poco a poco?
4. ¿Soy tacaño?
5. ¿Considero de gran importancia el precio o la calidad?
6. ¿Odio incluso las pequeñas pérdidas?
7. ¿Considero tan importante la emoción como la victoria?

Podemos seguir y seguir. Pero estamos seguros de que ha captado la idea.

Ley n.º 2: Conozca a su enemigo

Mientras que conocerse es la primera orden del día para cualquier inversor, también es importante conocer al enemigo. Como hemos mencionado en diversas ocasiones, la inversión es una guerra. Pero ¿contra quién? Como inversores, nuestros adversarios son principalmente los demás inversores y jugadores del mercado. Reflexionemos un minuto sobre ello. Cada vez que usted compra un valor hay alguien, en el otro extremo de la transacción, que se lo vende. En otras palabras. Alguien está sacándose de encima ese mismo valor que usted compra y utilizándole a usted para hacerlo. Y ese alguien piensa que es más inteligente y más astuto que usted. ¿Sabe quién es ese alguien? Es su enemigo. La mayoría de los inversores pasan por alto este punto. Operan con el concepto de que compran al mercado en general. Tienen una imagen mental de un lugar vago donde se amontonan montañas del valor deseado a la espera de ser adquiridas. ¡Falso! Siempre que usted compra, está comprándole ese valor a *alguien*. Y al revés, siempre que usted vende, alguien está comprándole. La pregunta es: ¿conoce a esa persona? ¿Comprende el pensamiento de esa persona, sus motivos, creencias, sentimientos y emociones? Porque, de no ser así, ¿cómo sabe que no es *él o ella* quien lleva la razón?

Es importante que se dé cuenta de que cuando invierte en valores del NASDAQ, está operando típicamente con un *creador de mercado*, el término que se aplica a los miembros del NASD que compran y venden valores, tanto para sus clientes como para sus propias cuentas. Algunos de los principales creadores de mercado son Goldman Sachs (GSCO), Merrill Lynch (MLCO), First Boston (FBCO), etc. A pesar de sus respetables nombres, no son normalmente lo que se diría un amigo típico cuando operan en el NASDAQ. Son los jugadores que están en el extremo opuesto de su transacción. Usted está comprando, mientras ellos le venden. Y viceversa. ¿Piensa que son generosos por ofrecerle los valores que usted desea? Por supuesto que no. Creen que tienen razón y que usted se equivoca. Apuestan contra usted y ¿sabe en qué les convierte eso? En su enemigo. Pero no olvidemos nunca que el mayor enemigo de todos no es un inversor lejano o un creador de mercado, sino nosotros mismos. Nosotros somos nuestro mayor enemigo. Somos el principal impedimento para nuestro progreso y nuestro éxito, y somos los únicos que poseemos el poder de conquistarnos. Todos los demonios psicológicos y emocionales a conquistar están dentro de nosotros. Nos pertenecen, y si queremos alcanzar el éxito como inversores, son el mayor enemigo a derrotar y transformar para renacer. Pero antes de poder conquistarnos, debemos conseguir conocernos. Como Shakespeare nos dijo hace ya varios siglos: «la culpa no está en las estrellas, sino en nosotros». Veamos a continuación, diversas maneras de conocer al enemigo:

1. *Nunca realice una inversión sin antes preguntarse: «¿quién está en el otro extremo de la operación?».* Esta pregunta servirá para que tenga presente que el enemigo se encuentra siempre en el extremo opuesto de la operación. Parte del éxito de la inversión recae en conocer a los enemigos del otro extremo de la operación y, luego, aprender a superarlos.

2. *Cuando busque culpables, no lo haga nunca más allá de usted.* Si tiene pérdidas, usted es el enemigo definitivo detrás

de dichas pérdidas. Mientras que los demás inversores y los creadores de mercado son también enemigos, lo son de categoría inferior. Los inversores capaces de conquistarse a sí mismos (los demonios emocionales y psicológicos) conquistan con ello al resto. El dominio de la inversión es el subproducto del autodominio.

Ley n.º 3: Fórmese rápidamente

En lo que se refiere a convertirse en contable, abogado, incluso en fontanero, todo el mundo parece comprender la necesidad de una formación. El grito mundial por una calidad superior en la educación es casi ensordecedor. Y como resultado de esta concentración en el aprendizaje, existen escuelas que enseñan de todo, desde hacer punto hasta ingeniería química y electrónica. Lo raro del caso es que, en lo que a la inversión se refiere, muy poca gente considera que la formación sea importante. Se trata de algo que nos resulta increíblemente frustrante, sobre todo dado el hecho de que invertir es probablemente una de las tareas más difíciles que existen. Pero la mayoría de los inversores, incluso los que se conocen como los «serios», pierden, en cierto sentido, su fe en la educación cuando se trata de su dinero. No importa que el mercado tenga la capacidad de provocar la ruina financiera. La mayoría está dispuesta a echar a volar sin guía alguna o, incluso peor, a confiar en otro para que vuele por ellos. No parece ni tan siquiera importar que aprender a invertir con éxito ofrezca recompensas que superen en mucho los sueños más increíbles de muchas personas. La mayoría siente la necesidad de introducirse en la oscuridad sin ninguna instrucción. La verdad del tema es que mientras que la persona media jamás soñaría en introducirse en un negocio como la justicia o la medicina sin algún tipo de educación previa, la actitud es completamente distinta en cuanto a la inversión se refiere. De algún modo se les ha vendido el concepto equivocado de que cualquiera puede introducirse ingenuamente en el mercado, sentarse cara a cara con los especialistas del New York Stock Exchange (NYSE), los creadores de mercado del NASDAQ y profesionales como nosotros, y ganar. No es necesario que diga lo lejos de la verdad que queda eso. Llevamos más de trece años invirtiendo. Alcanzar nuestro estado actual de dominio del mercado no ha sido fácil. Aún recordamos, y a veces todavía sentimos, el dolor y el sufrimiento experimentados para llegar hasta donde estamos. ¿Piensa que nosotros, e inversores como nosotros, estamos dispuestos a permitir que los que carecen de conocimientos entren en nuestro mundo y se lleven la comida de la mesa de nuestras familias? Antes de que esto sucediera, sería necesario un frío día en las profundidades del purgatorio.

Creemos tan firmemente en la necesidad de una educación inversora que llevamos más de cinco años formando a inversores profesionales, creadores de mercado y gestores de dinero. No nos cabe la menor duda de que la formación es la primera llave que abre la puerta del dominio de la inversión. Llevamos tiempo suficiente en este juego llamado inversión como para saber que todo el mundo que quiera ser ganador tiene que pagar unos derechos. Una formación del nivel de Harvard no se obtiene sin antes pagar una matrícula del nivel de Harvard. Reconozca que el abono de la matrícula es necesario. Y como inversor, se paga de una u otra manera: voluntaria o involuntariamente. El mercado se encargará de ello. Tendrá que decidir qué camino tomar. Nosotros somos de la opinión de que debería optar por pagarla voluntariamente. Veamos, a continuación, unos cuantos pasos a seguir para obtener la debida formación:

1. *Busque una empresa de calidad que ofrezca un programa de formación para inversores.* Le ahorrará años de prueba y error y perder dinero durante el período de desarrollo.
2. *Lea los libros de inversión más destacados.* Existe una preponderancia de libros sobre el mercado de valores y el tema de la inversión y el juego en la Bolsa. Y su cantidad crece de forma exponencial. Desgraciadamente, la mayoría de estos libros ofrecen poco más que hechos básicos y vagas teorías académicas. Los mejores libros son aquellos que ayudan al inversor a pensar correctamente. Las tácticas y las técnicas son asimismo importantes, y muchos libros no cubren bien esta parte del contexto. Pero los pocos que ofrecen tanto las ideas como los elementos tácticos, son como oro puro.

Ley n.º 4: Proteja su bien más preciado

Como inversor activo, se verá obligado a enfrentarse a ocasiones en las que numerosos descensos, informes de beneficios negativos o nuevas noticias económicas negativas, causarán estragos tanto en el mercado en general como en las posiciones de valores que tenga abiertas. Mientras que las pérdidas son una realidad permanente e inevitable para cualquiera que participe en el mercado, nunca nos resultan agradables, especialmente cuando se producen como resultado de cuestiones ajenas a nuestro control. Debido a que no es posible eliminar por completo de los mercados financieros el elemento de incertidumbre, siempre es necesario disponer de una estrategia de venta protectora. Es la estrategia que nosotros denominamos Política de Seguros de Pristine. Como bien saben muchos de nuestros suscriptores, se trata de un tema que destacamos permanentemente, casi hasta el agotamiento. Pero la prudencia dicta que debemos hacer todo lo que esté en nuestro poder para proteger nuestro bien más preciado: nuestro capital inicial. Cuando eso desaparezca, amigo mío, ya puede empezar a clavarnos el tenedor, porque estaremos hechos, cocinados, terminados. ¿Lo comprende? Es esencial que así sea. Creemos que toda inversión profesional debería tener un precio concreto de compra y dos precios de venta. Uno de esos precios de venta aborda la banda superior y proporciona un punto de referencia donde obtener beneficios. Sin embargo, como que vivimos en un mundo real, debemos tener también un precio de venta que afronte la posibilidad de que la inversión vaya mal. Debido a que los seres humanos son optimistas por naturaleza y a menudo muy ingenuos, la «venta protectora» es la que recibe menor atención por parte del inversor. No es necesario decir que esta es la razón por la cual, en la inversión, las ganancias son muy inferiores a las pérdidas. Como inversores de Pristine, no podemos permitirnos ser humanos, al menos en este aspecto. Con el libro de bolsillo no basta. Asegúrese, entonces, cada vez que lleve a cabo una inversión, de tener siempre en mente estos tres precios. El precio de entrada, el precio con el que obtener beneficios y el precio de stop de protección, lo que deberá conocer como su Política de Seguros de Pristine. Reconozca siempre que el precio más importante, de lejos, es el del stop de protección, al menos durante las fases iniciales de inversión. Este precio representa la línea en la tierra que usted traza inteligentemente para el mercado. Le proporciona por anticipado cuál es el coste máximo de su equivocación y, lo que es más importante, sirve para protegerle de lo único que puede echarle fuera de este maravilloso juego que llamamos inversión: el derrumbamiento precipitado de un valor. Podrá disminuir la frecuencia de sus inversiones perdedoras instituyendo una estrategia de stop con pérdida, de modo que las pérdidas serán tan insignificantes en el equilibrio que, a la larga, perderán importancia. Se lo prometemos. Hemos perdido mucho y hemos perdido poco. Perder poco es *mucho* mejor. Proteja su precioso capital, cueste lo que cueste.

Hemos detallado aquí unas instrucciones básicas sobre cómo desarrollamos la Política de Seguros de Pristine, tanto para la inversión de tipo swing (que se desarrolla en períodos que oscilan entre los dos y los diez días) y la inversión intradiaria (que se desarrolla en períodos que oscilan entre minutos y horas):

La inversión de tipo swing (swing trading)

1. En primer lugar, entramos en toda inversión de tipo swing basándonos en uno de los tres distintos métodos de entrada. El precio de entrada concreto se basa típicamente en un grafico diario de precios. Cubriremos con mucho detalle los tres métodos de entrada en el capítulo 14.

2. Después de adquirir el valor, establecemos un stop a un precio que se sitúe entre el 1/16 y el 1/8 por debajo del mínimo del día de hoy, o del mínimo del día anterior, *el que sea inferior* de los dos. Veamos un ejemplo: Compramos WXYZ a 20 dólares. El mínimo del día de hoy se sitúa en 19,25 dólares. El mínimo del día anterior fue de 18,50 dólares. Ya que el mínimo del día anterior es inferior al mínimo de hoy, nuestro stop de protección se situaría en 18 7/16 o 18 3/8 dólares.

3. Este stop de protección inicial permanecería fijo durante dos días completos, siendo el de entrada el primero de esos días. Después de dos días, solemos realizar ajustes hacia arriba para proteger parte de nuestros beneficios. En el capítulo 16 ofrecemos más instrucciones detalladas sobre el ajuste de los precios de stop.

La inversión intradiaria

1. En primer lugar, entramos en toda inversión intradiaria basándonos en uno de los distintos métodos de entrada intradiaria. Este precio de entrada se basa típicamente en un gráfico de precios de cinco o quince minutos. Cubriremos con mucho detalle los métodos de entrada intradiaria en el capítulo 17.

2. Después de adquirir el valor, establecemos un stop de protección a un precio a 1/16 por debajo del mínimo que aparecía en el gráfico de cinco o quince minutos en base al cual hemos comprado. Si la compra se ha basado en un gráfico de cinco minutos, situaríamos el stop directamente debajo del precio de los cinco minutos, que sería el equivalente al precio de compra. Si basamos la compra en un gráfico de quince minutos, situaríamos el stop directamente debajo del precio de los quince minutos, que sería también el precio de compra. Una vez más, en el capítulo 17 ofreceremos más instrucciones detalladas sobre comprar valores utilizando gráficos de cinco y quince minutos, y en el capítulo 15 discutiremos técnicas de gestión del dinero concebidas para proteger el capital.

Ley n.º 5: Hágalo sencillo

En su mayor parte, creemos firmemente que los inversores, en su busca desesperada del «Santo Grial», se aferran innecesariamente a cualquier cosa que sugiera «supercomplejidad». Logaritmos, mecanismos neurológicos y confusas ecuaciones matemáticas, son sólo unos pocos ejemplos de hasta qué punto podemos alejarnos de los elementos básicos. Básicos como las principales líneas de tendencia, soportes y resistencias de precios, aumentos y descensos de volumen, principales medias móviles, modelos gráficos primarios y similares. La mentalidad occidental, en particular, da por sentado que si algo no es complejo, no funciona. Nuestro punto de vista es el contrario al de este error. La claridad mental y la certeza de acción nacidas a partir de un enfoque sencillo, son casi indescriptibles. Y todos nuestros alumnos obtienen un fundamento adecuado con los conceptos más básicos y aprenden el valor de repasarlos sin cesar. Decida hoy mismo dominar los puntos básicos y comprenderá rápidamente que la sencillez es la madre de la claridad.

Si responde sí a cualquiera de las siguientes preguntas, puede que esté abordando la inversión con excesiva complejidad:

1. ¿Confundirían sus técnicas y tácticas de inversión a un niño inteligente de doce años de edad?
2. ¿Necesita cálculos matemáticos para invertir?
3. ¿Necesita una calculadora para invertir?
4. ¿Necesita más de tres aplicaciones de *software* para invertir?
5. ¿Necesitaría más de cinco minutos para exponer sobre papel su estrategia de inversión?

Se trata sólo de unas cuantas preguntas que apuntan hacia la complejidad. Asegúrese de trabajar con sencillez.

Ley n.º 6: Aprenda de las pérdidas

El camino que conduce hacia el dominio de los mercados es un viaje plagado de incontables obstáculos. El peligro, las pérdidas, las pruebas y las tribulaciones que todo aspirante a inversor debe soportar son suficientes como para romper la espalda y erosionar el alma de la mayoría de individuos que osan seguir ese camino. Es una vergüenza que haya tantas personas dispuestas a asumir rápidamente que la persona que domina su labor y los mercados con increíble destreza, lo hace porque ha tropezado accidentalmente con este don gracias a una tendencia innata o natural. Un supuesto muy alejado de la verdad. Dolor. Pérdida. Frustración. Confusión. Incertidumbre. Inconsistencia. No son más que algunos de los estados y circunstancias que proporcionan la educación necesaria para alcanzar las cumbres deseadas de grandeza. Todo inversor que disfruta hoy de un cierto nivel de éxito ha sufrido, a buen seguro, ayer, el dolor y la agonía de ser un perdedor. Somos seres humanos y como tales no aprendemos de los éxitos, sino de los fracasos. Somos adultos y sabemos que no debemos tocar el fuego porque, de pequeños, nos quemamos con él. Lo mismo sucede con la inversión. *Aprendemos a ganar sólo después de aprender todas las formas posibles de perder*. Y por eso le formulo la siguiente pregunta: ¿Qué está haciendo usted con los fracasos que sufre en el mercado? ¿Los desprecia, los ignora, los deja que se pudran y que se hagan más potentes a medida que pase el tiempo? ¿O le sirven como valiosos ejemplos de lo que *no* debe hacer en el futuro? Nuestras pérdidas esconden el secreto del éxito que andamos buscando. Primero tenemos que perder, luego utilizar estas pérdidas como impulsores para ganar. Recuerde, sólo somos capaces de saltar grandes distancias si damos primero un paso hacia atrás. En otras palabras, primero damos un paso hacia atrás, *luego* saltamos hacia delante. Es la ley de la naturaleza. Es la marca del éxito. Y ese, amigo mío, es el camino hacia el dominio de la inversión. Sin dar primero un paso hacia atrás, nuestro intento de saltar hacia delante será débil. No se queje ni lloriquee si experimenta una inversión perdedora. Todo lo contrario, debería celebrarlo. Porque esa pérdida, manejada adecuadamente, es una guía angelical y maravillosa que tiene el potencial de conducirle hacia un futuro ganador.

SEMILLA DE SABIDURÍA

Una de las herramientas más valiosas disponibles para el inversor no es precisamente un indicador de mercado de moda o alguna técnica sexy de inversión, sino un diario sencillo y efectivo donde anotar las inversiones perdedoras. He descubierto que anotar todas mis pérdidas me facilita la labor de ver tendencias y errores recurrentes. Por ejemplo, después de revisar una racha de cinco pérdidas, es posible descubrir que la causa de cuatro de ellas fue una entrada excesivamente tardía. Ese valioso descubrimiento, manejado correctamente, es la llave secreta para mejorar espectacularmente el porcentaje de victorias. Llegado ese punto, el inversor centrará su atención en entrar más pronto o en negarse a entrar en un determinado valor demasiado tarde. Recuerdo un interesante descubrimiento que realicé años atrás después de utilizar mi diario para revisar todas las pérdidas que había sufrido en el transcurso del último año. Después de un repaso detallado, descubrí que el 78 por ciento de mis inversiones con pérdidas se habían producido con valores cuyo coste oscilaba entre ocho y quince dólares por acción. Recuerdo aquel día como si fuese ayer. Fue un descubrimiento asombroso que estoy seguro habría pasado por alto de no llevar mi diario. Claramente, aquel repaso sirvió para revelarme algo tan sencillo como que si me hubiera alejado de los valores de precios más bajos, mi rentabilidad se habría doblado, como mínimo. El repaso de los propios fallos puede dar como resultado cosas increíbles. Un diario de estos fracasos dice mucho sobre quién, qué y dónde estamos. Si utilizamos, además, las fechas, puede decirnos asimismo hacia dónde vamos, o si de hecho vamos hacia algún lado. Nunca saldría de casa sin él. De hecho, ni tan siquiera *estaría* en casa sin él. Mi hija de cinco años de edad aprendió a caminar a base de caerse. Ahora corre. Este inversor y escritor de treinta y tres años de edad, aprendió a invertir perdiendo primero. Ahora enseño a inversores del mundo entero a ganar en los mercados como lo hago yo. Las victorias vienen solas. Limítese a aprender el arte de perder adecuadamente y sus sueños se convertirán por sí solos en realidad.

Ley n.º 7: Lleve un diario de sus inversiones

Una de las acciones más valiosas que un inversor puede llevar a cabo es seguir un diario personalizado de sus errores de inversión. Como muchos de nuestros alumnos y suscriptores saben, creemos firmemente que nuestros fallos (tanto en la vida como en el mercado), debidamente utilizados, sirven como camino a seguir hacia las cumbres de la maestría en la inversión. Y llevar un historial detallado de sus errores de mercado le ayudará a saber *quién* es usted, *qué* es lo que es y hacia *dónde* va. Siete años atrás, esta sencilla tarea me ayudó a elevar mi exactitud inversora hasta un nivel que nunca pensaba poder alcanzar. No tengo motivos para creer que no pueda pasarle lo mismo a usted. Así es cómo llevé a cabo esta sencilla, aunque efectiva tarea. En primer lugar, tomé todos nuestros informes de gestión lastimosos y anoté minuciosamente los detalles (fecha de la inversión, símbolo del valor, precio de entrada, precio de salida, comisión total, motivo de la inversión, etc.) de todas y cada una de las inversiones con pérdidas. Con la ayuda de un cuaderno de gráficos (hoy utilizo la aplicación de gráficos) revisé y diseccioné todas las decisiones y descubrí que muchos de los errores se repetían una y otra vez. Me dispuse a agrupar estos errores en distintas categorías, como «entrada excesivamente tardía», «venta excesivamente temprana», «tiempo de conservación excesivo», «exceso de ambición», «exceso de nerviosismo», «stop ignorado», etc. Completada esta tarea, me quedé con la inequívoca imagen de quién era yo como inversor (un principiante fracasado) y en qué debía trabajar de inmediato para convertirme en alguien distinto (un profesional de éxito). Elegí entonces el grupo con mayor número de entradas e, ignorando el resto, me dediqué a erradicarlo de mi vida. No descansé hasta acabar con aquel error concreto. Entonces empecé con el siguiente error más frecuente y acabé también con él. Acabé con el siguiente y con el otro. Diez meses más tarde, mientras trabajaba con mi último grupo de errores, me percaté de que llevaba varios meses invirtiendo con rentabilidad, *sin darme apenas cuenta de ello*. Estaba tan concentrado en eliminar los errores, que el efecto colectivo de mis inversiones ganadoras me había pasado casi desapercibido. Esta fue para mí la prueba de que ganar viene solo. Un inversor de éxito se define mejor por su forma de perder que por su forma de ganar. El inversor que gana bien, pero pierde mal, acabará convirtiéndose en una estadística más. El inversor que gana mal, pero pierde bien, aguantará el tiempo suficiente como para acabar haciéndolo bien. El inversor que gana bien *y* pierde bien, tendrá que encontrar formas creativas de gastar el dinero que vaya ganando. A través de este concienzudo proceso de realizar el seguimiento de mis errores, aprendí lo que no tenía que hacer y mi cuenta inversora empezó a crecer. Escriba un diario de su camino hacia el éxito, amigo mío, y verá aumentar su nivel de maestría en la inversión. Quedará sorprendido al ver cómo una tarea tan sencilla como llevar un diario de inversiones le ayuda a eliminar algunos de sus mayores demonios inversores y, en consecuencia, a mejorar su capacidad de ganar.

Veamos, a continuación, un ejemplo de cómo mis alumnos y yo preparamos nuestros diarios personales de inversión:

Inversión 1

Fecha de la inversión: 15 de junio de 1999
Clasificación del mercado: Positiva (hablaremos más sobre cómo clasificar el mercado en un capítulo posterior)
Símbolo: PSFT
Número de acciones: 100
Tipo de inversión: Larga
Estilo de inversión: Inversión de tipo swing (de dos a cinco días)
Precio de entrada: 18,50 dólares
Motivo de la entrada: Regla de la compra de treinta minutos (véanse más detalles en una sección posterior)
Precio de stop inicial: 17,50 dólares (por debajo del mínimo del día)
Objetivo: De 20,50 a 21 dólares (esperando un movimiento hacia la media móvil de doscientos días)
Fecha de venta: 16 de junio de 1999
Precio de venta: 16,75 dólares
Motivo de la venta: Violación del stop de protección
Resultado: Pérdida de 1,75 o 175 dólares (omitiendo comisiones)
Error 1: Miedo a apretar el gatillo. Dudas en la entrada, lo que dio como resultado comprar 1/4 de punto por encima de donde debería haber comprado. Sólo este error me costó 25 dólares.
Error 2: Stop ignorado. Al llegar al precio de stop predefinido en 17,50 dólares, sucumbí a ese enemigo llamado esperanza, hundí la cabeza en la arena, por decirlo de algún modo, y me engañé creyendo que había grandes probabilidades de recuperación. Este error me costó 3/4 de punto adicionales o, lo que es lo mismo, 75 dólares.
Error 3: N/A

El diario de esta inversión revela un universo de información sobre el inversor. Los dos errores más comunes, el miedo a apretar el gatillo e ignorar el stop, sugieren que el inversor experimenta escepticismo, en lugar de optimismo, y que se siente ingenuamente optimista, en lugar de ser de lo más escéptico. Se trata de una afección muy común que normalmente pasa desapercibida. Sin embargo, llevar un diario de las pérdidas sirve para descubrir este tipo de cosas ocultas y nos muestra con claridad quién somos, qué y hacia dónde vamos como inversores. Si persistiera este modelo, el único objetivo en la vida de este inversor debería ser dar la vuelta a estos dos sentimientos, asegurarse de que las diez inversiones siguientes, por ejemplo, no repitieran ninguno de esos dos errores. El inversor podría decidir afrontar los errores por separado o conjuntamente. Fuera como fuese, el punto de atención del inversor no debería ser ganar dinero, sino asegurarse de que ninguna inversión cayera por debajo del stop predefinido. Incluso aunque esto significara vender frenéticamente *antes* de la retirada, el inversor buscaría no tener ninguna inversión que violara el stop definido. De hecho, el inversor debería tener casi deseos de que bajaran sus inversiones para así poder acabar de una vez por todas con su peligrosa costumbre (demonio). El inversor debería asimismo practicar la ejecución de las compras iniciales con una conveniencia superior. Una vez apareciera el signo de compra, la tarea del inversor sería eliminar todos los pensamientos y concentrarse únicamente en llevar a cabo esa inversión. Una vez más, aunque cayera en cierto frenesí con esta actitud, debería realizarlo en todas y cada una de sus inversiones, costase lo que costase. La idea no es necesariamente ganar dinero, aunque muy bien podría ser el efecto final. La idea es «matar» a los dos demonios que presentan el potencial de expulsar al inversor para siempre del juego.

Llevar un diario de las inversiones perdedoras obrará maravillas en usted. Lo sabemos perfectamente porque después de practicarlo durante un tiempo, nuestras propias inversiones ascendieron a niveles completamente novedosos. Llevar un diario de las pérdidas es una de las prácticas que exigimos a los alumnos de nuestros cursos. Pruébelo. Estamos seguros de que le ayudará inmensamente en sus inversiones.

Ley n.º 8: No convierta los valores de bajo precio en su principal foco de atención

Si existe un error, un pecado cardinal en el que he caído millones de veces, es decidir invertir en un valor basándome en su precio. Sé por experiencia que este error de principiante provoca más bajas de guerra que cualquier otra cosa, exceptuando, naturalmente, no respetar el precio de stop. Comprendo de dónde viene y por qué existe esa necesidad, pero es un error y como tal deberían reconocerlo todos los inversores. La limitación de capital es la principal motivación de esta necesidad. Debido a los fondos limitados de los que disponen, muchos inversores optan por invertir en las zonas de precios bajos. ¡Mal! Es necesario darse cuenta de que las probabilidades de ganar suelen aumentar a medida que ascendemos por la escala de los precios. Plantéese lo siguiente. Una subida de dos dólares en un valor de diez dólares significa un impresionante veinte por ciento. Ese es el tipo de ganancia que algunos inversores estarían encantados de recibir en todo un año. De hecho, cerca del sesenta por ciento de los gestores de fondos profesionales no llegan a unos beneficios anuales que se acerquen a lo que algunos inversores pretenden conseguir en un par de días. «¿Es posible?» Apueste a que sí. «Entonces, ¿dónde está el problema, Oliver?» El problema está en que el inversor con un límite de capital es precisamente el que más desesperadamente necesita un porcentaje de inversiones ganadoras más elevado. Aunque si el inversor se concentra exclusivamente en el rango de los valores de precio bajo, se adentra también en el terreno de las probabilidades más escasas. Preferiría ver a ese inversor comprando menos acciones en rangos de precio más altos, simplemente porque allí las probabilidades son mucho mejores. Consideremos ahora el otro lado de la cuestión. ¿Qué probabilidad tiene un valor con un precio de sesenta dólares de subir dos dólares en un par de días? La respuesta: mucho mayor. Un movimiento de dos dólares, incluso en un único día, es casi un fenómeno normal en un valor de sesenta dólares. Un movimiento de dos dólares en un valor de diez dólares suele aparecer en los periódicos del día siguiente, es excepcional. Este juego que denominamos inversión, se basa casi enteramente en las probabilidades. En cierto sentido, es un juego de números sencillo, aunque de difícil ejecución. Y el inversor que no sepa encontrar dónde están las mejores probabilidades de éxito, tendrá una breve carrera en los mercados. Pero una cosa es segura. Será emocionante. Sin embargo, sospecho que si está usted leyendo este libro es porque quiere algo más que emociones. Si es este el caso, invierta con mayor frecuencia en valores de precio elevado. Trabajarán mucho mejor para usted. Además, ¿no le dijo nunca su madre: «obtendrás aquello por lo que pagues»?

SEMILLA DE SABIDURÍA

Esta ley no pretende sugerir que nunca deberían considerarse valores de precio inferior. De hecho, de entrada formamos a nuestros inversores exclusivamente en valores de precio bajo porque el riesgo que llevan asociado es inferior. Pero una vez esos inversores comprenden en profundidad el funcionamiento de los mercados y cómo la aplicación de nuestras estrategias de inversión aprovecha por completo sus actividades furtivas, empezamos a animarles a que asciendan por la escala de los precios. Utilizamos también los valores de precio bajo cuando implementamos nuestra «propuesta de acumulación». *Nota:* Nuestra propuesta de acumulación consiste en establecer una posición considerable de un valor durante un período de uno o dos días anterior a un movimiento esperado. Se trata de una estrategia avanzada que enseñamos a nuestros propios inversores. Recuerde que, a veces, lo bueno llega en paquetes pequeños, pero que, en la mayoría de los casos, son los precios de valor superior los que ofrecen los regalos que todos deseamos.

Ley n.º 9: No diversifique

Uno de los términos más utilizados por los profesionales de la inversión es el de la «diversificación». Hoy en día, no puede abrirse una cuenta de inversiones, leer un libro financiero, reunirse con un asesor de inversiones o incluso tomar una cerveza con un asesor financiero, sin escuchar, al menos media docena de veces, el comentario «tienes que diversificar». Casi antes de aprender cualquier concepto, nos metieron en la cabeza la idea de no guardar todos los huevos en la misma cesta. Pero a medida que iba pasando el tiempo, empezamos a cuestionarnos la validez de este dogma y, durante el proceso, descubrimos cosas muy interesantes. *Consejo:* Como inversor astuto que usted es, debería cuestionárselo todo y poner a prueba en el mundo real, incluso los axiomas más fundamentalmente aceptados. Quedaría sorprendido con sus descubrimientos. Curiosamente, descubrimos que, en realidad, estar muy diversificado disminuía los progresos y reducía el potencial de rentabilidad cuando un inversor trabajaba bien. Sin embargo, cuando el inversor se equivocaba, la diversificación servía a modo de parachoques protector contra las grandes pérdidas. ¿No le parece interesante? De hecho, la diversificación no evitaba las pérdidas, ni aumentaba la probabilidad de ser rentable. Simplemente proporcionaba un colchón más mullido si el inversor se equivocaba. Desconocemos cuál es su postura, pero a nosotros nos interesan mucho más los conceptos que aumentan las probabilidades (y por lo tanto, la frecuencia) de estar bien antes que aquellos que simplemente nos ayudan a estar más cómodos si perdemos. Ahora bien, no nos malinterprete. La diversificación tiene su razón de ser. Y como tantas veces hemos afirmado, perder bien es la parte principal del juego. Lo único que nos queda claro es que cuando un inversor tiene talento, la diversificación tiene poca cabida. En resumen, una fuerte diversificación no es más que un sustituto de la ausencia de talento. Se trata de un concepto que fue creado para que las pérdidas pudieran resultar más satisfactorias. Mientras que hay momentos adecuados para diversificar, preferiríamos que dedicara sus energías a convertirse en un inversor generalmente ganador. Piénselo. ¿Qué inversores necesitan diversificación cuando son capaces de generar ocho inversiones ganadoras por cada dos perdedoras? Los inversores que han alcanzado el nivel de la maestría buscan aprovechar todo lo posible su elevado nivel de victorias. Lo único que conseguiría la diversificación sería diluir ese promedio vencedor.

SEMILLA DE SABIDURÍA

No queremos minimizar el hecho de que la diversificación tiene su razón de ser. Pero hemos descubierto que es una práctica sobrestimada en cuanto a los retos que supone la inversión a corto plazo. Los inversores maestros prefieren trabajar con posiciones concentradas para maximizar su exactitud, mientras que el inversor novel debería también ir adquiriendo experiencia inversión tras inversión. Lo último que desean los inversores en fase de desarrollo es multiplicar los errores que con frecuencia cometen aumentando su número de decisiones. Al principio, cuantas menos decisiones se tengan que tomar, mejor. Y esto es cierto incluso en el otro lado de la evolución como inversor. Cuanta mayor sea la exactitud y el dominio que se posea, menos se necesita la seguridad de la diversificación. En el mundo de la inversión, el aumento de talento debería corresponderse con un descenso de la diversificación.

Ley n.º 10: Sepa que, a veces, la mejor acción es no entrar en acción

Después de muchos años de hablar, asesorar, enseñar y pronunciar conferencias ante miles de inversores de todo el mundo, hemos llegado a darnos cuenta de que muchos de los problemas que agobian a los inversores en fase de desarrollo caen dentro de dos principales categorías: (1) falta de paciencia, y (2) no saber cuándo la mejor acción es no hacer «nada». ¿Cuántas veces ha decidido usted vender un valor, sólo para verlo subir como un cohete uno o dos días después de la venta? Ahora pregúntese cuántas de estas decisiones de venta estuvieron basadas en una estrategia de venta predeterminada y cuántas fueron iniciadas porque usted se puso nervioso, se aburrió o se distrajo debido a algún problema o acontecimiento. Disponer de una estrategia de venta *antes de adquirir un valor,* es uno de los sellos distintivos del inversor maduro. Pero incluso los inversores maduros cometen el error de violar sus estrategias predeterminadas de venta cuando venden valores prematuramente, a pesar de que dichos valores no hayan hecho nada malo. Si sufre usted esta tendencia, préstele atención, porque de seguir permitiendo su existencia, es muy probable que acabe privándole de los mejores momentos de su carrera inversora. El segundo problema es, de lejos, el más dañino, y es el responsable de las interminables vacilaciones que experimentamos entre «beneficios y pérdidas». Este ciclo no progresivo de beneficios y pérdidas merecería por sí solo la redacción de un buen libro, y saber cuándo *no* se debe invertir es el elixir mágico que le pondrá fin totalmente. La mayoría de los inversores no saben discernir el beneficio que les aporta permanecer a veces sentados sin hacer nada. Suponen erróneamente que quien es bueno es siempre capaz de encontrar algo que hacer o algún valor en el cual invertir. Un concepto que no sólo es ingenuo, sino que además es potencialmente ruinoso. Como inversores profesionales, somos poco más que jugadores de apuestas, algo muy similar al jugador de póquer profesional. En su caso, si valora correctamente las apuestas, acaba ganando de forma consistente, llevándose una buena parte del botín. La verdad del tema es que *la mejor acción, a veces, es no entrar en acción*, y saber cuándo y cómo cambiar en silencio entre los estados polares de actividad e inactividad le situará en el seno de una clase excepcional de inversores. Tenga siempre en cuenta estos dos puntos, ya que valen mucho más de lo que cuesta este libro.

Semilla de sabiduría

Una de las posesiones más valiosas de los maestros de la inversión es su capacidad para permanecer «inactivos» cuando así corresponde. La inactividad es una herramienta muy potente que sólo los inversores de mayor éxito han aprendido a utilizar, una herramienta que no sólo les ahorra decenas de miles de dólares, sino que les ayuda además a conseguir decenas de miles de dólares. He visto en incontables ocasiones a inversores en fase de desarrollo ganar una cantidad decente de dinero en los momentos iniciales de una jornada, para pasar luego el resto de la misma perdiéndolo. Pierden fácilmente el dinero que tanto cuesta ganar porque no valoran los beneficios de permanecer inactivos cuando toca. Cada inversión ganadora les hace sentir la necesidad de presionar más, de ganar más. La inactividad durante una racha ganadora es lo que menos les pasa por la cabeza. Pero es ineludible que se produzcan momentos en los que el viento no sople por donde debería y en los que lo mejor es quedarse en casa. Hay momentos en los que batear no es precisamente lo que se debería hacer, aunque nos toque el turno de hacerlo. Y hay momentos en los que lo mejor es dejar de invertir durante un momento, un día, o quizá incluso toda una semana. La inversión es una profesión tremendamente enriquecedora cuando se domina. Pero el futuro inversor que no aprende rápidamente que *no* invertir puede ser a veces la mejor elección, lo tendrá difícil para alcanzar ese estado que nosotros calificamos como de maestría.

Ley n.º 11: Sepa cuándo retirarse con estilo

La habilidad de quedarse a un lado o disminuir temporalmente la actividad en períodos de comportamiento errático del mercado, es el sello distintivo del inversor profesional. Muchos inversores poco informados dan por sentado que el superinversor es aquel que combate y supera con éxito incluso los entornos de mercado más traidores. Nada más lejos de la realidad. El inversor astuto comprende que la rentabilidad por encima de la media es más el resultado de sufrir pequeñas pérdidas que de realizar grandes beneficios. Por lo tanto, tener la habilidad de saber retirarse del mercado cuando es el momento de ello, forma parte integral de la inversión de éxito. Considere el hecho siguiente. Si un inversor a largo plazo se hubiese mantenido fuera del mercado durante los veinte días más positivos de los últimos catorce años, habría perdido cerca del treinta por ciento de sus ganancias de catorce años. Sorprendente, ¿verdad? Un argumento muy poderoso para defender la estrategia de comprar y retener, ¿verdad? ¡No! Lo que faltaba en la frase anterior era el otro lado de la moneda. Si ese mismo inversor hubiera conseguido eludir los peores veinte días del mismo período de catorce años, habría más que doblado sus beneficios. Evitar los malos períodos es más rentable que capitalizar durante los mejores períodos. Pero voy a decir una cosa. Ser capaz de hacer ambas cosas, eludir lo peor y jugar durante lo mejor, es lo que genera un *superinversor*. Así pues, permanezca apartado mientras la probabilidad no juegue a su favor y apóyese en el hecho de que «dinero dejado de ganar, es mejor que dinero perdido».

Si se produce una o más de las circunstancias siguientes, quizá ha llegado el momento de retirarse con gentileza:

1. Ha perdido dos veces seguidas después de una racha ganadora prolongada.

   Consejo: Los inversores se arruinan a menudo autodestruyéndose inmediatamente después de una racha ganadora. En otras palabras, nuestros mayores fracasos suelen seguir a nuestros mayores éxitos.

2. El mercado, medido por la contratación de futuros S&P, se torna violentamente negativo.

   Consejo: La contratación de futuros S&P es uno de los principales indicadores del mercado. A menudo, ofrece a los inversores atentos una pista anticipada de cómo se comportará el mercado.

3. Se siente sin base, inseguro, confuso, desorientado, y no sabe por qué.

Consejo: Con el paso del tiempo, los inversores tienden a desarrollar lo que se denomina «instinto» inversor. Este instinto, desarrollado mediante años de madurez y experiencia, habla a través de nuestras facultades emotivas e intuitivas. El maestro de la inversión con un instinto bien desarrollado aprende a respetar esas «pistas».
4. Su plan de inversión predeterminado se ve sacudido por algún acontecimiento repentino del mercado.

Consejo: Siempre es mejor quedarse a un lado cuando su plan de inversión resbala con una piel de plátano. Cuando se presentan noticias negativas inesperadas, muchos inversores noveles intentan luchar contra la necesidad inevitable de retirarse, lo que a menudo provoca como resultado la confusión inversora que desemboca en grandes pérdidas.
5. Se encuentra mal.

Consejo: Los inversores son como atletas profesionales. Deben mantenerse en un buen estado de salud físico y mental. Si cae enfermo, no rendirá como es debido.
6. Su estructura mental está agotada.

Consejo: El arma más potente de un inversor es disfrutar de serenidad mental. Cuando no existe esta ecuanimidad mental, tampoco se producirán buenas decisiones inversoras.
7. Tiene algún problema personal.

Consejo: Los problemas personales afectan la ecuanimidad mental, que a su vez, afecta las decisiones de inversión. El mercado actúa como una imagen reflejada en un espejo de quién somos y lo que somos. Nuestros problemas personales tienen una divertida forma de manifestarse a través de nuestras inversiones.

Ley n.º 12: No invente excusas... nunca han dado un céntimo a nadie

«Puede inventar excusas, puede ganar dinero, pero lo que no puede es hacer ambas cosas a la vez.» Una frase que nos parece increíblemente cierta, virtualmente en todos los frentes. Y particularmente cierta para los inversores. Somos jugadores activos y por ello tratamos a diario con la complejidad y las sombras de la incertidumbre. En nuestra búsqueda de una rentabilidad consistente, en cada inversión sometemos a nuestro duramente ganado capital a auténticos riesgos reales (aunque inteligentes). La palabra «difícil» ni tan siquiera se acerca a la descripción de los sufrimientos del inversor. Y aun así, el verdadero inversor actúa. Piénselo un poco, resulta sorprendente. El camino que conduce al éxito en la inversión no es fácil. Todos lo sabemos. Y aun así, miles de nosotros sobrevivimos y elegimos seguir avanzando cada día. El arduo viaje hacia las tierras altas de la rentabilidad consistente es el que todos esperamos completar. Y mientras que muchos van cayendo por el camino, hay quienes lo siguen. Consistentemente, los inversores novatos flirtean con el dolor financiero. Batallan a diario con los demonios psicológicos que se interponen en su camino. Y a pesar de las enormes dificultades y de la dura empresa que supone alcanzar el éxito como inversor, nos impresiona profundamente el hecho de que permanezcan algunos que se niegan a inventar excusas. Y son estos los que finalmente acaban haciendo dinero. Siempre que estoy en horas bajas, asolado por una terrible racha perdedora (todos las tenemos), me recuerdo que nadie me prometió nunca que una vida de éxito, o que la inversión de éxito iba a ser fácil. Sí, es fácil inventar excusas. Pero nunca ponen ni un centavo en los bolsillos de sus inventores. Amo y respeto a los inversores (a los de verdad, por supuesto) porque reconocen que lo que mejor describe la valentía es tener miedo y «hacerlo igualmente». Las excusas son para los perdedores. El dinero de verdad irá siempre a parar a quienes lo reconozcan. Por lo tanto, cuando vaya detrás de Moby Dick, no se invente excusas, sino un buen cebo.

Semilla de sabiduría

La inversión es el último bastión de la libertad total. Los socios de los bufetes de abogados y contables trabajan para sus clientes. Los médicos se deben a sus pacientes. Los inversores trabajan solos y se deben únicamente a ellos mismos. Nadie es el causante del éxito de un inversor sino él mismo. Y del mismo modo, los fallos no pueden ser de copropiedad ni achacarse a otros. En resumen, los inversores viven en un mundo que les pertenece por completo.

7. Secretos del maestro de la inversión

Quince cosas que todo inversor debería saber, pero no sabe

Secreto n.º 1: En Wall Street no hay regalos

En el gran juego de la vida hay pocas cosas que se conozcan con seguridad. La muerte y los impuestos son dos que me vienen inmediatamente a la cabeza. Podría decirse que el cambio es otra cosa que es segura. Y en lo que al pequeño juego de la inversión o de la Bolsa se refiere, la única cosa que es segura es que *en Wall Street no hay regalos*. Si cree haber tenido suerte con una inversión, el tiempo acabará revelándole que lo que inicialmente consideró suerte es, en realidad, mala suerte. Piense en el inversor que espera entrar en un valor en movimiento del NASDAQ después de que la mayoría de creadores del mercado hayan desaparecido del precio interior de oferta. Si el inversor entra cuando en la oferta quedan sólo uno o dos creadores de mercado, es casi seguro que el inversor no va a quererla, o mejor dicho, *no debería* quererla. Siempre que piense que le *han dado* algo, es muy probable que le *hayan dado* algo, efectivamente, algo que usted no desea. Es similar a recibir un regalo. Y la simple verdad es que en Wall Street no hay nadie dispuesto a darle algo a cambio de nada. Sí, todo el mundo comete errores, incluso los más astutos. Y sí, siempre existirá el ignorante que compra y vende de forma compulsiva en el momento menos adecuado. El arte de la inversión consiste en capitalizar estos acontecimientos. Algo muy distinto a recibir lo que usted puede pensar que es un regalo. Me refiero a tener suerte, a recibir algo que sabe perfectamente que no se merece. Esto es lo que debe vigilar el inversor. En otras palabras, los beneficios y/o las oportunidades se *toman* en el mercado, no se *dan*. Si alguien le da algo, es probable que se trate de una patata caliente que debería dejar de inmediato en el plato de otro, si no quiere quemarse con ella. Puede que hacerlo no le haga sentirse muy bien consigo mismo, pero la ley casi darwiniana de Wall Street es la de la supervivencia de los más sabios y los más perspicaces, *no* la supervivencia de los más afortunados. Tome lo que usted quiera, pero no acepte regalos. No existen, no en Wall Street.

CONSEJO MAESTRO DE INVERSIÓN

Si obtiene algo que sabe no se merece, es muy probable que se trate de una trampa. Cuando algo le parezca demasiado bueno para ser cierto, muéstrese siempre escéptico. Veamos, a continuación, algunos ejemplos de las señales negativas de atención que pasan como «regalos»:

1. *Su puja se realiza (usted compra) por debajo del precio de mercado*. Esto significa que alguien tenía tantas ganas de quitarse de encima ese valor que estaba dispuesto a venderlo *por debajo* de su precio de oferta. Mientras que muchos principiantes estarían encantados ante esa situación, el maestro de la inversión la observa de inmediato con mirada escéptica. El hecho es que es muy posible que esa persona sepa algo que usted no sabe. Siempre que esto suceda, manténgase en guardia y líbrese de ese valor al primer síntoma de problemas.
2. *Su oferta se realiza (usted vende) por encima del precio de mercado*. Un escenario exactamente contrario al anterior. Significa que alguien estaba tan ansioso por obtener ese va-

lor que estaba dispuesto a pagar por encima de su precio. Podría muy bien tratarse de un principiante que no sabe lo que está haciendo o de un inversor emocionado condicionado por la avaricia. Pero hay veces en que los que están dispuestos a pagar por encima del precio de oferta (precio inicial de venta) son verdaderos profesionales. Cuando lo que buscan es quedarse con todos los valores disponibles en la zona, estarán dispuestos a comprar por encima del precio de mercado. Esto significa que el valor está a punto de explotar hacia arriba. Enseñamos a nuestros inversores a estar preparados para comprar de nuevo el valor agresivamente, cuando esto se produzca como consecuencia de un posicionamiento profesional.

3. *Un creador de mercado está vendiendo (precio inicial de venta) mostrando una pequeña cantidad y usted sigue realizando a una velocidad cegadora.* Esto suele significar que la imagen de fuerza que se anuncia no es tal en realidad. Observemos un ejemplo. Cuatro creadores de mercado quieren comprar un valor a cuarenta dólares y sólo un creador de mercado ofrece mil acciones de dicho valor a 40,25 dólares. A primera vista, el valor parece fuerte porque cuatro personas están dispuestas a comprar a cuarenta dólares, mientras que únicamente un creador de mercado está dispuesto a vender. Pero explotan numerosas transacciones a 40,25 dólares y el creador de mercado posicionado a 40,25 dólares sigue todavía ahí. *Nota:* Esto significa que el creador de mercado está «refrescando» su oferta. En medio de la ráfaga de inversiones vendiéndose a 40,25 dólares, usted coloca una orden de compra de 1.000 acciones y ofrece un precio de 40,25 dólares. La transacción se realiza de inmediato. Mientras que un inversor novel podría sentirse afortunado por obtener el valor a 40,25 dólares, el maestro de la inversión se mostraría escéptico enseguida. A veces, este escepticismo daría como resultado una oferta para vender inmediatamente estas acciones a 40,25 dólares o incluso a 40 3/16.

Hay, por supuesto, muchos más escenarios, pero estamos seguros de que ha captado ya lo que queremos decir con ello.

Secreto n.º 2: En el otro lado de la inversión hay alguien, y no es precisamente su amigo

Siempre he considerado necesario que nuestros alumnos comprendan que cada vez que realizan una inversión, hay alguien en el otro lado de la transacción que apuesta en dirección contraria. Por ejemplo, cada vez que usted compra un valor, hay alguien en el otro lado que se lo vende. La pregunta del millón de dólares es la siguiente: «¿Quién es el más listo?» ¿Quién tiene razón? ¿Usted o la persona que se encuentra en el lado contrario? Muchos inversores operan en el mercado como si estuvieran comprando y vendiendo valores en un enorme almacén localizado en el cielo en el que se amontonan y almacenan los valores que ellos quieren. Este concepto, vago y erróneo, ignora el elemento más crucial de la inversión y alienta la existencia de una mentalidad errónea. La inversión debe ser siempre considerada como una batalla, una batalla principalmente contra la personalidad, pero también una batalla contra otros jugadores del mercado. Sea siempre consciente de que cada inversión le supone enfrentarse a las opiniones y creencias de otros inversores, que podrían muy bien ser los que llevaran la razón. Es imperativo que comprenda que si usted, como inversor, es capaz de comprar un valor a un precio determinado, es sólo porque hay otra persona ansiosa por venderlo. Y al revés, usted sólo es capaz de vender su valor a un precio determinado porque hay otra persona ansiosa por comprarlo a ese precio. Con el objetivo de estar más a menudo del lado de quienes tienen razón, tendrá ante todo que comprender plenamente lo que significa invertir con éxito. Puede que le suene como algo muy sencillo, pero le sorprenderá descubrir que hay muchos inversores que no lo saben. A lo largo de nuestros diversos seminarios, hemos formulado la siguiente pregunta a miles de personas: «¿Qué es invertir con éxito?» Y siempre hemos recibido las respuestas típicas: «Invertir con éxito es comprar bajo y vender alto» e «Invertir con éxito es ganar más que perder». Mientras que ambas afirmaciones esconden algo de verdad, están muy alejadas de la verdadera respuesta, principalmente debido a su vaguedad y a la eliminación del elemento personal que acabamos de mencionar. Para abordar el juego de la inversión con la mentalidad adecuada, es imprescindible conocer la respuesta a esta sencilla pregunta. Así pues, vamos a revelar la respuesta correcta aquí y ahora, antes de profundizar más en el tema. *Invertir con éxito es comprar el producto (valores) a alguien que esté vendiéndolo excesivamente barato y vender de nuevo ese producto, a la misma persona o a otra, cuando usted sepa que es excesivamente caro.* Lea la frase varias veces antes de seguir adelante, porque contiene una de las claves más importantes para alcanzar la maestría en la inversión. Si la comprende adecuadamente, se dará cuenta de que, esencialmente, invertir con éxito es el arte de encontrar a un tonto y aprovecharse de él, de alguien totalmente inconsciente del valor que en realidad tiene el producto de la transacción. Esta es la verdadera definición de una inversión de éxito y quienes abordan el juego con esta mentalidad, lo practicarán con una visión más concienzuda y profunda. El problema de las otras definiciones de la inversión de éxito es que olvidan el punto más valioso de todos. En cualquier inversión de éxito, alguien tiene que ser el ingenuo, el tonto, el inconsciente que suelta el producto excesivamente barato y lo compra de nuevo demasiado caro. Nuestro trabajo consiste en asegurarnos de que usted y nuestros alumnos no sean los inconscientes.

CONSEJO MAESTRO DE INVERSIÓN

En muchos sentidos, los maestros de la inversión juegan el papel del buen samaritano. Alivian a los pisoteados comprándoles valores cuando se sienten mal y satisfacen a los ansiosos vendiéndoles sus valores cuando se tornan avariciosos. En cierto sentido, los maestros de la inversión alivian el dolor y satisfacen la avaricia.

Secreto n.º 3: Los profesionales venden esperanza; los principiantes la compran

Muchos inversores recién llegados al mercado (y otros no tan recientes) piensan que con el suficiente dinero y tiempo deambulando con el carro de la compra por los pasillos de la megalibrería más cercana, hojeando página tras página de un libro especializado tras otro, lo encontrarán: el Santo Grial de los indicadores, que les proporcionará una fortuna mediante su fácil utilización y su inherente lógica. Otros albergan una esperanza similar de que quizá será la próxima inversión la que les dará el filón de oro, el grand slam, o quizás alcancen la gloria en una única jugada. Pero todos los maestros de la inversión saben que la esperanza es una cosa peligrosa en lo que al mercado se refiere. Mientras que muchas veces es la esperanza la que de entrada arrastra a la gente hacia el mercado valiéndose de todas sus artes de persuasión, raramente ayuda a conseguir el éxito en la inversión. Es más bien la habilidad de ver lo que *es* lo que conduce a la obtención de beneficios consistentes. Por esto, nos referimos a la habilidad de leer lo que aparece en los gráficos de precios sin proyectar en ellos nuestras esperanzas, deseos y temores. Como en prácticamente todo lo que merece la pena, esto es mucho más fácil de decir que de hacer. El nivel de claridad exigido es el de la madurez, el de un sano distanciamiento. En otras palabras, en lugar de concentrarnos en nosotros mismos y en la fortuna que nos espera a la vuelta de la esquina, debemos dedicar una concentración total en los hechos de la potencial inversión. Se exige que adoptemos la actitud del científico, la de reunir diligentemente todos los hechos antes de lanzarnos a emitir una conclusión. Hechos como las zonas más próximas de soporte y resistencia, la dirección y la longevidad de la tendencia actual, la relación entre el último precio y los hechos anteriormente mencionados para determinar el precio de entrada, el precio de stop y el precio objetivo. Exige también que formulemos preguntas incómodas, aunque realistas, como «¿Y si no funciona?», «¿Estoy preparado para perder esa cantidad de mi precioso capital, o debería arriesgar menos o, simplemente, no hacer nada?». Y «¿Soy lo bastante disciplinado como para salir adelante siguiendo el plan?». Es este proceso de ver lo que es, un proceso que acaba siendo rápido y secundario, lo que permite realizar decisiones de inversión informadas, permanecer en el juego y, lo que es más importante, acabar ganando.

CONSEJO MAESTRO DE INVERSIÓN

La esperanza es un estado mental que los inversores profesionales no suelen compartir. Si se sienten esperando algo que no existe, saben que están en problemas e inmediatamente dan los pasos necesarios para salir de esa inversión. La esperanza es algo reservado a los principiantes, a aquellos individuos desprovistos de conocimientos y de un plan de inversión conciso. El maestro de la inversión sabe perfectamente que vender esperanza es mucho más rentable que comprarla. Jugar con opciones, por ejemplo, es en gran parte un juego de esperanza, tanto que nos referimos a él como la pista de carreras del pobre hombre. No es ninguna coincidencia que los mayores ganadores en el juego de las opciones sean aquellos que *venden* opciones (esperanza), no los que compran las opciones (esperanza). Siempre que tiene la posibilidad de elegir, el maestro de la inversión será siempre un vendedor de esperanza, antes que su comprador. Es más rentable.

Secreto n.º 4: Los grandes golpes son para perdedores

El maestro de la inversión sabe que Mark McGwire y Sammy Sosa, los dos superestrellas que batallaron para obtener el récord de grandes golpes en la Major League de béisbol en 1998, no serían buenos inversores de día. ¿Por qué? Porque su naturaleza y su sangre es la de ir a por lo *grande*, a por la *gran* bola. Y mientras que esta forma de actuar es la que funciona en el béisbol, *no* sirve en la inversión intradía. Los inversores profesionales, me refiero con ello a los que dominan el juego, son bateadores consistentes de tantos «únicos». Rara vez juegan dobles. Y cuando tienen mucha suerte, algo que sucede cada dos por tres, pueden puntuar un triple. Pero el maestro de la inversión no busca nunca el placer, o lo que algunos denominan la «gran jugada». Nunca busca obtener una puntuación elevada. La presión en pos de las puntuaciones elevadas es normalmente tarea del perdedor quien, carente de habilidades, intenta mantenerse o regresar al juego a través de una victoria gigantesca. Ir a por grandes golpes en la inversión intradía es típicamente un acto de desesperación y, por si no lo sabía, una de las características de la sabiduría es *no* hacer nada a la desesperada. Lo vemos con excesiva frecuencia. Un inversor intradía batallador puede pasar tres días seguidos bajos, o tres semanas seguidas, o tal vez, incluso tres meses seguidos, y el dolor se hace tan insoportable que empieza a desesperarse. Los valores alcanzan sus precios de stop y el inversor los ignora porque está convencido de que puede soportar una pérdida más. O el inversor tiene en su mano un beneficio de uno o dos dólares, pero no toma la decisión de vender porque no es cantidad suficiente como para recuperar el equilibrio. De modo que el inversor aguanta hasta que el valor finalmente se mueve hacia abajo y produce otra pérdida devastadora. Hemos visto a inversores tan encerrados en este círculo vicioso que no se dan cuenta de que están entrando en una carrera kamikaze autodestructiva que sólo puede acabar con la bancarrota psicológica y financiera. Nosotros, los inversores profesionales, necesitamos el corazón de un McGwire, combinado con la inteligencia de un Pete Rose. Necesitamos la fuerza de un Sosa, dirigida por la mente de un Rod Carew. En resumen, necesitamos dominar el punto único, el golpe de base, la ganancia pequeña, pero consistente. Y si lo hacemos bien, esta forma de actuar nos recompensará, cada dos por tres, con un regalo inesperado.

CONSEJO MAESTRO DE INVERSIÓN

Las grandes victorias son el sello que distingue al principiante. No queremos decir con ello que hagamos mala cara a las ganancias importantes. Pero todos los maestros de la inversión saben que invertir con éxito tiene que ver con la consistencia, y la consistencia se consigue mejor puntuando con muchos puntos que haciéndolo a base de grandes golpes. Esta es la razón por la cual dejan los grandes golpes para los principiantes, a modo de engañosos atractivos para continuar en el juego, mientras ellos se llevan las ganancias pequeñas, pero más consistentes. Reflexiónelo. Los maestros definitivos del juego son los especialistas y los creadores de mercado. Empresas como Spear, Leads & Kellogg (SLKC), Goldman Sachs (GSCO) y Merrill Lynch (MLCO) representan la sangre azul de Wall Street, los titanes del juego, y son, de lejos, los grupos con mayores beneficios que existen. ¿Cree por un momento que van detrás de obtener una ganancia de 27 dólares con Amazon.com o de 14 dólares con AOL? La respuesta es no. Los únicos que buscan este tipo de cosas son los inversores noveles. La única misión de esos maestros en toda inversión es simplemente ganar el margen, la diferencia entre el precio de compra y el precio de venta. Estos maestros de Wall Street y sus representantes predican la táctica de comprar y conservar, pero cualquier sistema NASDAQ Nivel II sirve para revelar que no es precisamente la táctica que ellos practican. Están eternamente compitiendo por los octavos y los cuartos, y tienen más dinero que los dioses. De hecho, son los dioses, los dioses de Wall Street. Si cree usted que la inversión a corto plazo no da dinero, tal vez debería echar un vistazo a las notas de los verdaderos maestros.

Secreto n.º 5: Haga el gráfico y le vendrá la multitud

Se estima que el individuo medio experimenta 60.000 pensamientos al día. Desgraciadamente, el 95 por ciento de nosotros tiene hoy los mismos pensamientos que tuvo ayer, algo que nos convierte en nada más que conjuntos de respuestas condicionadas. Quien desea, sin embargo, realmente destacar como inversor, debe aprender a pensar independientemente de los demás, a pensar completamente «fuera de esas cuatro paredes», por decirlo de algún modo. Los inversores tienen la necesidad de ser *proactivos*, en lugar de *reactivos*. Los maestros de la inversión crean, a veces, una reacción de mercado, no se limitan simplemente a responder a ella. En otras palabras, mueven los mercados siempre que pueden, no sólo reaccionan a ellos. Los jugadores que utilizan una estrategia inversora que depende, en gran manera, del movimiento constante y de las acciones de los demás son en realidad seguidores, no maestros de la inversión. Actuar con confianza, independencia y con gran certeza es esencial en el juego de la inversión, pero sólo es posible conseguirlo cuando se actúa con conocimiento y convicción. Ahora bien, no nos confundamos. Hasta cierto punto, seguimos las indicaciones de lo que denominamos «dinero inteligente». En eso consisten los gráficos. Y he experimentado muchas veces la situación en que un inversor mío ha decidido hacer una cosa y nunca ha acabado de hacerla por falta de confirmación de los demás. Una vez el inversor independiente decide cuál va a ser su acción, no tendría que ser necesario recibir la confirmación de los demás antes de proceder a la acción. Imaginemos que un inversor decide comprar XYZ por encima de cuarenta dólares. Llega el momento. Y en lugar de actuar instantáneamente tal y como tenía planificado, el inversor empieza a plantearse cosas como «Ahora XYZ está en 40 1/8. Tal vez me espere a ver si sube el volumen». «Veamos si los creadores de mercado empiezan a subir, o si el tamaño de la oferta se hace menor.» «Esperaré hasta que Goldman Sachs (GSCO) abandone la oferta.» No son más que excusas para no actuar basadas en la necesidad de recibir la confirmación de su decisión por parte de los demás. Los verdaderos maestros de la inversión *se convierten* en el volumen que los otros andan buscando. Ayudan a crear ese octavo adicional con la ayuda de sus órdenes de compra y no están dispuestos a que GSCO, o el tamaño de la oferta, debiliten su decisión. Saben lo que quieren hacer y creen en ello lo bastante como para lanzarse a la acción, siempre que su bien pensada estrategia les dé el visto bueno. Esto es ser independiente y es la clave no sólo para ser feliz, sino también para ser rentable.

CONSEJO MAESTRO DE INVERSIÓN

Enseñamos a nuestros alumnos a ser los *creadores* de esos acontecimientos del mercado que otros están esperando. «Si la multitud está esperando que un valor se negocie por encima de 40 dólares para comprar», les decimos, «entonces subid el valor a 40 1/8». En otras palabras, «¡cread el gráfico!». Esto es maestría y suele requerir muchos años de experiencia antes de poder realizarse, pero hemos pensado que sería útil para usted conocer cómo los profesionales juegan con las masas. La idea es desencadenar la acción deseada consiguiendo que la masa siga su liderazgo. No siempre es posible hacerlo, aunque los maestros de la inversión tiran del carro mucho más a menudo de lo que pueda imaginarse.

Secreto n.º 6: Todas las principales medias del mercado de valores mienten

Todo jugador serio debería ser consciente del hecho de que los principales índices del mercado de valores, como el Dow Jones Industrial Average (DJIA), el índice S&P 500 (SPX) y el índice NASDAQ Composite (NASDQ), son con mucha frecuencia medidores inexactos de lo que está realmente sucediendo tras las bambalinas. Este hecho es cierto, a pesar de la enorme atención que reciben día tras día por parte de los medios de comunicación. No pretendemos sugerir que estos populares índices no tengan ningún tipo de valor. Pero el maestro de la inversión, sobre todo el que trabaja a corto plazo, sabe que necesita una imagen más aguda y exacta de la que son capaces de ofrecer estas amplias medias. Hemos sido testigos de períodos de mercado en los que el SPX presentaba una desviación de sólo el 12 por ciento, cuando la media del NYSE estaba en cerca del 36 por ciento. Hemos experimentado sesiones en las que el Índice NASDAQ 100 (NDX) estaba en terreno negativo en cerca de un 18 por ciento, mientras que la media de valores negociados se situaba en un asombroso 46 por ciento. La regla técnica básica a seguir es que cualquier caída superior al 20 por ciento señala una quiebra bajista del mercado. Los números que acabamos de ver muestran claramente que puede darse la circunstancia de que el mercado se encuentre atrapado en un estrecho entorno bajista, mientras que externamente proclama al mundo una imagen mucho más dulce. Se trata de una prueba evidente de que las principales medias del mercado de valores no siempre dicen la verdad sobre la salud general del mercado. Con mayor frecuencia de lo esperado, cuentan mentiras al público en general y el maestro de la inversión se ve eternamente sometido a exponer sus mentiras. ¿Cómo es que les está permitido mentir?, se preguntará. Estos medidores tan amplios pueden mentir porque les dominan incondicionales como Procter & Gamble (PG), Merck (MRK), Microsoft (MSFT), Dell Computer (DELL) y otros por el estilo. Estos grandes valores tienen un peso tan grande en la mayoría de las medias, que a menudo sesgan pronunciadamente las cifras hacia uno u otro lado. El inversor astuto actual debe ser capaz de introducirse en el «interior» del mercado en busca de una lectura real, de hacer una radiografía, por decirlo de alguna manera. Observar sólo la superficie no sirve para nada. Si los inversores actuales desean una imagen real de la salud del mercado, no pueden confiar exclusivamente en las medias más publicadas. Hoy en día, el inversor debe aprender a observar con mayor profundidad.

Cómo observa con mayor profundidad el maestro de la inversión

Como inversores intradía que conservamos nuestras posiciones durante minutos, como mínimo, hasta pocos días, como máximo, consideramos que es de vital importancia disponer de una visión clara y transparente del mercado más amplio. Como hemos mencionado antes, las principales medias del mercado de valores no proporcionan, ni pueden proporcionar, una visión exacta de la situación. Por ello confiamos en otros elementos técnicos que apuntan hacia los sucesos internos. Uno de estos indicadores técnicos es el indicador New York Stock Exchange TICK ($TICK). Esta excelente medida del mercado intradiario calibra el número de valores del NYSE que se cotizan con tick al alza, en relación con el número de valores que están cotizándose con tick a la baja. Si, por ejemplo, la lectura del TICK es de +400, sabemos que los valores que actualmente se cotizan con tick al alza (que están siendo comprados) superan en 400 a los que cotizan con tick a la baja (que están siendo vendidos). En otras palabras, están produciéndose más compras que ventas. Si la lectura del TICK es de −400, estaría produciéndose exactamente lo contrario. Bien, y aquí es donde esto puede ser importante. Supongamos que el DJIA está en 120 puntos negativos, pero el NYSE TICK está subiendo firmemente y ha cruzado la barrera de +600. ¿Se inclinaría usted por el «lado vendedor» o por el «lado comprador»? Si fuera usted uno de nuestros alumnos de inversión, estaría impacientemente buscando posicionarse en jugadas largas (lado comprador). Mientras que los principiantes estarían hablando sobre el baño de sangre que estaban recibiendo los valores, su lectura interna le tendría observando el lado más dulce de la situación. Esto no es más que un indicador que ayuda al inversor de día a realizar lecturas correctas del mercado, lo que a su vez conduce a decisiones de inversión adecuadas. Otras medidas internas que utilizan nuestros estudiantes son el indicador NYSE TRIN ($TRIN), conocido popularmente como Índice ARMS, la contratación de futuros S&P, el Utility Index y los bonos de los Estados Unidos. Todas estas medidas ayudan a nuestros maestros de la inversión a mantenerse en un nivel que muchos soñarían alcanzar. Observar en profundidad es un arte que pocos llegan a dominar, sólo el inversor capaz de descifrar lo que es real (la verdad) y lo que no lo es (la mentira) ascenderá hacia las tierras altas de la corrección inversora. Se trata de una habilidad invalorable que todo inversor debería intentar conseguir.

Secreto n.º 7: Comprar después de la apertura, normalmente es mejor

A pesar de que cada vez es más factible comprar y vender valores en el mercado antes de su apertura, el maestro de la inversión sabe que normalmente es mejor iniciar la posición de los valores (la compra) después de que abra el mercado. Permitir primero que abran los mercados da la oportunidad al inversor de conocer con mayor exactitud el punto dónde empezará a cotizarse el valor, lo que en muchos casos permite una decisión más inteligente. Esto se hace más crítico cuando el entorno se vuelve traicionero, ya que los huecos en los precios de las acciones (al alza o a la baja) en el momento de la apertura, pueden convertirse para los inversores en un castigo no deseado. Dar la orden antes de la apertura no sólo contribuye a la formación de esos huecos, sino que también aumenta las probabilidades de pagar el precio más elevado de toda la mañana, o un precio cercano a él. Limitándose a esperar unos momentos a ver dónde va a empezar a cotizarse el valor y hacia qué lado se inclina la multitud de principiantes, mejora de forma mensurable la exactitud de las entradas del inversor. Además, *también debería recordarse que los valores que presentan en la apertura huecos superiores a los 50 centavos, deberían adquirirse únicamente sobre la base de nuestra regla de huecos de 30 minutos.* Véanse detalles en el capítulo 14. Los huecos cambian siempre la estrategia y no se puede realizar este cambio sin esperar antes más o menos un minuto que permita la apertura del mercado.

CONSEJO MAESTRO DE INVERSIÓN

El fácil acceso a Instinet (INCA) y otras Redes de Comunicación Electrónica (ECNs o Electronic Communication Networks), ha acercado el juego anterior y posterior a la apertura de los mercados al ciudadano de a pie. No hace mucho, era un privilegio reservado a los poderosos, a los ricos y a los sabios. Pero a pesar del hecho de que ciertos sistemas de inversión profesional ofrecidos por empresas como Executioner.com han convertido la inversión anterior a la apertura en algo muy habitual, nosotros recomendamos a nuestros inversores que se mantengan alejados de esta práctica. Mientras que hay momentos en que comprar antes de que suene la campana de inicio de la sesión puede resultar lucrativo, lo más habitual es que la imagen allí representada sea falsa. Durante estos momentos «externos» se desarrollan muchísimos juegos. La escasez de volumen provoca que la manipulación y diversas formas legales de establecimiento de precios se utilicen a menudo como trampas mortales para el novel. La mejor acción es la de esperar a ver qué es lo real, y esto no sale a la luz hasta que el juego empieza realmente. Recuerde, Wall Street no da regalos. Si recibe algo que cree no merecer, acabará no queriéndolo cuando finalmente descubra la realidad.

Secreto n.º 8: Normalmente no merce la pena realizar beneficios antes de la apertura

Como hemos mencionado en el Secreto n.º 7, en la era actual de la electrónica, los inversores tienen la misma capacidad que los profesionales de invertir en horas anteriores y posteriores a la apertura de los mercados. A través del sistema de inversión de Executioner.com, nuestros inversores pueden acceder a los mercados varias horas antes de su apertura y varias horas después de su clausura. Pronto se iniciará la inversión de 24 horas y se considerará normal poder invertir a cualquier hora; sin embargo, antes de que esto suceda, aconsejamos a nuestros inversores que eviten vender valores antes de la apertura. ¿Por qué? Por que hemos descubierto que, en términos generales, los valores que se negocian antes del inicio de la sesión se negocian un poco más altos justo después de la apertura. Ello se debe a que los creadores de mercado del NASDAQ rara vez revelan la imagen real del valor antes de que suene la campana de inicio de la sesión. ¿Por qué deberían hacerlo? ¿No sería algo muy similar a mostrarle al mundo sus cartas antes de empezar el juego? Por supuesto que sí. Mi experiencia me ha enseñado que si soy capaz de vender mi mercancía (valores) antes que el resto de la gente a un precio que se perciba como atractivo, significa que, en realidad, el precio no es tan atractivo. Debemos recordar en todo momento que en Wall Street los regalos no existen. Estudiemos un conciso ejemplo para ilustrar mejor este punto. Supongamos que posee usted 1.000 acciones de WXYZ, que cerró a un precio de 20 dólares el día anterior. Una media hora antes de que suene la campana de inicio de la sesión, conecta usted CNBC y su sistema de ejecución de nivel II. Descubre complacido que varios creadores de mercado están ofertando la compra de WXYZ 1,25 dólares por arriba. Observa en la pantalla del sistema nivel II que puede satisfacer la oferta de compra por 21,25 que Merryl Linch está realizando, consiguiendo con ello una ganancia de 1,25 dólares por acción o 1.250 dólares en total. Se dice para sus adentros: «No está mal a cambio de dos simples clics de ratón. La vida es estupenda.» Sí, la vida en este escenario es estupenda, pero en la mayoría de los casos, la vida sería aún más estupenda si esperase a que abriese la sesión. Permanecer en la transacción hasta unos minutos después de que suene la campana de inicio de la sesión, ofrece estadísticamente el resultado de un precio de venta superior. Naturalmente, no siempre es así, pero lo es en la mayoría de ocasiones.

CONSEJO MAESTRO DE INVERSIÓN

El maestro de la inversión sabe que la mayoría de los valores que se cotizan antes de la apertura de los mercados se cotizan un poco más por arriba después de la misma. Reconoce que los inversores principiantes tienden a colocar órdenes de compra antes de que suene la campana que da inicio a la sesión y la acumulación de estas órdenes de compra suele añadir más fuego a la subida del valor. Cuando el mercado, medido a través de la contratación de futuros S&P, se muestra fuerte durante las horas anteriores a su apertura, les gritamos a nuestros inversores lo siguiente: «¡Atención, chicos! ¡El mercado va fuerte y el valor WXYZ que compramos ayer ha subido agradablemente en la negociación anterior a la apertura! ¡Esto significa que hay muchos noveles avariciosos que quieren lo que tenemos y que están dispuestos a pagar por ello! Por eso los creadores de mercados están ajustando el precio al alza. ¡Quieren hacérsela pagar a estos principiantes, igual que deberíamos hacer nosotros! ¡No se os ocurra vender WXYZ hasta que suene la campana! Significaría vender la mercancía a un precio excesivamente barato. ¡Dispondremos de muchas órdenes de mercado dadas por novatos que nos ofrecerán aún un precio mejor!»

Nota: Siempre que encontramos un inversor que tiene una posición grande y rentable que va al alza durante la actividad anterior a la apertura del mercado, le ordenamos que venda la mitad antes de que suene la campana de inicio de la sesión, con la idea de librarse del resto después de la apertura. Se trata de una alternativa excelente si la ganancia anterior a la apertura empieza a quemarle en los bolsillos. *Consejo:* Cuando dude sobre cuál de las dos acciones posibles elegir, intente optar por ambas. La verdad se encuentra, normalmente, en medio de ambas.

Secreto n.º 9: De 11:15 a 2:15 EST, la peor hora para invertir

Muchos inversores de día, esos jugadores activos que realizan numerosas transacciones a lo largo de la jornada, no llegan a darse cuenta de que hay momentos concretos del día en que las probabilidades de éxito caen en picado. Y algunos de esos períodos de tiempo son bastante prolongados. Uno de dichos períodos es el que oscila entre las 11:15 y las 2:15, horario de la costa Este. Solemos referirnos a este período como la *calma chicha del mediodía*, un momento en que los valores tienden a establecerse en una postura que no sigue claramente ninguna dirección. Es en este plazo de tiempo que quedan atrapados muchos inversores de día. Proliferan en él inicios falsos y alzas de escasa duración, así como los rumores sin fundamento. De todas las horas, son la primera y la última parte de la jornada las que siempre han ofrecido al inversor de día las mejores oportunidades inversoras. Esta es la razón por la cual les decimos a nuestros inversores que no jueguen muy fuerte durante la parte central de la jornada, con la idea de sólo especular con pequeños cambios en los valores. Aunque esto sólo se refiere a los inversores intradía, los que quieran eliminar el cincuenta por ciento o más de sus pérdidas intradiarias, pueden hacerlo limitándose a no jugar durante este período de tiempo impredecible. Pruébelo. Se lo garantizamos.

CONSEJO MAESTRO DE INVERSIÓN

Los maestros de la inversión reconocen que las oportunidades de inversión más lucrativas suelen producirse durante la primera y la última parte de la jornada. Aun picando un poco de aquí y otro poco de allá, saben a ciencia cierta que el período de la calma chicha del mediodía exige un cambio de estrategia. ¿Por qué ese tiempo es típicamente aburrido y ausente de acontecimientos? Porque es cuando una buena parte de Wall Street marcha a comer y pasa el control a sus lacayos. Estos lacayos tienen menos autoridad para realizar grandes apuestas o sacar adelante las cosas, y no es hasta que los peces gordos regresan que los valores empiezan a recuperar un poco de vida y dirección. Siempre que revelo este hecho en mis seminarios, aparece alguien que dice lo siguiente: «Pero, Oliver, comer desde las 11:15 hasta las 2:15 significa una comida muy larga. ¿Estás seguro de que se debe a que marchan a comer?» Y mi respuesta es siempre la misma: «Si hubieses visto alguna vez a un grupo de creadores de mercado no estarías formulándome esta pregunta. Cuando decimos que los peces gordos regresan a las 2:15, lo decimos en sentido literal. Son grandes comidas y ellos están realmente gordos.» *Nota:* Se trata de una generalización que cada vez es menos cierta, pero los inversores más poderosos de Wall Street destacan por su obesidad. Ahora ya sabe por qué.

Secreto n.º 10: Antes de amanecer siempre está más oscuro

Tenemos un oscuro secreto que revelarle. Algo que muchos de nuestros seguidores jamás esperarían. En cierto sentido, es una admisión. Una admisión que comunica un mensaje muy importante a todos los inversores activos. Cada vez que hemos decidido publicar en nuestro boletín diario de noticias todas nuestras jugadas cortas, el mercado ha acabado dando rápidamente un vuelco en sentido contrario. De verdad. En sentido contrario. Y de repente. Puede que a muchos nuestro secreto no les resulte en absoluto reconfortante. De hecho, hubo un tiempo en que esta revelación nos habría hecho sentirnos muy incómodos. Hoy en día, nos hemos endurecido de tal modo que ni siquiera sentimos la punzada de la incomodidad o, simplemente, es que nos hemos hecho mayores. Sea como sea, la pregunta que desea formularnos es «¿Por qué?». ¿Por qué con todos los conocimientos, habilidades y talentos que poseemos, solemos equivocarnos siempre cuando nos referimos únicamente a las jugadas cortas? Bien, en realidad es muy sencillo. Una larga lista de jugadas cortas es un testimonio de lo negativa que se ha puesto la situación. Dese cuenta de que la palabra a destacar aquí es «puesto». Cuando recomendamos únicamente juegos cortos no es que el mercado se esté *poniendo* feo. Es que ya se *ha puesto* feo. En otras palabras, *normalmente antes del amanecer es cuando más oscuro está*. Si el mercado ha transcurrido por un período prolongado de ventas, llegará un momento en el que las cosas se pondrán tan feas que no habrá ni un solo valor que pueda considerarse para una jugada larga. Y es en ese momento cuando el inversor astuto que trabaja a corto plazo reconocerá que el amanecer está ya al alcance de la mano. Hemos decidido revelar esto porque es muy importante conocer el concepto de «la máxima oscuridad antes del amanecer». Es algo que conocen a la perfección todos los maestros de la inversión y que siempre le mantendrá en estado de alerta. Le evitará comprometerse en exceso con un determinado tren de pensamiento, algo que, como ya bien sabe, puede resultar muy dañino cuando se trabaja en los mercados. *Consejo:* El maestro de la inversión se reserva en todo momento una pequeña porción de incertidumbre, incluso cuando la situación parece muy segura.

CONSEJO MAESTRO DE INVERSIÓN

Cuando más afianzada parece la situación, el maestro de la inversión sabe que es extremadamente insegura. Siempre que la situación parece excesivamente decantada hacia un lado, el maestro de la inversión sabe que debe considerar el lado contrario. No le importan tan siquiera que él o ella sea quien esté haciendo lo que ve. El inversor ha aprendido que el mercado no es más que un reflejo de lo que la gente está experimentando. Y cuando la multitud ha experimentado ya un grado elevado de dolor y angustia no hay nada, nada en absoluto, que pueda resultar atractivo. Pero por extraño que parezca, es justo ahí cuando la situación empieza a mejorar. La fealdad y la flojedad de los mercados sólo pueden estar provocadas por aquellos que ya han vendido. ¿Lo ha captado? *Ya han vendido*. Una vez terminada la venta, una vez la oscuridad es completa, la parte compradora del ciclo se encuentra a la vuelta de la esquina. El momento más oscuro es *siempre* justo antes del amanecer. Es muy probable que la última hora de oscuridad sea aquella en la que peor pintan las cosas. Nunca olvide un hecho tan simple como este.

Secreto n.º 11: Los gurús de Wall Street siempre se equivocan

Ha habido momentos en los que alguno de los principales estrategas de Wall Street ha proclamado el fin de la civilización financiera, tal y como la conocemos. Durante estas épocas, ha sido un coro de profesionales tan grande el que ha proclamado su final y su muerte que incluso han empezado a salirles canas a los defensores más acérrimos del mercado. En cada uno de estos casos, el mercado se ha reído en la cara de estas llamadas a su desaparición. Estará pensando que esos gurús ya deberían haberse preguntado por qué el momento de formular sus opiniones es habitualmente tan poco adecuado. Quizá si se dieran cuenta de que «el momento más oscuro es siempre justo antes del amanecer», el hecho revelado en el secreto n.º 10, tendrían una pista de la respuesta. Pero permítame que le revele por qué el mercado *tiene* casi que dar un giro si muchos de estos profesionales se ponen a gritar simultáneamente «fuego, fuego». Los estrategas de mercado de Wall Street tienen la responsabilidad de informar con suficiente antelación sobre sus puntos de vista a los principales clientes de sus firmas. De hecho, los estrategas de mercado responsables no se atreverían a hacer pública su opinión con un aviso de mercado bajista hasta que la mayoría de sus clientes hubieran vendido, o como mínimo, se hubieran reposicionado para el acontecimiento esperado. En otras palabras, estos gurús sólo hacen públicos sus anuncios bajistas *después* de haberse asegurado de que sus clientes están debidamente preparados para la caída. No es de sorprender que a esos chicos el mercado les venga siempre de cara. Toda la venta que tenían que hacer sus grandes clientes (fondos de inversión y de cobertura, etc.) ya está hecha. ¿A quién piensa que le queda por vender? ¿A mi abuelo Bill? ¿Tal vez a quien temen es a ese conserje de mi oficina de tan buen corazón que posee dos fondos de inversión? Ellos no se enteran, mi abuelo y el conserje no les escuchan. Ni tan siquiera saben que existen. Ellos se limitan a permanecer en el mercado. Y si no lo hiciesen,

¿no se dan cuenta estos «expertos» de que es a *sus* clientes a quienes tienen que temer? Supongo que no. Esta es la razón por la cual el mercado siempre se ríe de ellos. ¿No lo oye? ¿Sigue riendo?

CONSEJO MAESTRO DE INVERSIÓN

El maestro de la inversión sabe que siempre que un gran grupo de los analistas más observados de Wall Street empieza a buscar problemas, es muy probable que suceda exactamente lo contrario. Conocemos a inversores que consiguen rentabilidades enormes apostando por lo contrario mediante contratos de futuros S&P y opciones del Equity Index. La naturaleza del miedo y la avaricia funciona en los gurús igual que en los principiantes. Sólo que a los gurús les cuesta más admitirlo. Esta es la razón por la cual el mercado se ríe con ganas cuando les demuestra que se han equivocado. Aprenda a buscar lo contrario cuando Wall Street, como un todo, piense en una dirección, porque si la multitud de profesionales resulta estar equivocada, la sacudida hacia la dirección contraria será violenta. Cuando los peces gordos se ven obligados a pelear, el mercado se sacude con rudeza.

Secreto n.º 12: Jugar con los resultados es un juego de principiantes

Si lo he dicho ya una vez, lo diré mil veces más. Los informes de resultados no mueven los valores. Es la esperanza de obtener beneficios lo que los mueve. Muchos inversores principiantes pasan por alto este concepto. Y debido a ello, se encuentran a menudo perplejos preguntándose por qué ciertos valores suben con informes de beneficios malos y algunos caen a pesar de los buenos informes. El punto clave que todo maestro de la inversión conoce es que el mercado es un mecanismo de descuento. Intentará anticiparse a lo que digan los informes. La *anticipación* de resultados positivos ayudará a que suban las acciones como avance de los informes y la *anticipación* de resultados negativos hará que muchos valores bajen antes de que se publiquen los informes. Los maestros de la inversión saben también que los valores que suben como un cohete antes de que se publiquen los informes son los más susceptibles a bajar cuando dichos informes se publiquen, aunque sean positivos. ¿Por qué? Porque se esperaba la naturaleza positiva del informe y falta el elemento de sorpresa. Naturalmente, si el informe resulta negativo después de que el valor haya subido, este se desplomará. El escenario contrario es asimismo cierto.

CONSEJO MAESTRO DE INVERSIÓN

El maestro de la inversión siempre busca vender hechos positivos. ¿Por qué? Porque los hechos, como los informes de los beneficios obtenidos por una empresa en el trimestre anterior, son acontecimientos preparados y empaquetados para el público. Estos hechos esperados con tanta impaciencia provocan casi siempre la actuación de la masa hacia una dirección. Esta es la razón por la cual el maestro de la inversión, que intenta no actuar nunca junto *con* la masa, suele vender hechos positivos contra lo que hace la masa, especialmente cuando se trata de hechos positivos que se esperaba fuesen positivos. Comprar durante el período de anticipación para vender a los que compran durante el período de los hechos es el *modus operandi* del verdadero maestro de la inversión. Esta estrategia no es la que obtiene siempre los mayores beneficios, pero, como hemos dicho antes, los *home runs* son para los perdedores.

Secreto n.º 13: Pagar los valores altos mejora las probabilidades

Dos de las preguntas que con mayor frecuencia se nos formulan con relación a nuestra estrategia para abordar el mercado de valores son las siguientes: «¿Por qué la mayoría de vuestras estrategias de inversión se orienta hacia la compra de valores *por encima* de su precio actual?» «¿Por qué no comprar el valor exactamente donde está, lo que daría como resultado un precio más barato?» A pesar de que cubriremos este tema con mucho mayor detalle en un capítulo posterior, intentaré responder a estas preguntas en dos partes. En primer lugar, debería quedar claro que estamos especializados en dos formas de inversión. Somos *inversores profesionales de tipo swing*, que concentran el grueso de sus esfuerzos en descubrir valores que estén a punto de realizar un movimiento en un plazo de pocos días (de uno a cinco días). Somos también *inversores profesionales intradiarios*, que se centran en descubrir valores que estén a punto de realizar un micromovimiento en los próximos momentos. Evidentemente, con horizontes de tiempo tan cortos, no podemos permitirnos el lujo de depositar grandes cantidades de nuestro capital en valores que podrían permanecer en la rampa de salida durante días, semanas o incluso meses. Como resultado de ello, exigimos al valor que demuestre su capacidad de movimiento hacia la dirección deseada *antes* de subirnos al tren. Si no demuestra la fuerza, poder y tenacidad exigidas para desbancar a los muchos que se venden *por encima* de él, queda eliminado de nuestra consideración. *Consejo:* Recuerde que todos los valores son malos, a menos que suban. En segundo lugar, y de igual importancia, nuestra estrategia de comprar un valor con fuerza nos ha ahorrado más dinero que cualquier otra táctica de inversión (junto con el punto de retirada con pérdidas) de la que podamos disponer en nuestro arsenal. Soy incapaz de contar las veces que un valor en el que estábamos interesados no llegó a subir por encima de nuestro precio de compra, sólo para cerrar a la baja dos, tres o incluso cuatro dólares en el mismo día. Puedo decir con enorme convicción que si tuviéramos la costumbre de comprar valores en el mercado, justo en el momento de apertura de la sesión, como hacen muchos noveles, seríamos hoy un poco más pobres. Ahora bien, hay gente que dirá que nos equivocamos cuando un valor no consigue alcanzar nuestro criterio de compra y subsecuentemente se mueve a la baja. Sin embargo, cuando esto ocurre, consideramos que no nos equivocamos en absoluto. Tenga presente que lo que en realidad está diciendo cada una de nuestras recomendaciones de compra es lo siguiente: «Nos gusta XYZ, pero *sólo* si puede demostrar la fuerza suficiente como para negociarse por encima de este precio.» En resumen, nuestra estrategia concreta de «comprar por encima del precio actual» nos ahorra un montón de pérdidas innecesarias. ¿No cree que saber exactamente «cómo» comprar es tan importante como saber «qué» comprar? Le apostamos lo que quiera a que lo es.

CONSEJO MAESTRO DE INVERSIÓN

El maestro de la inversión swing, el que busca movimientos que se producen en el plazo comprendido entre uno y cinco o diez días, habitualmente busca comprar una vez que el valor deseado se cotiza por encima del máximo del día anterior. El maestro de la micro inversión o inversor intradía, busca comprar una vez que el valor deseado alcanza el máximo en un gráfico de barras de dos, cinco o quince minutos. El maestro de la micro inversión sabe que lo más rentable sería elegir exactamente el punto más bajo, pero ha aprendido, a menudo a las duras, que los únicos inversores capaces de elegir consistentemente los puntos más bajos son mentirosos. Por lo tanto, el maestro de la inversión permite que los que se tienen por superhombres o supermujeres gasten su dinero en un intento inútil de alcanzar ese mínimo. El maestro de la micro inversión se limita a esperar que el valor señale que no hay moros en la costa. Esa señal es la capacidad del valor de negociarse por encima del máximo del último período, como se ha descrito anteriormente. Sólo cuando ha cobrado la fuerza necesaria para hacer eso, considera el maestro de la inversión que merece la pena arriesgar el futuro financiero de su familia. *Nota:* En un capítulo posterior cubriremos con detalle el arte de entrar adecuadamente en los valores.

Secreto n.º 14: El método de comprar barato y vender caro no funciona para los inversores intradía

Siempre me ha fascinado el hecho de que, en lo que a jugar en el mercado se refiere, lo que nos parece psicológicamente fácil de hacer sea prácticamente siempre lo que no se debe hacer. He descubierto que no hay otro aspecto en la vida en lo que esto sea más cierto y es precisamente este detalle lo que convierte la inversión en los mercados de valores en una empresa tan complicada. Pensemos en el concepto universalmente aceptado de comprar bajo y vender alto. Durante muchas décadas, esta forma de abordar el mercado ha sido elogiada como la base del juego correcto. «Comprar bajo, vender alto.» Sencillo. Básico. Sucinto. Aparentemente cierto. Pero también terriblemente equivocado, al menos la mayoría de las veces. ¿Por qué? Porque comprar bajo implica normalmente comprar un valor que está yendo exactamente en la dirección opuesta (abajo) a la deseada (arriba). Si dedicamos un tiempo a aplicar un nivel mínimo de inteligencia a este concepto, descubriremos rápidamente lo estúpido que suena en realidad. Para comprar bajo es necesario centrarse en comprar valores que van a la baja, mientras que nuestro verdadero deseo es que suban. ¿Tiene algún sentido? ¿Se nos pasaría por la cabeza, aunque fuera por breves momentos, la idea de, por ejemplo, subir a un tren que va en la dirección completamente opuesta a nuestro destino deseado? ¿No nos diría cualquier niño de seis años de edad que ir primero hacia el oeste, si lo que deseamos es ir hacia el este, es una tremenda pérdida de tiempo, especialmente cuando es posible iniciar el viaje yendo hacia el este? ¿Por qué, entonces, la mayoría de la gente no aplica esa sabiduría tan sencilla a la inversión? ¿Por qué no limitarse simplemente a comprar aquellos valores que ya están haciendo lo que queremos que hagan, subir? ¿Por qué? Porque comprar bajo es atractivo por naturaleza. Es cómodo. Parece lo correcto y suena bien. Al fin y al cabo, ¿no nos sentimos todos mejor cuando pagamos menos? Sí, pero en lo que al mercado de valores se refiere, nos lleva a perder tiempo, dinero y potenciales beneficios. De acuerdo, puede que haya simplificado un poco la situación, pero no demasiado. Concentrarse en valores que ya hayan demostrado su capacidad de subir es invertir con inteligencia. Centrarse en valores que están haciendo lo que *no* queremos que hagan, con la esperanza de que hagan pronto lo que *queremos* que hagan, no es más que suponer y apostar.

CONSEJO MAESTRO DE SABIDURÍA

Todos los maestros de la inversión, particularmente los que se dedican a la inversión intradía, saben que un valor no es bueno a menos que esté subiendo. Los inversores a corto plazo, por astutos que sean, no disfrutan del lujo del tiempo. Cuando entran en una inversión, deben estar razonablemente seguros de conseguir su objetivo de beneficios en una cantidad de tiempo mínima. El tiempo es amigo del inversor, pero es un tremendo enemigo del maestro de la inversión a corto plazo. Mientras que adquirir un valor que va a la baja puede acabar resultando rentable, los maestros de la inversión aprenden a esperar que el valor emprenda la dirección deseada, antes de saltar a por él con todas sus fuerzas. No queremos decir con ello que los maestros de la inversión compren tarde, sino que compran con inteligencia. No están interesados en suposiciones y apuestas. Simplemente saben que saltar a bordo de un tren que acaba de emprender camino en dirección hacia el destino de la rentabilidad, es mucho más inteligente que intentar probar suerte en aquel tren que piensan que acabará moviéndose hacia la dirección deseada.

Secreto n.º 15: Saber lo que sucederá a continuación puede hacerle rico

Muchos inversores a corto plazo suponen erróneamente que la macro visión del mercado (de medio a largo plazo) tiene escasa relevancia, o impacto, sobre el mundo del inversor a corto plazo. Mientras que esta macro-visión no es tan importante para quien opera a corto plazo como para quien lo hace a largo plazo, es un error pensar que carece de importancia. No debemos olvidar que abordar el mercado desde arriba hacia abajo (de macro a micro) puede ayudarnos a concebir estrategias a corto plazo con un grado superior de inteligencia. Por ejemplo, supongamos que nuestra visión es que es probable que el mercado, una vez se haya enfriado un poco, recupere una gran porción de su atractivo perdido. Supongamos, además, que utilizamos esta visión para encontrar unos sectores concretos que con toda probabilidad responderán favorablemente si resulta que tenemos razón. El inversor a corto plazo querría entonces aplicar mucha atención a los valores líderes de esos grupos, con la idea de crear una lista de jugadas potenciales que llevar a cabo cuando el entorno diera el vuelco. Mire, una gran parte del éxito en el juego de la inversión recae en la capacidad de capitalizar lo que está sucediendo *ahora*. Pero la mayor recompensa irá siempre a parar a los jugadores capaces de construir una estrategia basada en lo que va *más allá* del ahora. Saber cómo aprovechar los sucesos actuales es una necesidad, sin lugar a dudas. Pero los inversores que puedan utilizar sus macro visiones para prepararse para lo que vendrá *a continuación,* nunca tendrán problemas para ganar un buen dinero en el mercado de valores. Los mejores inversores se formulan constantemente las siguientes dos preguntas:

1. ¿Cómo puedo aprovecharme de lo que sucede en el presente?
2. ¿Cómo puedo prepararme para las oportunidades que probablemente se presentarán en un futuro próximo?

La primera pregunta (la parte micro) proporciona unas ganancias decentes en el mercado día tras día. Pero el dinero de verdad se consigue siempre a partir de la segunda pregunta (la parte macro). ¿Por qué? Porque la respuesta correcta a la pregunta dos es lo que sirve para anticiparse. Y como todo el mundo sabe, el pájaro que llega antes es el que se lleva el gusano. Naturalmente, nuestro reto estriba en ser el pájaro, y *no* el gusano.

CONSEJO MAESTRO DE INVERSIÓN

Siempre hemos enseñado un enfoque dual de la inversión, un enfoque que busque cómo ganarse bien la vida y otro que se centre en cómo generar riqueza. Las inversiones swing y a largo plazo están concebidas para generar riqueza, mientras que las inversiones intradía ayudan a ganar el pan de cada día. El inversor que se convierte en maestro en ambos estilos de juego en el mercado, nunca tendrá grandes preocupaciones financieras.

Cuando oímos cosas como esta en boca de profesionales, no podemos evitar ponernos nerviosos por el público, ya que estos jóvenes tienen en sus manos los futuros financieros de muchas personas. Pero lo que más asusta de todo es el hecho de que estos gestores de fondos, que controlan billones de dólares, sólo saben hacer una cosa. En otras palabras, disponen únicamente de una herramienta de mercado. Una metodología. Un único punto de vista. Sólo saben cómo *comprar más*. ¿Por qué es así? Porque ha funcionado como si de un hechizo se tratara durante la mayor parte de los 90. Durante casi una década, si no más, lo que se ha hecho ha sido comprar valores a la baja; era lo que daba; la táctica que ayudó a crear fortunas y el método que construyó estilos de vida confortables. Y lo que es más importante, era fácil. Pero la parte dura vendrá cuando el mercado empiece realmente a ponerse feo, porque en esas condiciones no estamos tan seguros de que la estrategia de «comprar más» siga siendo aún viable. Pero con toda la imparcialidad hacia esos jóvenes profesionales, ¿qué otra cosa se puede hacer? ¿Qué acción puede emprender el propietario de dos millones de acciones de un valor que se derrumba? ¿Vender, *sumándose* al pánico y al caos? ¿O considerar intrépidamente el caos como una oportunidad para comprar más? ¿Quedarse sentado sin hacer nada, esperando y rezando para que todo se solucione pronto, mientras los bienes se erosionan hora tras hora, día tras día? ¿O levantarse y empezar a negociar? Es un dilema, amigo mío. Un dilema respecto al cual usted y yo deberíamos sentirnos afortunados por no estar involucrados en él. Lo único que puedo decir es: «Gracias al cielo que soy un inversor a corto plazo.» Usted y yo no tenemos que quemarnos la cabeza con este tipo de preocupaciones. Cuando vemos que un valor que consideramos presenta buenas probabilidades de subir en el transcurso del período comprendido entre los dos y los cinco días siguientes, lo compramos. Pero, conscientes de que no vivimos en un mundo perfecto, llevamos con nosotros un plan de salida, una vía de escape que llamamos retirada. No somos cobardes por ello, somos inteligentes y somos realistas. Mire, muchos inversores noveles se enfadan cuando sus valores alcanzan el punto que desencadena la retirada. Mientras que retirarse con pérdidas puede ser frustrante, se trata de acciones que deberían considerarse como amigos bienvenidos, no como enemigos. Reflexiónelo. El objetivo del stop con pérdida es protegerle. Salvarle. Salvaguardarle contra el desastre. Y lo que es más importante es que obliga al inversor a actuar. El stop obligado fuerza al inversor a «levantar» el dinero líquido del que será muy necesario disponer cuando un mercado bajista toque finalmente fondo y empiecen a proliferar las oportunidades. Mire, quien más dinero líquido tiene en el momento de tocar fondo, es quien gana. *En otras palabras, el dinero líquido es el rey cuando corre sangre en las calles, y retirarse de determinadas jugadas en el camino cuesta abajo ayuda a estar preparados para la siguiente ronda de oportunidades.* No debemos entristecernos por ello. Todo lo contrario, es algo de lo que deberíamos alegrarnos. Imagínese sólo cuántos gestores de fondos desearían disfrutar del lujo de disponer de un stop de protección. Imagínese cuántos desearían no verse encerrados en la estrategia de sigue comprando y empieza a rezar. El stop es un beneficio. Un privilegio. No es perfecto. Eso seguro. Pero es la mejor forma de protección de la que disponemos. Por lo tanto, valórelo y, sobre todo, utilícelo. Se trata de una de las pocas cosas que sólo están disponibles para los inversores a nivel individual.

Lección n.º 2: La diversificación en el tiempo minimiza el riesgo en el mercado

Una de las preguntas que nos formulan a menudo es: «¿Debería comprar todos los valores que aparecen en vuestra lista diaria de preferencias?» ¡La respuesta es siempre un sonoro *no*! Veamos por qué. En primer lugar, comprar todas nuestras recomendaciones supondría más recursos financieros de los que dispone la mayoría. En segundo lugar, y mucho más importante, comprar hoy todas las preferencias, por ejemplo, aumentaría las probabilidades de convertirse en lo que nosotros denominamos «una víctima de los tiempos». Lo que esto significa es que los individuos que depositan todo su capital en las preferencias de un día se tornan totalmente dependientes del rendimiento de *ese día* en concreto. ¿Y si uno o dos días después se presenta una oportunidad increíblemente dinámica? ¿De dónde saldría el dinero si lo hemos gastado todo el lunes, por ejemplo? Peor aún, ¿y si nuestras preferencias empiezan a «oler mal» el mismo día en que usted decide comprarlas *todas*?

Animamos a nuestros inversores swing a repartir sus preferencias en un período de entre una y dos semanas. Por ejemplo, un inversor swing en fase de desarrollo, que dispone de una cuenta de 30.000 dólares, debería empezar invirtiendo una cuarta parte de la cantidad, o 7.500 dólares, dos veces por semana. Al final de un período de dos semanas, habría puesto en funcionamiento la totalidad de los 30.000 dólares. Veamos ahora la belleza que esconde un plan como este. Cuando el inversor esté invirtiendo el último paquete de 7.500 dólares, es muy probable que haya vendido ya el primer paquete, o tal vez incluso el segundo, si se trata de un inversor swing. Esta metodología garantiza que siempre dispondrá de fondos para estas oportunidades «importantes» que aparecen de forma ocasional. Y no se atreva a pensar que dos jugadas semanales no son bastante durante la fase de desarrollo. Debería recordar que cada jugada está comprometida por dos acciones principales (la entrada *y* la salida), sin mencionar los otros puntos relacionados con la gestión de la inversión. En realidad, la persona que juega cuatro veces por semana tiene que tomar un total de ocho decisiones. Y apostaríamos que ocho decisiones, siempre tendrán más calidad que quince, por ejemplo. ¡Pruébelo! Pienso que le gustará.

Lección n.º 3: Comprar *versus* acumular

Los valores que tocan fondo deben gestionarse de manera distinta a los valores que siguen tendencias bien establecidas. Creemos que los inversores intradía deberían comprar valores que se negocien al alza, mientras que los inversores a largo plazo deberían acumular los que estén en proceso de tocar fondo. Existe entre ambos conceptos una importante diferencia. *Comprar* implica una compra única a un único precio, mientras que *acumular* implica diversas comprar repartidas en diversos momentos y precios. Este último enfoque da lugar a dos formas de diversificación: diversificación en el tiempo y diversificación en el precio. La única otra forma de diversificación que existe es la diversificación en los valores, que significa repartir las apuestas en diversos valores. Mientras que no somos grandes entusiastas de la diversificación en los valores, aplicar las tres formas puede resultar beneficioso en determinados momentos, sobre todo cuando se busca una jugada a medio o largo plazo en la que invertir.

Lección n.º 4: La herramienta decisiva de toma de decisiones

Somos de la opinión de que muchos inversores sobrevaloran la importancia del mercado en general y su potencial dirección. Esta tendencia se debe, en gran parte, a los medios de comunicación, que tienen que informar sobre una visión mucho más global del clima financiero. Mientras que el clima del mercado y su dirección son cosas que existen, la dirección no debería distraer de la aplicación de una técnica inversora adecuada y de una adecuada gestión del dinero. Esta es la razón por la que nos centramos principalmente en ofrecer a nuestros suscriptores y alumnos, consejos de inversión útiles, algo que en nuestra opinión es mucho más valioso que expresarles nuestro punto de vista sobre lo que el mercado «podría» hacer. No queremos decir con esto que la dirección del mercado carezca de importancia. De hecho, hay veces en las que tener una valoración correcta del mercado general marca la diferencia entre ganar consistentemente y ganar sólo de manera esporádica. Sin embargo, cuanto menor es el plazo de tiempo con el que se trabaja, menos importante se hace la macro visión o el análisis general del mercado. ¿Por qué es así? Porque los movimientos de precios a corto plazo (hacia arriba o hacia abajo) se encuentran presentes en prácticamente cualquier entorno de mercado. Pero mucho más importante que esto es el hecho de que la dirección del mercado, jamás debería ser el elemento decisivo en la toma de decisiones del inversor intradía. Casi nunca se debería tomar la decisión de liquidar una posición existente basándose en lo que un índice en concreto está haciendo o no. El elemento decisivo en la toma de decisiones debe ser el precio de stop con pérdida o el precio de venta predefinido, nunca el mercado. Considerémoslo de esta manera. Cuándo el Dow ha bajado doscientos puntos y su valor llega al precio prefijado de stop, el maestro de la inversión *¡vende!* Cuando el Dow ha subido doscientos puntos y su valor llega al precio de stop prefijado, el maestro de la inversión *¡sigue vendiendo!* ¿Y dónde entra en juego el análisis del mercado? En ningún lado. No, si la herramienta decisiva de la toma de decisiones es su precio de stop prefijado. Por lo tanto, mientras que la dirección del mercado tiene cabida en cuanto a plantearse la posibilidad de adquirir un nuevo valor, cuando se está ya en posesión del mismo, debería ser algo secundario a la estrategia de venta inicial. Este punto de vista tan rígido exige una disciplina muy estricta, pero el inversor que la siga se verá gratamente recompensado con pérdidas muy pequeñas.

Lección n.º 5: Vender los perros y comprar las muñecas

Mucha gente dirige sus negocios con un grado tremendamente elevado de profesionalidad, pero falla lastimosamente en cuanto a gestionar su programa de inversión de manera financieramente correcta. Conozco a un destacado magnate de la distribución que vacía sus establecimientos de los productos que peor se venden con mayor rapidez de la que usted y yo podemos decir «Pristine» en un día de inversión rentable. Baja radicalmente el precio de los «perros», como él les denomina, y rápidamente da al dinero una correcta utilización comprando los productos que mejor vende. Este sencillo aunque poderoso concepto, de vender rápidamente los elementos perdedores (perros) para comprar más elementos ganadores (muñecas), le ha convertido en millonario. Pero pídale a este perspicaz empresario que se quite de encima uno de los perros no rentables que posee en el mercado de valores y recibirá a cambio una acalorada discusión invariablemente salpicada con frases como «pero si es una verdadera ganga» o «tengo que comprar más». En su especialidad, se libra rápidamente de los «perros» que no producen resultados positivos. Sin embargo, en su vertiente inversora, sigue comprando más «perros» con cualquier pequeño beneficio que sus valores ganadores le generen. ¿Tiene sentido? Para él sí. De todos modos, ya estoy trabajando con él. Nuestra preocupación en estos momentos es usted. Si se descubre incapaz de aprovechar las nuevas oportunidades porque tiene el dinero comprometido en valores antiguos y no rentables, plantéese vender en rebajas. Tome la decisión de tener su dinero funcionando para usted invirtiéndolo en el mejor producto disponible. Deje los perros para mi amigo.

Lección n.º 6: ¿Cerebros o mercado alcista?

Ser capaz de capitalizar rentablemente en entornos negativos de mercado sitúa la cabeza y los hombros del inversor por encima del resto de la gente. ¿Por qué? Porque la mayoría de los inversores sólo son capaces de experimentar ganancias en los mercados más alcistas, pero carecen totalmente de la habilidad de gestionarse cuando el entorno se complica. Es lo que yo denomino «cerebros confusos para un mercado alcista». Sea, por favor, consciente de que ganar dinero cuando el 90 por ciento de los valores van al alza no exige la posesión de ningún tipo de talento y que el verdadero talento de un inversor se revela cuando el mercado se pone feo y la agilidad, la corrección en las elecciones y la elección de valores por encima de la media se convierten en requisitos necesarios. Para descubrir los verdaderos colores de su agente, asesor financiero, gestor de fondos de inversión y/o redactor de boletín de noticias, debe usted controlar cómo se comportan ellos cuando todo el resto de los habitantes del planeta Tierra está perdiendo dinero. Nosotros hemos demostrado nuestra capacidad para brillar en estos entornos. Le sugerimos que exija lo mismo a todos sus asesores «pagados», a menos, naturalmente, que esté dispuesto a renunciar a la parte «pagada».

Lección n.º 7: Publicaciones y otros consejeros

Hay momentos en los que los valores que elegimos y que aparecen en nuestra publicación diaria, el *Pristine Day Trader*, demuestran una rentabilidad semanal estupenda. Cuando esto sucede, la revisión semanal de nuestra rentabilidad presenta comentarios parecidos al siguiente: «Quince de las veinte jugadas subieron dos dólares o más, ofreciendo a los inversores a corto plazo oportunidades más que suficientes para ganar dinero.» Mientras que la rentabilidad real varía siempre de inversor en inversor, no cabe duda de que cualquier semana merecedora del anterior comentario significa toneladas de mensajes de correo electrónico y numerosas cartas de felicitación por parte de nuestros suscriptores. Pero ¿es esta la manera correcta de juzgar el éxito general de nuestra publicación (o de cualquier otra)? La respuesta, amigo mío, es «no». Absolutamente no. Muchos participantes en el mercado caen en este tipo de error. Sí, las frases son ciertas, pero la manera correcta de determinar la efectividad de cualquier servicio es observar las semanas «perdedoras». La pregunta que se debe formular aquí es: «¿Cómo *pierden* estos llamados expertos? ¿Qué cantidad de inversiones perdedoras tienen, en comparación con las ganadoras?» «¿Son sus pérdidas consistentemente inferiores a sus ganancias, o sufriré sacudidas devastadoras en mi capital si sigo sus consejos?» Esta es la manera de calibrar la efectividad de las publicaciones, asesores, fondos de inversión, sistemas, etc. Lo que cuenta es cómo *pierden*, no cómo ganan. En el mejor de todos los entornos, casi todo el mundo será capaz de enseñarle sus victorias. Pero sólo los verdaderos profesionales serán capaces de enseñarle consistentemente pequeñas pérdidas en los momentos difíciles. ¿Quiere convertirse en un inversor destacado? Entonces aprenda a perder profesionalmente. Ganar vendrá solo. Recuerde, la pérdida profesional es siempre pequeña.

Lección n.º 8: El tiempo es dinero

Un reciente estudio revelaba que los padres pasamos menos de sesenta segundos diarios con cada hijo en el momento en que más receptivos son a las opiniones, justo antes de que vayan a dormir. No es sólo una desgracia, sino que bajo mi punto de vista, es también un crimen, la víctima del cual no es sólo el niño sino también los padres. Mientras que resulta muy fácil reconocer la tremenda importancia del tiempo bien dedicado a nuestros hijos, la vida y su miríada de detalles hacen que, a veces, sea difícil hacerlo. Pero la dificultad no es una excusa aceptable, y nunca podrá serlo. No en lo que a nuestros hijos se refiere. Son demasiado importantes. Cualquier padre responsable estaría de acuerdo con eso. Pero volvamos a pensar en la inversión. Mi pregunta de hoy es la siguiente: «¿Cuánto tiempo dedica cada día a desarrollarse para convertirse en un mejor inversor?» Si la mente del niño es más receptiva después de las actividades de cada día, entonces la mente del inversor es más receptiva después de la clausura del mercado. ¿Dedica un tiempo de calidad, después de que suene la campana de cierre de la sesión, a reunir sus ideas, revisar sus acciones, analizar sus inversiones, prepararse para la jornada siguiente y tomar notas en su diario personal? ¿O es usted uno de esos inversores que sale corriendo como un demonio de la oficina, de su casa o de su silla, a las cuatro en punto de la tarde en busca de descanso? La mayoría de los inversores potenciales no reconocen enseguida que convertirse en un inversor de éxito exige trabajar duro. Se trata de un largo proceso evolutivo que tiene lugar muy gradualmente a lo largo del tiempo. La mayoría no reconoce que dedicar un tiempo de calidad al final de la jornada a revisar las acciones tranquiliza la mente y engorda el bolsillo. Los errores que se cometen con frecuencia quedan sin vigilar y acaban robándole el futuro al inversor, porque dedica menos de sesenta segundos diarios a desarrollarse para ser mañana un mejor inversor. Si quiere ser un ganador, debe dedicar tiempo a plantar las semillas de la mejora absolutamente cada día. El tiempo, en este caso, es dinero de verdad. Invierta un poco en su futuro.

Lección n.º 9: Los ganadores hacen que así sea; los perdedores permiten que así sea

Siempre he sido de la creencia de que una vida de éxito se hace, se crea, no se encuentra. Por lo tanto, también creo que los que disfrutan de éxito en su vida inversora, a través de su propio trabajo, lucha y esfuerzo implacable, *hacen* que así sea. El problema para muchos es que creen que el éxito aparecerá sin realmente ganarlo. De un modo u otro, se olvidan del detalle de que ganar es el resultado final de un largo proceso de intentar que así sea. En resumen, *«los ganadores hacen que así sea; los perdedores permiten que así sea»*. Piense en los aspirantes a inversores intradía que pasan la jornada laboral entera en los mercados. Puede que realicen sus transacciones en una oficina de inversión, como la nuestra, o que pasen su jornada inversora en casa. Durante este tiempo se concentran, se centran, buscan continuamente jugadas, inician algunas inversiones, salen de otras, etc., y minutos, si no segundos después, de la hora de cierre de la sesión, se marchan. ¡Puf! Los que quieren ser inversores de esta manera piensan erróneamente que el éxito en la inversión aparecerá por sí solo en el transcurso del horario laboral. Después de este, no hacen nada para que se produzca. Y aun así esperan que las ganancias fluyan solas porque están sentados en su puesto un minuto antes de que se inicie la sesión. La vida, particularmente la vida con éxito, no funciona de esta manera. Para que se produzca el éxito, los inversores deben trabajar, estudiar, revisar, practicar, analizar, diseccionar, ponderar, pensar, escribir, memorizar, categorizar y organizar las horas después del cierre o las horas anteriores a la apertura. Si lo que realmente desean es conseguir el éxito, los inversores deben prepararse para él en la frialdad de la noche y en las primeras horas de la mañana, cuando el mundo y el mercado aún no les observan. De este modo, las ruedas del progreso se habrán puesto en movimiento antes de que empiece a correr la jornada bursátil. Pero muchos inversores se engañan. Piensan que porque están *con* el mercado durante las horas laborales, el mercado está *con* ellos. ¡Falso! El mercado es divertido. Respeta sólo a aquellos que lo estudian y le dedican un tiempo de calidad fuera del horario laboral. *Es así* como usted podrá lograr que suceda. *Es así* como ganará.

Lección n.º 10: El poder de las promesas

Recientemente visité por vez primera el futuro colegio de educación primaria de mi hija. Empieza la enseñanza preescolar el próximo septiembre. Me quedé sorprendido al ver lo mucho que han cambiado las cosas desde mis tiempos. Ya no se utiliza la regla de madera para convertir los pequeños nudillos en *grandes* nudillos. Las reglas que vi en el colegio de mi hija son de un material mucho más blando. A los maestros ya no se les enseñan las artes del jujitsu para aplicarlas a los alumnos desobedientes. Parecen amables, inteligentes y muy cariñosos. Todos los libros eran nuevos y todos los maestros, incluso los ayudantes, hablaban dos o más idiomas, correctamente. Debo admitir que todo esto me dejó tremendamente sorprendido. ¡Muerto! Se quedaron conmigo tan pronto vi las reglas de espuma. Pero lo que más me chocó fue lo sencillos, aunque maravillosamente efectivos, que son hoy los nuevos métodos de enseñanza. Al pasar junto a un aula, se me ocurrió mirar a la pared. Los alumnos habían colgado allí papeles en los que anotaban sus promesas personales. Jimmy decía: «Prometo utilizar las manos sólo para hacer cosas buenas.» Mary decía: «Prometo no decir palabrotas.» Betsy decía: «Prometo pedir permiso antes de coger algo.» Y mi frase favorita resultó ser la de Joey, que decía: «Prometo mantener la boca cerrada.» Y había muchas, muchas más. Pero este sencillo método de enseñar a comportarse me dejó asombrado no sólo como padre, sino también como inversor. ¿Por qué? Porque invertir con éxito, finalmente, tiene que ver con el comportamiento correcto. Y como instructor y maestro de inversores, es necesario que encuentre formas de promover el comportamiento *correcto* entre mis alumnos. ¿Cuántos de nosotros nos hemos hecho promesas, promesas de verdad, sobre nuestra conducta como inversores? Cuántos hemos, incluso, escrito cosas como «Prometo no perseguir nunca un valor por encima de 3/8». «Prometo ser siempre fiel a mis stops prefijados». Y «Prometo no dar nunca una orden de compra antes del inicio de la sesión.» ¿Y qué le parece esta? «Prometo considerar siempre el riesgo que corro antes de perseguir la recompensa.» Y no olvidemos esta. «Prometo aceptar la responsabilidad de todas y cada una de mis inversiones.» «Prometo escribir las lecciones aprendidas en cada inversión perdedora.» «Prometo realizar el seguimiento de mis dos mayores fallos como inversor.» Por extraño que parezca, las promesas personales tienen un poder, especialmente si se expresan por escrito. De algún modo, cuando se viola una promesa, el alma parece reconocer que se ha cometido algún crimen contra uno mismo. Funcionan. ¿Por qué no realiza alguna hoy mismo? Escríbala. Léala cada día. ¿Por qué? Porque saber lo que está bien no siempre es suficiente. A veces es necesario hacerse una promesa de «sangre» para terminar haciendo lo que usted sabe que es lo correcto. Saber y hacer son a menudo dos cosas completamente distintas.

9. Unas últimas y sabias palabras de un verdadero maestro

Ocho lecciones elementales para la vida y la inversión..., por mi madre

Como observador intenso provisto de una sed insaciable de conocimientos, me considero un estudiante de la vida muy astuto. Como resultado de ello, he conseguido aprender en la vida algunas lecciones muy valiosas. Pero después de considerar recientemente el tema, me he dado cuenta de que todo lo que necesitaba saber sobre inversión lo aprendí de mi madre antes de cumplir los diez años. Veamos sólo algunas de las cosas que me enseñó de pequeño.

Lección 1: Caer no es malo, siempre y cuando aprendas el proceso de ponerte en pie. Hasta el momento presente, predico y practico el arte de aprender de mis errores de inversión. Todas mis inversiones perdedoras me sirven como un muelle para elevarme hacia un nivel superior de maestría en la inversión.

Lección 2: Reconoce siempre lo que sienten los demás. Esta es la razón por la cual mi socio, Greg Capra, es un inversor de tanto éxito. Siempre intenta comprender los sentimientos de las demás personas que invierten en un valor en concreto. El dolor de otros inversores puede ser una oportunidad para usted ¿Por qué? *Porque la inversión de éxito no es otra cosa, entonces, que comprar barato los valores de quienes están sufriendo y venderlo luego más caro a los avariciosos.* Para ser realmente astuto en el juego de la inversión, debe saber cómo se sienten los demás inversores (si sufren o si son avariciosos). Adquirir esta habilidad puede hacerle rico. Gracias, mamá.

Lección 3: Independientemente de lo mal que estén hoy las cosas, mañana presentará una nueva oportunidad para que funcionen bien. Como inversor, no puede permitirse cargar con el equipaje de ayer para afrontar las posibilidades de hoy. El residuo que dejan las pérdidas anteriores debe limpiarse antes de afrontar la siguiente inversión. De lo contrario, está perdido.

Lección 4: *Tienes que saber el porqué de todas tus acciones*. Nunca emprenda una acción (comprar o vender) si su estado emocional es el miedo o la avaricia. Es imperativo que, como inversores que somos, comprendamos que la inteligencia se sitúa entre estas dos emociones. En otras palabras, entre el miedo y la avaricia existe un hueco, y es de allí de donde deben salir todas nuestras emociones. Hasta el momento presente, nunca he vendido un valor si he sentido miedo, a veces, pierdo más dinero como resultado de esto, pero más a menudo que no, salgo mejor parado si permanezco un momento esperando a que la inteligencia salga a la luz.

Lección 5: *Nunca te tomes demasiado en serio*. Siempre que estoy en una gran racha ganadora, me resuenan estas palabras al oído. A pesar del hecho de que gano en los mercados prácticamente a diario, todos los inversores que trabajan conmigo podrían atestiguar que nunca me pongo muy serio cuando estoy trabajando. En realidad, hago tonterías, y eso se lo debo a mi madre.

Lección 6: *Lucha sólo en las batallas que puedas vencer*. Gracias a esta sabia frase he aprendido a elegir mis valores, mis momentos de entrada y mis momentos de salida con mucho cuidado. Siempre que compro un valor, por ejemplo, lo hago porque me siento cómodo con él y sé que está de mi lado, dispuesto a trabajar para mí. Nunca he intentado combatir contra el mercado, porque es una batalla que sé que no puedo ganar. Cuando me doy cuenta de que he realizado una elección que entra en conflicto con el mercado, salgo e inmediatamente cobro fuerza. Puede que en la Biblia, David ganara su batalla contra Goliat. Pero permítame que le diga una cosa. En el mercado, Goliat *siempre* gana.

Lección 7: *La vida no es algo que deba conquistarse, sino ganar su amistad*. Esta lección de mi madre me enseñó a trabajar *con* el mercado, no contra él, a verlo como un aliado que puede enriquecerme, no como un adversario que puede acabar conmigo. El mercado no es Frankenstein. Es un amigo. No es un asesino de sueños. Es un liberador. En resumen, el mercado es el terreno de todas las posibilidades.

Lección 8: *Perder no te convierte en inferior*. A veces, perder es ganar. La mayoría de los inversores nunca llega a comprender este punto. Si tengo que salir de un valor para protegerme con una pérdida de un dólar y el valor cae otros dos dólares más, no he perdido, sino que he ganado. El arte de ganar viene determinado por lo inteligentemente que sepamos perder.

Aprenda estas lecciones de mi madre. Ella se sentiría encantada de que usted las utilizara en su vida diaria. Y yo me alegraría de que las empleara en su inversión diaria. Son lecciones que me han sido muy útiles en todos los aspectos de mi vida. Espero que también le ayuden a usted.

Segunda parte

Herramientas y tácticas del maestro de la inversión

El desarrollo del arsenal de un maestro de la inversión

En los capítulos siguientes revelaremos diversas herramientas y tácticas sencillas que ayudarán al maestro de la inversión a comprender el funcionamiento del mercado. Las técnicas siguientes constituyen la piedra angular de la estrategia que Pristine sigue para invertir profesionalmente en el mercado. Se trata de las mismas tácticas y técnicas que enseñamos a los inversores profesionales de todo el mundo. Una vez comprendidos a la perfección estos cimientos, el inversor jamás volverá a sentirse confundido y sin saber qué hacer. De hecho, en cuanto domine las siguientes técnicas y tácticas, el inversor rara vez se encontrará en el lado erróneo del mercado. Y estamos seguros de que ya se ha dado cuenta de que el 65 por ciento de la totalidad de las inversiones perdedoras puede atribuirse a estar situado en el lado erróneo del mercado. Avancemos hacia el siguiente paso, que consiste en construir un repertorio de herramientas y tácticas de inversión que le ayude a acelerar el ritmo hacia la maestría en la inversión.

10. Herramientas y tácticas de momento de mercado

Existe un viejo dicho en Wall Street que reza: «El mercado siempre tiene razón.» Y mientras que muchas de las llamadas «palabras de sabiduría» relacionadas con el mercado de valores son completamente inútiles, este dicho es muy cierto, sobre todo en lo que al inversor a corto plazo se refiere. Verse atrapado en el lado incorrecto de un importante movimiento de mercado puede resultar devastador, pero no admitir el error (discutir con el mercado, en otras palabras) puede dar como resultado la expulsión del inversor de este maravilloso juego para siempre. Esta es la razón por la cual todo inversor de éxito debe aprender a «leer» correctamente el mercado, a «percibir» su estado de humor y a «anticipar» su próximo capricho. A pesar de los comentarios y de los puntos de vista que se decantan por lo contrario, parte de nuestra supervivencia como inversores dependerá en todo momento de nuestra capacidad para alinearnos con el poder del mercado. Es imprescindible que nos demos cuenta de que conocer la «voluntad» del mercado y entregarse a ella, anima a largo plazo el logro del éxito en la inversión.

Ahora bien, somos los primeros en admitir que comprender el momento del mercado a corto plazo es una habilidad muy difícil de conseguir. Existen, sin embargo, diversas herramientas de momento de mercado que pueden ayudarle a tener razón con una frecuencia mucho mayor que a equivocarse. En las páginas que siguen revelaremos varias de las herramientas y tácticas de elevada fiabilidad que utilizamos para valorar con precisión la dirección que sigue el mercado a corto plazo. Como muchos de nuestros seguidores conocen, en Pristine somos seres humanos y, por ello, cometemos errores. Pero gracias a las siguientes herramientas de momento de mercado, dejamos de ser humanos muy a menudo. Lo que vamos a intentar ahora es comunicarle estas sencillas, aunque muy efectivas, herramientas.

Herramienta de mercado n.º 1: Futuros S&P (S&P)

DESCRIPCIÓN DE LOS FUTUROS S&P

El Chicago Mercantile Exchange es el hogar de uno de los instrumentos financieros mayores y de mayor liquidez del mundo, el Índice de Futuros Standard & Poor's 500. Este instrumento es bastante distinto de su equivalente de contado, el Índice S&P 500. La contratación de futuros S&P, a diferencia de su equivalente de contado, permite a los grandes inversores (normalmente de tamaño institucional) apostar sobre la dirección futura del mercado en general. Sólo por este motivo, todos los profesionales sofisticados de la economía y del mercado lo observan con minuciosidad. Al maestro de la inversión, particularmente al maestro de la inversión intradiaria, jamás se le ocurriría invertir sin controlar esta guía. Veamos, a continuación, algunos hechos interesantes de los que todo inversor debería estar al corriente.

CÓMO INTERPRETA LOS FUTUROS S&P EL MAESTRO DE LA INVERSIÓN

- El S&P es un barómetro clave del mercado en general.
- El S&P suele marcar la dirección de la totalidad del mercado.
- El S&P es un indicador que rige muchos valores, como American Online (AOL), Cisco Systems (CSCO), Dell Computer (DELL), Microsoft Corporation (MSFT), etc. En otras palabras, los movimientos intradiarios del contrato de futuros S&P suelen preceder movimientos similares en los valores anteriormente mencionados. Este hecho alerta al inversor intradiario de buenas oportunidades de especulación.

- Controlamos el contrato de futuros S&P mediante la utilización de gráficos de dos, cinco y quince minutos (figura 10.1).

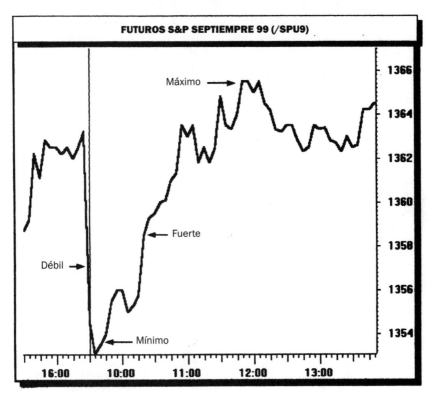

FUTUROS S&P SEPTIEMPRE 99 (/SPU9)

Máximo

Fuerte

Débil

Mínimo

1366
1364
1362
1360
1358
1356
1354

16:00   10:00   11:00   12:00   13:00

Fuente: The Executioner.com

FIGURA 10.1. **Gráfico de líneas de 5 minutos del /SPU9. A destacar
la diferencia entre las 10:00 a.m. y las 12:00 p.m. En el período de las 10:00 a.m.
tuvo lugar un suave declive y el período de las 12:00 p.m. detuvo en seco
el avance de /SPU9.**

Cómo juega con los futuros S&P el maestro de la inversión

- El maestro de la inversión prefiere realizar importantes inversiones intradiarias cuando el S&P está por encima de su precio de apertura y al alza.
- El maestro de la inversión prefiere realizar pequeñas inversiones intradiarias cuando el S&P está por debajo de su precio de apertura y a la baja.

- El maestro de la inversión utiliza el S&P conjuntamente con el análisis de soporte y resistencia para determinar el momento de sus compras y ventas intradiarias.
- El maestro de la inversión combina períodos de reversión con el S&P para anticipar potenciales vuelcos del mercado.
- El maestro de la inversión estudia gráficos del S&P de cinco y quince minutos superponiéndoles medias móviles simples de 200 (SMA o «simple moving averages»). El 200 SMA funciona a menudo como soporte y resistencia intradiario del S&P (figura 10.2).

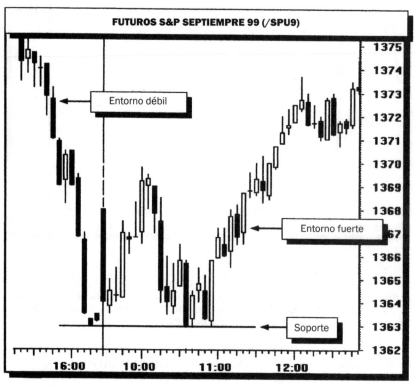

Fuente: The Executioner.com

FIGURA 10.2. **Gráfico de 5 minutos de la contratación de Futuros S&P.**
El maestro de la inversión intenta sincronizar las grandes y las pequeñas inversiones intradiarias con la tendencia predominante en el gráfico de 5 minutos de contrato de Futuros S&P.

Herramienta de mercado n.º 2: Indicador TICK NYSE ($TICK)

DESCRIPCIÓN DEL $TICK NYSE

El $TICK ha demostrado ser una de las medidas del mercado más fiables de las que dispone el inversor intradiario, y creemos que merece un lugar especial en el arsenal de todo maestro de la inversión. Este sencillo, aunque potente indicador, mide la cantidad de valores del NYSE que se cotizan actualmente al alza (uptick), en relación con la cantidad de valores del NYSE que se cotizan a la baja (downtick). Un uptick es una transacción ejecutada a un precio superior al de la transacción precedente, mientras que un downtick es la venta de un valor a un precio por debajo de la venta precedente. Por ejemplo, un $TICK de +500 significaría que el número de valores que se cotiza en este momento en uptick supera en 500 al número de valores que se cotiza en downtick. Un $TICK de −500 significaría lo contrario, 500 valores más que se cotizan downtick que uptick. En pocas palabras, el $TICK ayuda al inversor a controlar, momento a momento, el nivel general de compras y ventas que se produce en el mercado. Proporciona, asimismo, una fotografía instantánea de quién está dominando la acción, los alcistas o los bajistas. Veamos a continuación, cómo utilizamos el $TICK en la inversión diaria.

CÓMO INTERPRETA EL $TICK EL MAESTRO DE LA INVERSIÓN

- Las lecturas de $TICK entre −300 y +300 suelen indicar un entorno de mercado neutro, en general.
- Las lecturas de $TICK próximas al nivel +1000 indican una tendencia al alza excesiva, lo que normalmente va seguido por un cambio de dirección a la baja.
- Las lecturas de $TICK próximas al nivel −1000 indican una tendencia a la baja excesiva, lo que normalmente va seguido por un cambio de dirección al alza. Queremos destacar que en mercados bajistas son habituales las lecturas de $TICK muy por debajo de −1000.

Como ejemplo, supongamos que el mercado ha estado bajando durante cuatro días consecutivos. El quinto día, el mercado vuelve a abrir a la baja, generando una lectura negativa de $TICK de −1000 (recuerde que esto significa que los valores que se cotizan en este momento en downtick superan a los que cotizan en uptick en 1000). El inversor astuto intradiario empezaría a prepararse para un cambio de dirección del mercado al alza. *Consejo:* Una lectura de $TICK muy negativa indica que alguien ha empezado a gritar «fuego» y que los que poseen una mentalidad de «rebaño» intentan simultáneamente salir de allí (vender). Este clima de actividad downtick provoca que el mercado agote en un solo día todas sus «balas vendedoras», dejando escaso potencial de venta para los días posteriores.

Lo mismo en referencia al alza. Una lectura elevada de $TICK, por ejemplo de +1000, después de una cantidad importante de días alcistas, sería una señal de alarma de que el mercado ha agotado ya todas sus «balas compradoras» en un solo día, algo muy parecido al niño que se gasta toda la paga de golpe. Las figuras 10.3 y 10.4 son ejemplos ilustrativos.

- Un margen $TICK de +1000, después de una corrección de mercado duradera, supone normalmente tocar fondo y dispararse hacia una recuperación prolongada. El margen $TICK calcula la diferencia entre el $TICK máximo del día y el $TICK mínimo del día. Por ejemplo, un $TICK máximo de +1200 y un $TICK mínimo de −200 en el mismo día, resultaría en un margen $TICK de +1000.

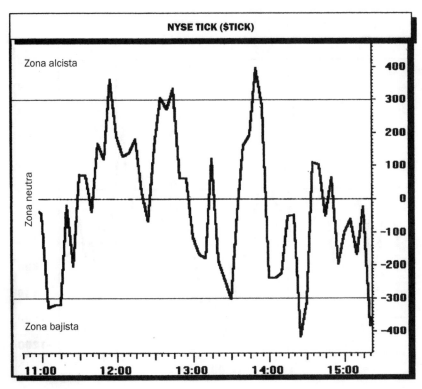

Fuente: The Executioner.com

FIGURA 10.3. **Gráfico de líneas de 5 minutos del $TICK mostrando la zona neutra.**

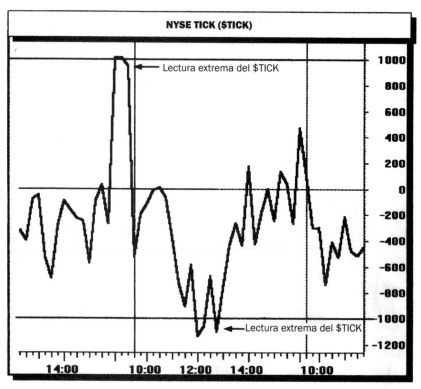

Fuente: The Executioner.com

FIGURA 10.4. **Este gráfico de líneas de 15 minutos del $TICK demuestra lo fiables que son los niveles extremos (1000). Después de alcanzar el +1000, el $TICK cambió rápidamente de dirección para tender a la baja. Una lectura extrema por debajo de –1000 desencadenó un brusco cambio de dirección al alza de la misma manera.**

CÓMO JUEGA CON EL $TICK EL MAESTRO DE LA INVERSIÓN

- El maestro de la inversión prefiere apostar por inversiones intradiarias importantes cuando el $TICK está subiendo.
- El maestro de la inversión prefiere apostar por inversiones intradiarias moderadas cuando el $TICK está cayendo.
- El maestro de la inversión busca importantes inversiones potenciales intradiarias cuando el $TICK alcanza un extremo –1000 o menos aún.

- El maestro de la inversión busca mínimas inversiones potenciales intradiarias cuando el $TICK alcanza un extremo
+1000 o más aún.
- El maestro de la inversión utiliza análisis de soporte y resistencia en combinación con el $TICK para buscar el momento
de realizar las compras y ventas intradiarias (figuras 10.5,
10.6 y 10.7).

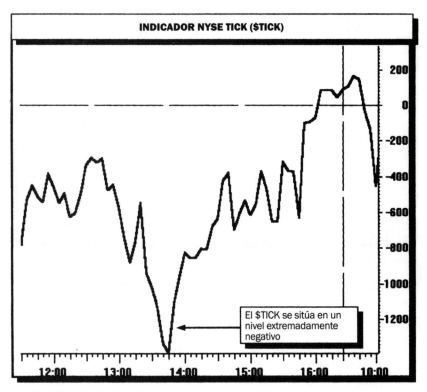

Fuente: The Executioner.com

FIGURA 10.5. **Este gráfico de 5 minutos del $TICK muestra una caída muy
severa muy por debajo de la marca del −1000. Un movimiento extremo como
este sugeriría que la mayoría de las ventas ya se habían producido. Debería
destacarse que el $TICK tocó fondo cerca de la 1:30 p.m., momento del cambio
de tendencia, y empezó a recuperarse fuertemente hacia el cierre.**

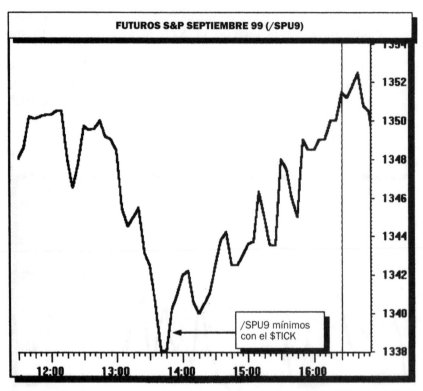

FUTUROS S&P SEPTIEMBRE 99 (/SPU9)

/SPU9 mínimos
con el $TICK

Fuente: The Executioner.com

FIGURA 10.6. **Este gráfico de 5 minutos muestra cómo el punto mínimo
del /SPU9 se corresponde perfectamente con la lectura extrema del $TICK.
La posterior recuperación hasta el cierre siguió también de cerca
el ritmo indicado por el $TICK.**

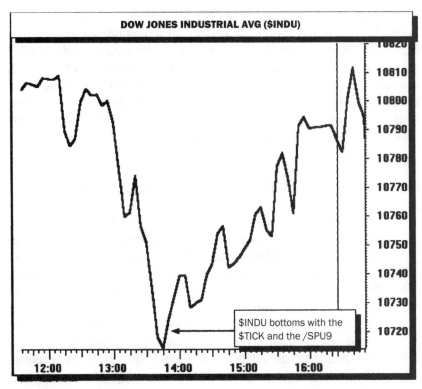

Fuente: The Executioner.com

FIGURA 10.7. **Gráfico lineal de 5 minutos que muestra una caída del $INDU
simultánea con el $STICK. La subida posterior también es paralela
con el $TICK y el /SUP9.**

Herramienta de mercado n.º 3: Índice de operaciones del NYSE (TRIN)

DESCRIPCIÓN EL NYSE TRIN

La fórmula del TRIN es la siguiente:

$$\frac{\text{Valores al alza / Volumen al alza}}{\text{Valores a la baja / Volumen a la baja}} = \text{TRIN}$$

El Índice de Operaciones del NYSE (TRIN), conocido también como Índice Arm's, es una de las herramientas intradiarias de momento de mercado más valiosas que utilizamos. Se trata de una herramienta maravillosa que nos ayuda a controlar el nivel de riesgo «inversor» intradiario que presenta el mercado. No tiene rival como compañero fiel del microinversor o del especulador. Utilizamos un gráfico de líneas de cinco minutos del TRIN para interpretar el mercado de la siguiente manera:

CÓMO INTERPRETA EL TRIN EL MAESTRO DE LA INVERSIÓN

- Un TRIN intradiario alcista indica mercado bajista a corto plazo, indicando un aumento del riesgo para el inversor intradiario. En otras palabras, un TRIN en aumento equivale a un aumento del riesgo. Esto supone una tendencia compradora. Tenga presente que el vendedor en corto consideraría alcista un TRIN en aumento.
- Un TRIN intradiario a la baja es alcista a corto plazo, indicando que el riesgo para el inversor intradiario desciende. En otras palabras, un TRIN en descenso equivale a un descenso del riesgo. Esto supone una tendencia compradora.

Además del análisis direccional, el TRIN, como indicador intradiario, ayuda también al maestro de la inversión a determinar el estado de salud general del mercado. Veamos, a continuación, cómo utilizamos el TRIN para determinar el estado actual del mercado:

- Un valor de TRIN intradiario inferior a 1 significa generalmente que el entorno de mercado es saludable. Recuerde que esto supone que estamos realizando una fotografía intradiaria del entorno de mercado. Su relevancia a largo plazo no es significativa.
- Un valor de TRIN intradiario superior a 1 significa generalmente que el entorno de mercado es arriesgado, es decir, más susceptible a una caída intradiaria o liquidación.

Además del análisis direccional, el TRIN sirve también para análisis de excesos de compra o venta, al que a veces nos referimos como *análisis umbral*. Veamos, a continuación, cómo utilizamos el TRIN para determinar cuándo en el mercado existe un exceso de compra o un exceso de venta:

- Cuando el TRIN intradiario cae por debajo de 0,35 significa que el entorno de mercado se ha tornado excesivamente eufórico. En otras palabras, un TRIN intradiario alcista que cae por debajo de 0,35 nos dice que la mayoría, la multitud, las masas, ya se han comprometido con el mercado, y el mercado tiene en reserva un fuerte retroceso intradiario.
- Una lectura de TRIN intradiario por encima de 1,50 sugeriría un entorno de mercado excesivamente bajista y un mercado posicionado para sorprender a los bajistas con una fuerte recuperación intradiaria.
- Un TRIN al cierre de 1,50 o superior, muestra un grado elevado de pesimismo y una tendencia bajista a última hora de la jornada. Esto sugiere que cerca del cierre ha cundido el pánico vendedor que sitúa el mercado listo para su recuperación a la mañana siguiente. *Consejo:* Un TRIN al cierre de 1,50 o superior, combinado con un $TICK al cierre de −500 o más, aumenta las probabilidades de una apertura positiva al día siguiente.

Las figuras 10.8 y 10.9 ilustran estos puntos.

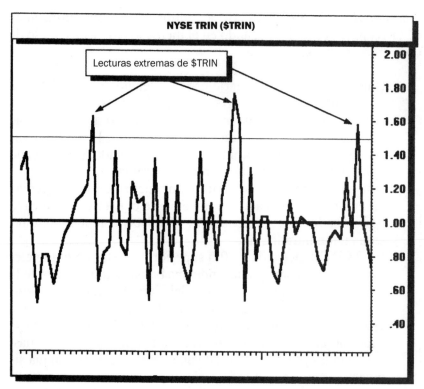

NYSE TRIN ($TRIN)

Lecturas extremas de $TRIN

Fuente: *The Executioner.com*

FIGURA 10.8. **Gráfico de líneas de 5 minutos del $TRIN, que muestra el umbral de 1,00 y el umbral extremo de 1,50.**

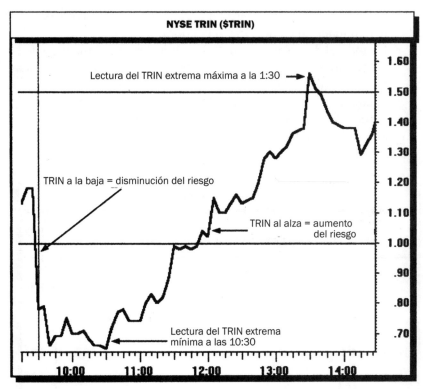

Fuente: The Executioner.com

FIGURA 10.9. **Gráfico de líneas de 5 minutos del $TRIN.** *Consejo:* **Un TRIN al alza indica aumento del riesgo intradiario. Un $TRIN a la baja indica disminución del riesgo intradiario. A destacar que el máximo y el mínimo del $TRIN se produjeron en momentos clave de cambio de tendencia.**

CÓMO JUEGA CON EL TRIN EL MAESTRO DE LA INVERSIÓN

- Cuando el TRIN intradiario sube, el maestro de la inversión se pone a la defensiva reduciendo la cantidad de jugadas intradiarias de compra.
- Cuando el TRIN intradiario baja, el maestro de la inversión se torna más agresivo aumentando la cantidad de jugadas intradiarias de compra.
- Cuanto el TRIN es inferior a 1, el maestro de la inversión suele mantener una tendencia compradora.

- Cuando el TRIN es superior a 1, el maestro de la inversión suele mantener una tendencia vendedora.
- Cuando el TRIN cae hasta 0,35 o por debajo, el maestro de la
  inversión busca vender valores y empieza a buscar oportunidades de venta en corto.
- Cuando el TRIN asciende por encima de 1,50, el maestro de la
  inversión busca cubrir todas sus posiciones cortas y empieza a
  buscar oportunidades potenciales de compra (figuras 10.10 y
  10.11).

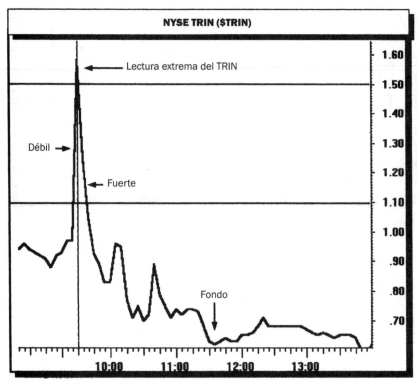

Fuente: The Executioner.com

FIGURA 10.10. **Gráfico de líneas de 5 minutos que muestra un $TRIN al cierre
superior a 1,50. Esta lectura extrema sugiere que está cerca el momento en que
el mercado toque fondo. Después de una punta extrema al cierre,
el $TRIN empieza a la mañana siguiente un declive que dura horas.**
Consejo: **Un $TRIN al cierre superior a 1,50 conduce normalmente
a una recuperación a la mañana siguiente.**

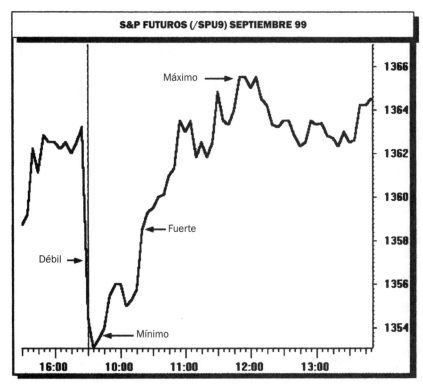

Fuente: The Executioner.com

FIGURA 10.11. **Este gráfico de líneas de 5 minutos del /SPU9 muestra hasta dónde puede llegar la sincronía entre los futuros S&P y el $TRIN. A destacar los máximos y mínimos del /SPU9, en perfecta concordancia con el $TRIN.**

Herramienta de mercado n.º 4: Nuevos mínimos (NL)

El indicador de nuevos mínimos diarios del NYSE (NL o *New Lows*) informa del número de valores del Big Board que han alcanzado un nuevo mínimo a 52 semanas. Esta estadística única (diaria) supone una de las formas más rápidas y precisas de valorar la salud del mercado. Estudiémosla en detalle. Un hecho básico que muchos inversores infravaloran es el siguiente: «Vender» es lo único que provoca la debilidad del mercado o que hace que un valor alcance un nuevo mínimo a 52 semanas. Es la venta, o la ausencia de ella, lo que en realidad revela lo bien que se encuentra el mercado. Por lo tanto, resulta crucial no perder de vista cualquier cambio repentino que se produzca en el grado de ventas. Y los NL controlan con precisión el grado de presión vendedora del mercado. Veamos cómo utilizamos los NL para interpretar la salud del mercado.

CÓMO INTERPRETA LOS NL EL MAESTRO DE LA INVERSIÓN

- Un aumento de NL indica que la presión vendedora del mercado está acelerándose y que es probable que el entorno sea cada vez más complicado.
- Un descenso de NL indica que está aumentando el interés comprador porque las ventas son cada vez más escasas, y que ello resultará en una mejora de la salud del mercado.

Hemos descubierto que existen diversos niveles de NL, que resultan bastante significativos para explicarnos el estado de salud del mercado:

- La presencia de menos de 20 NL diarios representa el entorno más alcista imaginable. Este estado eufórico no se prolonga, normalmente, mucho tiempo. De hecho, tiende rápidamente a dar como resultado la fragilidad del mercado.
- La presencia de entre 20 y 40 NL diarios representa un entorno de mercado positivo.
- La presencia de más de 40 NL diarios representa un mercado neutral o un periodo de enfriamiento.
- La presencia de más de 60 NL diarios señala un empeoramiento del mercado o un mercado problemático.
- La presencia de más de 80 NL diarios representa un entorno bajista. Abundarán típicamente las oportunidades de vender a la baja. Este es el entorno que habitualmente acaba con los jugadores que se dedican a comprar y conservar, ya que los movimientos al alza son rápida y enérgicamente neutralizados mediante vuelcos repentinos a la baja.

Consejo: Queremos destacar que la lectura de NL puede registrar valores muy superiores a 80, aunque no son casos que se presenten con mucha frecuencia. Como comentario, podemos afirmar que en agosto de 1998 fuimos testigos de NL superiores a 1000.

Controlar esta sencilla estadística le ayudará a conservar la salud en momentos muy cuestionables. Le sugerimos que la utilice como guía semana tras semana. Le ayudará en gran manera a controlar los cinco estados dominantes del mercado que enumeramos a continuación:

1. El estado de avaricia y euforia extrema (NL por debajo de 20).
2. El estado de salud (NL por debajo de 40, pero por encima de 20).
3. El estado de reposo (NL por debajo de 60, pero por encima de 40).
4. El estado de caos y confusión (NL por debajo de 80, pero por encima de 60).
5. El estado de miedo y pesimismo (NL por encima de 80).

CÓMO JUEGA CON LOS NL EL MAESTRO DE LA INVERSIÓN

- Los NL por debajo de 20 representan un entorno de mercado extremadamente alcista. Durante esta fase alcista, el maestro de la inversión buscará jugar exclusivamente en el bando que le proporcione ganancias. El maestro de la inversión querrá ser también más agresivo en cuanto a objetivos de tamaño y beneficios.
- Los NL por encima de 40 representan una fase de enfriamiento. Esta lectura proporciona típicamente una señal temprana de alarma de que el mercado se siente un poco fatigado. El mercado probablemente ofrecerá oportunidades de inversión a corto plazo en ambas direcciones. Pero el maestro de la inversión, en este entorno, deseará realizar ventas y compras rápidamente, ya que los movimientos serán todos de vida corta (véase figura 10.12).
- Los NL por encima de 80 señalan un entorno flojo de mercado. El maestro de la inversión se centrará exclusivamente en encontrar oportunidades de operar en corto, ya que las recuperaciones serán escasas, si las hay, y el camino de menos resistencia será definitivamente hacia la baja.

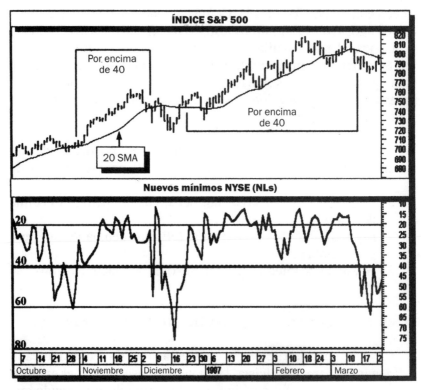

Fuente: The Executioner.com

FIGURA 10.12. **Los gráficos diarios del Índice S&P 500 y los NL del NYSE muestran claramente lo bajista que es el mercado en general cuando los NL permanecen por encima de 40.** *Consejo:* **El umbral de los NL en 40 es la línea divisoria entre alcistas y bajistas.**

Herramienta de mercado n.º 5: El índice de los cinco magníficos

El índice de los cinco magníficos, desarrollado por Pristine, es un mini-índice de cinco valores que hemos creado para ayudar a nuestros inversores a no perder de vista la salud general del mercado. Con el paso de los años, hemos llegado a descubrir que determinados valores clave no sólo mimetizan las acciones del mercado en general, sino que a menudo las lideran. Esta tendencia a liderar ofrece al inversor observador pistas y oportunidades de valor incalculable. Controlando estos valores clave día a día, el maestro de la inversión puede llegar a mantener una «sensación» de mercado capaz de rivalizar con los llamados profesionales de Wall Street. Hemos detallado los cinco valores que constituyen el índice de los cinco magníficos. Estamos seguros de que le resultará interesante la historia que nos relata cada uno de ellos.

El índice de los cinco magníficos

General Electric (GE). GE *es* el mercado. Si tuviéramos que elegir un valor a utilizar como representante general de la salud del mercado en su totalidad, este sería GE. Haga lo que haga el mercado, GE acabará haciéndolo. Se trata de una de las mayores empresas del mundo y vende de todo por todo el planeta. GE abarca tanto que no debería existir ningún portafolio de inversiones a largo plazo en el que no estuviese presente.

CitiGroup, Inc. (C). Este valor, por si solo, aglutina la totalidad del sector financiero. A través de sus divisiones, representa los tres principales sectores financieros: banca, brokers y seguros. La división Citibank representa el sector de la banca. La división Solomon Smith Barney representa el sector de los brokers. Y la división Travelers representa el sector de las aseguradoras. Debería destacarse que no existe recuperación duradera sin la cooperación o a través de la participación del sector financiero. La imagen global del sector financiero se encuentra en Citibank.

Microsoft, Inc. (MSFT). Nadie hoy en día puede dudar del tremendo impacto que la tecnología tiene en nuestra vida, en nuestros mercados y en nuestro mundo. A lo largo de la última década, el sector de la tecnología ha sido el corazón del mercado de valores, su sangre, por así decirlo. Desde nuestro punto de vista, este seguirá siendo el caso durante varias décadas más. Esta es la razón por la cual hoy es primordial no perder de vista esta gran parte del mercado, y los inversores astutos pueden conseguirlo fácilmente controlando las acciones diarias de MSFT. Este megavalor permite constatar las idas y venidas de la totalidad del sector de la tecnología. Si el sector tecnológico es el corazón del mercado actual, MSFT es el corazón del sector de la tecnología actual. No entre en el sector de la tecnología sin antes considerar con detalle lo que está haciendo MSFT.

America Online (AOL). La Internetmanía ha cautivado nuestra imaginación, se ha apoderado de nuestra vida y ha alterado el mercado como nada antes en la historia. Las futuras perspectivas de Internet son vertiginosas y, por mucho que digan los escépticos, Internet, como el teléfono, afectará durante mucho tiempo nuestra manera de comunicarnos y de hacer negocios con el resto del mundo. Y ya que este sector emergente se ha convertido en un factor tan crítico para la psicología general del mercado, es imprescindible que el inversor astuto no pierda de vista su actividad diaria. Los que siguen el sector jamás pondrán en duda el dominio que en él ejerce AOL. En un sentido muy literal, AOL es el abuelo de todos los valores de Internet y puede hacer las veces de barómetro de la totalidad de su sector.

General Motors (GM). Los valores cíclicos son extremadamente importantes para los inversores astutos porque actúan como un barómetro perfecto de la economía. Y como estamos seguros que usted sabe, una economía sana equivale a un mercado de valores sano. GM es un valor cíclico clave y, por lo tanto, un barómetro clave de la totalidad de la economía. Si la gente está dispuesta a comprar coches, está dispuesta a asumir una deuda, lo que significa que tiene suficiente confianza depositada en su puesto de trabajo y en la economía. Los consumidores confiados, dispuestos a asumir deudas adicionales, desarrollan los valores financieros. El análisis entre mercados es un tema que merece un libro por sí solo. Pero el maestro de la inversión puede llegar a ser casi tan astuto como un economista profesional con sólo controlar las acciones de GM. Se acerca mucho a explicárnoslo todo.

CÓMO INTERPRETA Y JUEGA EL MAESTRO DE LA INVERSIÓN CON EL ÍNDICE DE LOS CINCO MAGNÍFICOS

- Cuando los cinco valores del índice de los cinco magníficos cotizan al alza, el maestro de la inversión se centra exclusivamente en el lado comprador.
- Cuando los cinco valores del índice de los cinco magníficos cotizan a la baja, el maestro de la inversión se centra exclusivamente en el lado vendedor.

- Cuando tanto Microsoft Corp (MSFT) como American Online (AOL) se comportan bien, el maestro de la inversión busca la mayoría de sus oportunidades, si no todas, en los valores tecnológicos clave.
- Cuando tanto MSFT como AOL van a la baja, no se realizan compras intradiarias en el sector tecnológico. Las jugadas de venta en corto, sin embargo, son una alternativa en este escenario.
- Cuando CitiGroup Inc. (C) se comporta correctamente (acaba la jornada decentemente al alza), el sector financiero es quien soporta el mercado. Esto significará, a menudo, que los retrocesos intradiarios del mercado son oportunidades de compra y no razones por las que preocuparse. Las oportunidades inversoras en los sectores de la banca, los brokers y las aseguradoras también pueden buscarse. Y lo mismo en referencia al caso contrario.
- Cuando MSFT se comporte claramente a la baja, muchos valores tecnológicos experimentarán ventas. Las recuperaciones intradiarias en los tecnológicos tenderán a quedarse en agua de borrajas cuando MSFT vaya mal. Esto ofrece excelentes oportunidades de venta en corto. Lo mismo sucede en caso contrario.
- Cuando AOL vaya estupendamente al alza, proliferarán en el sector de Internet las oportunidades inversoras del lado comprador. En este escenario, el maestro de la inversión asume que los retrocesos en los valores de Internet son oportunidades de compra potenciales. Lo mismo aplica en caso contrario. *Consejo:* Los inversores dedicados a valores de Internet que intenten luchar en contra de la tendencia marcada por AOL juegan con fuego.
- Si General Electric (GE) cotiza moderadamente al alza y el mercado va moderadamente a la baja, el maestro de la inversión supone que el mercado acabará finalmente siguiendo la tendencia de GE. Por lo tanto, el maestro de la inversión busca oportunidades tempranas de compra con la ayuda de los análisis de soporte y resistencia y otras estrategias y técnicas de inversión. Lo mismo es cierto en el caso contrario.

No es necesario que digamos que podríamos seguir mucho más tiempo enumerando posibles escenarios y que lo que resulta de primordial importancia es destacar que estos escenarios no son más que guías. Ofrecen una dirección general y/o un plan de juego general intradiario, del que no disponen la mayoría de los inversores principiantes (figura 10.13).

Symbol	Last		High	Low	Change
$TICK ①	513	S	609	-793	+513
$TRIN	1.84	S	1.84	.65	+.64
/SPU9 ②	1331.80	S	1358.00	1330.00	-18.00
/NDU9	2276.50	S	2327.00	2276.00	-10.75
$INDU	10655.15	S	10825.80	10647.86	-136.14
$TRAN ③	3333.24	S	3366.48	3327.62	-15.71
$INX	1328.72	S	1350.92	1328.49	-12.31
$COMPX	2638.49	S	2676.46	2631.87	-1.52
GE	109	S	112 5/16	108 11/16	-3
GM	61 1/8	S	64 1/8	60 3/8	-2 13/1
C ④	44 9/16	S	46 1/4	44 1/2	-1 3/16
MSFT	85 13/16	S	88 5/8	85 1/2	-1 1/8
AOL	95 1/4	S	100 1/2	94 1/4	-1 5/8
$SOX.X	493.97	S	501.93	490.99	+1.33
$NF.X	532.39	S	541.95	532.11	-9.40
$IIX.X ⑤	278.33	S	285.51	276.77	-3.69
$XBD.X	389.71	S	398.22	389.56	-8.41
$DRG.X	349.02	S	352.77	348.84	-.54
$XOI.X	514.68	S	519.73	508.70	+5.88

FIGURA 10.13. **Esta relación muestra cómo utilizamos las herramientas de mercado descritas en este capítulo para estar al corriente de la tendencia general del mercado. Esta lista se controla a lo largo de la jornada y proporciona una forma fácil de determinar qué sectores están siendo comprados y cuáles están siendo vendidos. 1: TICK y TRIN; 2: Contratos de Futuros S&P y NASDAQ 100; 3: DJIA, Índice de Transportes, Índice S&P 500 (contado), NASDAQ Composite, 4: Los cinco magníficos; 5: Índices del sector de semiconductores, financiero, Internet, Broker Dealer, farmacéutico y petrolífero. A destacar que el día que aparece en el listado fue muy negativo.**

Un cuestionario sobre el mercado de valores

Pregunta 1: ¿Cuál es históricamente el mes más bajista del año? Saberlo por anticipado ayuda a los inversores a posicionar en consecuencia sus carteras y sus planes de inversión.

Respuesta: Septiembre. En los últimos quince años, septiembre sólo ha ido al alza en cinco ocasiones.

Pregunta 2: ¿Cuál es históricamente el mes más alcista del año? Conocer la respuesta puede marcar también la diferencia para el inversor astuto.

Respuesta: Mayo. En los últimos doce años, mayo fue once veces el mejor mes.

Pregunta 3: ¿Qué período de tres meses representa el *mejor* momento para invertir todo lo posible incluso apalancarse? Saberlo puede proporcionar al inversor astuto enormes ganancias que superen la mayoría de las medias del mercado.

Respuesta: Noviembre, diciembre y enero. Gracias a la planificación de impuestos de final de año y a los intentos de última hora que realizan planes de pensiones de todo tipo para desarrollar bonos de rendimiento, estos tres meses representan el mejor período para trabajar con valores.

Pregunta 4: ¿Qué mes *acaba* históricamente con los mercados bajistas? Conocer la respuesta ayuda al inversor astuto a aprovechar los puntos decisivos y los mínimos, precisamente en el momento adecuado.

Respuesta: Octubre. Las tendencias bajistas de 1946, 1957, 1960, 1966, 1974, 1987, 1990 y, naturalmente, 1998, terminaron todas en octubre.

Pregunta 5: ¿Qué período de cinco días del mes es el mejor para tenerlo todo invertido en el mercado? Saberlo ayuda a los inversores a planificar para el momento adecuado su nivel de agresividad y grado.

Respuesta: El último, primero, segundo, tercero y cuarto día del mes. Históricamente, este período de cinco días supera el rendimiento del resto de días del mes, gracias al hecho de que los fondos reciben sus mejores entradas de dinero al final o al principio de cada mes.

Pregunta 6: ¿Qué día del mes es históricamente el mejor día para estar en el mercado?
Respuesta: El segundo día del mes. El mercado sube con mayor frecuencia el segundo día del mes (62,3 por ciento), que en cualquier otra jornada inversora.

Los datos estadísticos han sido obtenidos de *Yale Hirsch's Stock Trader's Almanac*, una guía indispensable de las tendencias del mercado.

Unas palabras finales sobre el mercado

Al dejar atrás para siempre el siglo XX, resulta casi imposible no plantear la siguiente pregunta: «¿Qué les espera a los inversores en el próximo milenio?» A lo largo de la última década de 1900, el sólido avance de los precios de los valores ha desencadenado la aparición de innumerables profecías sobre la llegada del día del juicio final, todas ellas con el mismo mensaje repetitivo de sobrevaloración. Con el alza más allá de cualquier expectativa de las acciones relacionadas con la tecnología y el despegue hacia galaxias lejanas de los valores de Internet, la palabra que muchos profesionales han repetido una y otra vez es «exagerado». Hasta cierto punto, este grito de «exceso de compra» es comprensible. El Índice NASDAQ 100 subió un increíble 82 por ciento únicamente en 1998, el rendimiento mejor de toda su historia. Hasta ese año, la gloria estaba en la ganancia del 65 por ciento de 1991. Los valores que colaboraron al empuje del índice hasta alturas increíbles fueron Microsoft Corporation (MSFT), Cisco Systems (CSCO), MCI Worldcom (WCOM), Dell Computer (DELL) y Sun Microsystems (SUNW), todos los cuales se quintuplicaron y más, sólo en los últimos cinco años. No es necesario que digamos que en los años recientes los valores líderes de Internet rindieron aún mejor, con Amazon.com (AMZN) multiplicándose por más de diez y Yahoo!

(YHOO) por más de ocho en un solo año. ¿Puede continuar esta situación? ¿Es este frenesí, que ha conducido a los valores de Internet hacia arriba más rápido que lo haya hecho cualquier otro grupo en la historia, la señal de un máximo eufórico? Muchos observadores profesionales de Wall Street así lo creen, aunque estos mismos expertos consideraban también que un DJIA superando 3000 era excesivo. Nuestra opinión es que en lugar de un mercado *exagerado*, tenemos y seguiremos disfrutando de un mercado robusto que va *retrasado*. Mientras que nosotros, más que la mayoría, conocemos el peligro que entraña decir «esta vez las cosas son diferentes», el hecho innegable es que realmente lo son. Hoy vivimos en un mundo distinto, dirigido por dinámicas distintas y medios distintos. Una explosión tecnológica, que no está más que en su infancia, ha prendido fuego a los corazones y dado alas a la cabeza de gente, empresas y países de todo el mundo. El ciclo de comunicación (desde el origen hasta que algo se hace público) se acerca rápidamente al instante, y las poderosas barreras, antes solidificadas por el espacio y por el tiempo, han dado paso a una unidad sectorial y a una universalidad que sorprenden incluso a las mentalidades más abiertas. Si los nuevos milagros tecnológicos del mundo han permitido que nuestras mentalidades echen a volar, ¿por qué no podría traducirse esto en un mercado que también ha emprendido el vuelo? Si los avances actuales ayudan a que nuestros logros alcancen niveles cada vez más altos, ¿por qué no debería el mercado, que refleja estas cosas, echar a volar también? *El mercado no es más que un espejo de lo que nosotros, como seres humanos, experimentamos y nos convertimos. Si avanzamos, también debe hacerlo el mercado, que refleja nuestra experiencia humana.* Lo que los profesionales de Wall Street, encerrados en sus despachos de lujo, parecen olvidar, es que el mercado finalmente no es más que un reflejo de la gente. No al contrario. Si nuestra vida mejora con el paso de los años, no existe ningún índice de precio sobre beneficios (PER) capaz de impedir que el mercado responda favorablemente, independientemente de lo astronómico que sea. El paso veloz de la tecnología nos lleva más y más arriba. Y mientras sea así, el mercado debe también avanzar más y más alto. A buen seguro sufriremos altibajos y, ocasionalmente, un hipo molesto. Pero como mi madre solía decir: «El hipo significa que te estás haciendo mayor, ¡alégrate!»

11. Herramientas gráficas y tácticas

Introducción a los gráficos

A estas alturas no es ninguna sorpresa para usted que nuestro estilo de inversión es por naturaleza el corto plazo. Lo que es lo mismo, todos nuestros puntos de entrada y de salida se basan en hechos técnicos, no en fundamentos ni en hechos económicos. Toda acción concreta que realizamos se basa en un determinado número de modelos gráficos de elevada fiabilidad que representan los cambios clave a corto plazo en la psicología del mercado. Y aquí es cuando la estrategia de Pristine para abordar el mercado se pone interesante. Considere el hecho siguiente: *Todo período concreto (es decir, día, hora, quince minutos, cinco minutos, un minuto) no es más que una batalla o una pequeña escaramuza entre los únicos dos grupos de jugadores que existen: los compradores y los vendedores, conocidos también como los alcistas y los bajistas (*Bulls *y* Bears*).*

Cuando usted observa un gráfico diario, por ejemplo, cada barra que ve en él representa una batalla individual desarrollada en el contexto de una guerra continuada. Si observa un gráfico en el que los períodos de tiempo considerados son de dos minutos, cada barra que ve representa una escaramuza de dos minutos de duración en el contexto de una guerra sin fin. De ser esto cierto, y créanos, lo es, el éxito del maestro de la inversión descansa por completo en su habilidad para determinar con precisión cuál es el grupo que domina la guerra en el momento de su intervención. Mientras que un grupo puede estar ganando la batalla actual (período), el otro grupo puede ser el que esté dominando la guerra (la tendencia). Los maestros de la inversión que se alinean consistentemente con el grupo que domina en la guerra son los que siempre podrán utilizar el mercado como una entrada de ingresos. Pero los maestros de la inversión capaces de, consistentemente, visualizar el momento previo en que un grupo pase a tomar el control del otro, serán los que podrán utilizar el mercado para obtener beneficios y acumular riqueza.

Hemos descubierto diversos modelos gráficos de elevada fiabilidad que señalan exactamente el momento en que se ha producido un cambio en el equilibrio de poder entre compradores y vendedores. Después de leer y estudiar concienzudamente las siguientes secciones, no sólo sabrá cómo identificar estos modelos gráficos, sino que además sabrá cómo establecer tácticas y estrategias concebidas para explotarlos en su beneficio.

Como hemos destacado anteriormente, los gráficos son las pistas que va dejando el dinero, y no mienten. Son como las radiografías que emplean los médicos y que proporcionan una visión más profunda del paciente. En nuestro caso, los pacientes son el mercado y los valores individuales que lo constituyen. Este capítulo le proporcionará las herramientas que pueden convertirle en un médico del mercado de primera categoría. Pero antes de profundizar en las herramientas a nivel individual, entraremos en contacto con unos cuantos conceptos básicos relacionados con los gráficos que son esenciales para comprender los conceptos más avanzados que cubriremos posteriormente en este mismo capítulo. Vamos a ello.

Un libro elemental de gráficos

LAS VELAS LE ALUMBRARÁN EL CAMINO

El maestro de la inversión dispone de una amplia variedad de tipos de gráficos donde elegir. Están los gráficos de barras occidentales, los más comúnmente utilizados; gráficos de punto y figura, que son los menos utilizados; los gráficos de líneas, que aparecen a veces en los periódicos y en los informes del mercado de valores; los gráficos de vela japoneses, que están adquiriendo rápidamente gran popularidad, gracias a nosotros, y un formato relativamente nuevo denominado gráficos de equivolumen. Y esto sólo para nombrar unos cuantos. Mientras que la gracia de la «variedad» tiene sus beneficios, creemos que el gráfico de velas japonés es, con diferencia, el mejor y el único formato que necesita el maestro de la inversión. De hecho, consideramos el estilo gráfico japonés tan superior, que hoy en día ya no prestamos atención a un gráfico si no viene en ese formato. Es por ello que los gráficos de vela se han convertido en un elemento esencial de nuestro éxito.

No queremos decir con esto, sin embargo, que las velas posean un poder mágico que no comparten los demás, o que contengan más información de la que incluyen los gráficos de barra normales, porque no es así. Estamos profundamente enamorados de las velas por una única y muy sencilla razón: con ellos es muy fácil ver qué grupo controla el mercado, compradores o vendedores. También con ellos resulta muy fácil ver qué grupo está a punto de perder o recuperar ese control. Eso es todo. No aportan hechos adicionales. No poseen capacidades de las que carezcan los demás tipos. Simplemente, las velas permiten al inversor determinar visualmente, con mayor facilidad, quién está ganando la batalla. Dicho de otra manera, proporcionan la capacidad de determinar con mayor rapidez de qué lado está Goliat: del lado comprador o del lado vendedor. Como hemos mencionado antes, es el inversor que apuesta a favor de Goliat, no en su contra, quien acaba habitualmente obteniendo la victoria. Estudiemos dos ejemplos que ilustran el concepto. El primer ejemplo muestra a Goliat del lado de los compradores. El otro muestra a Goliat del lado de los vendedores.

Averigüe cuándo controlan los alcistas (Bulls)

Siempre que un valor queda al cierre *por encima* de su precio de apertura, los «bulls» (compradores) son los ganadores del período en cuestión.

Cierre > apertura = control para los compradores

La figura 11.1 es un ejemplo en el que los compradores (bulls) ganan la batalla. Se utiliza el formato de gráfico de barras occidental. La figura 11.2 muestra el mismo ejemplo en el que los compradores (bulls) ganan la batalla. Sólo que esta vez utilizamos el formato de gráfico de velas japonés. Observe que en ambos ejemplos, el valor cierra por encima de su precio de apertura, lo que significa que los compradores fueron lo bastante fuertes como para conducir o empujar a los vendedores hacia terrenos más elevados. Aconsejamos a nuestros inversores considerar la apertura como el momento inicial de la batalla. Si la batalla finaliza a un nivel superior al de su inicio, son los compradores los que ganan la batalla. Si los compradores ganan la mayoría de batallas a nivel individual, es evidente que dominan la guerra con claridad. Contar o realizar el seguimiento de quién gana cada batalla es lo que muchos chartistas denominan *análisis de tendencia*. Una tendencia alcista no es más que una guerra, compuesta por múltiples batallas, ganada por los compradores.

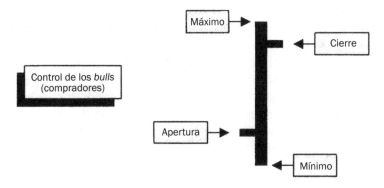

FIGURA 11.1. **Los *bulls* (compradores) ganando la batalla, según el gráfico de barras occidental.**

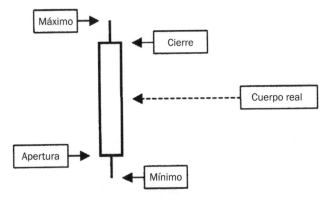

FIGURA 11.2. **Los *bulls* (compradores) ganando la batalla, según el gráfico de velas japonés.**

Pero observemos con mayor detalle el segundo ejemplo para
constatar lo mucho mejor que el gráfico de velas muestra el resultado de esta batalla. Los japoneses comprenden a la perfección la importancia que tiene determinar quién gana cada batalla y por ello
acentúan visualmente la relación entre el precio de apertura y el
precio de cierre con un cuerpo de forma cilíndrica, o *cuerpo real,*
como comúnmente se le conoce. En el ejemplo de vela de la figura
11.2, la parte inferior del cuerpo representa la apertura, mientras
que la parte superior del cuerpo representa el cierre. Las colas que
aparecen en cada extremo, o «mechas», representan los precios
máximo y mínimo del período en consideración. Mientras que el máximo y el mínimo tienen también su importancia, siempre es el
rango entre el precio de apertura y el precio de cierre lo que tiene
mayor trascendencia, pues es lo que determina quién ha ganado la
batalla. Siempre que los compradores o «bulls» ganen la batalla, el
cuerpo real será blanco. Les decimos a nuestros inversores que
piensen que el blanco es un peso ligero. Cuando ganan los compradores, el precio fluctúa hacia arriba a partir del precio de apertura,
porque su peso es ligero. En resumen, por lo tanto, una vela blanca
o de color claro nos dice inmediatamente que los compradores
(bulls) son los que han ganado la batalla. Consideremos, a continuación, el escenario contrario.

AVERIGÜE CUÁNDO CONTROLAN LOS BAJISTAS (BEAR)

Siempre que un valor queda al cierre *por debajo* de su precio de
apertura, los *bear* (vendedores) son los ganadores del período en
cuestión.

Cierre < apertura = control para los vendedores

Las figuras 11.3 y 11.4 muestran un ejemplo en el que los vendedores (bear) ganan la batalla. Se utiliza el formato de gráfico de
barras occidental en la figura 11.3 y el formato de gráfico de velas
japonés en la figura 11.4. Observe que, en ambos ejemplos, el valor
cierra *por debajo* de su precio de apertura, lo que significa que los
vendedores fueron lo bastante fuertes como para conducir o empujar a los compradores hacia terrenos menos elevados. Aconsejamos

a nuestros inversores considerar la apertura como el momento inicial de la batalla. Queremos destacar lo fácil que es averiguar el resultado de la misma. La vela japonesa, que es un cuerpo real oscuro y pesado, muestra con mayor claridad que quienes controlan son
los *bear* (vendedores). Cuando los vendedores ganan la batalla, el
cuerpo real siempre será negro o de color oscuro. En resumen, por
lo tanto, una vela oscura nos dice inmediatamente que los vendedores (bear) son los que han ganado la batalla. Una vez más, tenga en
cuenta que debe considerar la apertura como el punto inicial de la
batalla. Si ésta finaliza a un precio o nivel inferior al del inicio, los
bear (vendedores) han ganado la batalla. Si los vendedores ganan
la mayoría de batallas individuales, es evidente que están claramente dominando la guerra. Una tendencia a la baja no es más que
una guerra dominada por los *bear* (vendedores).

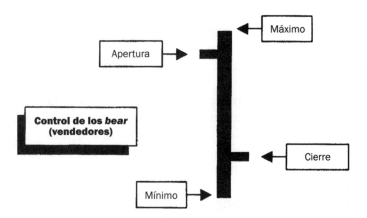

FIGURA 11.3. **Los *bear* (vendedores) ganando la batalla, según el gráfico
de barras occidental.**

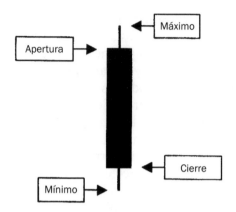

FIGURA 11.4. **Los *bear* (vendedores) ganando la batalla, según el gráfico de velas japonés.**

CUANDO LOS ALCISTAS Y LOS BAJISTAS EMPATAN

Merece la pena destacar que habrá momentos en los que no ganen ni los *bulls* ni los *bear*. Si ganan los *bulls* (compradores) cerrando con el valor a un precio superior al de la apertura, y los *bear* (vendedores) ganan cerrando con el valor a un precio inferior al de la apertura, se establece un empate cuando la apertura y el cierre son iguales. Esta condición de neutralidad aparece en el gráfico de velas como una barra sin cuerpo real. La figura 11.5 muestra un ejemplo de ello.

Mientras que este ejemplo parece ser, y es, un ejemplo en formato de gráfico de barras occidental, lo es también en formato de velas. Debido a que la apertura y el cierre se sitúan en el mismo nivel de precio, no existe cuerpo real o rango que dibujar entre ambos precios. Estos empates, por llamarlo de algún modo, pueden resultar muy informativos, dependiendo de cuándo y dónde se produzcan.

En la siguiente sección revelaremos algunas de nuestras tácticas y técnicas gráficas más poderosas. Bajo nuestro punto de vista, la sección que sigue es, de lejos, la más valiosa del libro y le animamos a que la estudie y la relea muchas veces. Los que realmente lleguen a intimar con las herramientas y tácticas que siguen, estarán en camino de convertirse en maestros de primera categoría de la inversión. Queremos que sepa que lo que está usted a punto de leer nos ha ido muy bien a nosotros. En cuanto aprenda a identificar, utilizar y combinar las siguientes herramientas, estamos seguros de que le recompensarán durante muchos años. Pasemos entonces a nuestra primera herramienta gráfica.

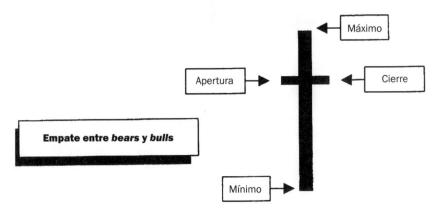

FIGURA 11.5. **En formato de velas, la situación neutral se observa como una barra sin cuerpo real.**

Herramienta gráfica n.º 1: Barra de rango estrecho (NRB)[1]

Una *barra de rango estrecho* (NRB, Narrow Range Bar) se define como una barra con un rango entre el máximo y el mínimo inferior a lo normal. El aspecto de una NRB indica que se ha producido un descenso dramático de la volatilidad. De estos períodos de escasa volatilidad tienden a surgir fuertes movimientos. Observemos el ejemplo de una NRB.

Si el valor XYZ se negoció el lunes a un máximo de 22 dólares y a un mínimo de 20 dólares, el rango del día sería de 2 dólares (22 – 20 = 2). Si al día siguiente, XYZ se negociara entre 21 y 21,5 dólares, el valor presentaría una NRB. Veamos el ejemplo plasmado en las figuras 11.6 y 11.7.

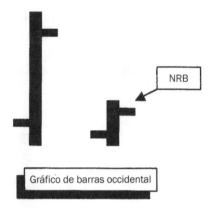

FIGURA 11.6. **Barra de rango estrecho (NRB) utilizando un gráfico de barras occidental.**

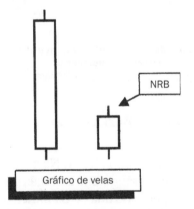

FIGURA 11.7. **Barra de rango estrecho (NRB) utilizando un gráfico de velas.**

CÓMO INTERPRETA LAS BARRAS DE RANGO ESTRECHO (NRB)
EL MAESTRO DE LA INVERSIÓN

- La presencia de una NRB significa que compradores y vendedores presentan prácticamente un equilibrio de poder (figura 11.8).

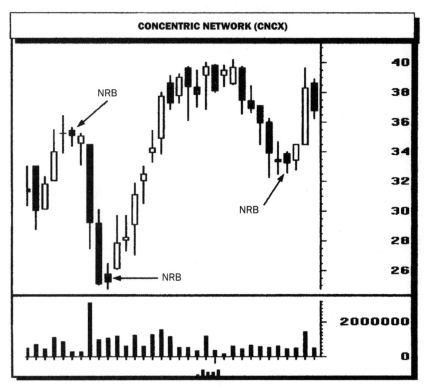

Fuente: The Executioner.com

FIGURA 11.8. **Barras de rango estrecho (NRB) que señalan techos y suelos significativos en CNCX.**

- Una NRB sólo es significativa cuando se produce *después* de varias barras de rango de tamaño normal a ancho.
- Una NRB ofrece al maestro de la inversión uno de los signos más claros posible de que está a punto de producirse un fuerte vuelco.

- Un vuelco (recuperación o caída) después de una NRB tenderá a ser más potente y fiable que un vuelco producido a partir de una barra de tamaño más normal.
- Cuando aparece una NRB después de varias barras de declive, el maestro de la inversión espera que el valor dé un vuelco al alza.
- Cuando aparece una NRB después de varias barras de ascenso, el maestro de la inversión espera que el valor dé un vuelco a la baja.

CÓMO JUEGA CON LAS BARRAS DE RANGO ESTRECHO (NRB) EL MAESTRO DE LA INVERSIÓN

- Cuando aparece una NRB después de varias barras de declive, el maestro de la inversión intenta comprar por encima del máximo (figura 11.9).
- Cuando aparece una NRB después de varias barras de ascenso, el maestro de la inversión intenta vender por debajo del mínimo.
- El maestro de la inversión agresivo suele comprar en una situación de NRB posterior a varias barras en declive, si el valor cierra *por encima* del precio de apertura.
- El maestro de la inversión agresivo suele vender poco después de una situación de NRB posterior a varias barras en ascenso, si el valor cierra *por debajo* del precio de apertura.

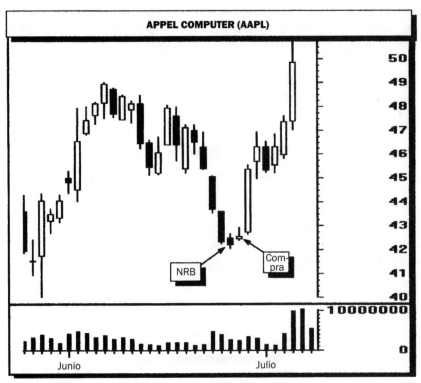

Fuente: The Executioner.com

FIGURA 11.9. **Después de varias barras en descenso, AAPL experimentó una NRB, lo que marcó el inicio de un avance muy acusado. El maestro de la inversión compra por encima de la NRB.**

Herramienta gráfica n.º 2: Barras reversas (RB)[1]

DESCRIPCIÓN DE LA BARRA REVERSA

Una *barra reversa* (RB, Reverse Bar) viene marcada por un movimiento inicial, a menudo brusco, hacia una dirección; seguido por un vuelco, que finaliza el período en dirección contraria, por debajo del punto de inicio. Por ejemplo, después de caer abruptamente hacia abajo, una barra reversa alcista dará un vuelco y cerrará en o cerca del máximo del período, por encima de su precio de apertura. Después de ir hacia arriba, una barra reversa bajista dará un vuelco y cerrará en o cerca del mínimo del período, por debajo de su precio de apertura. Veamos dos ejemplos.

Barra reversa alcista. XYZ abre el lunes a 20 dólares, a lo largo del día se negocia hasta un mínimo de 18 dólares, luego da un giro reverso hacia arriba para cerrar a 20,5 dólares (véanse figuras 11.10 y 11.11).

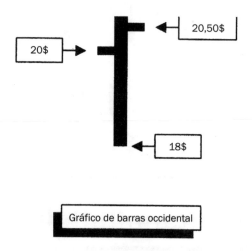

FIGURA 11.10. **Barra reversa alcista utilizando un gráfico de barras occidental.**

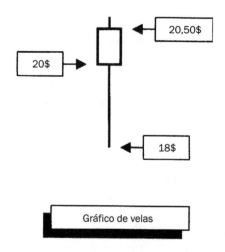

FIGURA 11.11. **Barra reversa alcista utilizando un gráfico de velas.**

Barra reversa bajista. XYZ abre el miércoles a 20 dólares, a lo largo del día se negocia hasta un máximo de 22 dólares, luego da un giro reverso hacia abajo para cerrar a 19,5 dólares (véanse figuras 11.12 y 11.13).

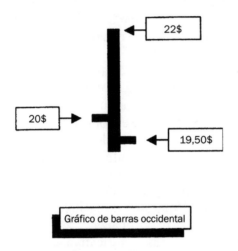

FIGURA 11.12. **Barra reversa bajista utilizando un gráfico de barras occidental.**

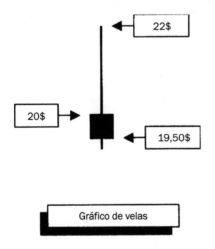

FIGURA 11.13. **Barra reversa bajista utilizando un gráfico de velas.**

CÓMO INTERPRETA LAS BARRAS REVERSAS (RB) EL MAESTRO
DE LA INVERSIÓN

- La presencia de una RB significa que está a punto de producirse un vuelco brusco o cambio de tendencia.
- Un vuelco (recuperación o caída) después de una RB tenderá
a ser más potente y fiable que un vuelco después de una barra
más normal.
- Las RB muestran dónde se han producido las sacudidas.
- La RB alcista indica que el control del mercado ha pasado
de los vendedores a los compradores.
- La RB bajista indica que el control del mercado ha pasado de
los compradores a los vendedores.
- Una RB alcista es más significativa si aparece *después* de varias barras en declive.
- Cuando aparece una RB alcista después de un declive de
varias barras, el maestro de la inversión mira que el valor
cambie de sentido hacia el alza.
- Una RB bajista es más significativa si aparece *después* de varias barras de alza.
- Cuando aparece una RB bajista después de un alza de varias
barras, el maestro de la inversión mira que el valor cambie de
sentido hacia la baja (figura 11.14).

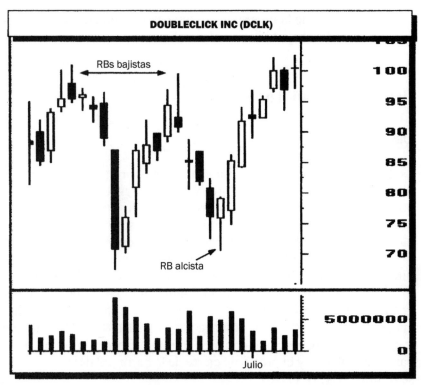

DOUBLECLICK INC (DCLK)

Fuente: The Executioner.com

FIGURA 11.14. **DCLK bajó bruscamente después de presentar barras reversas bajistas. Una barra reversa alcista disparó también una importante recuperación.**

CÓMO JUEGA CON LAS BARRAS REVERSAS (RB) EL MAESTRO DE LA INVERSIÓN

- El maestro de la inversión trata de comprar por encima del máximo de una RB alcista que aparece después de varias barras de declive.
- El maestro de la inversión trata de vender por debajo del mínimo de una RB bajista que aparece después de varias barras de alza.
- El maestro de la inversión agresivo suele comprar en una situación de RB alcista justo antes del cierre.

- El maestro de la inversión agresivo suele vender en una situación de RB bajista justo antes del cierre.

Herramienta gráfica n.º 3: Colas

DESCRIPCIÓN DE LA COLA

Las *colas* marcan los cambios que se han producido en el equilibrio de poder entre compradores y vendedores. Una *cola de tope*, que señala hacia el máximo, se forma a partir de un movimiento inicial hacia arriba que da repentinamente paso a una caída brusca hacia abajo. Una *cola de fondo*, que señala hacia el mínimo, se forma a partir de una caída del valor que de repente vira y cambia de dirección hacia arriba. Veamos seguidamente dos ejemplos.

Cola de fondo. XYZ abre a 30 dólares, a lo largo del día se negocia hasta un mínimo de 27 dólares y luego da un giro reverso hacia arriba para cerrar a 29 dólares. En este caso, la cola tiene una longitud de 2 dólares, que equivale al rango entre el mínimo de la barra (27 dólares) y el precio de cierre de la barra (29 dólares) (véanse figuras 11.15 y 11.16).

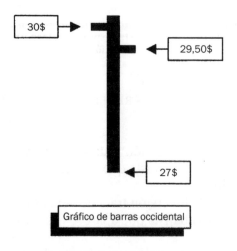

FIGURA 11.15. **Cola de fondo utilizando un gráfico de barras occidental.**

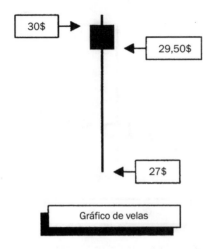

FIGURA 11.16. **Cola de fondo utilizando un gráfico de velas.**

Cola de tope. XYZ abre a 31,5 dólares, a lo largo del día se negocia hasta un máximo de 34 dólares y luego da un giro reverso hacia abajo para cerrar a 31,75 dólares. En este caso, la cola tiene una longitud de 2,25 dólares, que equivale al rango entre el máximo de la barra (34 dólares) y el precio de cierre de la barra (31,75 dólares) (véanse figuras 11.17 y 11.18).

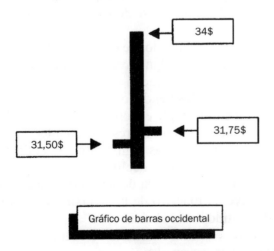

FIGURA 11.17. **Cola de tope utilizando un gráfico de barras occidental.**

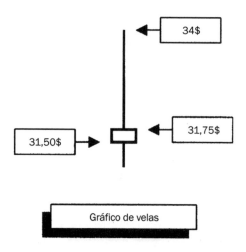

FIGURA 11.18. **Cola de tope utilizando un gráfico de velas.**

CÓMO INTERPRETA LAS COLAS EL MAESTRO DE LA INVERSIÓN

- Un vuelco (recuperación o caída) que se produzca después de una cola tenderá a ser más pronunciado.
- Las colas muestran dónde se han producido las sacudidas.
- Una cola de tope revela dónde están situados los vendedores profesionales, descargándose de valores vendiéndolos al público en general.
- Una cola de fondo revela dónde están situados los compradores profesionales, acumulando valores a buen precio.
- La cola de fondo indica que el control del mercado ha cambiado para pasar de los vendedores a los compradores.
- La cola de tope indica que el control del mercado ha cambiado para pasar de los compradores a los vendedores.
- Una cola de fondo es más significativa cuando se produce *después* de varias barras en declive.
- Cuando se produce una cola de fondo después de varias barras en declive, el maestro de la inversión mira que el valor cambie de sentido hacia el alza.
- Una cola de tope es más significativa cuando se produce *después* de varias barras en alza.

- Cuando se produce una cola de tope después de varias barras en alza, el maestro de la inversión mira que el valor cambie de sentido hacia la baja.

CÓMO JUEGA CON LAS COLAS EL MAESTRO DE LA INVERSIÓN

- El maestro de la inversión trata de comprar por encima del máximo de una barra de fondo después de varias barras de descenso (véase figura 11.19).

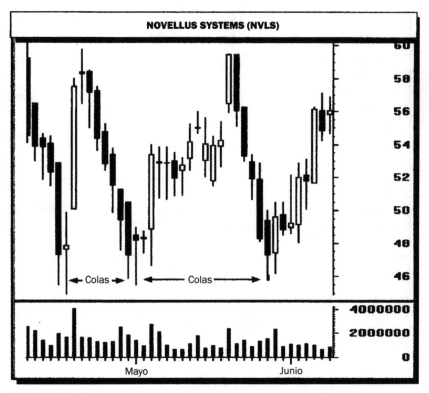

Fuente: The Executioner.com

FIGURA 11.19. **Este gráfico de Novellus Systems (NVLS) muestra lo informativas que pueden llegar a ser las colas de fondo. Las colas de fondo revelaron que los compradores estaban muy ocupados en la tarea de acumular valores por la zona de los 46 dólares.**

• El maestro de la inversión trata de vender por debajo del mínimo de una barra de tope después de varias barras de ascenso (véase figura 11.20).

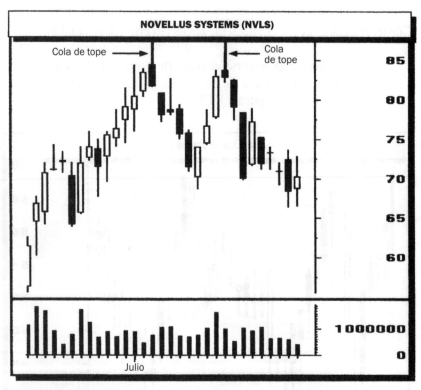

Fuente: The Executioner.com

FIGURA 11.20. **NSOL cayó bruscamente después de formar dos colas de tope. Queremos destacar que estas colas de tope colaboraron también en la creación de dos barras reversas bajistas**

Herramienta gráfica n.º 4: Huecos

DESCRIPCIÓN DEL HUECO

Los huecos son uno de los fenómenos gráficos más observados entre el grupo de los maestros de la inversión, ya que son la base de numerosas técnicas de inversión. Hablando en un sentido estricto, los huecos se clasifican en dos grupos: huecos alcistas y huecos bajistas.

Un *hueco alcista* se produce cuando el precio de apertura de la barra en cuestión se sitúa por encima del de cierre y/o del máximo de la barra anterior. Un hueco bajista se produce cuando el precio de apertura de la barra en cuestión se sitúa por debajo del de cierre y/o del mínimo de la barra anterior. El hueco, o ventana, como algunos inversores lo denominan, forma un vacío en el cual no han tenido lugar transacciones. Observemos dos ejemplos.

Hueco alcista. XYZ se cotiza el miércoles entre 30 dólares (mínimo del día) y 32 dólares (máximo del día) y tiene un precio al cierre de 31,75 dólares. Si el valor abriera el jueves a 33 dólares, generaría un espacio entre 31,75 dólares (cierre del día anterior) y 33 dólares (apertura del día actual) que representaría un hueco alcista de 1,25 dólares. Si XYZ abriera la cotización el jueves a 28 dólares, el espacio entre 30 dólares (mínimo del día anterior) y 28 dólares (apertura del día actual) representaría un hueco bajista de 2 dólares (véase figura 11.21).

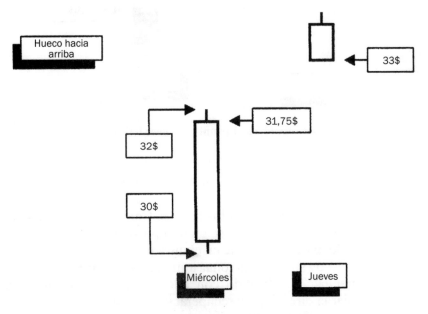

FIGURA 11.21. **Ejemplo de hueco alcista.**

Hueco bajista. XYZ se cotiza el miércoles entre 32 dólares (máximo del día) y 30 dólares (mínimo del día) y tiene un precio al cierre de 30,25 dólares. Si el valor abriera el jueves a 29 dólares, generaría un espacio entre 30,25 dólares (cierre del día anterior) y 29 dólares (apertura del día actual) que representaría un hueco bajista de 1,25 dólares (véase figura 11.22).

Dependiendo de dónde se producen los huecos alcistas y hacia abajo, son acontecimientos que pueden alertar al inversor de importantes momentos decisivos.

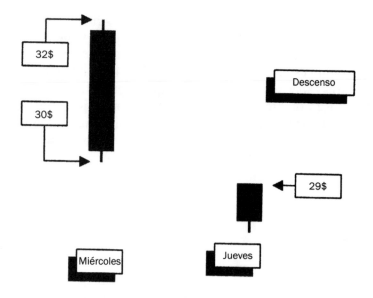

FIGURA 11.22. **Ejemplo de hueco bajista.**

CÓMO INTERPRETA LOS HUECOS EL MAESTRO DE LA INVERSIÓN

- Al mercado no le gustan los huecos. Como resultado de ello, normalmente los huecos se cierran poco después de haberse formado, particularmente en el intradía.
- Los huecos suelen funcionar a modo de apoyo y resistencia de precios, significando con ello que pueden detener y/o cambiar la dirección de recuperaciones y caídas.

- Los huecos alcistas que se producen *después* de varias barras a la baja son profesionales por naturaleza. En otras palabras, los huecos alcistas resultado de condiciones de exceso de venta, son típicamente signo de compras tempranas realizadas por profesionales.
- Los huecos alcistas que se producen *después* de varias barras al alza son típicamente resultado de las actividades de los aficionados. En otras palabras, los huecos alcistas resultado de condiciones de exceso de compra, son típicamente signo de compras de última hora realizadas por novatos.
- Los huecos bajistas que se producen *después* de varias barras al alza son profesionales por naturaleza. En otras palabras, los huecos bajistas resultado de condiciones de exceso de compra, son típicamente signo de ventas tempranas realizadas por profesionales.
- Los huecos bajistas que se producen *después* de varias barras a la baja, son típicamente resultado de las actividades de los aficionados. En otras palabras, los huecos bajistas resultado de condiciones de exceso de venta, son típicamente signo de ventas de última hora realizadas por principiantes (figuras 11.23 y 11.24).

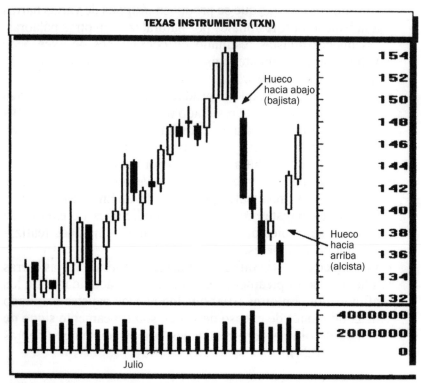

Fuente: The Executioner.com

FIGURA 11.23. **El hueco bajista después de una importante subida de TXN dio lugar a un colapso muy brusco. Después del declive, un hueco alcista desencadenó una importante recuperación.**

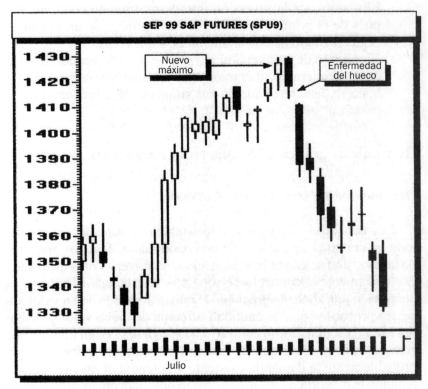

FIGURA 11.24. **El gráfico diario de Futuros S&P correspondiente a septiembre de 1999, muestra lo mortal que puede llegar a ser un hueco bajista generado a partir de la zona de un nuevo máximo. Estos huecos bajistas son tan bajistas cuando se producen que solemos decir que el valor o índice afectado sufre la «enfermedad del hueco».**

CÓMO JUEGA CON LOS HUECOS EL MAESTRO DE LA INVERSIÓN

- El maestro de la inversión trata de comprar por encima del máximo de un hueco alcista resultado de una situación de exceso de ventas (sobreventa).
- El maestro de la inversión trata de vender por debajo del mínimo de un hueco bajista resultado de una situación de exceso de compras (sobrecompra).

- El maestro de la inversión intradiario trata de comprar después de la primera recaída que haya producido un hueco alcista resultado de una situación de sobreventa.
- El maestro de la inversión intradiario trata de vender después de la primera recuperación que siga inmediatamente a un hueco bajista resultado de una situación de sobrecompra.

Herramienta gráfica n.º 5: Soportes y resistencias

DESCRIPCIÓN DE SOPORTE Y RESISTENCIA

Los conceptos de soporte y resistencia constituyen la base de todo un conjunto de tácticas de inversión diaria. Muchos maestros de la inversión se ganan la vida en el mercado de valores utilizando exclusivamente el concepto de soporte y resistencia. El *soporte* es un nivel, o una zona, de precio en el que la demanda de un valor superará probablemente la cantidad ofrecida de dicho valor y detendrá la caída actual. Por lo contrario, la *resistencia* es un nivel, o una zona de precio, en el que la cantidad ofrecida del valor superará probablemente la demanda existente y detendrá el ascenso actual. Aunque la mayoría de los inversores lo desconocen, existen formas mayores y menores de soporte y resistencia. Por ejemplo, el *soporte mayor* entra en juego cuando un valor está cayendo con el objetivo de volver a poner a prueba un mínimo anterior. El *soporte menor* entra en juego cuando un valor está cayendo con el objetivo de volver a poner a prueba un máximo anterior. Y el caso contrario se refiere a la resistencia mayor y menor. Veamos dos ejemplos.

Soporte y resistencia mayores. Después de caer hasta 20 dólares (figura 11.25a), supongamos que XYZ se recupera hasta alcanzar 24 dólares y queda allí atascado (figura 11.25b). De la zona de los 24 dólares, XYZ vuelve a caer hacia los 20 dólares (figura 11.25c). La zona de los 20 dólares actuaría probablemente como zona de soporte mayor. Allí es donde el maestro de la inversión observaría la nueva recuperación de XYZ (figura 11.25c). Si XYZ se recuperara de nuevo a partir de 20 dólares, la zona de 24 dólares actuaría probablemente como zona de resistencia mayor (figura 11.25d). Allí es donde el maestro de la inversión observaría que XYZ empezará a caer de nuevo.

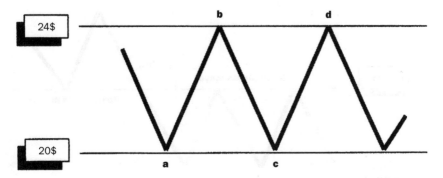

FIGURA 11.25. **Un ejemplo de soporte y resistencia mayores.**

Soporte y resistencia menores. Sigamos con el anterior ejemplo para demostrar la forma menor de soporte y resistencia. Si XYZ remontara significativamente a partir de 24 dólares (resistencia mayor) y se cotizara a un precio tan elevado como, por ejemplo, 26 dólares, la zona de 24 dólares se convertiría en un soporte menor. *Consejo*: En otras palabras, la resistencia mayor, una vez superada, se convierte en el soporte menor. Si XYZ cayera por debajo los 20 dólares (soporte mayor) hasta cotizar a un precio tan bajo como, por ejemplo, 18 dólares, la zona de 20 dólares se convertiría en la resistencia menor (véase figura 11.26). *Consejo*: En otras palabras, el soporte mayor, una vez superado, se convierte en la resistencia menor (véase figura 11.27).

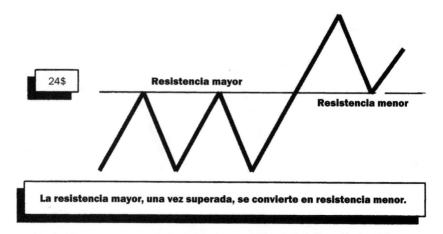

FIGURA 11.26. **Un ejemplo de cómo la resistencia mayor se convierte en resistencia menor.**

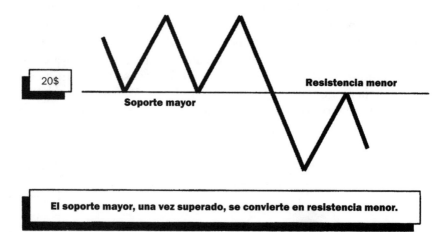

FIGURA 11.27. **Un ejemplo de cómo el soporte mayor se convierte en resistencia menor.**

Cómo interpreta el soporte y la resistencia el maestro
de la inversión

- El soporte y la resistencia mayores y menores son zonas, no
  puntos concretos de precio. Deberían considerarse como barreras sobre las que pueden apoyarse los alcistas (compradores) y los bajistas (vendedores), no como suelos y techos de
  cristal que se rompen al primer punto de contacto.
- Un mínimo anterior que haya disparado una fuerte recuperación actuará típicamente como soporte mayor también cuando sea puesto de nuevo a prueba (figura 11.28).

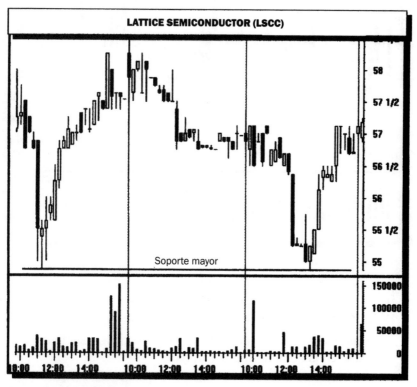

Fuente: The Executioner.com

FIGURA 11.28. **El gráfico de 15 minutos de Lattice Semi (LSCC)
muestra lo significativo que puede ser un soporte mayor.**

- Un máximo anterior que haya encendido una brusca caída actuará típicamente como resistencia mayor también cuando sea puesto de nuevo a prueba (figura 11.29).

Fuente: The Executioner.com

FIGURA 11.29. **El gráfico diario de Lucent Tech (LU) demuestra la potencia del concepto de resistencia mayor.**

- Las oportunidades de compra de bajo riesgo suelen presentarse en la zona de soporte mayor.
- Las oportunidades de venta de bajo riesgo suelen presentarse en la zona de resistencia mayor.
- En tendencias alcistas, las zonas de soporte menor se convierten en potenciales puntos clave de compra (figura 11.30).
- En tendencias bajistas, las zonas de resistencia menor se convierten en potenciales puntos clave de venta (figura 11.31).

- El soporte y la resistencia mayores y menores utilizados conjuntamente con una o más de las otras herramientas gráficas de Pristine generan importantes oportunidades de compra
y de venta.

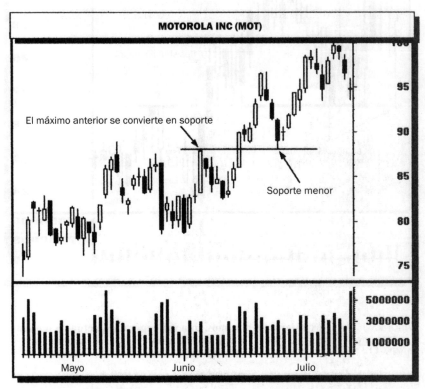

Fuente: The Executioner.com

FIGURA 11.30. **Los anteriores máximos, una vez superados, actúan a menudo
como soporte menor del precio. Este gráfico diario de Motorola Inc. (MOT)
lo demuestra claramente.**

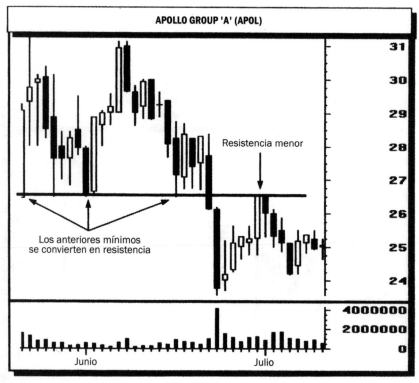

Fuente: The Executioner.com

FIGURA 11.31. **Los anteriores mínimos, una vez superados, actúan a menudo como resistencia menor. Este gráfico diario de APOL lo demuestra claramente.**

CÓMO JUEGA CON EL SOPORTE Y LA RESISTENCIA EL MAESTRO DE LA INVERSIÓN

- El maestro de la inversión busca cualquiera de los escenarios clave de compra en las zonas de soporte mayor y menor. Un escenario clave de compra en o cercano al soporte, desencadenará una compra (figura 11.32).
- El maestro de la inversión busca cualquiera de los escenarios clave de venta en las zonas de resistencia mayor y menor. Un escenario clave en o cercano a la resistencia, desencadenará una venta (figura 11.33).

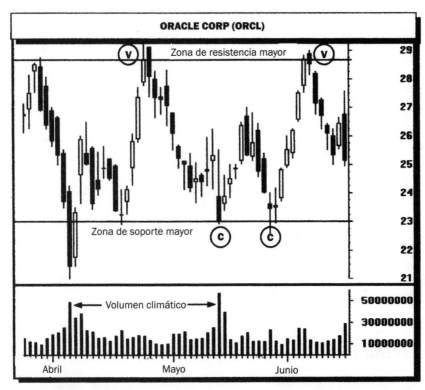

Fuente: The Executioner.com

FIGURA 11.32. **Este gráfico diario de Oracle Corporation (ORCL) muestra ejemplos perfectos de soporte mayor y resistencia mayor. Tenga presente que el soporte y la resistencia deben considerarse como zonas, no como puntos concretos de precio. Las zonas marcadas con una S (venta) son ventas potenciales, mientras que las zonas marcadas con una B (compra) son compras potenciales.**

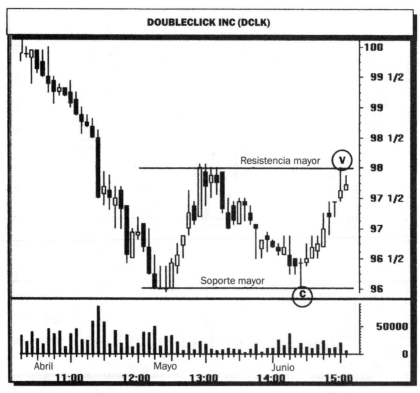

Fuente: *The Executioner.com*

FIGURA 11.33. **El gráfico de 5 minutos de DoubleClick (DCLK), muestra un soporte mayor en la zona de 96 dólares y una resistencia mayor en la zona de 98 dólares. La zona marcada con una C indica una compra, mientras que la marcada con una V indica una venta potencial.**

Herramienta gráfica n.º 6: Retrocesos

DESCRIPCIÓN DE RETROCESO

El concepto de los retrocesos es una de las principales llaves para abrir la puerta que ayuda a predecir los movimientos de precios y elegir los puntos de entrada menos arriesgados. Ofrecen al maestro de la inversión un punto de referencia para predecir dónde pueden producirse vuelcos en los precios y sirven también como una forma de calcular lo fuerte que fue el movimiento anterior. Lo que es más importante, los retrocesos mantienen a raya las expectativas del inversor. Evitan que éste proyecte sus esperanzas y temores sobre las expectativas del siguiente movimiento. En otras palabras, los retrocesos ayudan al inversor a mantener su objetividad.

En su forma más básica, un retroceso es un movimiento de precio que toma la dirección exactamente opuesta al movimiento de precio que haya tenido lugar más recientemente. Por ejemplo, cuando un valor avanza 4 dólares y luego retrocede 2 dólares, experimenta un retroceso del 50 por ciento. Si el valor retrocediera la totalidad de los 4 dólares, se dice que habría experimentado un retroceso del 100 por ciento, lo que potencialmente establece lo que los chartistas denominan un doble fondo. Lo mismo ocurre en la situación contraria. Cuando un valor cae 4 dólares y luego recupera 2 dólares, se dice que experimenta un retroceso del 50 por ciento. Queremos destacar que los niveles de retroceso más importantes para los maestros de la inversión son del 40, 50, 60 y, naturalmente, del 100 por cien, conocido también como doble fondo (véase figura 11.34). Estudiemos los ejemplos siguientes.

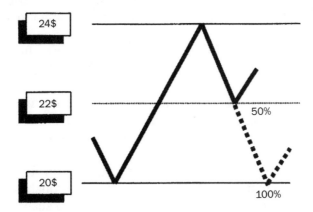

FIGURA 11.34. **Ejemplo de un retroceso del 50 y del 100 por cien.**

Cómo interpreta los retrocesos el maestro
de la inversión

- Los niveles clave de retroceso son guías generales o zonas, no puntos exactos.
- Cuando un valor experimenta un retroceso suave (40 por ciento o inferior), se considera que el movimiento anterior ha sido fuerte y, como resultado de ello, el contraataque debería ser fuerte.
- Cuando un valor experimenta un retroceso profundo (60 por ciento o superior), se considera que el movimiento anterior ha sido débil y, como resultado de ello, el contraataque debería ser débil.
- El primer retroceso después de un movimiento fuerte al alza es oportunidad de compra casi en el 100 por cien de las ocasiones.
- El primer retroceso después de un movimiento fuerte a la baja es oportunidad de venta casi en el 100 por cien de las ocasiones.
- Un retroceso del 40 por ciento después de un fuerte avance, habitualmente viene seguido por un movimiento hacia un nuevo máximo.
- Un retroceso del 40 por ciento después de una fuerte caída, normalmente viene seguido por un movimiento hacia un nuevo mínimo.
- Un retroceso del 50 por ciento después de un fuerte avance suele conducir a un movimiento con una probabilidad del 50/50 de superar el máximo previo. Lo mismo ocurre en la situación contraria.
- Un retroceso del 60 por ciento después de un fuerte avance suele conducir a un movimiento con una probabilidad entre tres de superar el máximo previo. Lo mismo sucede en la situación contraria.
- Un retroceso a la baja del 100 por ciento, que establece potencialmente un doble fondo, habitualmente viene seguido por un repunte de entre el 50 y el 60 por ciento.
- Un retroceso al alza del 100 por cien, normalmente viene seguido por una caída de entre el 50 y el 60 por ciento.

- Los mejores puntos de entrada se presentan en o cerca de todos los puntos clave contrarios: 40, 50, 60 y 100 por cien. Sin
embargo, los objetivos son bastante distintos para cada uno
de ellos (véanse figuras 11.35 y 11.36).

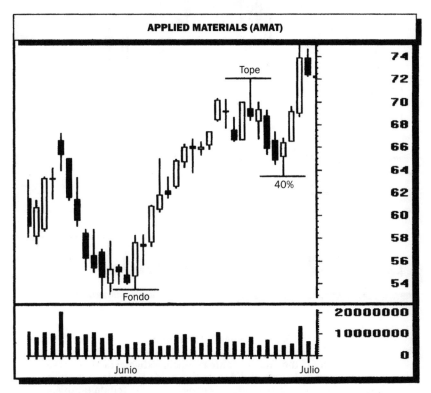

Fuente: The Executioner.com

FIGURA 11.35. **Este gráfico diario de AMAT demuestra un retroceso
del 40 por ciento casi perfecto. Queremos destacar que el movimiento
de AMAT desde el fondo hasta el tope fue bastante robusto.
Esto alerta al maestro de la inversión de la probabilidad de una caída suave,
pero que merece la pena. A destacar que la formación de una barra reversa
alcista señaló también un vuelco potencial al nivel del retroceso
del 40 por ciento.**

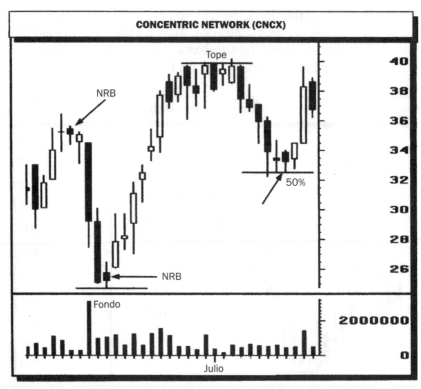

Fuente: The Executioner.com

FIGURA 11.36. **Este gráfico diario de CNCX muestra un retroceso del 50 por ciento casi perfecto. Queremos destacar que el movimiento de CNCX desde el fondo hasta el tope fue bastante robusto. Esto alerta al maestro de la inversión de la probabilidad de una caída rentable. A destacar que la formación de una barra de rango estrecho señaló también un vuelco potencial al nivel del retroceso del 50 por ciento.**

CÓMO JUEGA CON LOS RETROCESOS EL MAESTRO DE LA INVERSIÓN

- El maestro de la inversión busca oportunidades de compra y venta en todos los niveles clave de retroceso: 40, 50, 60 y 100 por cien.
- El maestro de la inversión busca obtener unos beneficios decentes por encima del máximo anterior en retrocesos suaves (40 por ciento o inferior). Lo mismo ocurre en la situación contraria.

- El maestro de la inversión busca obtener beneficios en o ligeramente por encima del máximo anterior en retrocesos del 50 por ciento. Lo mismo sucede en la situación contraria.
- El maestro de la inversión busca obtener beneficios ligeramente por debajo del máximo anterior en retrocesos del 60 por ciento. Lo mismo concierne a la situación contraria (figura 11.37).

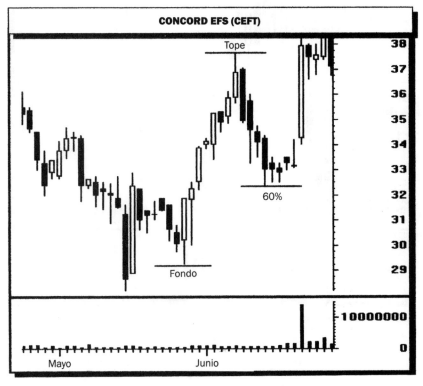

Fuente: The Executioner.com

FIGURA 11.37. **Este gráfico diario de CEFT muestra un retroceso casi perfecto del 60 por ciento. El movimiento desde el fondo hasta el tope fue bastante robusto, alertando al maestro de la inversión de la probabilidad de una caída suave, pero rentable. A destacar que las colas de fondo y la formación de una barra de rango estrecho señalaron también un vuelco potencial al nivel del retroceso del 60 por ciento.**

- Después de un retroceso del 100 por cien, el maestro de la inversión busca obtener beneficios en el contraataque entre niveles del 40 y el 50 por ciento (figura 11.38).

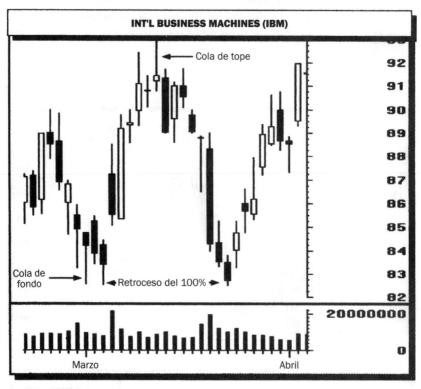

Fuente: The Executioner.com

FIGURA 11.38. **Este gráfico diario de IBM muestra un retroceso casi perfecto del 100 por cien. A destacar que el retroceso del 100 por cien se relaciona con el concepto de soporte mayor.**

Herramienta gráfica n.º 7: Momentos inversos

DESCRIPCIÓN DE LOS MOMENTOS INVERSOS

Una década dedicada a invertir en valores y trabajar con instrumentos financieros nos ha llevado a realizar el sorprendente descubrimiento de que existen puntos o momentos concretos de tiempo en los que los valores y el mercado, como un todo, experimentan consistentemente cambios de precios. Estos *momentos inversos*, como les denominamos, son generalmente tan precisos que muchos de nuestros estudiantes y suscriptores que conocen el concepto quedan completamente asombrados por ello. Deberíamos destacar que estos momentos inversos son intradiarios por naturaleza. Son una valiosa herramienta para los microinversores que buscan constantemente explotar los pequeños movimientos de precio que se producen a lo largo de la jornada. En los Estados Unidos, los momentos inversos clave son los siguientes: (1) 9:50-10:10 a.m., (2) 10:25-10:35 a.m., (3) 11:15-11:30 a.m., (4) 12:00-12:15 p.m., (5) 1:15-1:30 p.m., (6) 2:15-2:30 p.m., (7) 3:00 p.m., y (8) 3.30 p.m.

Cómo juega con los momentos inversos el maestro de la inversión

- *9:50-10:10 a.m. Costa Este*. Muy a menudo, un valor que va al alza durante este momento inverso, se detendrá o invertirá el sentido e irá a la baja. Lo mismo sucede en sentido contrario. Un valor que va a la baja en esta franja horaria tenderá a detenerse o invertir el sentido e ir al alza. El momento inverso que va de las 9:50 a las 10:10 a.m. es, de lejos, uno de los momentos inversos más fiables de todos.
- *10:25-10:35 a.m. Costa Este*. Un valor que va a la baja durante este momento inverso, se detendrá o invertirá el sentido e irá al alza. Si un valor va al alza en esta franja horaria tenderá a detenerse o invertir el sentido e ir a la baja. Este también es uno de los momentos inversos más fiables (figura 11.39).
- *11:15-11:30 a.m Costa Este*. Este momento inverso tiende a conseguir dos cosas. En primer lugar, suele detener la tendencia duradera que lo precede. Por ejemplo, si un valor entra fuertemente al alza en esta franja horaria, es probable que su ascenso se vea abruptamente interrumpido durante este período que va de las 11:15 a las 11:30 a.m. Hemos descubierto, además, que la parada que impone esta hora tiende a ser duradera. No es necesario que digamos que el caso es el mismo en el escenario contrario. En segundo lugar, el momento inverso

de 11:15-11:30 a.m. desencadena el período que denominamos la *calma chicha del mediodía*. La calma chicha del mediodía es un período prolongado que abarca desde las 11:15 a.m. hasta las 2:15 p.m. Durante este tiempo, muchos valores, además del mercado en general, suelen quedar inactivos.

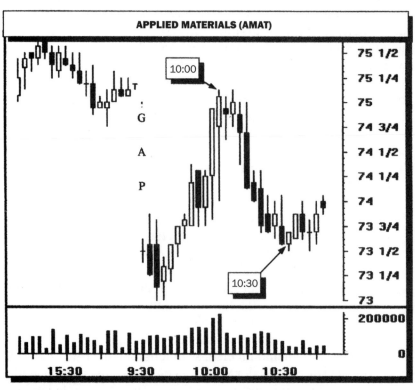

Fuente: The Executioner.com

FIGURA 11.39. **Después de abrir a la baja la mañana del 25 de julio, AMAT remontó durante el momento inverso de 9:50-10:10 a.m., llenando el hueco en el proceso. La caída posterior alcanzó su fondo en el momento inverso de 10:25-10:35 a.m.**

- *12:00-12:15 p.m. Costa Este.* Hemos descubierto que este espacio de tiempo es más importante en las jornadas en las que la mañana ha sido tranquila o no ha seguido ninguna dirección concreta. A pesar de que se trata del período de calma chicha del mediodía, hemos visto que la franja que va desde las 12:00 hasta las 12:30 p.m. desencadena importantes movimientos en ambas direcciones, pero sólo cuando el período anterior ha sido muy tranquilo. Tenga en cuenta que estos momentos inversos de 12:00 a 12:30 p.m., son mucho menos habituales que los tres anteriores momentos inversos.

- *1:15-1:30 p.m. Costa Este*. Este es uno de los momentos inversos de menor importancia. Hemos descubierto que cobra significación cuando coincide con la puesta en práctica de un máximo o un mínimo anterior. Por ejemplo, supongamos que XYZ llega a su máximo hacia las 11:15 a.m. Después de un retroceso, vuelve a recuperarse para volver a poner a prueba ese nivel de las 11:15 a.m. en el periodo de la 1:30 p.m. Aumentan drásticamente, en este caso, las probabilidades de conseguir el máximo por segunda vez, porque el intento de conseguir el anterior máximo coincide con la franja horaria de 1:15 a 1:30 p.m. Los intentos que se producen durante el momento inverso que va de la 1:15 a la 1:30 p.m. pueden presentar interesantes oportunidades de negocio.

- *2:15-2:30 p.m. Costa Este*. Como hemos mencionado previamente, este período de tiempo finaliza el lapso de calma chicha del mediodía. Actúa también a modo de momento reverso muy fiable para todos los valores y el mercado en general. Lo más importante a recordar sobre este período de tiempo es que a menudo marca el preciso momento en que la situación empieza a calentarse. El momento reverso de 2:15 a 2:30 p.m. es tan pronunciado, a veces, que muchos maestros de la inversión lo consideran como una segunda apertura del mercado (figuras 11.40 y 11.41).

- *3:00 p.m. Costa Este*. Este momento reverso suele traer cambios porque coincide con el cierre del mercado de bonos. Los bonos suelen tener un efecto pronunciado sobre el mercado de acciones. Una vez ha cerrado, los inversores tienen la sensación de que ya hay una cosa menos por la que preocuparse. En otras palabras, una vez los bonos se han retirado del camino, ya no pueden ayudar o dañar el mercado. Esto a menudo provoca como consecuencia que los valores o el mercado adquieran un carácter más acelerado. Hemos descubierto que el momento inverso de las 3:00 p.m. es el más valioso como guía para los futuros S&P.

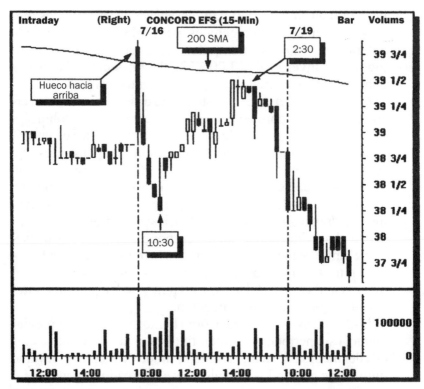

Fuente: The Executioner.com

FIGURA 11.40. **El 16 de julio, en el gráfico diario de 15 minutos, Concord EFS
(CEFT) cubre un hueco alcista hacia el 200 SMA. Luego el valor cae
en el momento reverso de las 10:30 a.m. CEFT vuelve a remontar
hacia el 200 SMA y alcanza su tope en el momento reverso de las 2:30 p.m.
El resto es insustancial.**

- *3:30 p.m. Costa Este.* Hemos descubierto que este momento
invierte a menudo el sentido de cualquier movimiento que se
haya iniciado en el momento reverso anterior de las 3:00
p.m., particularmente cuando el mercado se mueve en rangos
de precios muy sesgados. Por ejemplo, si el mercado empieza
a ir a la baja a partir de las 3:00 p.m. y continua así hasta llegar al momento reverso de las 3:30 p.m., es muy probable
que el siguiente movimiento sea hacia arriba. Lo mismo pasa
en caso contrario. Tenga en cuenta que la última media hora

es una de las más activas para los inversores de día, ya que a menudo representa la última oleada de actividad.

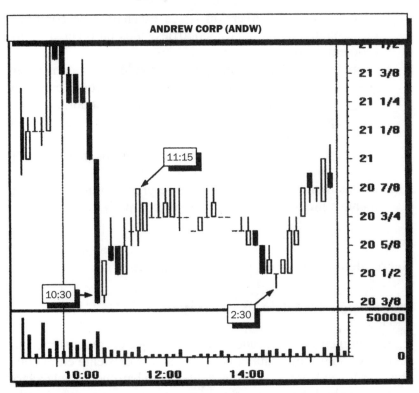

Fuente: The Executioner.com

FIGURA 11.41. **La caída de primera hora de la mañana de ANDW toca fondo en el momento reverso de las 10:25-10:35 a.m. La recuperación consecuente se detiene en el momento reverso de las 11:15-11:30 a.m. Hacia el momento reverso de la 1:30 p.m., ANDW empieza otra microcaída, que toca fondo en el momento reverso de las 2:15-2:30 p.m.**

- *4:00 p.m. Costa Este.* Hemos descubierto que poco después de las 4:00 p.m. todo se detiene. ¿Puede tener algo que ver con el hecho de que el mercado cierre a las 4:p.m.? Por supuesto, sólo queremos subrayar lo evidente. Pero tenga en cuenta que estamos muy cerca de una Bolsa abierta las 24 horas. Una vez se establezca, todo apunta a que las 4:00 p.m. será un importante momento reverso.

CÓMO JUEGA CON LOS MOMENTOS INVERSOS EL MAESTRO
DE LA INVERSIÓN

- El maestro de la inversión busca escenarios de compra y otros puntos de entrada poco arriesgados en o cerca de los momentos inversos clave.
- El maestro de la inversión combina con los momentos inversos las restantes herramientas de inversión, como barras de rango estrecho, colas, volumen climático, y soporte y resistencia, para predecir la probabilidad, dirección y potencial de los posibles cambios de sentido.
- El maestro de la inversión utiliza también los momentos inversos para realizar beneficios.
- En los momentos inversos clave se presentarán espontáneamente numerosas oportunidades de compra y venta.

Herramienta gráfica n.º 8: Volumen climático

DESCRIPCIÓN DEL VOLUMEN CLIMÁTICO

El volumen es al mercado de valores lo que el combustible a un coche. No sólo representa el nivel de interés existente entre compradores y vendedores, sino que actúa como barómetro de la avaricia y el miedo. No nos cabe duda de que el volumen, en particular el volumen climático, es una de las claves más valiosas para predecir cambios en los precios. El inversor que domine el arte de leer las relaciones entre precio y volumen, será capaz de elegir con una exactitud sorprendente los puntos de inversión en los valores.

Con los años hemos descubierto que muchos inversores creen que un valor que va al alza, acompañado por un aumento explosivo de su volumen, es positivo, mientras que un valor que va a la baja, acompañado por un descenso explosivo de su volumen, es negativo. Mientras que hay veces en que estos supuestos generales son ciertos, no lo es en la mayoría de los casos. El volumen, en su forma más útil, nos dice cuándo un valor se está quedando sin combustible o vendiendo su combustible. Esto nos lleva a lo que consideramos la regla de mayor importancia relacionada con el

volumen. **El volumen climático, *después* de una fuerte recupe-**
ración o caída, indica que está a punto de producirse un cam-
bio en la dirección del precio. Las palabras más importantes de
esta regla son «*después* de una fuerte recuperación o caída». A pesar de que hay diversas reglas relacionadas con volumen que pueden resultar más útiles, la que acabamos de revelarle es la más valiosa para los inversores. Observemos dos ejemplos ilustrados por
las figuras 11.42 y 11.43.

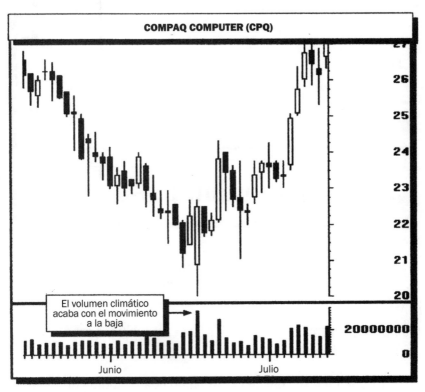

Fuente: The Executioner.com

FIGURA 11.42. **Este gráfico diario de Compaq Computer (CPQ) muestra cómo**
el volumen climático puede generar de repente un importante fondo.
A destacar que la barra reversa alcista con una cola de fondo colaboró también
en la formación del mínimo. Estos hechos son las pistas que dejan
los grandes compradores.

Fuente: The Executioner.com

FIGURA 11.43. **Este gráfico diario de VRIO, muestra cómo el volumen climático puede generar de repente un importante tope.**

CÓMO INTERPRETA EL VOLUMEN CLIMÁTICO EL MAESTRO DE LA INVERSIÓN

- El volumen se considera climático cuando dobla el volumen medio diario de los últimos diez días.
- El volumen climático acaba habitualmente el movimiento al alza o a la baja que lo precede.
- El volumen climático, después de un movimiento fuerte al alza, de múltiples barras, indica un techo. En este caso, los compradores han agotado todo su combustible.

- El volumen climático, después de un movimiento fuerte a la baja, de múltiples barras, indica un suelo. En este caso, los vendedores han agotado todo su combustible.
- El volumen climático es más potente como concepto cuando se produce en conjunción con otras herramientas gráficas.

CÓMO JUEGA CON EL VOLUMEN CLIMÁTICO EL MAESTRO DE LA INVERSIÓN

- Cuando el volumen climático se produce después de un fuerte cambio de movimiento al alza, el maestro de la inversión entra en modo compra.
- Cuando el volumen climático se produce después de un fuerte cambio de movimiento a la baja, el maestro de la inversión entra en modo venta.
- Cuando compra, el maestro de la inversión busca realizar beneficios cuando el volumen climático sigue un movimiento al alza de múltiples barras.
- Cuando vende, el maestro de la inversión busca realizar beneficios cuando el volumen climático sigue un movimiento a la baja de múltiples barras.

Herramienta gráfica n.º 9: Medias móviles

DESCRIPCIÓN DE LA MEDIA MÓVIL

Las *medias móviles* (MA, Moving Averages) son objetos matemáticos que suavizan los duros datos que presenta un gráfico de precios, eliminando efectivamente el «ruido» que aparece de barra en barra. Las medias móviles son la mejor herramienta de seguimiento de tendencias que existe, hasta tal punto que nosotros nunca prestamos atención a un gráfico de precios que no venga acompañado por una o más de las siguientes cinco medias móviles dominantes. Nos gustaría destacar que existen distintos tipos o versiones de medias móviles. Nosotros utilizamos la versión «sencilla» de medias móviles. A pesar de las discusiones, nos falta todavía encontrar una evidencia que sugiera que las versiones más atractivas, como la exponencial, la triangular y la ponderada, son más fiables en lo que a las acciones se refiere. En el caso de los futuros, sin embargo, es mejor utilizar el formato exponencial de medias móviles, simplemente porque la mayoría de los inversores de futuros utilizan ahora las medias móviles exponenciales.

$$\text{Fórmula para la MA simple} = \frac{P1 + P2 + ... + PN}{N}$$

Donde P = precios del valor que se promedian y N = número de barras o períodos que el inversor desea incluir en la media móvil. Por ejemplo, si los cinco últimos precios de cierre de un valor fueron 20 dólares, 20,75 dólares, 22 dólares, 21,25 dólares y 21 dólares, la media simple móvil de estos cinco precios de cierre sería 21 dólares (20 + 20,75 + 22 + 21,25 + 21, dividido entre 5).

LAS CINCO PRINCIPALES MEDIAS MÓVILES SIMPLES (SMA)

1. *10 SMA*. Una media móvil a corto plazo utilizada en las tendencias más fuertes al alza y a la baja.
2. *20 SMA*. Una media móvil entre corto y medio plazo. Es nuestra principal media móvil. Enseñamos a nuestros inversores a que consideren la 20 MA como parte permanente de cualquier gráfico, independientemente del plazo observado.
3. *50 SMA*. Una media móvil a medio plazo. Es una de las medias móviles más populares, especialmente en el sector institucional. Como resultado de la atención profesional que recibe, debería observarse con frecuencia. *Nota:* Hemos descubierto que la 40 MA puede intercambiarse con la 50 MA.
4. *100 SMA*. Una media móvil entre medio y largo plazo. No es una media móvil muy utilizada por los inversores diarios, pero puede resultar valiosa cuando un valor o el mercado se aproximan a ella.
5. *200 SMA*. Una media móvil a largo plazo. Es una de las medias móviles más fiables que existen. La utilizamos en gráficos diarios y gráficos intradiarios de 15 minutos donde su eficacia no presenta rival.

A pesar de que el cálculo matemático para construir una media móvil simple es básico y fácil de implementar, los ordenadores y el *software* gráfico actual lo hacen automáticamente. La mayoría de los inversores actuales utilizan sistemas de inversión electrónica de acceso directo (DAET, *direct access electonic trading*), que ofrecen todo lo que un inversor necesita, gráficos inclusive. Por ejemplo, el sistema DAET The Executioner.com, que es uno de los que nosotros utilizamos, ofrece cotizaciones a tiempo real, gráficos a tiempo real, noticias a tiempo real, acceso a NASDAQ nivel II, acceso ECN, seguimiento en directo de portafolios y la capacidad completa de personalizar el diseño y el formato. Su paquete de gráficos es especialmente logrado y hace que buscar o trazar medias móviles en gráficos no resulte ningún esfuerzo. Miremos ahora cómo observa las medias móviles el maestro de la inversión.

CÓMO INTERPRETA LAS MEDIAS MÓVILES EL MAESTRO DE LA INVERSIÓN

- No existe herramienta más fiable que las medias móviles en lo que se refiere a valores que se mueven en tendencias al alza o a la baja.
- No existe herramienta peor que las medias móviles en lo que se refiere a tendencias con escaso rango de movimiento.
- Las medias móviles *ascendentes*, sobre todo las SMA 10, 20 y 50, significan que el valor es positivo. Como resultado de ello, las caídas tenderán a ser breves y presentan oportunidades de compra muy decentes.
- Las medias móviles *descendentes*, sobre todo las SMA 10, 20 y 50, significan que el valor es negativo. Como resultado de ello, las recuperaciones tenderán a ser breves y presentan oportunidades de venta o liquidación muy decentes.
- Cuanto mayor sea la pendiente de la media móvil, más poderosa es la tendencia.
- Los valores fuertes tienden a detener sus caídas en o cerca de medias móviles ascendentes.
- Los valores débiles tienden a detener sus recuperaciones en o cerca de medias móviles descendentes.

- La 10 SMA se utiliza para valores en el entorno diario que están experimentando poderosas tendencias al alza y a la baja.
- La 20 SMA es la media móvil más utilizada para el inversor y debería utilizarse prácticamente en todos los gráficos, independientemente del espacio de tiempo considerado (figuras 11.44 y 11.45).

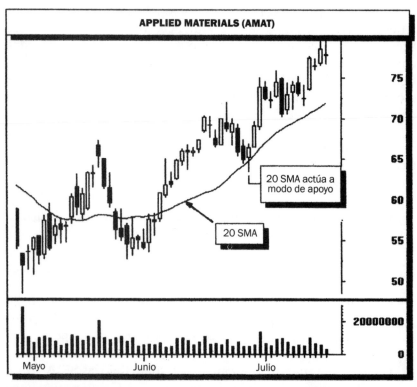

Fuente: The Executioner.com

FIGURA 11.44. **Applied Materials (AMAT) encuentra apoyo en su 20 SM ascendente.**

- La 50 SMA debería aplicarse al gráfico diario.
- La 100 SMA debería utilizarse cuando un valor que experimenta una tendencia al alza o a la baja viola de forma significativa la 50 SMA.

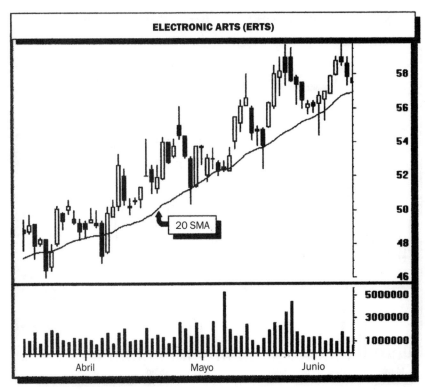

Fuente: The Executioner.com

FIGURA 11.45. **Este gráfico diario de Electronic Arts (ERTS) muestra el apoyo que puede significar la 20 SMA ascendente. A destacar que la 20 SMA actúa a modo de «zona» de apoyo, no como un suelo de cristal que se rompe al primer punto de contacto. Las medias móviles son objetos flexibles que tienen un cierto grado de «flexibilidad».**

- La 200 SMA se utiliza en gráficos diarios y en el gráfico intradiario de 15 minutos (figura 11.46).
- Todos los valores pueden dividirse en tres grandes grupos: (1) valores con 20 SMA ascendentes, que representan un buen punto de partida como candidatos a ser comprados; (2) valores con 20 SMA descendentes, que representan un buen punto de partida como candidatos a ser vendidos, y (3) valores con 20 SMA relativamente planas, que representan valores situados en rangos de cotización sin dirección y/o consolidaciones con poco movimiento.

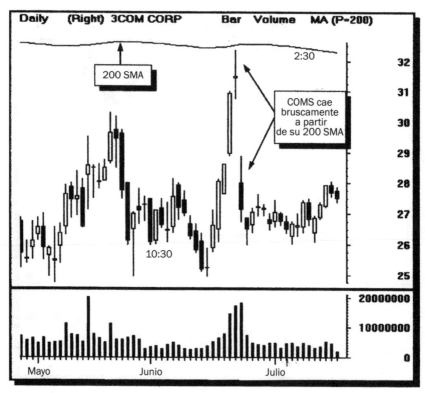

Fuente: The Executioner.com

FIGURA 11.46. **3COM Corp (COMS) remonta hacia su 200 SMA y cae.**

- Otros hechos (como las barras de rango estrecho, las barras reversas y el volumen climático) que aparezcan en o cerca de medias móviles ascendentes o descendentes, ofrecerán sorprendentes oportunidades de compra o de venta.

CÓMO JUEGA CON LAS MEDIAS MÓVILES EL MAESTRO
DE LA INVERSIÓN

- Cuando un valor situado en una tendencia fuerte al alza retrocede para poner de nuevo a prueba una media móvil *ascendente*, el maestro de la inversión pasa a modo comprador.

- Cuando un valor situado en una tendencia fuerte a la baja se recupera para poner de nuevo a prueba una media móvil *descendente*, el maestro de la inversión pasa a modo vendedor (figuras 11.47, 11.48 y 11.49).

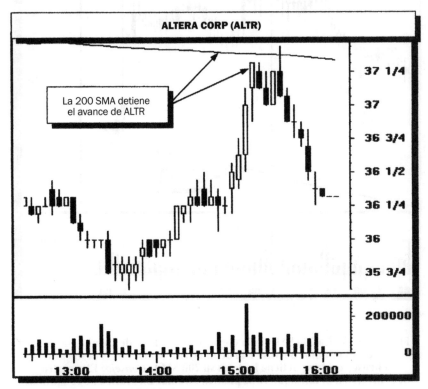

Fuente: The Executioner.com

FIGURA 11.47. **Este gráfico de 5 minutos de ALTR muestra claramente lo poderosa que puede llegar a ser la 200 SMA. *Consejo:* Una 200 SMA superpuesta en los gráficos diarios, de 5 y/o de 15 minutos, puede ser una zona excelente donde realizar beneficios.**

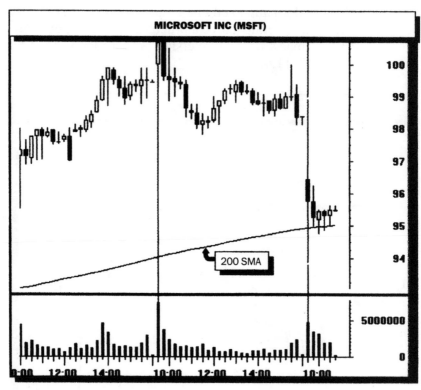

FIGURA 11.48. **La 200 SMA es la «ley» en los gráficos de 15 minutos, y este gráfico de 15 minutos de MSFT lo demuestra claramente. A destacar cómo la brusca caída se detiene justo en su 200 SMA.** *Consejo:* **El maestro de la inversión ni tan siquiera se plantea estudiar un gráfico de 15 minutos que no muestre sobrepuesta la 200 SMA.**

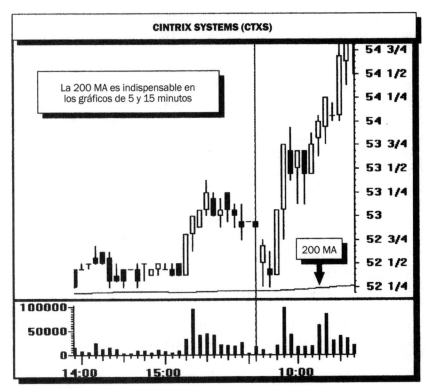

CINTRIX SYSTEMS (CTXS)

La 200 MA es indispensable en los gráficos de 5 y 15 minutos

200 MA

Fuente: The Executioner.com

FIGURA 11.49. **Este gráfico de 5 minutos de CTXS demuestra lo poderosa que es la 200 MA como apoyo. A destacar lo fuerte que fue la recuperación a partir de la 200 MA.**

Herramienta gráfica n.º 10: La caída de entre tres y cinco barras

DESCRIPCIÓN DE LA CAÍDA DE ENTRE TRES Y CINCO BARRAS

La caída de entre tres y cinco barras es un hecho muy simple que constituye la base de numerosas oportunidades de inversión. Por lo que a nosotros se refiere, es una de las llaves maestras que nos sirve para encontrar puntos de entrada de bajo riesgo y, como resultado de ello, llevamos casi una década utilizándola muchísimo, día tras día, en nuestros análisis. *Si pudiéramos enseñar un único concepto de inversión, este sería el de la caída de entre tres y cinco barras.*

En su forma más sencilla, la caída de entre tres y cinco barras es precisamente eso, un declive formado por entre tres y cinco barras consecutivas hacia abajo, donde la palabra clave es *consecutivas*. Pero antes de adentrarnos con mayor profundidad en este hecho imprescindible en el chartismo, debemos definir lo que entendemos como una *barra hacia abajo*. En el contexto de la caída de entre tres y cinco barras, una barra hacia abajo se define a partir de los siguientes criterios:

1. El precio de cierre de la barra en cuestión es inferior al precio de cierre de la barra anterior.
2. El precio de cierre de la barra en cuestión está por debajo del precio de apertura de la barra.
3. El precio de apertura de la barra en cuestión es o se acerca al máximo del rango de la barra.
4. El precio de cierre de la barra en cuestión es o se acerca al mínimo del rango de la barra (véase figura 11.50).

Hemos descubierto que los valores fuertes (los que experimentan tendencias al alza) tienden a remontar bruscamente después de experimentar entre tres y cinco días consecutivos hacia abajo. Los valores más fuertes tenderán a remontar después de tres días a la baja, mientras que los moderadamente fuertes lo harán después de cuatro o cinco días. *Consejo:* Cualquier caída que excede cinco barras hacia abajo consecutivas es una señal de debilidad. La presencia de entre tres y cinco barras hacia abajo libera el valor de las manos débiles que pueda poseer (aquellas que se alejan al primer signo de problemas), genera una condición moderada de exceso de venta que atrae nuevos compradores y agota efectivamente las existencias. Es después de este sencillo, aunque poderoso hecho, que el maestro de la inversión se acerca al combate para buscar el momento adecuado en el que atacar (entrar). ¿Cuándo es el momento adecuado, se preguntará? *Después de una caída de entre tres y cinco barras, el maestro de la inversión compra en cuanto el valor se negocia por encima del máximo de una barra anterior.* Estudiemos el ejemplo de la figura 11.51.

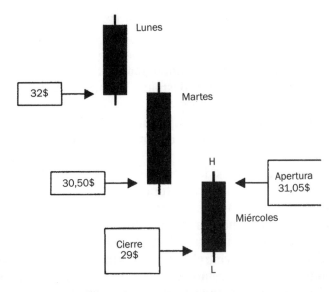

FIGURA 11.50. **Una caída de entre tres y cinco barras que satisface nuestros cuatro criterios. Es importante destacar que estos criterios sólo constituyen una guía general. Ser demasiado estricto o preciso puede dar como resultado perder escenarios viables que proporcionarían beneficios.**

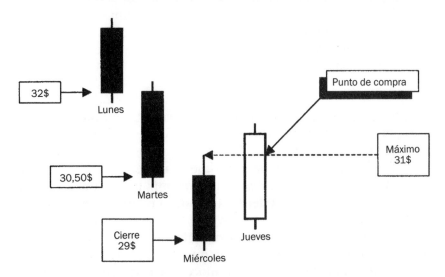

FIGURA 11.51. **Después de una caída de entre tres y cinco barras, el maestro de la inversión compra en la siguiente ocasión en que el valor cotiza por encima del máximo de la barra anterior. En este caso, el maestro de la inversión compra el jueves por encima de 31$.**

Cómo interpreta la caída de entre tres y cinco barras el maestro de la inversión

- Los valores que experimentan tendencias fuertes al alza tienden a detener su caída después de entre tres y cinco barras consecutivas hacia abajo.
- Las oportunidades de compra mejores y de escaso riesgo suelen establecerse después de entre tres y cinco barras hacia abajo.
- Las mejores caídas de entre tres y cinco barras son aquellas en las que el precio de apertura de cada barra se acerca al precio de cierre de la barra anterior. En otras palabras, las caídas de entre tres y cinco barras que implican huecos alcistas o hacia abajo, debilitan generalmente, si no lo violan, el modelo.
- Un avance de entre tres y cinco barras, en el contexto de una tendencia bajista, establece buenas oportunidades de liquidación o venta. El avance de entre tres y cinco barras es, evidentemente, el escenario inverso.
- La caída de tres a cinco barras, combinada con otras herramientas y hechos (como barras de rango estrecho, colas, volumen climático, soporte y resistencia, y medias móviles), establecen oportunidades de compra casi perfectas. *Nota:* Estas combinaciones forman la base de prácticamente todas nuestra tácticas y técnicas de inversión.

Cómo juega con las caídas de entre tres y cinco barras el maestro de la inversión

- Cuando un valor fuerte experimenta una caída de entre tres y cinco barras, el maestro de la inversión, generalmente busca comprar por encima del máximo de la barra anterior (figuras 11.52 y 11.53).
- Cuando un valor débil experimenta un avance de entre tres y cinco barras, el maestro de la inversión, generalmente busca vender por debajo del mínimo de la barra anterior (figura 11.54).

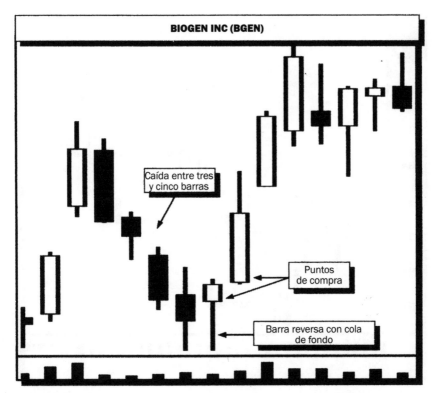

Fuente: The Executioner.com

FIGURA 11.52. **Este gráfico diario de BGEN muestra un escenario casi perfecto de caída de entre tres y cinco barras. Después de una caída de entre tres y cinco barras, el maestro de la inversión compra en la siguiente ocasión en que el valor se cotiza por encima del máximo de la barra anterior.** *Consejo:* **El maestro de la inversión agresivo compraría en cualquier barra reversa alcista que siguiera una caída de entre tres y cinco barras.**

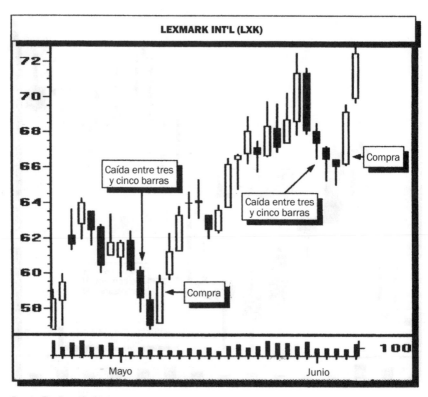

FIGURA 11.53. **Este gráfico diario de LXK muestra dos caídas de entre tres y cinco barras, que a su vez establecen dos puntos de compra.**
Consejo: **Después de una caída de entre tres y cinco barras, el maestro de la inversión compra en la siguiente ocasión en que el valor en cuestión se cotiza por encima del máximo de la barra anterior.**

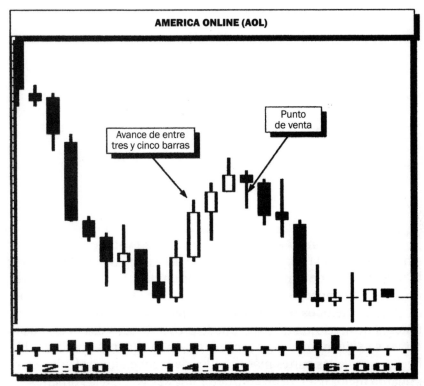

Fuente: The Executioner.com

FIGURA 11.54. **Este gráfico de 15 minutos de AOL muestra un avance de entre tres y cinco barras que establece un escenario perfecto para liquidar o vender (posición corta). Después de un avance de entre tres y cinco barras, en un contexto de tendencia bajista, el maestro de la inversión vende la siguiente vez que el valor se cotiza por debajo de un mínimo de la barra anterior.**

12. Herramientas y tácticas de ejecución

Una vez los inversores tienen definida su estrategia de inversión e identificada una oportunidad de inversión, deben determinar la mejor forma de capitalizar esa oportunidad. Los maestros de la inversión reconocen que su éxito inversor está fuertemente influido por los métodos que siguen para ejecutar sus órdenes. Una estrategia de inversión de éxito puede provocar pérdidas netas cuando no se siguen técnicas adecuadas para ejecutar las órdenes. De hecho, una de las partes más difíciles de la inversión es la de determinar la mejor manera de conseguir que se ejecuten las órdenes.

La mayoría de inversores comprende la diferencia entre los tipos más elementales de órdenes, como órdenes de mercado y órdenes limitadas. Una *orden de mercado* es aquella para comprar o vender un valor inmediatamente al mejor precio disponible, sin restricciones impuestas sobre el precio que se acabe pagando por el valor. Una *orden limitada* es aquella para comprar o vender un valor, restringida a un precio concreto o mejor que ese precio. Por ejemplo, un inversor puede dar una orden limitada para comprar valores de Intel Corporation (INTC) a un precio de 82 dólares por acción o inferior.

Los maestros de la inversión reconocen que estos tipos elementales de órdenes son sólo la base para desarrollar su estrategia de ejecución de órdenes y maximizar el beneficio del acceso directo al mercado. Métodos de inversión distintos requerirán técnicas de ejecución de órdenes distintas. Los inversores que buscan ganar el margen y «juegan a creadores de mercado» tendrán una estrategia de ejecución de órdenes completamente distinta a los inversores de momento que intentan capturar un valor que se mueva a ritmo acelerado. Afortunadamente, los maestros de la inversión disponen de una amplia variedad de alternativas de ejecución de órdenes. Para los valores NASDAQ, estas alternativas son utilizar una de las ECN (Electronic Communication Networks), el SOES (Small-Order Execution System), el sistema SNET (sistema SelectNet) y las alternativas más sofisticadas de órdenes automatizadas, como el ARCA (sistema Archipelago). Para órdenes NYSE, los maestros de la inversión utilizarán principalmente el sistema SuperDOT (Designated Order Turnaround) para encaminar sus órdenes hacia el parquet. Todas estas alternativas de ejecución de órdenes están disponibles para inversores que utilicen las potentes utilidades del *software:* (de entrada de órdenes) que ofrecen empresas como The Executioner (*www.executioner.com*). Nos gustaría destacar que The Executioner fue una de las primeras empresas que ofreció individualmente este potente *software* de inversión, el sistema utilizado por todos los inversores que trabajan en Pristine (figura 12.1)

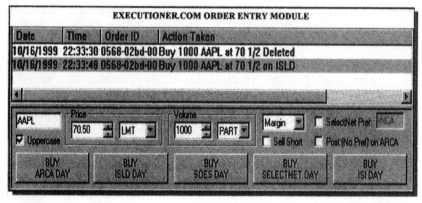

Fuente: The Executioner.com

FIGURA 12.1. **El modulo de ejecución de órdenes de The Executioner.com muestra las diversas maneras con que un maestro de la inversión puede ejecutar sus órdenes. Los usuarios de The Executioner.com tienen acceso directo a dos ECN: Archipelago (ARCA) e Island (ISLD), al Small-Order Executioner System (SOES), a Selectnet (SNET) y a SuperDot (ISI). Estos vehículos de ejecución son cruciales para el maestro de la inversión y es esencial conocer en profundidad el funcionamiento de cada uno de ellos y cuándo deberían utilizarse.**

Finalmente, algunos inversores pueden ejecutar sus órdenes a través de brokers de descuento, como Datek, E-trade, Ameritrade, Fidelity y otros, y sus órdenes se venden a los creadores de mercado para que las ejecuten. Investiguemos las alternativas disponibles de ejecución de órdenes y discutamos cuándo es mejor utilizar una u otra.

Herramienta de ejecución n.° 1: ECN (Electronic Communication Networks)

DESCRIPCIÓN DE ECN

Las ECN (Electronic Communication Networks o Redes de Comunicación Electrónica) fueron creadas por NASDAQ en 1997 para la exhibición y ejecución de las órdenes limitadas. En el momento de escribir esto, se han formado ya nueve ECN y muchas más están por venir. Las actuales nueve son: Island (ISLD), Archipelago (ARCA), Instinet (INCA), Bloomberg Tradebook (BTRD), Spear, Leeds and Kellogg (REDI), Attain (ATTN), Strike (STRK), BRUT y Nrext-Trade (NTRD). Cualquier otra cotización que aparezca en las pantallas de Nivel II procede de creadores de mercado. En algunas pantallas de Nivel II, las ECN aparecen con un «#» después de su símbolo, como ISLD# o INCA#. Esto se hace para facilitar la identificación rápida de las cotizaciones con respecto a las ECNs No deberían confundirse las ECN con los creadores de mercado; existen centenares de empresas creadoras de mercado, entre las cuales destacan Goldman Sachs (GSCO), Merril Lynch (MLCO), y Solomon Smith Barney (SBSH), por citar sólo unas cuantas (figura 12.2).

Una ECN es simplemente un libro electrónico de órdenes limitadas, formado por cientos o miles de órdenes individuales de compra o venta de valores a un determinado precio. La función de una ECN es emparejar electrónicamente compradores con vendedores, eliminando la necesidad de que lo hagan individuos o creadores de mercado. Como pronto veremos, las ECN son muy parecidas a minimercados de valores. Las mejores órdenes limitadas de oferta y demanda se comunican al NASDAQ para que este las muestre a modo de la cotización de oferta y demanda de la ECN. Por ejemplo, supongamos que en el libro de ISDL figuran las siguientes órdenes limitadas para el valor INTC:

Compra 100 acciones a 70 7/8*   Vende 400 acciones a 71 1/16*
Compra 200 acciones a 70 7/8*   Vende 1000 acciones a 71 1/4*
Compra 200 acciones a 70 5/8   Vende 100 acciones a 72
Compra 300 acciones a 70 1/4

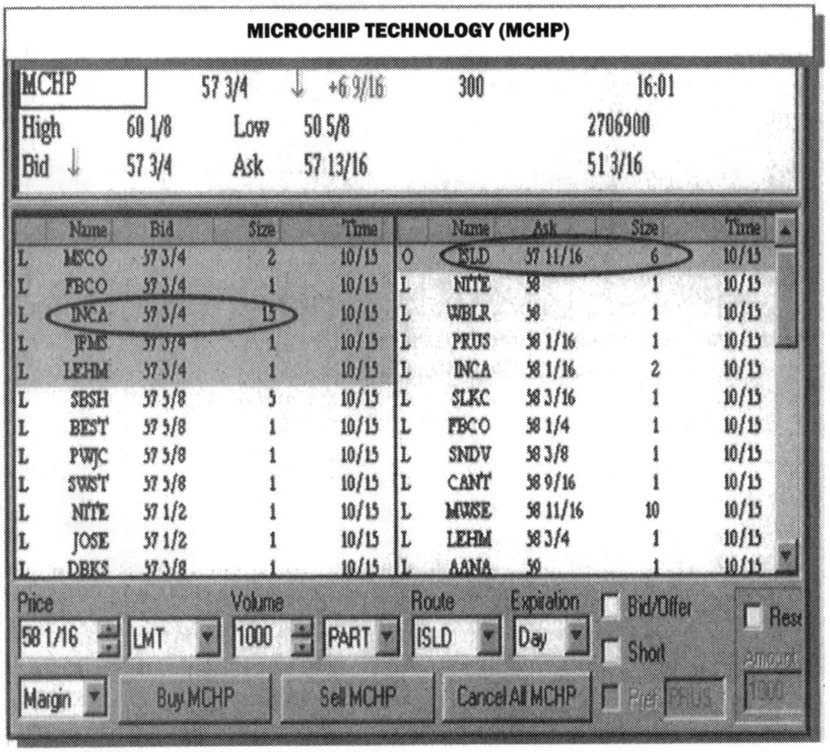

MICROCHIP TECHNOLOGY (MCHP)

MCHP	57 3/4	↓	+6 9/16	300	16:01
High	60 1/8	Low	50 5/8		2706900
Bid ↓	57 3/4	Ask	57 13/16		51 3/16

Name	Bid	Size	Time	Name	Ask	Size	Time
L MSCO	57 3/4	2	10/15	O ISLD	57 11/16	6	10/15
L FBCO	57 3/4	1	10/15	L NITE	58	1	10/15
L INCA	57 3/4	15	10/15	L WBLR	58	1	10/15
L JPMS	57 3/4	1	10/15	L PRUS	58 1/16	1	10/15
L LEHM	57 3/4	1	10/15	L INCA	58 1/16	2	10/15
L SBSH	57 5/8	5	10/15	L SLKC	58 3/16	1	10/15
L BEST	57 5/8	1	10/15	L FBCO	58 1/4	1	10/15
L PWJC	57 5/8	1	10/15	L SNDV	58 3/8	1	10/15
L SWST	57 5/8	1	10/15	L CANT	58 9/16	1	10/15
L NITE	57 1/2	1	10/15	L MWSE	58 11/16	10	10/15
L JOSE	57 1/2	1	10/15	L LEHM	58 3/4	1	10/15
L DBKS	57 3/8	1	10/15	L AANA	59	1	10/15

Price		Volume		Route	Expiration	☐ Bid/Offer	☐ Rese
58 1/16 ⇅	LMT ▼	1000 ⇅	PART ▼	ISLD ▼	Day ▼	☐ Short	Amount
Margin ▼	Buy MCHP		Sell MCHP		Cancel All MCHP	☐ Pref PRUS	1000

Fuente: The Executioner.com

FIGURA 12.2. **Esta figura muestra una pantalla de cotización de NASDAQ Nivel II para MCPH. Se trata de la pantalla de NASDAQ Nivel II que ofrece al maestro de la inversión la capacidad de ver un valor en profundidad, refiriéndonos con ello a las ofertas y demandas de las ECN y de los creadores de mercado. Los círculos remarcan INCA y ISLD, dos ECN. Todas las demás ofertas y demandas que aparecen son de creadores de mercado. En el capítulo 13 cubriremos con mayor detalle las cotizaciones de NASDAQ Nivel II y las características del creador de mercado.**

En este momento, el mejor (*) precio de demanda que aparece en el libro es de 70 7/8, con un tamaño colectivo de 300 acciones. El mejor (*) precio de oferta es de 71 1/16 con una oferta de 400 acciones. Por lo tanto, la pantalla de NASDAQ Nivel II para ISLD mostraría estos mejores precios y tamaños de oferta y demanda (figura 12.3).

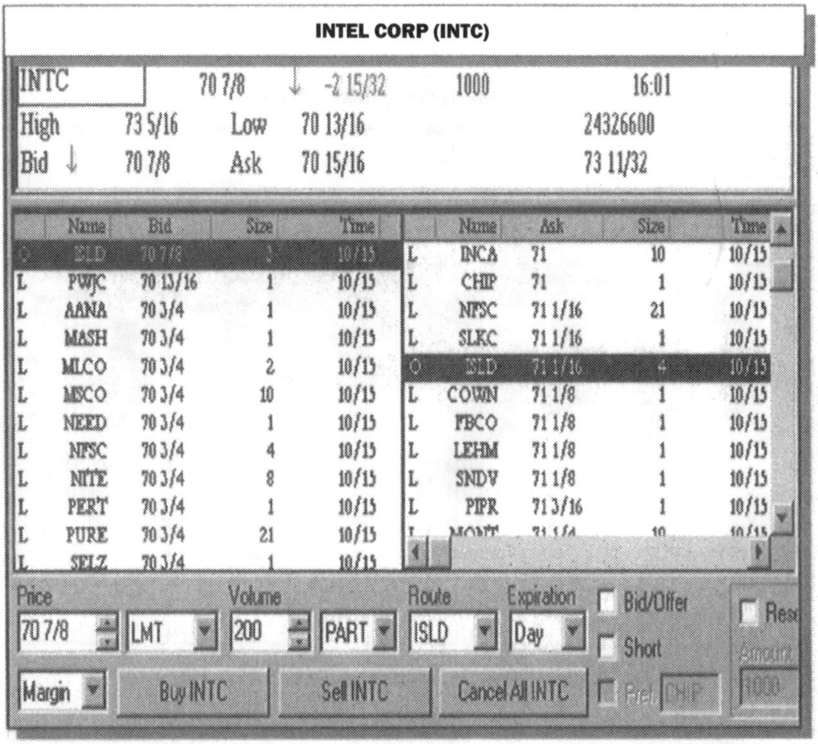

Fuente: The Executioner.com

FIGURA 12.3. **Las dos órdenes de demanda de acciones de INTC realizadas por ISDL aparecen en la pantalla de cotización de NASDAQ Nivel II como una única publicación de ISDL por 300 acciones. Véase el lado izquierdo, que es el lado de la demanda. La única orden para vender 400 acciones de INTC en ISDL aparece en el lado derecho, que es el lado de la oferta.**

Los maestros de la inversión podrán ejecutar contraórdenes limitadas existentes en cualquier ECN utilizando el sistema Select-Net (SNET). Sin embargo, el inversor sólo con acceso directo será capaz de *publicar* una orden limitada en el libro de órdenes limitadas del ECN para que aparezca en la pantalla de NASDAQ Nivel II. Normalmente, los inversores no tendrán más que acceso *directo* a unas pocas ECN, siendo las más habituales ISLD, ARCA y REDI.

VENTAJAS DE LAS ECN

- Permiten un proceso extremadamente rápido de ejecución (tanto como 0,2 segundos) cuando se trata de una orden que se empareje con otra orden ya existente en el libro de órdenes limitadas de la ECN.
- Las cotizaciones de la ECN son reales. Si usted ve una cotización en una ECN, se trata de una cotización real a ese precio y de ese tamaño. Si es usted es la primera persona que envía una orden que se empareje con la cotización de la ECN, la verá satisfecha.
- Las ECN muestran la totalidad de su tamaño (a menos que los creadores de las órdenes hayan solicitado concretamente que su orden no aparezca en pantalla). Si una ECN tiene un total de 14.200 acciones que comprar a un mejor precio de 81, usted verá en su pantalla de Nivel II esas 14.200 acciones.
- Las ECN permiten a los inversores publicar su orden limitada para que aparezca en la pantalla de NASDAQ Nivel II. Esto le ofrece la posibilidad de que todos los participantes en el mercado puedan ver su orden.
- Las ECN pueden cotizar precios en incrementos mucho más sutiles que el NASDAQ. ISDL, por ejemplo, permite órdenes con sutilezas de hasta 1/128 para valores por encima de 10 dólares y de 1/256 para valores por debajo de 10 dólares. Estas órdenes se redondean al 1/16 o 1/32 (para valores de menos de 10 dólares) más próximo para aparecer en la pantalla de NASDAQ Nivel II. Sin embargo, aparecerán en el libro de la ECN y se ejecutarán en base a su prioridad de precio real.
- Las ECN evitan las muchas desventajas relacionadas con la interacción directa con los creadores de mercado a través de los sistemas SOES y SNET.

Desventajas de las ECN

- Algunas ECN no son muy fluidas, lo que provoca que sea muy excepcional poder ejecutar por emparejamiento. Las más fluidas, y por lo tanto, las mejores ECN donde publicar son INCA, ISDL, ARCA y REDI. Recomendamos a nuestros estudiantes que no se planteen utilizar ningún sistema de inversión por acceso directo que no ofrezca la capacidad de publicar directamente en ISLD y ARCA. Para nosotros, se trata de dos ECN indispensables. En breve profundizaremos en las características de ARCA.
- En un valor que va rápidamente al alza, será difícil comprar utilizando una ECN en o por debajo del precio de oferta interno. En otras palabras, será poco probable que pueda conseguir satisfacer su demanda al precio de demanda interno del valor, y normalmente no habrá ordenes limitadas de oferta disponibles para ejecutar contra la oferta interna.
- Puede que consiga sólo ejecuciones parciales. En ISDL es donde más se presenta este problema, ya que aceptan órdenes hasta de una sola acción de un valor. Imagínese la frustración de verse satisfecho con sólo 14 acciones de una orden de 1000 acciones. *Nota:* Las demás ECN exigen que las órdenes sean en incrementos de 100 en 100 acciones.

Cómo utiliza las ECN el maestro de la inversión

Los maestros de la inversión reconocen las muchas ventajas de las ECN y las utilizan a menudo. Ejemplos concretos de cuándo deberían utilizarse las ECN son:

- Cuando los maestros de la inversión quieren comprar un valor por debajo de su actual precio de oferta. Los mejores resultados se consiguen colocando la propuesta en la ECN habitualmente más fluida, que es normalmente ISLD.
- Cuando los maestros de la inversión ofrecen la venta de un valor por encima de su precio actual de demanda. Los mejores resultados se consiguen colocando la propuesta en la ECN habitualmente más fluida, que es normalmente ISLD.

- Siempre que los maestros de la inversión están dispuestos a comprar un valor del NASDAQ al precio de oferta o venderlo al precio de demanda. Si hay una ECN disponible con un tamaño aceptable, los maestros de la inversión ejecutarán primero sus órdenes con la ECN, antes de tratar con creadores de mercado menos fiables. *Nota:* Debido al coste adicional que supone trabajar con INCA, muchos inversores optarán por encaminar su orden hacia un creador de mercado si el precio deseado no aparece publicado en ninguna otra ECN.
- Cuando un valor sube rápidamente, los maestros de la inversión tratan de satisfacer sus órdenes de compra dando preferencia a una ECN fluida situada varios niveles *por encima* del precio de oferta. Al pagar una prima por un valor que sube rápidamente, los maestros de la inversión son a menudo capaces de establecer una posición y obtener un beneficio por la subida posterior del valor. Lo contrario aplica para vender en un valor que está cayendo rápidamente.

Herramienta de ejecución n.º 2: SOES (Small-Order Execution System)

DESCRIPCIÓN DEL SOES

El sistema SOES (Small-Order Execution System, Sistema de Ejecución de Pequeñas Ordenes) fue creado en 1985 para proporcionar al pequeño inversor un mejor acceso al mercado NASDAQ. El sistema SOES, hasta hace muy poco podía utilizarse para conseguir ejecuciones casi instantáneas de hasta 1000 acciones al precio interno de oferta (para una orden de compra) o al precio interno de demanda (para una orden de venta). Sin embargo, este sistema sólo empezó a utilizarse ampliamente después del crack del mercado de valores de 1987, cuando los creadores de mercado se negaron a responder al teléfono y, por lo tanto, no se podía trabajar. Resulta interesante que el público siga sin apenas conocer el SOES. Pregunte, no obstante, a los inversores activos de hoy en día y descubrirá que el SOES forma parte constante de su vocabulario, si no de sus vidas.

El primer concepto básico que debería comprenderse sobre el SOES es que es el único mecanismo de ejecución obligatoria para los creadores de mercado. En otras palabras, si un creador de mercado aparece publicado o en pantalla a un determinado precio, una orden del SOES obliga a ese creador de mercado a satisfacerla por la cantidad publicada. La única advertencia es que los creadores de mercado disponen de diecisiete segundos para actualizar las cotizaciones que aparecen en pantalla, de modo que, a veces, un inversor puede pillar por sorpresa a un jugador de mercado que no se da cuenta de que aparece publicado a ese precio. Puede, también, darse el caso de que haya muchas órdenes SOES por delante de usted, disminuyendo las posibilidades de satisfacer la suya. Pero si la cotización del creador de mercado es real y no hay muchas órdenes SOES por delante de usted, el creador de mercado está obligado a satisfacer la suya. Debe comprenderse, sin embargo, que el SOES queda lejos de ser una forma garantizada de satisfacer las órdenes en el mercado del NASDAQ. De hecho, en el momento de escribir esto, la tasa de satisfacción de órdenes del SOES era aproximadamente de sólo un 38 por ciento. En otras palabras, sólo el 38 por ciento de todas las órdenes del SOES fueron satisfechas. Por lo tanto, no confundamos la naturaleza obligatoria del SOES con el concepto de garantía de cumplimiento de las órdenes. Pero incluso con una tasa de satisfacción como esa, el SOES, debidamente utilizado, sigue ofreciendo a los maestros de la inversión algunas formas creativas y avanzadas para, rápida y silenciosamente, acceder a los valores del NASDAQ.

El horario de funcionamiento del sistema SOES es de 9:30 a.m. a 4:00 p.m., Costa Este. A destacar que pueden ponerse órdenes en el sistema desde las 7:15 a.m., para ser ejecutadas a las 9:30 a.m., cuando abra el mercado.

El sistema SOES puede utilizarse tanto para órdenes de mercado como para órdenes limitadas de compra o venta de valores del NASDAQ. Supongamos, por ejemplo, que INTC se cotiza a un precio de demanda de 70 7/8 y a un precio de oferta de 70 15/16, y un inversor quiere *comprar* el valor. El inversor puede utilizar el SOES de diversas maneras para comprar el valor. En consecuencia, puede:

- Poner en el SOES una orden de compra limitada a 70 15/16. El inversor puede esperar que la orden se cumpla si existe un creador de mercado disponible a este precio y la orden del inversor es la primera con este precio que le llega al creador de mercado. *Nota:* Las cotizaciones ECN no tienen validez en el SOES; por lo tanto, si la única cotización a 70 15/16 aparece en ISLD, INCA o cualquier otra ECN, la orden que usted haya cursado será inmediatamente rechazada y devuelta.

- Poner en el SOES una orden de compra limitada a un precio superior al precio de oferta interno, 71 1/8, por ejemplo. Si el valor se mueve rápidamente al alza, los inversores estarán dispuestos a pagar un precio más elevado, si es necesario, para conseguir satisfacer sus órdenes. En este caso, los inversores pueden tener sus órdenes satisfechas a un precio tan bajo como 70 5/16, o tan alto como su precio límite de 71 1/8. Si el valor sube a una velocidad extremadamente rápida, es posible que haya delante de la suya muchas más órdenes SOES en las que el precio del valor exceda el precio de 71 1/8, y las órdenes no quedarán satisfechas. En este caso, la orden será devuelta «rechazada» o «anulada», dependiendo del sistema utilizado, después de que el precio de oferta exceda 71 1/8.
- Situar en el SOES una orden de compra de mercado. En este caso, los inversores están tan ansiosos por satisfacer sus órdenes que aceptarán el mejor precio que esté disponible. La orden se cumplirá inmediatamente a 70 15/16, o podría ser satisfecha un minuto o más tiempo después a un precio sustancialmente superior.

Este tipo de orden debería utilizarse con cautela, ya que es imposible limitar o controlar el precio real de ejecución de la orden. Habitualmente, esta orden sólo la utilizarán los inversores ansiosos por salir de una situación que está volviéndose rápidamente contra ellos (figura 12.4).

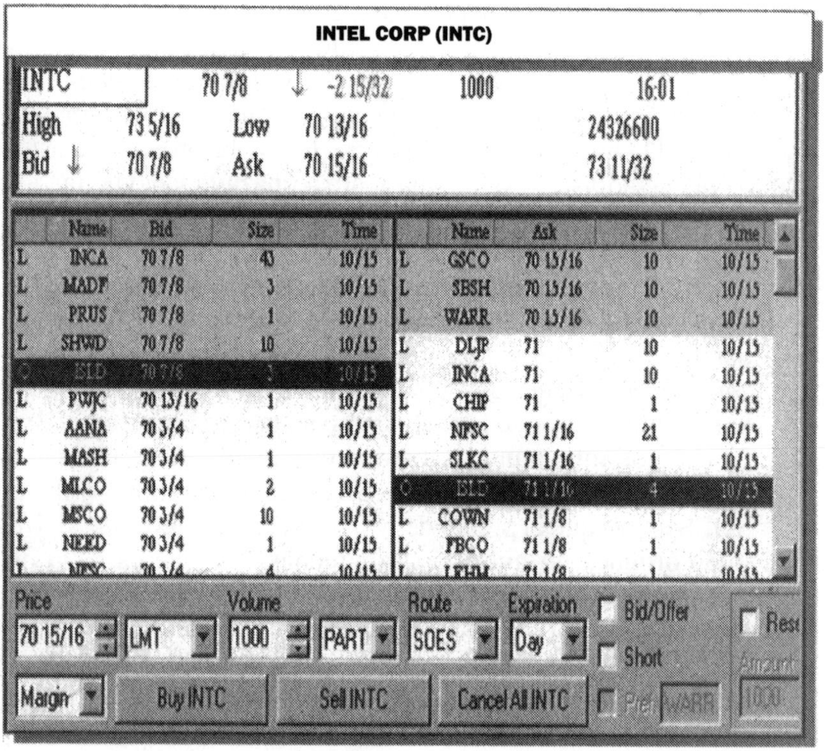

Fuente: The Executioner.com

FIGURA 12.4. **El maestro de la inversión cursa, a través del SOES, una orden por 1000 acciones de INTC. Nótese que en ISDL no aparece publicado a 70 15/16 el precio interno de oferta. La oferta más cercana en ISDL es de 71 1/16. De haber estado publicado en ISDL a 70 15/16, la mejor apuesta del maestro de la inversión habría sido cursar la orden a través de ISDL. En este caso, con una oferta en la que sólo están presentes creadores de mercado, la mejor elección es SOES.**

VENTAJAS DEL SOES

- Permite ejecuciones extremadamente rápidas (es decir, de un segundo o menos).
- Es un tipo de orden muy fácil y poco complicado de cursar, ya que no hay ninguna necesidad de seleccionar a quién se envía la orden.

- El sistema SOES está controlado por NASDAQ. Todas las ejecuciones del SOES están electrónicamente determinadas por el sistema SOES y se informa de ellas a ambos lados de la transacción. Por lo tanto, así se evita cualquier abuso potencial por parte del creador de mercado.

DESVENTAJAS DEL SOES

- En valores activos, la cola del SOES puede estar normalmente llena de muchas órdenes de otros inversores, siendo por ello muy reducida la probabilidad de conseguir satisfacer la orden antes de que el precio se aleje de lo conveniente.
- Recientes cambios de reglamentación permiten a los creadores de mercado cotizar paquetes tan pequeños como de 100 acciones en todos los valores. Como resultado de ello, puede resultar muy difícil satisfacer órdenes grandes (de hasta 1000 acciones) a los precios publicados.
- Otra regla del SOES permite a los creadores de mercado un retraso de 17 segundos hasta satisfacer una orden al precio que tienen publicado, con lo que pueden o cambiar dicho precio o satisfacer una orden adicional. Como resultado, verá muchas veces cotizaciones «caducadas» de creadores de mercado al precio interno de demanda o de oferta que ya han satisfecho una orden y están esperando la totalidad de sus 17 segundos antes de ajustar la cotización a un precio menos favorable. No hay forma de decir si las cotizaciones publicadas por los creadores de mercado son reales o si son cotizaciones caducadas sujetas a ser ajustadas en un futuro próximo. *Nota:* El retraso de 17 segundos queda reducido a 5 en cualquier momento en que el precio de oferta o demanda del valor queda bloqueado (es decir, el mismo) o cruzado (es decir, el precio de demanda interno es superior al precio de oferta interno).
- Las ECN no son compatibles con el SOES. Como resultado de ello, una orden del SOES nunca satisfará una orden ECN que presente el precio deseado. Esta debilidad se supera mediante la utilización de sistemas de formalización de órdenes más sofisticados, como el sistema ARCA que envía la orden

para ser ejecutada por el medio más apropiado. Hablaremos
con detalle, en breve, de este tema.
* Como su nombre implica, el SOES está concebido únicamente para órdenes pequeñas. El tamaño de la orden se limita
a un máximo de 1000 acciones en la mayoría de valores activos, e incluso a 500 o 200 acciones, como máximo, en valores menos activos.
* Cuando no pueda comprar al precio de oferta interno, o vender al precio de demanda interno, *siempre perderá el margen
de oferta o demanda* de este tipo de orden.

Cómo utiliza el sistema SOES el maestro de la inversión

El maestro de la inversión reconoce las debilidades del sistema
SOES y, por lo tanto, lo utiliza ocasionalmente. Sin embargo, hay
diversas ocasiones en las que el SOES puede ser apropiado:

* El maestro de la inversión, dispuesto a prescindir del margen,
utiliza una orden SOES cuando compra o vende un valor con
poco movimiento, siempre y cuando el tamaño colectivo de
los creadores de mercado en la oferta o demanda interna sea
suficiente como para satisfacer la orden. Cuando un valor no
se mueve activamente, es poco probable que haya órdenes
SOES en cola. Como resultado de ello, el maestro de la inversión puede esperar que órdenes así se ejecuten instantáneamente.
* El maestro de la inversión suele utilizar órdenes SOES como
una forma efectiva de entrar en un valor justo en el momento
en que empieza a cambiar de dirección. La clave para ejecutar es ser capaz de detectar el cambio direccional *antes* de que
se percaten de él los demás inversores. Con una decisión temprana y una orden rápida, estas órdenes SOES se satisfacen a
menudo. Sin embargo, no se puede esperar hasta que el cambio de dirección sea evidente a todo el mundo, pues, en este
caso, la orden caerá en el fondo de la cola del SOES y quedará sin ejecutar en cuanto el valor se mueva hacia la dirección
esperada.

Herramienta de ejecución n.º 3: SelectNet (SNET)

DESCRIPCIÓN DE SELECTNET (SNET)

SelectNet (SNET) es un sistema electrónico instituido por NASDAQ para expedir órdenes de compra y venta a terceros. Su horario operativo es de 9:30 a.m. a 4:00 p.m., Costa Este. Además, SelectNet está también disponible en un horario anterior y posterior a la sesión, que va desde las 9:00 a las 9:30 a.m. y desde las 4:00 a las 5.15 p.m.

El sistema SNET puede utilizarse con tres «sabores» distintos:

1. Preferencia SNET para un creador de mercado.
2. Preferencia SNET para una ECN.
3. SNET broadcast.

Repasemos cada una de las alternativas:

Preferencia SNET para un creador de mercado

Supongamos que envía usted una orden SNET preferente al creador de mercado Goldman Sachs (GSCO) para comprar 1000 acciones DELL a 36 1/2. Su orden aparecerá inmediatamente en la pantalla de Nivel III del creador de mercado GSCO para DELL. *Nota:* Los sistemas de Nivel III son los que utilizan los creadores de mercado para cursar sus órdenes. Ellos disponen de numerosas alternativas para gestionar su orden:

- Pueden ejecutar inmediatamente su orden, suponiendo que quieran venderle las acciones.
- Pueden satisfacerla parcialmente con sólo entre 100 y 900 acciones, en el caso de que no quieran venderle la totalidad de las 1000 acciones.
- Pueden rechazar su orden y devolvérsela rechazada o cancelada.
- Pueden ignorar su orden y limitarse a no responder.
- Pueden negociar su orden devolviéndole un mensaje informándole de que, por ejemplo, le venderán las 1000 acciones

al precio de 36 9/16. *Nota:* Esto sólo ocurre con órdenes grandes interpuestas entre creadores de mercado. Los inversores nunca suelen verlo.

- Pueden satisfacer la totalidad o parte de su orden a un precio mejorado. Normalmente esto es algo que nunca llegan a ver los inversores. Como hemos mencionado antes, en Wall Street los regalos no existen.

Repasemos ahora lo que se le *exige* al creador de mercado que haga con su orden. Si usted está dando *preferencia* a GSCO al precio de oferta que tienen actualmente publicado y no han satisfecho ninguna orden en los últimos 17 segundos, se les exige entonces que satisfagan su orden hasta el tamaño de la cotización que tienen publicada. Sin embargo, si han satisfecho otra orden en el transcurso de los últimos 17 segundos, pueden retirar el precio publicado en cualquier momento de estos 17 segundos y dejan de tener la obligación de satisfacer órdenes adicionales a ese precio. Además, no tienen ninguna obligación de satisfacer su orden si es a un precio menos favorable que el de su cotización (es decir, el valor está a un precio de demanda de 36 3/8 y a un precio de oferta de 36 9/16, GSCO está a un precio de oferta de 36 9/16 y usted les da preferencia para comprar a 36 1/2, intentando repartir el margen).

Preferencia SNET para una ECN

Supongamos que usted envía una orden SNET preferente a la ECN RediBook (REDI) para comprar 1000 acciones de DELL a 36 1/2. Como la ECN es simplemente un libro electrónico de órdenes limitadas, gestionará su orden según una de las siguientes posibilidades:

- La ECN ejecutará *inmediatamente* su orden, suponiendo que su libro de órdenes tenga suficientes acciones en una orden pareja y su orden sea la primera en llegarles para estas acciones. Inmediatamente después de satisfacer su orden, la ECN actualizará su cotización para reflejar el libro de órdenes ajustado en consecuencia, restándole la orden satisfecha hacia usted.

- Si la ECN posee órdenes parejas para algunas, pero no todas, las acciones que usted solicita, entonces será satisfecho *inmediatamente* con una cantidad que oscile entre 100 y 900 acciones de las 1000 totales. Inmediatamente después de satisfacer su orden, la ECN actualizará su cotización para reflejar el libro de órdenes ajustado en consecuencia, restándole la orden satisfecha hacia usted.
- Si alguien envió una orden a la ECN antes que usted y no quedan órdenes parejas disponibles en el libro de órdenes limitadas de la ECN, su orden le será inmediatamente devuelta rechazada. Debería entonces ver en el acto actualizada la cotización de la ECN y ya no debería aparecer en su pantalla de Nivel II al precio original. La orden limitada al precio original ha sido satisfecha y ya no aparece en pantalla. Nada de juegos, nada de 17 segundos, etcétera.

A destacar que la orden *preferencial* para una ECN es realmente lo mismo que una orden preferencial para un creador de mercado. Sólo las separo porque al tratar con una ECN se evitan los juegos de los creadores de mercado. Cuando se trata con la naturaleza de «quien primero llega es quien primero sale servido» con la que operan las ECN, el terreno de juego es realmente equitativo. Y como ya sabrá, este no es el caso cuando el trato es con creadores de mercado, debido a las injustas ventajas que poseen.

Unos cuantos puntos generales a mencionar

A los creadores de mercado no se les exige que muestren su verdadero tamaño. Cuando quieren vender más de 100.000 acciones, puede darse el caso de que únicamente publiquen una oferta por 100 acciones. Por otro lado, las ECN muestran normalmente su tamaño completo (más del 90 por ciento de las ocasiones), a menos que el generador de la orden especifique lo contrario. Se dará cuenta, a veces, sobre todo con INCA, que puede aparecer una orden por 1000 acciones. Se ejecutan entonces 400 y quedan 600. Finalmente, las 600 acciones restantes son satisfechas y la orden se refresca de nuevo con otras 1000 acciones. Esto suele ocurrir con órdenes institucionales, que se envían después de seleccionar la función «Max display size» (máximo tamaño que aparecerá en pantalla) a 1000 acciones, en este ejemplo. Muchas ECN tienen esta característica, aunque prácticamente sólo la utilizan las instituciones, y normalmente sólo se ve con las ECN INCA, REDI y BRUT, las más utilizadas por las instituciones.

Orden SelectNet Broadcast

Supongamos que usted envía una orden SNET broadcast (es decir, sin preferencias) para comprar 1000 acciones de DELL a 36 1/2. Esta orden aparecerá inmediatamente en la pantalla de Nivel III de *todos* los creadores de mercado del valor. Cualquiera de estos creadores de mercado tendrá la oportunidad de satisfacer su orden. Sin embargo, ninguno de ellos tiene la exigencia u obligación de satisfacer una parte de su orden. Además, queremos destacar que su orden no aparecerá en las pantallas de Nivel II del valor y no afectará el precio interno de oferta o demanda del valor. A veces, una orden SelectNet Broadcast puede convertirse en una manera de salirse rápidamente y con éxito de una situación en deterioro, si está dispuesto, por ejemplo, a situarse 1/4 de punto por debajo del precio de demanda interno para una orden de venta, o por encima del precio de oferta para una orden de compra.

VENTAJAS DEL SISTEMA SELECTNET

- Permite a los inversores controlar hacia dónde se encaminan sus órdenes.
- Posibilidad de satisfacer las órdenes de forma rápida y fiable cuando la preferencia se decanta hacia cualquiera de las ECN.
- Posibilidad de dar órdenes «todo o nada» (AON, all-or-none) para eliminar la posibilidad de obtener sólo un cumplimiento parcial de la orden. Por ejemplo, un inversor puede dar preferencia a un creador de mercado para que compre 1000 acciones de un valor con una orden AON, incluso aunque el creador de mercado esté sólo cotizando 100 acciones. Esto evita que los creadores de mercado ejecuten parcialmente sólo 100 acciones y les exige que o satisfagan la orden por completo, o se nieguen a satisfacerla. Puede convertirse en una forma

efectiva de reducir las comisiones que provocan diversas ejecuciones de 100 acciones cada una.
- Posibilidad de negociar en horario anterior y posterior a la sesión, sobre todo cuando se da preferencia a las ECN.

DESVENTAJAS DEL SISTEMA SELECTNET

- Las ejecuciones a través de creadores de mercado pueden ser poco fiables debido a cotizaciones caducadas del creador de mercado que provoca la regla de los 17 segundos.
- El número deseado de acciones no estará siempre disponible porque a los creadores de mercado sólo se les *exige* que ejecuten el tamaño que tienen publicado, que puede ser de tan sólo 100 acciones.
- Las órdenes SelectNet no pueden cancelarse por parte de quien las inicia hasta que hayan permanecido activas durante un mínimo de 10 segundos, para dar al receptor tiempo suficiente para decidir si aceptar o rechazar la inversión.
- Las órdenes con preferencia pueden ser órdenes más tediosas y difíciles de llevar a cabo en un mercado rápido, ya que exigen seleccionar previamente hacia quién dirigir la orden.

CÓMO UTILIZA EL SISTEMA SNET EL MAESTRO DE LA INVERSIÓN

El maestro de la inversión valora la flexibilidad que el sistema SNET le ofrece y puede utilizarlo de diversas maneras:

- El maestro de la inversión utiliza SNET como herramienta para encontrar hechos y lo hace cursando órdenes a los creadores de mercado por más acciones de las que muestra en pantalla el creador de mercado. Por ejemplo, a pesar de que los creadores de mercado muestran sólo 100 acciones de su oferta o demanda interna, satisfacen a menudo una orden SNET preferencial por 1000 acciones o más, revelando con ello sus verdaderas intenciones como compradores o vendedores.
- En un mercado que se mueve con rapidez, el maestro de la inversión está normalmente dispuesto a dejar correr diversos

niveles de precio a cambio de satisfacer una orden. Por ejemplo, para satisfacer una compra, el maestro de la inversión puede establecer su preferencia por un creador de mercado concreto a un precio varios niveles superior o poner una orden SNET broadcast (sin preferencia) a un precio varios niveles superior, en un intento de satisfacerla. Para vender un valor que cae en picado, el maestro de la inversión puede dar preferencia a un creador de mercado a un precio varios niveles inferior o cursar una orden SNET broadcast (sin preferencia) a un precio varios niveles inferior, para satisfacerla.

- Debido al hecho de que la mayoría de empresas de inversión no ofrecen acceso directo a todas las ECN, el maestro de la inversión utiliza SNET para dirigir órdenes a las ECN con las que no tiene acceso directo. Recuerde que interaccionar con órdenes publicadas en ECN es *siempre* preferible a dirigir órdenes SOES o SNET a creadores de mercado.

- El maestro de la inversión utiliza órdenes SNET para invertir antes y después de la sesión interaccionando con órdenes ECN. Normalmente, los creadores de mercado no responden si no está abierta la sesión, por lo tanto, es el momento en que se pueden utilizar con más frecuencia las ECN.

Herramienta de ejecución n.º 4: Archipelago (ARCA)

DESCRIPCIÓN DE LOS SISTEMAS AUTOMATIZADOS DE DIRECCIÓN
   DE ÓRDENES (ARCA)

Los sofisticados sistemas de direccionamiento de órdenes fueron concebidos para ayudar a los inversores a acceder más rápida y eficientemente a los sistemas SelectNet y ECN. Estos sistemas no están disponibles para todos, pero pueden resultar muy útiles para los inversores que tienen acceso a esa tecnología. Por ejemplo, The Executioner (*www.executioner.com*) ofrece el sofisticado sistema de direccionamiento de órdenes ARCA para dirigir automáticamente la orden de forma que se maximice la probabilidad de que las acciones se ejecuten. Se trata de un sistema muy rápido y complejo concebido para liberar al inversor de la urgente tarea de direccionar adecuadamente la orden y resulta especialmente valioso para órdenes grandes que necesitan desglosarse en piezas más pequeñas para su ejecución. *Nota:* ARCA tiene una función dual y actúa tanto como ECN, como en forma de sofisticado sistema de direccionamiento de órdenes. Algunas firmas de inversión ofrecen · únicamente las capacidades ECN de ARCA, y no ofrecen las sofisticadas capacidades de direccionamiento de órdenes que posee este indispensable sistema. Executioner.com es una de las pocas empresas que ofrece al público ambas funciones. Cuando adquiera un sistema de inversión de acceso directo, asegúrese de elegir uno que ofrezca tanto las características de publicación (ECN) como las funciones de direccionamiento de órdenes de ARCA. Sólo entonces tendrá verdadero acceso a la misma herramienta que utilizan muchas grandes instituciones.

Repasemos ahora cómo funciona este complejo sistema de direccionamiento de órdenes con la ayuda de un ejemplo. El sistema de direccionamiento de órdenes se sirve la prioridad que exponemos a continuación para procesar y ejecutar su orden:

- En primer lugar, verifica la presencia de posibles emparejamientos internos en el libro del ECN ARCA.
- En segundo lugar, verifica posibles emparejamientos en las demás ECN.
- A continuación, verifica la disponibilidad de creadores de mercado y establece prioridades basándose en su precio y su tamaño.
- Finalmente, las acciones restantes de su orden serán equitativamente distribuidas entre los creadores de mercado ya identificados.

Este complejo proceso se comprende más fácilmente con un ejemplo. Supongamos que un inversor desea adquirir 5.000 acciones de INTC al precio de oferta interno de 80 dólares. Supongamos, además, que las ofertas publicadas en la pantalla de Nivel II son las siguientes:

Size	MM*	Price
1	GSCO	80
10	MLCO	80
14	SLD#	80
4	ARCA	80
3	MSCO	80
4	REDI#	$80^{1}/_{16}$
1	HRZG	$80^{1}/_{8}$
10	NITE	$80^{1}/_{8}$

Como se constata, sólo hay 3.200 acciones publicadas al precio de oferta interno de 80, y el tamaño de la orden es de 5.000 acciones. El proceso de prioridades explicado anteriormente lleva a lo siguiente:

1. Una orden de 400 acciones irá a ARCA.
2. Una orden de 1.400 acciones se dirigirá hacia ISLD.
3. Los creadores de mercado GSCO (100 acciones), MLCO (1.000 acciones) y MSCO (300 acciones) recibirán una orden preferencial SNET.
4. Como es necesario colocar las 1.800 acciones restantes de la orden total de 5.000 acciones, éstas se distribuirán equitativamente entre los tres creadores de mercado disponibles a ese precio (600 acciones cada uno).

Como resultado, el sistema de direccionamiento de órdenes ARCA generará instantáneamente las siguientes órdenes y las cursará para su inmediata ejecución:

Compra 400 acciones de ARCA a 80 directamente del libro de ARCA.

Compra 1.400 accionles de ISDL a 80 utilizando la conexión directa ISDL.

Compra 700 acciones (es decir, 100 + 600) a GSCO a 80 utilizando SNET.

Compra 1.600 acciones (es decir, 1.000 + 600) a MLCO a 80 utilizando SNET.

Compra 900 acciones (es decir, 300 + 600) a MSCO a 80 utilizando SNET.

De este modo, el sistema de dirección de órdenes procesa y dirige, rápida y eficientemente, su orden hasta su ejecución definitiva. Si cualquiera de estas órdenes es rechazada o no queda completamente ejecutada, el sistema redireccionará automáticamente las acciones que queden a otros creadores de mercado o ECN que estén todavía disponibles a ese precio. Finalmente, cuando no queden creadores de mercado o ECN al precio deseado dispuestos a satisfacer la orden, las acciones pendientes se publicarán en el libro de órdenes limitadas de la ECN ARCA y se mostrarán en NASDAQ Nivel II como una oferta de ARCA# a 80 dólares por acción.

VENTAJAS DE ARCA

- Permite al inversor cursar órdenes rápidamente a las mejores ECN y creadores de mercado que estén disponibles en ese momento.
- Permite al inversor satisfacer una orden grande rápidamente con diversas ejecuciones parciales de distintas ECN y creadores de mercado, *con el gasto de una única comisión. Nota:* Este punto por sí solo destaca ARCA como un vehículo de inversión indispensable del que no debería prescindir ningún inversor.
- Puede ser una forma efectiva de satisfacer una orden en un mercado que va rápidamente al alza.

DESVENTAJAS DE ARCA

- Si un creador de mercado elige ignorar una orden preferencial SNET generada por el sistema ARCA, la orden permanecerá activa durante 30 segundos antes de ser automáticamente cancelada o redireccionada. Un tiempo que puede parecer una eternidad en un mercado muy activo.

CÓMO UTILIZA ARCA EL MAESTRO DE LA INVERSIÓN

El maestro de la inversión comprende esta tecnología de direccionamiento de órdenes y se percata de que puede tomar decisiones excelentes. El maestro de la inversión reconoce también que

ARCA cursa las órdenes mucho más rápidamente de lo que es posible hacerlo manualmente. Como resultado de ello, el maestro de la inversión considera que esta tecnología tiene muchos empleos posibles. Veamos unos cuantos:

- El maestro de la inversión utiliza el sistema de direccionamiento de órdenes ARCA cuando lleva a cabo órdenes grandes que deben desglosarse en otras más pequeñas para su ejecución.
- En mercados que se mueven con gran rapidez, el maestro de la inversión utiliza ARCA colocando órdenes de compra (venta) varios niveles por encima (por debajo) de la demanda (oferta) interna. *Nota:* El sistema ARCA puede rápidamente redireccionar órdenes a segundas o terceras opciones después de ser rechazadas en los intentos iniciales de ser satisfechas.
- El maestro de la inversión en fase de desarrollo, que puede necesitar ayuda para colocar rápida y eficientemente la orden más adecuada entre la amplia variedad de alternativas, utiliza exclusivamente ARCA.

Herramienta de ejecución n.º 5: SUPERDOT

DESCRIPCIÓN DEL SISTEMA SUPERDOT (DESIGNATED ORDER TURNAROUND)

Los maestros de la inversión que buscan invertir en valores del New York Stock Exchange (NYSE) suelen cursar sus órdenes a través del sistema SuperDOT. Como el NYSE no es un sistema de intercambio electrónico como el NASDAQ, el sistema SuperDOT direcciona electrónicamente las órdenes de clientes directamente hacia el especialista de NYSE que gestiona ese valor en concreto. El especialista puede entonces manualmente satisfacer la orden o publicarla en un libro de órdenes limitadas.

Ventajas del sistema SUPERDOT

- Típicamente capaz de obtener una fluidez mucho mayor para sus órdenes. Los inversores, normalmente pueden satisfacer sin dificultad órdenes de 5.000 acciones o más.
- Las órdenes limitadas de SuperDOT están gestionadas por el especialista en su libro de órdenes limitadas. Las órdenes limitadas de clientes tienen prioridad y deben ser ejecutadas por el especialista antes de formalizar cualquier orden de su propia cuenta al mismo precio. Esto establece una objetividad fundamental en el sistema, ya que los especialistas del NYSE no trabajan contra usted, como es el caso de los creadores de mercado del NASDAQ.

Desventajas del sistema SUPERDOT

- El sistema SuperDOT es mucho más lento que el sistema NASDAQ completamente electrónico. Las órdenes pueden satisfacerse en un tiempo tan breve como entre 5 y 10 segundos, o tan largo como varios minutos, lo que supone una eternidad para un inversor activo de día.

Cómo utiliza el sistema SUPERDOT el maestro de la inversión

- Aunque reconoce sus limitaciones, el maestro de la inversión utiliza el sistema SuperDOT para todos los valores del NYSE y el AMEX. Es la única alternativa viable para invertir en valores del NYSE utilizando un broker de acceso directo como Executioner.com.

Herramienta de ejecución n.º 6: El broker *online*

Descripción de las empresas de broker *online*

Algunos inversores alcanzan el éxito invirtiendo a través de los brokers tradicionales de descuento como E-trade, Ameritrade, Fidelity, E-Schwab, etc. Estos brokers son conocidos en el sector como brokers de «pago por flujo de órdenes», ya que habitualmente se dedican a vender órdenes de cliente a empresas creadoras de mercado para que las ejecuten. A menudo, el broker de descuento recibe por parte del creador de mercado una suma de dinero superior a la que percibe en forma de comisión por parte del cliente que inserta la orden. Esto despierta un posible conflicto de intereses para los brokers de descuento, que deben decidir entre si direccionar las órdenes de sus clientes a los creadores de mercado que les ofrecen los mejores precios de ejecución, o bien, direccionar las órdenes a los creadores de mercado dispuestos a pagarles más por el flujo de órdenes. Bajo nuestro punto de vista, esta práctica acabará pronto convirtiéndose en un asunto del pasado. Las líneas que separan los brokers de acceso directo de los brokers *online* empezarán a difuminarse para que el inversor salga beneficiado. Hasta entonces, tendremos que sufrir algunas de las desventajas de trabajar con brokers *online*. Pero no ignoremos el poder que estas nuevas y enormes polillas ostentan. Son una fuerza con la que contar y, por ello, pensamos que cualquier inversor astuto debería tener una cuenta de broker *online*, además de una cuenta de acceso directo. Por lo que a los brokers *online* se refiere, E-trade es, de lejos, el más progresista, ofrece los mejores servicios gratuitos y tiene el mejor modelo de negocio en general. En cuanto a brokers de acceso directo, el Executioner.com ofrece el sistema más ágil, la mejor formación y el mejor personal de soporte del sector. Es por estos motivos que invertimos a través de estas dos entidades. Algunos de los brokers *online* más populares son los siguientes:

Charles Schwab (*www.eschwab.com*)
E-trade (*www.etrade.com*)
Ameritrade (*www.ameritrade.com*)
Muriel Siebert (*www.siebertnet.com*)

Datek Online (*www.datek.com*)
Brown and Company (*www.brownco.com*)
SureTrade (*www.suretrade.com*)
Waterhouse WebBroker (*www.waterhouse.com*)
Web Street Securities (*www.webstreetsecurities.com*)
Scottrade (*www.scottrade.com*)

VENTAJAS DE LAS EMPRESAS DE BROKER *ONLINE*

- Normalmente cargan comisiones inferiores a las de los brokers de acceso directo, cosa que pueden permitirse debido a los pagos que reciben por parte de los creadores de mercado que ejecutan sus órdenes.
- Normalmente ofrecen la posibilidad de realizar stop orders en los valores del NASDAQ, además de las habituales órdenes de mercado y órdenes limitadas.
- Su opciones de ejecución de órdenes limitadas las hacen mucho más sencillas de utilizar.

DESVENTAJAS DE LAS EMPRESAS DE BROKER *ONLINE*

- Pueden ser muy lentas en la ejecución de órdenes de mercado. En mercados que se mueven rápidamente, esto puede traducirse en una ejecución drásticamente inferior de las órdenes de mercado. Por ejemplo, el día después de Acción de Gracias de 1998, muchos inversores cursaron órdenes sobre ONSL cuando el valor oscilaba a un precio de entre 90 y 95 dólares por acción. Sus órdenes fueron satisfechas entre 15 y 30 minutos más tarde a un precio por debajo de 60 dólares por acción.
- Pueden ser muy lentos al mostrar sus órdenes limitadas en el NASDAQ. La regla de exhibición de órdenes limitadas en el NASDAQ exige que los creadores de mercado ejecuten o exhiban la orden limitada a los 30 segundos de recibirla. Sin embargo, en la práctica, los creadores de mercado no cumplen la regla a la perfección.
- Los brokers de descuento ofrecen alternativas muy limitadas en cuanto a direccionamiento y ejecución de órdenes. Esto

impide que los maestros de la inversión sean capaces de direccionar sus órdenes de la manera más efectiva y puede provocar que sea más complicado invertir con éxito.

Cómo utiliza las firmas de brokers de descuento el maestro de la inversión

Habitualmente, el maestro de la inversión no utiliza empresas de brokers de descuento para inversiones a corto plazo, aunque estos brokers pueden resultar aceptables para inversiones de tipo swing de varios días o más tiempo. La ejecución más lenta de las órdenes y los precios inferiores conllevan demasiadas desventajas para el maestro de la inversión a tiempo parcial y completo. Sin embargo, los brokers de descuento pueden ser una alternativa viable para los nuevos inversores que empiezan tan sólo a participar en el negocio de la inversión y necesitan la simplicidad de un broker basado en la *web*, junto con la habilidad de poder cursar órdenes fácilmente durante 24 horas al día. Además, la posibilidad de poner stop orders es realmente una característica útil para estos inversores. A medida que los inversores desarrollan sus habilidades y su confianza, les aconsejaríamos investigar la posibilidad de abrir una cuenta con una empresa especializada en servir las necesidades de inversores activos, como The Executioner.

13. Herramientas y tácticas de NASDAQ Nivell II

Un libro elemental de NASDAQ Nivell II

COTIZACIONES NIVEL I: QUÉ SON, POR QUÉ SON INCOMPLETAS

Las cotizaciones de Nivel I muestran principalmente los mejores precios internos de oferta y demanda de los valores del NASDAQ. Algunas pantallas de Nivel I muestran incluso el número de creadores de mercado dispuestos a comprar y vender al mejor precio interno de oferta y demanda. Además de los mejores precios de oferta y demanda, la pantalla típica de Nivel I incluye también conceptos técnicos, como el volumen acumulado, el máximo del día, el mínimo del día, el último precio de ejecución, el último volumen negociado y la variación neta de la jornada. Toda esta información que incluye Nivel I constituye lo que se denomina cotizaciones de *primera fila* (figura 13.1).

EXODUS COMMUNICATIONS ‹32T,0969,VELE,82015425›					
EXDS		74 11/16	⇑ +1	500	9:40
High	76	Low	74 1/2		332600
Bid ⬇	74 5/8	Ask	74 11/16		73 11/16

Fuente: The Executioner.com

FIGURA 13.1.

Es importante comprender que el Nivel I, por sí mismo, no sirve para calibrar el interés real que los creadores de mercado tienen en un valor. Falla en muchos sentidos. En primer lugar, no informa al inversor de *quién* está ofertando o demandando el valor. En segundo lugar, no ofrece información al inversor sobre qué cantidad de un valor quiere comprar o vender cada creador de mercado o ECN. Por ejemplo, en el caso de la figura 13.1, hay una demanda para comprar Exodus Communications (EXDS) a 74 5/8 y una oferta para vender a 74 11/16. El inversor no tiene ni idea de quién está realizando la oferta o la demanda, ni de cuántos inversores están en realidad detrás de la oferta y la demanda. Lo que es más, la información de Nivel I no informa al inversor de quién está demandando u ofertando más allá del alcance la oferta o demanda actual y de cuánto está siendo ofertado o demandado. En otras palabras, las cotizaciones de primera fila no proporcionan al inversor una visión en profundidad de la situación actual de un valor. Como resultado de ello, son incompletas y poco adecuadas como herramienta de inversión. El inversor que sólo disponga de información de Nivel I, nunca será capaz de averiguar la verdadera imagen de fuerza o debilidad de un valor.

Desgraciadamente, las cotizaciones de Nivel I son la única forma de información que ofrecen a los clientes los brokers convencionales de Wall Street. Incluso en el mundo avanzado en que vivimos, cerca del 95 por ciento de los brokers individuales no tienen ni tan siquiera acceso a las cotizaciones de Nivel I. Bajo nuestro punto de vista, esto fuerza a la mayoría de estos brokers a ofrecer información incompleta a sus clientes, lo que nos parece un servicio totalmente incorrecto. Gracias a los avances tecnológicos, a la creciente sofisticación de los inversores y a la voluntad de empresas como Executioner.com, el individuo tiene cada vez más a su alcance una transparencia mayor y un acceso más fácil a información más detallada sobre las cotizaciones. El vehículo que proporciona este nivel más profundo de información es lo que se denomina Pantalla de Cotización de Nivel II.

¿QUÉ ES NIVEL II?

Nivel II es lo que realmente deja ver entre bambalinas a los inversores activos. Esta caja provista de códigos de colores muestra todas las empresas creadoras de mercado, especialistas y ECN que están trabajando (comprando y vendiendo) el valor en cuestión. Cada comprador (demanda) y vendedor (oferta) queda identificado por una abreviatura de cuatro letras, para los valores del NASDAQ, y de tres letras para las empresas que negocian acciones del NYSE o el ASE. Nos muestra no sólo los precios de oferta y demanda de la primera fila del Nivel I, sino también los precios secundarios y terciarios que hay debajo. Es en este nivel secundario de cotizaciones donde se encuentra el verdadero valor de las cotizaciones de Nivel II.

Las ventanas de Nivel II reciben el nombre de *ventanas del creador de mercado*. Cada ventana consta de dos partes. La parte superior muestra normalmente lo que antes se ha descrito como sección de Nivel I. La parte inferior de la ventana muestra todos los creadores de mercado y ECN participantes con los distintos niveles de precio, junto con el número de acciones que ofrece cada uno de ellos. Los precios se segregan por colores. Además del precio de oferta y demanda interno, que aparece normalmente en amarillo en la mayoría de sistemas, los colores restantes son sólo para separar los distintos niveles de precio (figura 13.2).

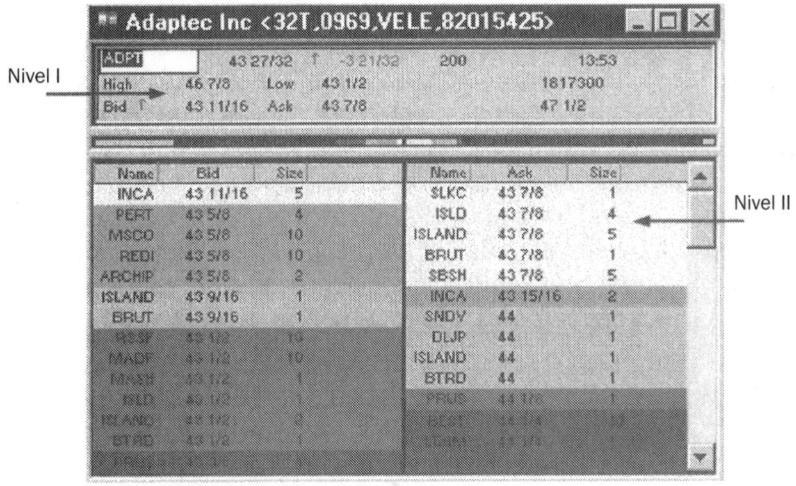

Fuente: The Executioner.com

FIGURA 13.2. **La parte superior de la pantalla muestra cotizaciones de Nivel I, mientras que la parte inferior muestra todos los participantes en el mercado que están comprando y vendiendo Adaptec Inc (ADPT). A destacar que cada nivel de precio está separado por un color distinto o sombreado para facilitar la referencia.**

MOMENTO ALCISTA

En una pantalla de Nivel II, un momento alcista, o un aumento regular de un precio, aparece como un aumento del número de creadores de mercado que se suma a la demanda, dispuestos a comprar, y como un descenso del número de creadores de mercado que aparecen en la oferta, dispuestos a vender. A medida que los creadores de mercado en competencia siguen mejorando el precio aumentando los precios a los que están dispuestos a comprar y vender el valor, se produce una acción escalonada en el sentido opuesto a las agujas del reloj. Cuando los precios se mueven hacia arriba, el inversor que observe la pantalla de Nivel II verá a los creadores de mercado pasando literalmente los unos por delante de los otros para competir y alcanzar la mejor posición para comprar. Los inversores que utilizan ECN compiten también para comprar y pasarán, asimismo, por delante de los creadores de mercado, estrechando el margen a medida que aumente la demanda del valor. Mientras tienen lugar estas competencias y maniobras, tendrá lugar una andanada de inversiones al precio de oferta. Los precios de oferta y demanda aumentarán o se elevarán regularmente. El movimiento de la pantalla tendrá lugar en el sentido contrario a las agujas del reloj. El lado de la demanda en la pantalla de Nivel II se verá presionado hacia abajo con la aparición de precios de demanda más elevados por encima de los existentes, mientras que los nuevos precios de oferta del lado derecho se trasladarán hacia arriba. En otras palabras, los niveles de precio, separados por colores, se ensancharán en el lado de la demanda y se encogerán en comparación en el lado de la oferta, indicando mayor demanda de compra que suministro que vender (figura 13.3).

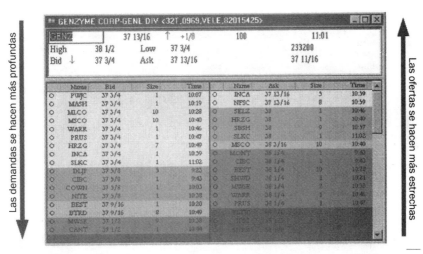

Fuente: *The Executioner.com*

Figura 13.3. **Durante un momento alcista, el lado de la demanda de la pantalla (izquierda) tenderá a moverse hacia abajo y a hacerse más profundo, mientras que el lado de la oferta (derecha) subirá a medida que cada nivel se hace más estrecho.**

Momento bajista

En una pantalla de Nivel II, un momento bajista, o un descenso regular de un precio, aparece como un descenso del número de creadores de mercado que se suma a la demanda y un aumento del número de creadores de mercado que aparecen en la oferta. A medida que los precios de cada lado vayan descendiendo regularmente, el movimiento de la pantalla de Nivel II tendrá lugar en el sentido de las agujas del reloj. En un momento bajista, la mayoría de las transacciones que se vean se producirán al precio de demanda en rojo. Los niveles de precio de oferta del lado derecho tenderán a hacerse más grandes y más anchos que en el lado de la demanda, queriendo decir con ello que la demanda disminuye y la presión de oferta o venta aumenta. Los creadores de mercado, así como el público en general, competirán entre ellos para salirse de ese valor saltando unos delante de otros en el lado de la oferta. Esto a su vez, estrecha el margen y hace bajar el precio de demanda (figura 13.4).

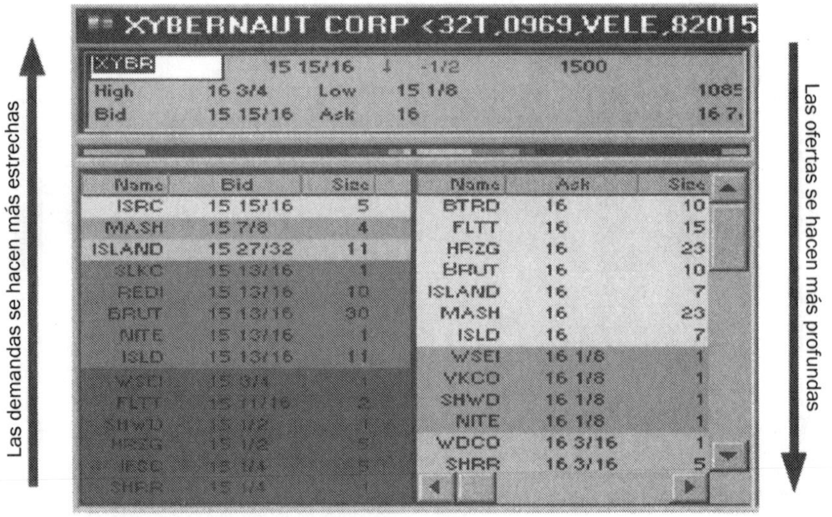

Fuente: The Executioner.com

FIGURA 13.4. **Durante un momento bajista, el lado de la oferta (derecha) de la pantalla tenderá a moverse hacia abajo y a hacerse más profundo, mientras que el lado de la demanda (izquierda) subirá a medida que cada nivel se hace más estrecho.**

MOMENTO NEUTRO O EQUILIBRIO

Una vez alcanzado el equilibrio entre compradores y vendedores, conocido como *punto de saturación*, el inversor notará que el color de las bandas que separan los distintos niveles de precios se emparejan. En otras palabras, el número de compradores y vendedores de cada lado empieza a equipararse. El maestro de la inversión sabrá entonces que el momento está perdiendo velocidad e intentará o bien disminuir el riesgo en una inversión abierta, o bien, se planteará entrar en una nueva inversión dependiendo de la tendencia (figura 13.5).

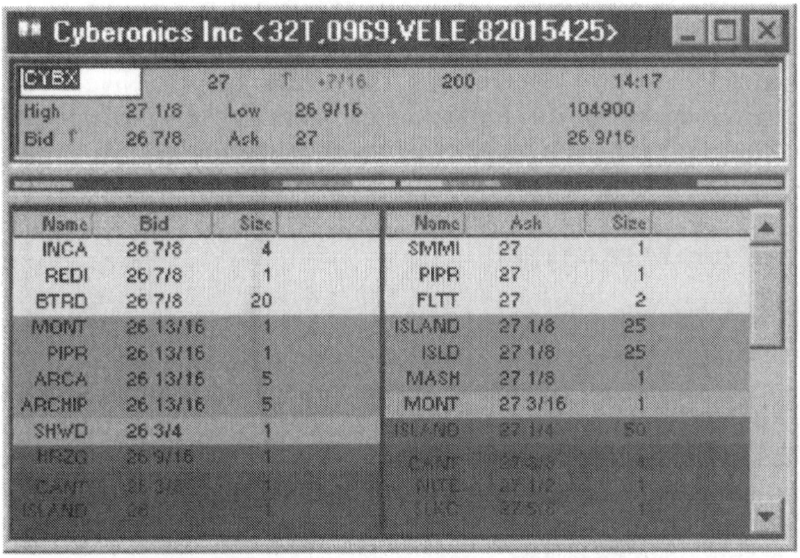

FIGURA 13.5. **Cuando se presenta una ausencia de momento, la frecuencia de inversiones disminuye de velocidad, mientras que la demanda (izquierda) y la oferta (derecha) aparecen neutrales.**

LA UTILIZACIÓN DE ISLD PARA CALIBRAR EL MOMENTO

Una manera excelente de calibrar el momento es observando con detalle la oferta o la demanda de ISLD. Supongamos que usted, un maestro de la inversión, dispone de exceso de un valor que ha estado subiendo. Empieza a percatarse de que el nivel del color interno (la oferta o demanda interna) empieza a equipararse en ambos lados. La oferta ISLD, que representa al público en general, está colgada. Es decir, nadie está dispuesto a comprar la oferta de ISLD. Viendo esto, usted, el maestro de la inversión, decide salir de su inversión alcanzando el precio de demanda. Ha decidido quedarse con el beneficio que obtenga, sea el que sea, porque si el público, representado por ISLD, no está dispuesto a comprar, significa que el valor ha perdido su euforia, al menos en lo que al corto plazo se refiere. No debería olvidar que el profesional es quien más tiende a *vender* el valor cuando sube. Comprar en un momento alcista es lo que hace normalmente el público. ISLD es uno de los espejos a través de los que el maestro de la inversión puede constatar el miedo y la avaricia del público. Las cotizaciones de Nivel II, que permiten observar los movimientos tanto de los profesionales como del público, son indispensables en este sentido.

¿DÓNDE ESTÁ LA CARNE?

En lo que a invertir en valores del NASDAQ se refiere, es importante asegurarnos de que lo hacemos con valores que tengan lo que llamamos «carne». Cuando decimos carne nos referimos a mucha participación e interés por parte de los creadores de mercado. En otras palabras, los valores que nos gustan son aquellos que tienen profundidad. Cuando el maestro de la inversión decide invertir en un valor del NASDAQ, siempre observa la pantalla de Nivel II para ver la profundidad de la participación del creador de mercado en cada nivel de precio. Esto permite al inversor determinar de entrada unas cuantas cosas. Los valores con pocos creadores de mercado situados en cada nivel de precio tienden a tener menos volumen y márgenes más amplios. Aconsejamos a nuestros inversores alejarse de este tipo de jugadas, porque los márgenes tienden a ensancharse y pocas manos controlan el valor. Esto genera un riesgo mayor, ya que márgenes más anchos suelen traducirse en precios más escurridizos, y menos manos controlando el valor permiten más manipulaciones de precio por parte de los profesionales que lo controlan. En estos valores «delgados», sin carne, habrá escasa representación (si alguna) por parte de ISLD, lo que normalmente significa que el valor está completamente dominado por los profesionales. Si el público en general no participa en el valor, la tarea de ganar dinero será mucho más complicada. ¿Por qué? Porque son los errores del público y su falta de conocimientos lo que ofrece al maestro de la inversión las mayores oportunidades de beneficios. Por lo tanto, niveles de precio planos y ausencia de participación ISLD, son signos evidentes de que deberíamos buscar pastos más fértiles donde alimentarnos.

Por otro lado, el tipo de valores en los que nos gusta invertir son aquellos con una participación notable de creadores de mercado en todos los niveles de precio. Siempre que decidimos comprar un valor del NASDAQ, lo único que queremos es asegurarnos de que si uno o dos participantes en la demanda pierden, el siguiente nivel de precio no queda a medio dólar de diferencia. Los riesgos que implican este tipo de jugadas superan en mucho la recompensa para el inversor que empieza. Mientras que las ganancias en estos valores delgados pueden ser sustanciales, el maestro de la inversión comprende que los riesgos son mucho mayores (figura 13.6).

Tenga presente que, como norma general, el número de creadores de mercado que figure en ambos lados nos facilita una indicación general de la fuerza o debilidad de un valor. Si un valor tiene diez creadores de mercado en el lado de la demanda interna y sólo dos en el lado de la oferta interna, significa de entrada que hay más participantes dispuestos a comprar el valor que a venderlo. En entornos de mercado fuertes, esperaríamos que este valor se moviera hacia arriba. Pero en entornos débiles, podría, de hecho, indicar precios más bajos. Discutiremos este concepto en una sección posterior de este capítulo. El caso contrario también sucede (figura 13.7). Un factor adicional a la pregunta de dónde está la carne se refiere a quiénes son los jugadores. La profundidad de participación es importante, pero igual de importante es la calidad de «quien viene a cenar». El maestro de la inversión siempre desea estar rodeado de los Goliat y de los gorilas de más de cien kilos, no frente a ellos. Puede que el joven David derrotara a Goliat en la Biblia, pero en lo que al mercado se refiere, Goliat *siempre* gana. Los maestros de la inversión comprenden muy bien que carecen del capital de los Goliat y que no tienen acceso a su flujo ilimitado de órdenes. Esto hace imposible alcanzar a los grandes inversores. Tomarse las cosas personalmente e intentar luchar cara a cara con ellos sirve sólo para que el inversor acabe rápidamente con su capital.

Si los maestros de la inversión pretenden comprar el valor WXYZ y GSCO se une a su oferta, saben que están en el lado bueno de la situación. Si MSCO no se apunta a la oferta del valor ABCD y sigue refrescando (recargando) el tamaño de sus posesiones, los maestros de la inversión no se apuntarán a la inversión hasta que MSCO suba a un precio más elevado, o cambie hacia la demanda interna, en cuyo caso estarían anunciando su intención de comprar. Es importante que primero calcule el tamaño de sus oponentes. Verifique que sean reales. Luego compruebe su potencia. Y *luego* ponga en marcha su plan. Los maestros de la inversión revalúan constantemente las condiciones. La información y los entornos de mercado no son estáticos y deben controlarse constantemente en busca de cambios. Nosotros, como inversores, no podemos controlar los mercados en los que invertimos. Pero sí podemos controlarnos a nosotros.

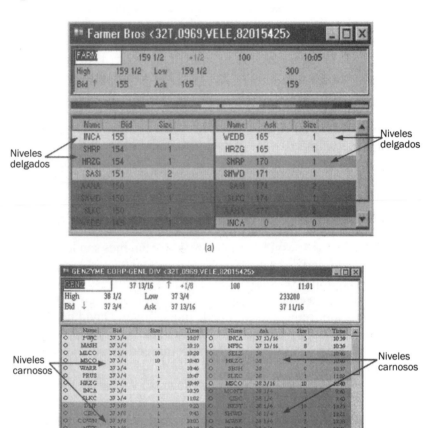

Fuente: The Executioner.com

FIGURA 13.6. (a) Los niveles delgados, en los que además no aparece participación ISDL, suponen un riesgo aumentado. El margen interno para Farmer BROS (FARM) es de 10$. Debería destacarse también que FARM se negocia principalmente en números enteros, aparecen pocas fracciones. Aquí no hay carne. (b) Los niveles de precio carnosos indican mucho interés entre el público y los profesionales y ofrecen al maestro de la inversión diaria una seguridad añadida.

Gran
demanda

Ofertas
pequeñas

(a)

Demandas
pequeñas

Gran
oferta

(b)

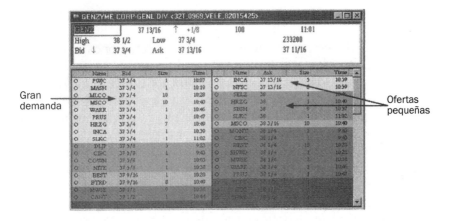

Fuente: The Executioner.com

FIGURA 13.7. **(a) Una gran demanda en un entorno de mercado fuerte
en general, indica más interés comprador que vendedor. Advertencia: no es
necesariamente el caso si el entorno de mercado es débil en general.
(b) Una gran oferta en un mercado débil en general, indica más interés
vendedor que comprador. Advertencia: no es necesariamente el caso
si el entorno de mercado es fuerte en general.**

Hora y ventas: Las pistas de las operaciones individuales

La verdad siempre se encuentra en las operaciones individuales. No es lo que los creadores de mercado nos muestran. Es lo que hacen, las inversiones que realizan, lo que nos ofrece la mejor perspectiva de sus verdaderas intenciones. La *ventana de hora y ventas*, conocida como T&S (Time and Sales), es lo que nos ayuda a ver las operaciones individuales de los grandes jugadores y del público. Puede elegir entre establecer un ticker separado de hora y ventas, o su *software* puede ofrecerle una función que incluya un ticker que evolucione a lo largo de la ventana de su creador de mercado. Muchas empresas de inversión intradía enseñan a sus participantes que si sus inversiones parten de la demanda en rojo, el valor bajará. Por el contrario, enseñan que si las inversiones parten de la oferta en verde, el valor subirá. Mientras que estas afirmaciones básicas son a veces ciertas, no siempre es el caso, ni mucho menos. El ticker de tiempo y ventas, emparejado con la pantalla de Nivel II y los gráficos, puede resultar una combinación muy potente. Los creadores de mercado son conscientes de que a la mayoría de inversores les han enseñado a controlar los movimientos claves de los jugadores y se aprovechan de ello. De este modo, engañan, hacen malabarismos, esquivan y quién sabe qué más hacen para sacudir todas las manos débiles que encuentran y permitir que la fruta caiga del árbol. Nuestra responsabilidad, como maestros de la inversión, es darnos cuenta de esto y estar preparados para contraatacar. Los engaños pueden venir camuflados de diversas maneras: cómo nos muestran sus posiciones como compradores o vendedores, cómo nos enseñan el tamaño de su lote, el tamaño de sus inversiones individuales y cuándo y dónde se producen (figura 13.8).

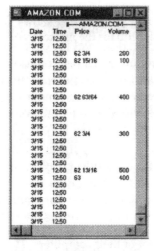

(a)

Date	Time	Price	Volume	Exch	Type	Bid	BSize	BEx	Ask	ASize	AEx	Cond
3/15	12:47				Best Bid	62 5/8	1000	NAS	62 11/16	900	NAS	
3/15	12:47				Best Ask	62 5/8	1000	NAS	62 11/16	900	NAS	up
3/15	12:47	62 5/8	500		Trade							
3/15	12:47				Best Bid	62 5/8	1000	NAS	62 11/16	900	NAS	
3/15	12:47				Best Ask	62 5/8	1000	NAS	62 3/4	3000	NAS	up
3/15	12:47	62 11/16	200		Trade							
3/15	12:47	62 11/16	500		Trade							
3/15	12:47	62 3/4	400		Trade							
3/15	12:47	62 3/4	100		Trade							
3/15	12:47	62 3/4	200		Trade							
3/15	12:47	62 5/8	100		Trade							
3/15	12:47	62 3/4	400		Trade							
3/15	12:47				Best Bid	62 off	1000	NAS	62 3/4	3000	NAS	
3/15	12:47				Best Ask	62 5/8	1000	NAS	62 3/4	2300	NAS	up
3/15	12:47	62 3/4	100		Trade							
3/15	12:47				Best Bid	62 5/8	1000	NAS	62 3/4	2900	NAS	
3/15	12:47				Best Ask	62 5/8	1000	NAS	62 3/4	2700	NAS	up
3/15	12:47	62 3/4	100		Trade							
3/15	12:47	62 3/4	200		Trade							
3/15	12:47	62 3/4	200		Trade							
3/15	12:47				Best Bid	62 5/8	1200	NAS	62 3/4	2700	NAS	
3/15	12:47				Best Ask	62 5/8	1200	NAS	62 3/4	2700	NAS	up
3/15	12:47				Best Bid	62 11/16	100	NAS	62 3/4	2700	NAS	
3/15	12:47				Best Ask	62 11/16	100	NAS	62 3/4	2700	NAS	up
3/15	12:47	62 3/4	500		Trade							
3/15	12:47				Best Bid	62 11/16	1000	NAS	62 3/4	2700	NAS	
3/15	12:47				Best Ask	62 11/16	1000	NAS	62 3/4	2700	NAS	up

(b)

Fuente: The Executioner.com

FIGURA 13.8. **(a) La ventana básica de hora y ventas, muestra las operaciones individuales que experimenta el valor y la hora de su publicación. El tamaño de la acción aparece también en la ventana básica de hora y ventas. (b) The Executioner y otros sistemas sofisticados de inversión con acceso directo ofrecen una ventana de hora y ventas ampliada. Con esta visión ampliada pueden controlarse y valorarse las inversiones individuales, los movimientos individuales de los creadores de mercado y la dirección de cada movimiento de los creadores de mercado.**

Echemos un vistazo al escenario que muestra cómo la ventana de tiempo y ventas puede resultarle útil al maestro de la inversión. Extraemos una cotización de Nivel II de un determinado valor y vemos a los creadores de mercado amontonados en la demanda, anunciando que son compradores. Nos percatamos de que el valor se encuentra cerca del mínimo del día, en un mercado fuerte. En la oferta hay pocos creadores de mercado. Empezamos ya a sentir náuseas. Algo ahí no está bien. Observamos la operativa individual en nuestra ventana de tiempo y ventas para confirmar nuestra sensación. Advertimos operaciones saliendo en el lado de la oferta. Nuestra pantalla se ilumina de color verde. Positivo, ¿verdad? No. Observamos la situación con más detalle y nos damos cuenta de que esas operaciones individuales que aparecen en el lado de la oferta son por lotes de 100 acciones, pequeños en comparación con el tamaño de las operaciones que han estado produciéndose ocasionalmente en el lado de la demanda. Vemos salir 1.000 acciones en la demanda, luego una ráfaga de operaciones menores al precio de la oferta. La probabilidad dicta que este valor irá hacia abajo a lo largo del día. ¿Cuál es la moraleja de esta historia? Controle el tamaño de las operaciones. ¿Están produciéndose operaciones individuales de tamaño considerable en el lado de la oferta o la demanda? Parece básico, pero es un tema que acaba perdiéndose cuando la gente se sienta delante de su ordenador. De un modo u otro, la gente se pierde entre la enorme cantidad de información que se le proporciona.

El maestro de la inversión siempre controlará el tamaño que enseñan los creadores de mercado y las ECN, junto con las operaciones (hora y ventas), para determinar las verdaderas intenciones de los principales jugadores. Instinet es famoso por enseñar, pongamos 1.000 acciones, sólo en la oferta o la demanda, mientras que las operaciones aparecen superando por mucho el tamaño exhibido. Nos damos cuenta de que las operaciones salen a través de otros mecanismos, como SelectNet, pero como que la acción de precio continúa, entonces tenemos que creer que existe un comprador o vendedor que está recargando y enmascarando sus verdaderas intenciones. Ahí podemos elegir entre ignorarlo o esperar a que este comprador o vendedor liquide, antes de llevar a cabo nuestro compromiso.

El seguimiento de operaciones y órdenes nos ayuda cuando un creador de mercado intenta jugar al alza con un valor o hundirlo mostrando una demanda o una oferta enorme para luego inmediatamente retirarla. Si no vemos ninguna operación cuando esta orden desaparece, sabemos que el jugador estaba intentando, simplemente, presionar el valor hacia arriba para conseguir un mejor precio. Pero si realmente aparece una operación en la lista de hora y ventas, entonces tenemos que creer que hay alguien allí que compra o vende en cantidad y entonces podemos plantearnos unirnos a su juego.

Características del creador de mercado

Cada jugador principal de mercado posee su conjunto distintivo de características que, de conocerlas, puede proporcionar al maestro de la inversión varias pistas interesantes. Llegar a conocer cómo pensará y actuará la competencia le ayudará a mejorar el juego.

- *GSCO*. Goldman Sachs, conocido también como Goldy, es la empresa más formidable de Wall Street. Disfruta del mayor respeto por parte de todos los creadores de mercado de dentro y fuera de esa calle, sobre todo del de los inversores intradía. ¿Por qué? Porque no sólo se le considera el creador de mercado más poderoso que existe, sino que está, además, considerado como el más honesto, queriendo decir con ello que sus demandas y sus ofertas son reales. Esto nos lleva a otro importante punto. Los pesos pesados de los clientes de GSCO, muchos de los cuales son personajes muy ricos, grandes instituciones, municipios y gobiernos, permiten que GSCO sea un jugador de más de uno o dos lotes. *Nota:* Un lote equivale a 1.000 acciones. En otras palabras, GSCO operará con 3.000 acciones, o más, por cada precio publicado (de oferta o demanda). Cuando opere con un valor en el que GSCO crea mercado, suponga prácticamente que siempre GSCO es el creador de mercado clave del grupo. Algunos inversores se referirán al creador de mercado clave como el AX. Observar la actividad compradora y vendedora de GSCO proporciona pistas valiosas al maestro de la inversión. Utilizamos a menudo la pantalla de Nivel II de Executioner para destacar GSCO en negro y así facilitar la visualización de sus movimientos.

- *SBSH*. Solomon Smith Barney es una de las mayores empresas de Wall Street y posee una considerable lista de clientes institucionales. SBSH es tan importante como creador de mercado que, a veces, nos referimos a ellos como el «detenedor de valores». También nos referimos a ellos como «hijo de P.», un reflejo de la obstinada tenacidad que este creador de mercado es capaz de demostrar. Lo más interesante es que hemos descubierto que el peso de SBSH es mucho mayor en el lado de la venta (oferta) que en el de la compra (demanda). Este es, en su mayoría, el caso de todos los creadores de mercado clave y es un reflejo del hecho de que las instituciones abandonan los valores con mucha más agresividad que la que emplean para entrar en ellos. Si SBSH opera consistentemente en la demanda y oferta interna de un valor en concreto, tenga por seguro que es un jugador clave y por ello merece ser observado con todo detalle.
- *MLCO*. Merrill Lynch es la mayor empresa de brokers de los Estados Unidos y es por ello que merece un grado de respeto siempre que aparezca en la pantalla de Nivel II. La gran base institucional de MLCO, unida a su gran base de clientes individuales, obliga a observar sus movimientos con cuidado. Mientras que no es tan formidable como GSCO, MLCO suele ser el creador de mercado o AX clave en algunos de los valores más populares del NASDAQ. Antes de que disminuyera el número de valores con los que creaba mercado, MLCO era uno de los creadores de mercado más omnipresentes. Su presencia en el mercado ha descendido algo, pero no lo suficiente como para que el maestro de la inversión le pierda el respeto.
- *NITE*. Knight / Trimark salió de la nada para convertirse en el mayor creador de mercado del mundo, todo en cuestión de pocos años. Representa una nueva cosecha de creadores de mercado y el papel principal que ha desempeñado en dominar una parte muy considerable del negocio del broker *online* lo ha convertido en el creador de mercado más visible de la actualidad. A pesar de que no tiene todavía el peso de un GSCO o de un MLCO, deberíamos prestarle suficiente atención siempre que aparece operando de forma consistente en la oferta o demanda interna de un valor. Es importante desta-

car que el volumen de NITE es por naturaleza, de clientes individuales. En otras palabras, la mayoría de su volumen es resultado de las relaciones que mantiene con los brokers que trabajan *online*. Esto convierte a NITE en un espejo casi perfecto de las acciones del público, o de los jugadores de Bolsa individuales. Serán formidables en los altamente codiciados valores de Internet que los inversores *online* han llegado a amar.

- *SLKC*. Speer, Leeds & Kellogg es la mayor empresa especialista en NYSE que existe, lo que debería dar al maestro de la inversión una pista sobre el poder que existe detrás de este creador de mercado. No juega un papel dominante en todos los valores con los que crea mercado, pero cuando lo hace, su poder y tenacidad son impresionantes. En otras palabras, SLKC puede a veces por sí solo mantener el momento de un valor, adquiriendo cantidades increíbles de éste. Puede también ser un creador de mercado insignificante, por lo que su papel debe considerarse por cómo juega a nivel individual con cada valor.

- *MASH*. Mayer Schweitzer es una subsidiaria de Charles Schwab, la mayor empresa de brokers *online* de los Estados Unidos. Mientras que una buena cantidad de su volumen y actividad representan al mercado individual, tiende a mostrar tamaños considerables de vez en cuando.

- *HMQT*. Hembrecht & Quist es una empresa muy respetada especializada en empresas tecnológicas pequeñas y medianas. Su investigación está considerada de primera clase y eso es lo que atrae hacia ella a los grandes clientes. La fuerza de HMQT como creador de mercado debe determinarse en cada valor por separado. Cuando juega a creador de mercado clave en un valor, su poder y su fuerza se notan por encima de todo. El maestro de la inversión se dará cuenta de que donde más presente está HMQT es en valores con un rango de precio entre medio y bajo.

- *HRZG*. Herzog es otra empresa respetada que se centra en los valores tecnológicos más pequeños, pero de rápido crecimiento. Sus características son similares a las de HMQT. Aparece y su presencia se siente habitualmente en los valores tecnológicos de precio medio y bajo.

- *PRUS*. Prudential Securities, a pesar de su tamaño, no tiene mucho peso todas las veces en que está presente. Pero como muchos otros creadores de mercado de segunda fila, puede ser grandioso de vez en cuando. Una cosa es segura, cuando PRUS juega fuerte en un valor, su tenacidad se siente de una forma increíble. El maestro de la inversión determinará la importancia de PRUS valorando su actividad en cada valor individual en el que invierta.

Evaluación del creador de mercado

Con el paso de los años hemos desarrollado y utilizado con gran éxito un formato de evaluación de creador de mercado que nos ha servido como lista general de «Quién es quién» entre los principales jugadores. Estamos seguros de que esta clasificación de los participantes de mercado más influyentes le servirá de guía en su trato diario con ellos. Están clasificados del 1 al 10, siendo el 10 el más influyente:

GSCO	10
MLCO	9,5
MSCO	9
FBCO	9
SBSH	8,5
NITE	8
PWJC	8
HRZG	7
HMQT	7
MASH	7
MONT	7
PRUS	7

Es importante destacar lo siguiente: GSCO, MLCO, MSCO y FBCO están considerados como creadores de mercado institucionales. Es decir, son los que tienen la carne. La carne es el considerable flujo de órdenes reales que poseen y por eso deberían siempre ser tomados muy en serio como jugadores. El flujo *real* de órdenes al que me refiero es una forma de describir la probabilidad de que se mantengan en el precio cotizado y operen con usted, en lugar de satisfacer una orden y desaparecer de inmediato. Están allí para «trabajarlo». Por lo tanto, cuando se enfrente con ellos, prepárese para poner toda la carne en el asador porque no se andan con juegos. Si piensa que quiere tirar de la cuerda, tenga por seguro que pronto estará buscándose una nueva afición. Ellos tienen el poder para quedarse con su comida, si no saben qué es lo que usted pretende hacer.

Igual de importante es saber que hay empresas creadoras de mercado que rara vez mantienen valores a largo plazo y que tampoco están dispuestas a comprometer el capital en firme. Buscan, habitualmente, obtener una parte de la acción que se lleva a cabo en el gran volumen de órdenes individuales. Esta práctica se conoce como *meterse entre las órdenes*. Se establecen acuerdos con las empresas individuales para el flujo de las órdenes e intercambian rápidamente acciones con cualquiera por pequeños beneficios fraccionados. Empresas creadoras de mercado, como Mayer & Schweitzer (SMASH) y Herzog (HRZG), son conocidas como «casas de intercambio» y a menudo son sólo reales si disponen de órdenes. Rara vez comprometen capital en firme a una posición determinada y rara vez son factores reales a considerar en cuanto al precio (si no disponen de una orden). En otras palabras, juegan sólo por obtener el margen.

Averiguar quién es el pez gordo

Todo valor del NASDAQ tiene como mínimo, un creador de mercado dominante que controla la mayoría de la acción, si no toda. A este creador de mercado le llamamos el «pez gordo». Una de las primeras tareas del maestro de la inversión consiste en determinar quién es exactamente ese pez gordo. La segunda tarea consiste en determinar qué es lo que está haciendo el pez gordo, comprar o vender. Naturalmente, se trata de algo más fácil de decir que de hacer, ya que ningún creador de mercado mostrará intencionadamente sus cartas. Tenemos, sin embargo, algunos trucos que ayudarán al maestro de la inversión a determinar, con un buen grado de precisión, quién es el pez gordo y qué está haciendo ese pez gordo. Armado con este conocimiento, el maestro de la inversión será capaz de mejorar el momento propicio de entrada y salida.

- El creador de mercado que consistentemente es el último en abandonar una oferta o demanda interna es el pez gordo. Subraye a esa persona y obsérvela.
- El creador de mercado que consistentemente realiza transacciones de 3.000 acciones o más en cada nivel de precio, es habitualmente el pez gordo. El pez gordo suele moverse en incrementos de precio nominales. Es decir, los jugadores clave tienden a realizar transacciones en niveles de precio cercanos el uno del otro. Por ejemplo, GSCO tiene un precio de demanda de un valor de 40 3/8. Después de quedarse con varios miles de acciones a 40 3/8, GSCO baja a 40 1/4. El pez gordo no bajará normalmente a 39 3/4. Mientras que esto sucede a veces, los jugadores clave de un valor tenderán a ser activos en cada nivel.
- El creador de mercado que consistentemente realiza transacciones de más acciones que las que en realidad muestra, es normalmente uno de los jugadores clave. Por ejemplo, PWJC muestra una oferta por sólo 1.000 acciones, pero vende 8.000 acciones. O HRZG que muestra una demanda por sólo 100 acciones, pero compra 2.000 acciones, refrescando continuamente la cotización por 100 acciones.
- El creador de mercado que continuamente se acerca a la demanda de un valor que va a la baja a un precio superior al de cualquier otro creador de mercado, es el pez gordo. Es lo que se denomina *apoyar el valor* y normalmente se produce cuando las condiciones generales del mercado son complicadas y se debilitan. Veamos un ejemplo. WYYZ está bajando firmemente. El precio actual de demanda de WYYZ es 40, y el de oferta es a 40 1/4. SBSH, MLCO, HRZG y SHWD demandan el valor a 40, mientras que PWJX ofrece el valor a la venta a 40 1/4. SBSH pasa el precio de demanda a 40 1/8 y se convierte en la única cotización a 40 1/8. SBSH compra 1.000 acciones y vuelve a bajar la demanda a 40. Varios minutos después, SBSH sube una vez más el precio de demanda a 40 1/8, adquiere varios miles de acciones y luego vuelve a

bajar a 40. SBSH puede que suba el precio de demanda una vez más en un mercado debilitado y los demás empiecen a reconocerlo. Verá entonces una ECN uniéndose a la demanda, probablemente INCA o ISLD. Prepárese entonces, porque el juego sólo acaba de empezar. Esta acción señala al maestro de la inversión que el creador de mercado es un acumulador clave del valor y sus movimientos futuros deben observarse con detalle y estar preparado para ver si cuando mejoren las condiciones generales del mercado, sigue actuando entonces en consecuencia.

El juego del atasco

Hay momentos en los que a un creador de mercado le interesa ayudar a provocar un fuerte aumento de precio y/o regular en un valor. Supongamos que un creador de mercado ha recibido la orden de uno de sus mayores clientes institucionales de comprar 100.000 acciones de ABCD, Inc. El creador de mercado ya ha acumulado (comprado) 78.000 acciones de la orden total de 100.000 acciones y lo ha hecho principalmente utilizando Instinet, quedando todavía 22.000 acciones pendientes de comprar. En este caso, el creador de mercado decide utilizar el poder de comprar las 22.000 acciones que aún le faltan para empujar el valor hacia arriba. Si el creador de mercado puede conseguirlo, su cliente ganará dinero con las 78.000 acciones ya adquiridas y el creador de mercado podrá satisfacer algunas de las restantes 22.000 acciones de su inventario personal a precios mucho mayores, consiguiendo una buena ganancia en el proceso. En otras palabras, el creador de mercado utilizará la fuerza del dinero de su cliente para llevar el precio hacia arriba, luego satisfará la última parte de la orden de su cliente vendiéndole directamente al cliente, pero no antes de trabajar para poner los valores a un precio más favorable (rentable). Atascar la demanda es un método que utilizan los creadores de mercado para provocar este avance. Veamos cómo funciona.

• ABCD se cotiza entre un precio de demanda de 40 y uno de oferta de 40 1/4. GSCO ya ha acumulado 78.000 acciones y le quedan por adquirir 22.000 acciones, antes de satisfacer la totalidad de una orden de compra de 100.000 acciones.

- Mediante Instinet (INCA), GSCO «engancha la demanda» por 1/16. Lo que esto significa es que GSCO utilizará INCA como vehículo de compra e instruirá a INCA para que mantenga un precio de demanda 1/16 *por debajo* de la mejor oferta, sea cual sea el precio actual. En este caso, la mejor oferta es de 40 1/4.
- De pronto INCA, manipulado por GSCO, aparece en la pantalla de Nivel II en el lado de la demanda a 40 3/16, 1/16 por debajo de 40 1/4, la mejor oferta. Públicamente, GSCO estará sentado en la oferta mostrándose como un vendedor del valor. El maestro de la inversión mira más allá de lo evidente y utiliza la lista hora y ventas como una amiga. El público cree que GSCO está como vendedor y se deshace de sus acciones cuando, de hecho, después de que su oferta haya sido comprada, GSCO se «esfuma» y eleva su precio de oferta.
- Este movimiento agresivo de INCA manda un mensaje al mundo anunciando que hay un importante comprador que desea de tal manera el valor que está dispuesto a subir bruscamente el precio que pague por él.
- Viendo este movimiento, otros inversores y creadores de mercado se unen a la demanda. Otros deciden comprar de las ofertas a 40 1/4. Esto sigue enviando el mensaje de que el comprador que utiliza INCA desea de tal manera el valor que lo persigue aun subiendo de precio.
- El precio de oferta se mueve rápidamente a 40 3/8, e INCA, a quien GSCO tiene «enganchado» por 1/16, sube a un nuevo precio de demanda de 40 5/16.
- Una vez más, otros creadores de mercado se unen a la demanda de INCA, *mientras que otros toman la oferta.* Recuerde que GSCO tiene que comprar aún 22.000 acciones, lo que puede hacer de dos maneras: (1) comprando al precio de demanda de INCA, siempre y cuando algunos vendedores alcancen el precio de demanda que GSCO tiene en INCA, o (2) el escenario más probable para realmente obtener este valor que se balancea y asciende es empezar agresivamente a sacarse de encima la oferta. Utilizando este equilibrio que queda GSCO empieza a destrozar esa oferta y entonces cambia

simultáneamente el sentido de la demanda, apareciendo públicamente en la pantalla de Nivel II como comprador. Los inversores se percatan de que Goldy ha cambiado de sentido y ven cómo empiezan a acumularse las operaciones individuales en el lado de la oferta. Por todo el país empiezan a zumbar los tickers de los inversores con una avalancha de operaciones de color verde. Todo el mundo se siente excitado y salta a por ello, creando un momento más alcista todavía.

- INCA sigue atascando la demanda mientras este tango orquestado continúa. La oferta sube. INCA atasca la demanda por 1/16, escalonándola hacia arriba. Y todo sigue hasta que nos damos cuenta de que ABCD se ofrece a 40 7/8.
- GSCO, sirviéndose de INCA para atascar la demanda, ha encendido la pasión y ha soplado un poco la llama, moviendo efectivamente el valor hacia arriba y consiguiendo que la posición del cliente sea mucho más rentable. Lo más probable es que conseguidos estos niveles más altos, venda al público parte del valor que consiguió barato a precios más bajos a través de una ECN, consiguiendo una ganancia de 5/8 de punto. Un buen negocio. Recuerde, nuestra clave aquí fue INCA. Una vez nos damos cuenta de que INCA ya no sube más su precio de demanda y el valor empieza a experimentar un efecto de quitarse de encima lo que hay, la sesión de atasco se convierte en un no parar de la caja registradora.

El maestro de la inversión que capta el inicio de una sesión de «atasco» y es capaz de interpretar adecuadamente estas acciones, puede involucrarse y unirse al juego. Una vez haya usted asimilado la situación, demande el valor, únase a INCA utilizando ISLD, o incluso demande en plan ladrón mediante una orden de SelectNet Broadcast. Una vez se haya construido una posición, busque los signos reveladores mencionados anteriormente y apoye alegremente a quien quiera involucrarse vendiéndole lo que ha comprado a un precio superior. Tenga presente que normalmente no se trata de grandes movimientos. Sin embargo, en algunos casos, pueden llegar a ser muy fuertes, firmes y seguros de generar unos beneficios más que decentes.

Aconsejamos a nuestros inversores que, una vez hayan detectado una sesión de atasco, compren sólo dos veces y vendan dos o tres veces. Esto aumentará las posibilidades de que el inversor no compre gran cantidad cerca o en el tope de precio, y que esté ya en modo venta cuando se establezca el tope de este micromovimiento. *Consejo:* en las microinversiones, el maestro de la inversión vende cuando el valor sube, mientras que los inversores principiantes esperan primero que aparezcan problemas, y luego venden a la baja. El mantra de Pristine es el siguiente: *Venda cuando pueda, no cuando deba.* Este proceso es precisamente el contrario a la venta en corto de un valor que está atascado hacia abajo.

El juego del montón de pancakes

El término «pancake» fue acuñado por el profesor de nuestra casa, Mike Campion, cuya afinidad por la buena cocina y la inversión ha dado como resultado que el arte de la inversión haya adquirido un nuevo «sabor» para todos nosotros.

La mayoría de los inversores noveles que acceden a las cotizaciones de NASDAQ Nivel II, dan automáticamente por supuesto que cuando hay muchos creadores de mercado amontonados en el lado de la demanda (compra), existe una gran demanda del valor, lo que a su vez, sugiere fuerza. Dan por sentado, también, que cuando muchos creadores de mercado se amontonan en el lado de la oferta (venta), el valor es débil. Mientras que resulta comprensible que estos supuestos básicos los asuman inversores mal informados, están lejos de ser correctos en muchos casos. Lo que es una pena es que existan todavía tantas empresas de inversión intradía con programas de formación que se califican como avanzados, que sigan impartiendo estos conceptos erróneos. Los maestros de la inversión no sólo saben que «no es oro todo lo que reluce», sino que saben que si reluce, probablemente no se trata de oro. ¡Cuidado con lo evidente! Miremos un ejemplo para comprender el juego del pancake.

EGGS está cotizando al máximo de la jornada. El precio de demanda actual está a 10 7/8 y la oferta actual, que es también el máximo del día, está a 11. Un vistazo rápido al gráfico de cinco minutos nos muestra que después de subir a primera hora de la mañana desde 9 7/8 hasta su máximo, EGGS apenas ha retrocedido. En segundo lugar, en la pantalla de Nivel II, nos damos cuenta inmediatamente de que mientras que sólo hay una ECN realizando una demanda a 10 7/8, hay un una pila de creadores de mercado sentados, como de tortitas, en el precio de oferta a 11 dólares. En este punto decimos: «caray». La imagen que se nos presenta es de debilidad. En otras palabras, los principales creadores de mercado están anunciando sin miedo alguno a todo el mundo que son vendedores. La imagen de Nivel II insinúa también que, en realidad, no hay nadie dispuesto a saltar al ruedo y crear demanda, comprar el valor. La inclinación natural es la de considerar el valor como un valor débil, saturado, carente de demanda y, por lo tanto, posicionado para el declive. Aunque la imagen es la descrita, reconocemos que hay algo que no cuadra. ¿Podría ser una imagen *falsa* presentada por los jugadores clave sólo para echarnos, para desviar nuestro olfato? ¿Por qué estarían tan dispuestos unos vendedores reales a mostrarse al mundo como grandes vendedores? Mire, los maestros de la inversión, en un escenario como este, se preguntarán lo siguiente: «Si todo el mundo quiere en realidad vender el valor, ¿por qué está cotizando tan alto? Mejor aún, ¿por qué no retrocede el valor o se saca de encima ese único demandante a 10 7/8, si tan saturado está, a 11 dólares?» Si el valor se encontrara de verdad bajo una enorme presión vendedora, tal y como sugieren el montón de ofertas, el valor empezaría a caer inmediatamente. ¡Evidentemente algo no cuadra!

Una observación más detallada revela que en la oferta están teniendo lugar operaciones de tamaño considerable y que las que van a la demanda son nominales en comparación. El punto a comprender es que ellos, los creadores de mercado, saben que les están observando las «ovejas» y que los observadores mal informados de las pantallas de Nivel II caerán probablemente ante esta «falsa» exhibición de debilidad. Están intentando distraer su atención, forzarle a soltar sus acciones a un precio excesivamente barato, justo antes de que surja otro potencial movimiento hacia arriba. No nos ha pasado por alto que este «fenómeno pancake» se produce en una cifra entera (como 13, 19, 22, etc.) en contraposición a una cifra fraccionaria (como 12 1/8, 15 3/16, 25 11/16). Viendo todo esto, verificamos nuestros gráficos de cinco y quince minutos en busca de signos de resistencia por arriba que pudieran provocar el fallo de algo por encima de 11 dólares. No existe ninguna resistencia como un máximo anterior o una simple media móvil 200 cercana que pueda disuadirnos. Finalmente, observamos el momento de la mañana en que nos encontramos, sólo para asegurarnos de que no planifiquemos una entrada a EGGS durante el período de la calma chicha del mediodía (11:15 a.m. a 2.:15 p.m., Costa Este), ya que muchas salidas hacia nuevos máximos del día fracasan en este período de tiempo. Entonces nos pedimos un buen plato de tortitas de EGGS. Sabemos, debido a muchas experiencias, que este escenario es un engaño de un creador de mercado y que esta «oferta amontonada» será pronto devorada, enviando a EGGS hacia un nuevo máximo.

Hay dos cosas que deben suceder antes de que amontonemos este valor. Repasémoslas a continuación. El primer prerrequisito es que necesitamos que la ventana de hora y ventas nos revele un par de lotes de 1.000 acciones operados a 11 dólares. Una vez hayamos sido testigos de una pequeña cantidad de operaciones a 11 dólares, el segundo y último requisito es que entre dos y tres creadores de mercado situados en la oferta tengan que subir a un precio más elevado o cambien la dirección y pasen a la demanda. No importa cuántos creadores de mercado estén en este momento situados en la oferta. Sólo necesitamos ver que dos o tres suben. Esta es la señal de que el valor está a punto de madurar. Una vez tengamos eso, compraremos la oferta a 11 dólares. Entonces nos pondremos el cinturón de seguridad porque, si los miles de juegos del pancake que hemos hecho a lo largo de los años nos sirven de alguna guía, estamos a punto de realizar un viajecito divertido. Ese aparentemente débil escenario que se muestra para engañar a los novatos, es para nosotros un filón y esperamos que lo sea también para usted.

No se debe pasar por alto que el juego del montón de pancakes funciona también en sentido contrario, aunque vender en corto en un momento bajista es mucho más duro que comprar en un momento alcista. Debemos señalar también que el juego del montón de pancakes es una pura estrategia de especulación o de microinversión. No está pensado para los que buscan obtener las grandes ganancias que implican conservar el valor para el día siguiente. El juego del montón de pancakes representa la quintaesencia de la estrategia de comprar y cambiar el sentido del juego.

14. Herramientas y tácticas de entrada

Una guía paso a paso para acceder a los valores como un profesional

Una entrada adecuada es el 85 por ciento de una inversión ganadora

No se confunda, amigo mío. La parte más crítica de cualquier inversión es la entrada. Los inversores que acceden adecuadamente a un valor y en el momento adecuado, disfrutan de un porcentaje de victorias muy superior a los que acceden mal a él. Iremos incluso más lejos, afirmando que si consigue entrar bien, tiene ya en su mano el 85 por ciento del éxito de la inversión. El restante 15 por ciento no es más que gestión de la inversión y habilidades para realizar beneficios, que cubriremos en detalle en siguientes capítulos.

Cada vez que usted realiza una inversión está colgando de un hilo un capital que le ha costado mucho conseguir. Querrá asegurarse de que coloca ese dinero de la manera adecuada. Dese cuenta de que todo buen plan o estrategia de inversión debe estar comprendido por tres componentes: una entrada y dos salidas. Una salida por debajo del precio de entrada, conocida como *stop inicial con pérdida*, y una salida por encima del precio de entrada, conocida como *precio objetivo*. Pero si realiza mal la entrada, corre el riesgo de arruinar toda la inversión. Es por ello que es tan necesario comprender claramente y con exactitud cuándo, dónde y cómo atacar (entrar). Profundicemos ahora en este imprescindible universo de acceder a los valores de forma adecuada.

Concebimos tres técnicas de entrada que nos han funcionado muy bien durante muchos años. Hemos enseñado estos tres métodos de entrada a inversores de todo el mundo y estamos seguros de que, una vez comprendidos, elevarán su momento y sus habilidades de inversión a las de un maestro. Estudiamos estas tres técnicas sin mayor dilación.

Técnica de entrada n.º 1: La compra clave

DESCRIPCIÓN DE LA COMPRA CLAVE

Invertir con éxito requiere la habilidad de encontrar dos grupos de individuos mal informados: (1) Los acosados por el miedo y ansiosos por entregarle su mercancía (valor) a un precio excesivamente barato, y (2) Los guiados por la avaricia, dispuestos a comprarle su mercancía (valor) a un precio excesivamente caro. El escenario de la compra clave fue concebido para ayudar al maestro de la inversión a entrar en el mercado como comprador, precisamente cuando el grupo acosado por el miedo y el temor está impaciente y con ganas de abandonar el juego. Esta sencilla técnica de entrada es uno de los conceptos más potentes de nuestro arsenal inversor. De hecho, es tan potente que a menudo puede utilizarse como una técnica de inversión aislada. Si la comprende de verdad y la utiliza adecuadamente, estamos seguros de que su nivel de habilidad en el mercado se elevará sustancialmente.

El escenario de la compra clave implica tres sencillos pasos: dos criterios básicos de escenario y una acción. Estudiemos primero cuáles son esos dos criterios y esa acción.

EL ESCENARIO DE LA COMPRA CLAVE

1. *Nuevo máximo*. Este criterio requiere la existencia de un valor que recientemente haya alcanzado un máximo más alto

que en su anterior subida. No debemos confundirlo con su máximo histórico, o máximo de las 52 semanas. Estamos, simplemente, interesados en valores que hayan experimentado recientemente una recuperación robusta para asegurarnos de que tratamos con valores que se han comprado agresivamente. Una de las guías generales que seguimos es la siguiente: el valor debería haber llegado a un nuevo máximo no más lejos de ocho barras (días, si trabajamos con gráficos diarios) atrás.

2. *Tres o más máximos consecutivos más bajos.* Este criterio requiere la existencia de un valor que haya experimentado un declive de tres barras o más. Es algo similar a la estrategia de entre tres y cinco barras de caída descrita en un capítulo anterior. Pero en este caso, una simple caída de tres barras no es suficiente. Debe ser una caída de tres o más barras, acompañada además por tres o más máximos consecutivos más bajos. Es decir, el máximo de cada barra hacia abajo debe ser inferior al máximo de la barra anterior.

Queremos dejar constancia de que en estos criterios utilizamos a propósito el término «barra», en lugar de «día». Lo hacemos así porque este concepto es aplicable a plazos de tiempo intradiarios, así como a diarios y semanales. Una vez un valor cumple estos criterios, el maestro de la inversión está listo para el paso 3, la acción.

La acción

3. Comprar el valor, siempre que cotice entre 1/16 y 1/8 por encima del máximo de la barra anterior.
   Observemos la figura 14.1, un diagrama del escenario de la compra clave.

   Criterio 1: Nuevo máximo reciente.
   Criterio 2: Tres o más máximos más bajos.
   Criterio 3: Comprar entre 1/16 y 1/8 por encima del anterior máximo.

El escenario de la compra clave

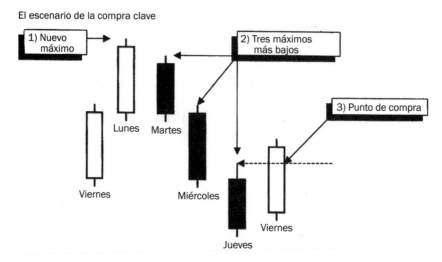

FIGURA 14.1. **El escenario de la compra clave.**

Ahora observemos unos cuantos ejemplos reales (figuras 14.2 y 14.3).

Ahora, cuatro palabras sobre huecos. Supongamos que el valor que pretende comprar, después de cumplir los dos primeros criterios, presenta en la apertura de la sesión un hueco alcista excesivo (o hacia abajo en el caso de venta). ¿Cómo debería manejar este escenario? ¿Debería comprar inmediatamente después de la apertura? ¿Debería comprar más tarde? ¿O la acción correcta sería dejar correr la inversión? Podemos pasar ahora a instruirle sobre la forma correcta de manejar valores que presentan, al empezar la sesión, huecos alcistas (o hacia abajo, en el caso de venta) después de haber satisfecho los primeros dos criterios del escenario de la compra clave. Tenga presente que en los mercados volátiles de hoy en día, los huecos son fenómenos muy frecuentes. Y el inversor que carece de habilidad para manejarlos juega con una clara desventaja. Su habilidad para jugar con los huecos como un profesional convertirá dichos huecos en un amigo, no un enemigo. Está usted a punto de aprender a manejarlos ahora que pasamos a otra técnica de entrada, la técnica de compra a los 30 minutos.

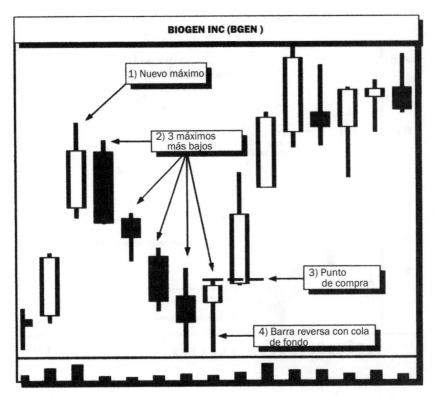

BIOGEN INC (BGEN)

1) Nuevo máximo

2) 3 máximos más bajos

3) Punto de compra

4) Barra reversa con cola de fondo

Fuente: The Executioner.com

FIGURA 14.2. **Este gráfico diario de BGEN muestra un escenario de compra clave casi perfecto. Después de alcanzar un nuevo máximo (criterio 1), BGEN experimenta cinco máximos consecutivos más bajos (criterio 2). Observe que el descenso acabó con una barra reversa alcista, acentuada por una cola de fondo. Llegado este punto, el escenario de compra clave exige el paso 3: una compra por encima del máximo de la barra reversa alcista. Esa es la primera vez que BGEN fue capaz de cotizar por encima del máximo de la barra anterior. Como puede ver, siguió a ello una rápida recuperación. Consejo: Los maestros de la inversión agresivos podrían comprar (cerca del cierre) en cualquier barra reversa alcista que siguiese una caída de entre tres y cinco barras.**

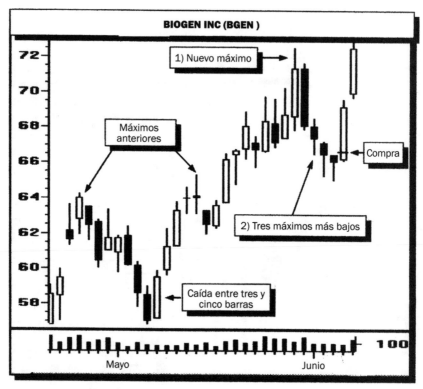

Fuente: The Executioner.com

FIGURA 14.3. **Este gráfico diario de LXK muestra dos caídas de entre tres
y cinco barras. Es la segunda caída la que establece una compra clave perfecta.
Poco después de un nuevo máximo (criterio 1), LXK experimenta un declive
acompañado por tres o más máximos más bajos consecutivos (criterio 2).
El paso 3 exige comprar en cuanto LXK cotice por encima del máximo
de la barra anterior. Observe la brusca recuperación que siguió.
Tan fácil como contar hasta tres.**

Técnica de entrada n.º 2: La compra a los 30 minutos

DESCRIPCIÓN DE LA COMPRA A LOS 30 MINUTOS

El maestro de la inversión debe saber que los primeros veinte a
treinta minutos de cotización son, quizá, el período más difícil del día,
sobre todo cuando el mercado está posicionado para abrir con mucha

fuerza. ¿Por qué? Porque las órdenes de compra que se han acumulado a lo largo de la noche y justo antes de la apertura ofrecen a los creadores de mercado profesionales y a los especialistas una ventaja adicional de la que no disfrutan en ninguna otra franja de la jornada inversora. Estas órdenes de mercado acumuladas les proporcionan información avanzada, o interna, sobre la abundante demanda de un determinado valor, lo que les da mucha más capacidad para influir sobre el precio de apertura de un valor. Esto es lo que provoca que los valores presenten huecos alcistas, grandes cantidades de órdenes de compra acumuladas, cursadas antes de que abra el mercado de valores. Pero aquí está la clave, una clave muy importante. En muchos casos, la cantidad con la que el creador de mercado profesional o especialista abre la cotización del valor es a menudo excesiva, estableciendo lo que denominamos una *trampa alcista*. En otras palabras, el valor abre hacia arriba artificialmente para absorber a los compradores principiantes (los que compran simplemente porque un valor sale acompañado de buenas noticias o parece fuerte), de modo que los profesionales puedan salirse de él. Recuerde, toda orden de compra se empareja, al otro lado, con una orden de venta. La pregunta es quién es el más listo en este caso. ¿El comprador o el vendedor? Cuando un valor presenta un hueco excesivo hacia arriba, el inteligente suele ser el vendedor. Esta es la razón por la cual tantos valores con huecos alcistas tienden a retroceder con bastante brusquedad después de los primeros diez o veinte minutos de cotización. Una vez han sido satisfechas las abundantes órdenes de compra anteriores a la apertura del mercado, la demanda ha desaparecido y el valor tiende a dar paso a la venta «profesional» y a una ausencia de demanda. Pero existe una excepción, y es esta excepción la que establece el escenario para una de nuestras tácticas de inversión intradiaria más poderosas. *Nuestros estudios han demostrado que si un valor que presenta un hueco alcista es capaz de cotizar a un nuevo máximo diario después de treinta minutos de cotización, la fuerza demostrada en la apertura no era artificial, sino real.* La fuerza en este caso es real, porque queda confirmada por las compras continuadas *después* de las prisas de primera hora (aproximadamente los primeros veinte minutos de sesión). Este simple descubrimiento nos animó a concebir una sencilla, aunque poderosa forma, para que el inversor capitalice en los valores que son verdaderamente fuertes. Es lo que llamamos la regla de compra del hueco de los treinta minutos. Veamos cómo funciona.

El escenario de la compra a los 30 minutos

1. El valor debe presentar un hueco alcista al inicio de la sesión de 5/8 o más. En la mayoría de los casos, un hueco alcista superior a un dólar estará relacionado con algún tipo de noticia, lo que está bien. *Nota:* Es mejor si el valor no remonta en exceso desde su precio de apertura. Mientras que no es absolutamente crucial, hemos averiguado que los valores que presentan un hueco y pierden velocidad inmediatamente son los mejores candidatos para aplicar esta estrategia.

La acción de la compra a los 30 minutos

2. Una vez el valor ha iniciado la sesión con hueco, el maestro de la inversión debe dejar que cotice durante media hora. Durante este tiempo, no es necesaria otra acción que la de observar el valor. A menudo, el inversor observará y controlará varios valores que hayan satisfecho el anterior criterio.
3. Agotados los treinta minutos, el maestro de la inversión establece una alerta de 1/16 por encima del máximo del día, que en muchos casos no estará muy alejado del precio actual.
4. Una vez disparada la alerta (el valor alcanza un nuevo máximo del día), el inversor compra con un stop de protección 1/16 por debajo del mínimo del día. Con esto se consigue una jugada de bajo riesgo. *Nota:* la situación ideal se produce cuando el valor alcanza un nuevo máximo del día en cuestión de una hora después de la primera media hora de cotización. Pero no dejemos que la ausencia de una situación ideal entorpezca nuestra acción. La jugada puede llevarse a cabo en cualquier momento en que el valor alcance un nuevo máximo diario después de treinta minutos de cotización. Es sólo que nuestras investigaciones demuestran que los mayores movimientos se producen cuando el valor lo alcanza después de que hayan transcurrido varias horas de cotización.
5. Una vez adquirido el valor, el maestro de la inversión utilizaría los pasos de gestión de la inversión y realización de beneficios explicados en los siguientes capítulos.

Estudiemos un ejemplo real (figura 14.4). Ahí está. Una sencilla, aunque potente forma de capitalizar los huecos. Esta estrategia presenta un potencial de beneficios por encima de la media, además de una medida de seguridad inherente, conocida como *stop de protección*. Además, ayuda automáticamente al inversor a distinguir entre aquellos valores que abren fuerte de forma artificial y los que son verdaderamente explosivos. Se trata de una estrategia poderosa y, como estudiante del mercado, recibirá su recompensa si hace un buen uso de ella. Aprovechamos este momento para darle la bienvenida al círculo de campeones. Ahora tiene usted la capacidad de leer y operar con los huecos como un profesional.

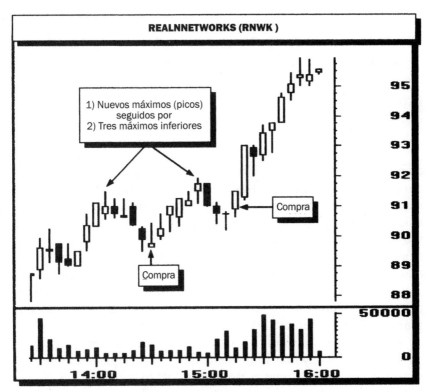

Fuente: The Executioner.com

FIGURA 14.4. **Este gráfico de 5 minutos de RNWK demuestra lo viable que es el escenario de la compra clave en todos los momentos. Este ejemplo de RNWK muestra dos oportunidades de compra. Los máximos o picos vienen primero (1), seguidos por tres o más máximos individuales inferiores (2). Una vez RNWK cotiza por encima del máximo de una barra anterior, el maestro de la inversión intradiaria ataca (compra). Queremos destacar la consistencia de las remontadas que siguieron.**

Ahora es necesario que cubramos nuestra última técnica de entrada. Se trata de nuestro principal método de entrada a esas microinversiones especulativas intradiarias que tanto gustan a los inversores más activos. Estamos seguros de que esta última técnica de entrada le resultará esclarecedora, ya que es la base de un estilo de microinversión intradiaria inteligente que nos ha proporcionado beneficios diarios en el mercado durante muchos años. Prosigamos rápidamente para descubrirle las maravillosas posibilidades que esta técnica de la explosión de última hora del día tiene que ofrecerle.

Técnica de entrada n.º 3: La compra de la ruptura de última hora

INTRODUCCIÓN A LA COMPRA DURANTE LA RUPTURA DE ÚLTIMA HORA

Los verdaderos maestros de la inversión no enfocan las situaciones desde un punto de vista unidimensional. Los inversores maduros, que han avanzado hasta el reino que nosotros denominamos maestría, saben cómo manejarse en varias dimensiones, en varios entornos de tiempo y con varios estilos de inversión. La inversión intradiaria (o microinversión) es la más exigente de todas las inversiones y a menudo requiere el mayor grado de habilidad y, sin duda, el mayor grado de estabilidad psicológica y emocional. La técnica de entrada en la inversión intradiaria que estamos a punto de mostrarle, constituye la base sobre la que está construida una gran parte de nuestro estilo de microinversión.

La técnica de la ruptura o *breakout* de última hora, le proporcionará la primera y más importante herramienta que todo microinversor necesita para tener éxito a largo plazo como ágil especulador. Si tiene verdadero deseo de ser capaz de microinvertir en el mercado con destreza y habilidad, le animamos a que profundice en la siguiente sección. Si lo hace, conseguirá una habilidad que tiene el poder de recompensarle durante toda la vida. A nosotros nos ha recompensado. Por lo tanto, sin más dilación, echemos un vistazo a esta importantísima técnica intradiaria, denominada el *breakout* de última hora.

DESCRIPCIÓN DE LA RUPTURA DE ÚLTIMA HORA

La última parte de la jornada bursátil ofrece al maestro de la inversión una de las mejores oportunidades para recoger importantes ganancias con la microinversión. Aconsejamos a nuestros estudiantes e inversores dividir toda jornada inversora en tres partes: el inicio, el intermedio y el final. Sabemos que suena muy evidente, pero como ya hemos explicado antes en este mismo capítulo, suele ser la mitad de la jornada la que roba a muchos inversores los beneficios obtenidos por la mañana a partir de inversiones del día anterior y de microinversiones de primera hora del día. A esta media parte del día, que empieza alrededor de las 11:15 a.m. y termina hacia las 2.15 p.m., la denominamos la calma chicha del mediodía (véase capítulo 7 para más detalles) y a menudo actúa para los microinversores a modo de peligroso agujero negro. Pero este período de tres horas de actividad apagada es también la incubadora de campos de cultivo para uno de los períodos mejores de inversión de la jornada, el período de la ruptura de última hora.

¿Por qué es un lapso de tiempo tan bueno para los microinversores? Porque el mercado suele continuar donde se quedó antes del inicio de la calma chicha del mediodía, ofreciendo al maestro de la microinversión una nueva hornada de posibilidades inversoras. Es casi como si el período que va desde las 2:15 hasta las 4:00 p.m. fuera un día distinto, completo y con su conjunto único de oportunidades de inversión. Los inversores que adquieren las herramientas y técnicas necesarias para dominar este periodo de tiempo descubrirán que la mayoría de sus ganancias microinversoras llegan durante esta breve franja horaria. De hecho, si tuviéramos que elegir un único estilo de microinversión, sería invertir sólo con un modelo específico de precio después de las 2:15 p.m. Profundizaremos, a continuación, en el escenario y el método de lo que llamamos inversión durante el *breakout* de última hora del día. Es importante destacar aquí que para esta técnica nos servimos de gráficos de cinco minutos.

El escenario de la ruptura de última hora del día

1. El valor debe haber cotizado alto durante el día (cotizando por encima del cierre del día anterior).

2. El valor debe estar cotizando en o por encima de su precio de inicio de la sesión.
3. El valor debe estar en estos momentos oscilando cerca del máximo del día.
4. La oscilación lateral debe haberse prolongado un mínimo de hora y media (utilice gráficos de cinco minutos).

Una vez los maestros de la microinversión encuentran una lista de valores que satisfacen estos criterios, miran de desarrollar la siguiente acción. Tenga en cuenta que todo esto tiene lugar en presencia de gráficos de cinco minutos.

La acción de ruptura de última hora del día

5. Observando un gráfico de precios de cinco minutos, el maestro de la inversión trata de comprar 1/16 por encima de la serie más reciente de máximos iguales. *Nota:* Este punto de entrada quedará a menudo por debajo del máximo del día, lo que es preferible. A muchos inversores se les aconseja que compren nuevos máximos diarios. Nosotros enseñamos a los inversores técnicas de inversión que, a veces, les hacen entrar justo antes de un nuevo máximo del día, permitiendo que las prisas de estos compradores retrasados ayuden a subir aún más sus acciones.
6. Una vez dentro, el maestro de la inversión sitúa su stop de protección justo debajo de la base de los movimientos sesgados oscilantes, o por debajo del mínimo de la barra de entrada de cinco minutos. Véase capítulo 15 para una exposición más detallada sobre los stop de protección.
7. Procure vender incrementalmente a medida que el valor se mueve hacia arriba. Véase el capítulo 15 para una consideración más detallada sobre la venta.

Estudiemos un ejemplo de ruptura de última hora del día (figura 14.5). La técnica de la ruptura de última hora del día puede aplicarse también a gráficos diarios, aunque la terminología que le da nombre sería distinta. Nos gustaría destacar que el objeto más importante aquí es el modelo del gráfico, no el espacio de tiempo. Si un modelo concreto de precio funciona en un espacio de tiempo de cinco minutos, debería funcionar en un espacio de tiempo diario, semanal u horario. Recuerde, los gráficos no son otra cosa que las huellas que va dejando el dinero. Revelan el miedo, la avaricia y la incertidumbre de los jugadores. Esos miedos, avaricias e incertidumbres son las mismas en todos los espacios de tiempo. Veamos un interesante ejemplo de compra diaria jugada igual que si se tratara de una jugada de explosión de última hora del día en un espacio de tiempo de cinco minutos. Preste particular atención a lo similares que son los gráficos de IMNX y SSCC, a pesar de lo tremendamente distintos que son sus espacios de tiempo (figura 14.6).

Bien, aquí estamos. Tres únicas maneras de acceder a un valor como lo haría un profesional. Si lo hace bien, tendrá solucionado el 85 por ciento de la ecuación inversora. Pero a pesar de su gran importancia, el plan del maestro de la inversión sigue estando incompleto sin un plan de gestión de la inversión bien concebido. Eso es lo que detallaremos a continuación.

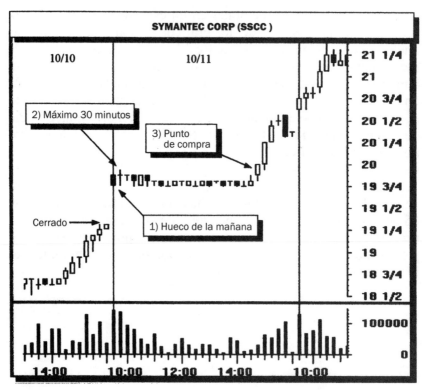

Fuente: The Executioner.com

FIGURA 14.5. **Este gráfico de 5 minutos de SSCC muestra los pasos
de una compra casi perfecta a los 30 minutos. La mañana del 11 de octubre,
SSCC abre con un hueco alcista de 5/8, satisfaciendo el criterio del hueco
alcista inicial (véase criterio 1). Después de que SSCC se cotice durante
30 minutos, el maestro de la inversión señala el máximo del día
(véase criterio 2) utilizando una alerta. En el punto 3, el maestro
de la inversión compra SSCC, ya que el valor cotiza a un nuevo máximo
del día en un momento más avanzado de la jornada, estableciendo un stop
de protección 1/16 por debajo del mínimo del día. Como puede apreciar,
después de la ruptura siguió un buen negocio intradiario. La fuerza
de esta ruptura de última hora siguió incluso al día siguiente (12 de octubre).**

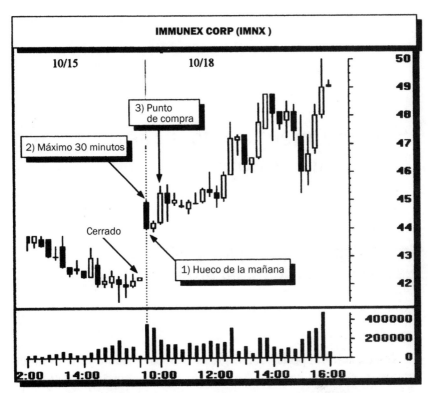

IMMUNEX CORP (IMNX)

10/15   10/18

3) Punto de compra

2) Máximo 30 minutos

Cerrado

1) Hueco de la mañana

Fuente: The Executioner.com

FIGURA 14.6. **Este gráfico de 15 minutos de IMNX muestra otro escenario de compra a los 30 minutos. La mañana del 18 de octubre, IMNX abrió con un hueco por encima de 2 1/2, satisfaciendo con ello el criterio de hueco inicial hacia arriba (véase criterio 1). IMNX cayó durante el primer período de 15 minutos y se estabilizó durante el siguiente período de 15 minutos. El máximo durante este tiempo de 30 minutos quedó establecido al precio de apertura. El maestro de la inversión marca este máximo del día (véase criterio 2) haciendo uso de una alerta. En el punto 3, el maestro de la inversión compra IMNX, ya que el valor cotiza a un nuevo máximo diario, estableciendo un stop de protección 1/8 por debajo del mínimo del día. Como puede apreciar, después del *breakout* siguió un buen negocio intradiario. En este caso, el hueco fue una indicación de fuerza real.**

15. Herramientas y tácticas de gestión de la inversión

Una guía paso a paso para gestionar sus inversiones como un profesional

Nos encantaría poder decir que la vida es perfecta y que toda inversión que lleve a cabo será efectiva. También nos gustaría poder afirmar que nunca tendrá que experimentar el dolor de la pérdida, sólo las alegrías de llenar las cuentas bancarias. Pero no es necesario que diga que el caso no es precisamente este. La pérdida es, y siempre será, parte permanente de la vida del inversor. Una de las principales diferencias entre una inversión ganadora y una perdedora es que el ganador sabe cómo *gestionar* sus pérdidas, mantenerlas pequeñas y contenidas. El inversor perdedor permite que sus pérdidas abunden y crezcan, hasta que son ellas las que empiezan a gestionarle y *controlarle*.

La inversión es un negocio. Y como cualquier otro negocio, precisa de un seguro que lo proteja de una catástrofe inesperada. El principal vehículo de seguridad del inversor no es otro que el todo-poderoso stop con pérdida. En Pristine lo conocemos como la póliza de seguro. Estudiemos a fondo esta herramienta de gestión de dinero, de valor incalculable.

Herramienta n.º 1: El stop inicial: su póliza de seguro

DESCRIPCIÓN DEL STOP INICIAL

Antes de iniciar una inversión debe tener establecido un precio en el que recortar pérdidas y abandonar. Ese precio es su stop inicial (de protección). Este precio representa el punto donde usted trazará la línea en la arena. Es el punto en el cual hará desaparecer por completo de su vida ese valor. Este stop de protección puede ser un stop literalmente anotado en los libros de, digamos, el NYSE (el NASDAQ no acepta stops), o puede ser también mental. No importa cómo lo establezca, siempre y cuando la acción se lleve a cabo inmediatamente cuando se viola. Siempre y cuando un valor que usted posea desencadene el stop, deberá tener la disciplina necesaria para salir *inmediatamente* de la posición en la que se encuentra. Sin dudarlo. Nada de síes y peros... ¡Salga! Sin duda alguna, habrá ocasiones en que el valor remontará poco después de que lo haya abandonado. Y sí, estas ocasiones resultan frustrantes. Pero con el tiempo descubrirá que actuar de forma tan estricta salvará su vida financiera.

Mirémoslo de esta manera. Cada vez que usted compra un valor, está, en cierto sentido, contratando un empleado. Este empleado (el valor) tiene única y exclusivamente un trabajo que realizar: *trabajar duro y hacerle ganar dinero*. Como todos los empleados, el valor debería poder disfrutar de cierto margen hasta rendir totalmente. Este margen, amigo mío, es la distancia entre el precio de entrada y el stop inicial. *Se trata del único seguro del que usted dispone para protegerse de un empleado malo y/o destructivo*. Y debe adherirse a él religiosamente. Como ya hemos mencionado, habrá ocasiones en las que venderá el valor (despedirá al empleado) y descubrirá después que el valor (el empleado) ha recuperado su brillo y su capacidad de ganar. Nada es perfecto. Pero como hemos mencionado también antes, la inversión es un negocio. Y todos los hombres de negocios inteligentes saben que hay un momento en que deben de trazar una línea en la arena. Saben que hay ocasiones en que deben recortar pérdidas. Operar sin seguro (el stop inicial) es flirtear con el desastre. Y no adherirse consistentemente a los stop iniciales *acabará* llevándole al fracaso. Veamos, a continuación, algunas reglas que utilizamos para establecer nuestro stop inicial.

Cómo determina el stop inicial el maestro de la inversión

- El maestro de la inversión que inicia una inversión por encima del máximo de la barra anterior, puede elegir entre dos métodos de stop. El primero se denomina *método de stop de la barra anterior*. Este método consiste en determinar el punto de stop inicial entre 1/16 y 1/8 *por debajo* del mínimo de la barra anterior. Veamos un ejemplo (figura 15.1). Supongamos que XYZ cotizó el miércoles entre un máximo de 30 dólares y un mínimo de 29. El jueves, el maestro de la inversión compra XYZ a 30 1/16 (1/16 de punto por encima del máximo del miércoles). Una vez completada la compra de XYZ, el maestro de la inversión determinaría un stop inicial en 28 15/16 (1/16 de punto por debajo del mínimo del miércoles).

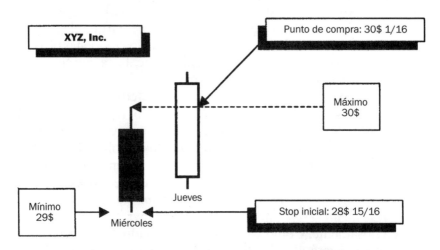

FIGURA 15.1. **El maestro de la inversión compra XYZ a 30 1/16, con un stop inicial de 18 15/16, lo que implica un riesgo a la baja de 1 1/8.**

- Si el método de stop de la barra anterior, que acabamos de describir, representa demasiado riesgo para el capital invertido, el maestro de la inversión puede optar por utilizar la segunda alternativa de stop, que denominamos *método de stop de la barra actual*. Este método consiste en emplazar el stop inicial entre 1/16 y 1/8 *por debajo* del mínimo de la barra *actual* (de entrada). Consideremos otro ejemplo (figura 15.2). ABC,

Inc., cotizó el miércoles entre un máximo de 40 1/2 y un mínimo de 38 1/2, un rango de 2 dólares. El jueves, el maestro de la inversión compra ABC a 40 9/16 (1/16 de punto por encima del máximo del miércoles). Completada la compra de ABC, el maestro de la inversión, utilizando el método de stop de la barra actual, determinaría un stop inicial a 39 7/16, arriesgando con ello 1 1/8. Con el método del stop de la barra anterior, el stop estaría situado en 38 7/16, aumentando el riesgo hasta la inaceptable cantidad de 2 1/8. Muchos inversores, incluyendo inversores internos de Pristine con excelente formación, optarían por el método de stop de la barra actual. *Consejo:* Tenga en cuenta que utilizar el método de stop de la barra anterior o el método de stop de la barra actual constituye totalmente una cuestión de elección personal. Cada uno de ellos tiene sus ventajas y sus desventajas. El método de stop de la barra anterior tenderá a producir menos sacudidas, ya que el valor tiene más espacio donde moverse. El método del stop de la barra actual, mientras que proporciona sacudidas más fuertes, suele generar pérdidas menores cuando estas se producen.

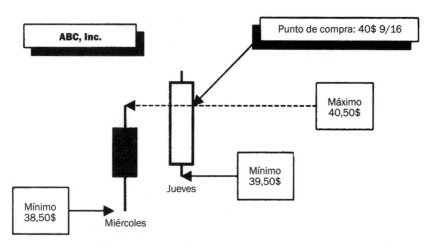

FIGURA 15.2. **El maestro de la inversión compra ABC a 40 9/16, con alternativas de stop inicial a 38 7/16 o 39 7/16. Debido a que el stop inicial a 38 7/16 le acarrearía una pérdida de 2 1/8, el maestro de la inversión encuentra justificado utilizar el stop de 39 7/16, que sólo le acarrearía una pérdida de 1 1/8.**

- Cuando el maestro de la inversión inicia una inversión en el *breakout* de una base de movimientos laterales sesgados, dispone también de dos métodos donde elegir. El primero es el llamado *método de stop de base*. Esta opción exige situar el stop inicial entre 1/16 y 1/8 por debajo de la totalidad de la base de los movimientos laterales. Veamos un ejemplo (figura 15.3). POST cotizó durante semanas en un estrecho rango acotado, oscilando entre 4 5/8 y 4 3/8. El maestro de la inversión compra durante la ruptura por encima de 4 5/8 con un stop a 4 5/16 (1/16 por debajo de 4 3/8, el nivel mínimo de la base de movimientos acotados).

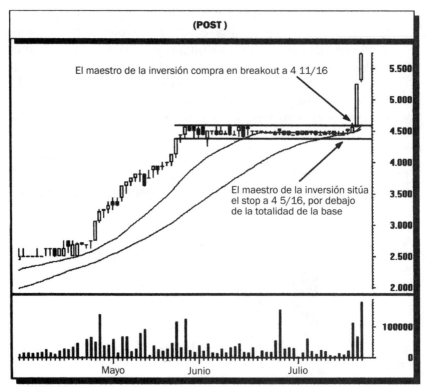

Fuente: *The Executioner.com*

FIGURA 15.3. **El maestro de la inversión compra POST por encima de 4 5/8, con un stop inicial justo debajo de 4 3/8, logrando así una jugada de bajo riesgo y grandes recompensas.**

- Si el método de stop de base descrito previamente arriesga demasiado el capital, el maestro de la inversión puede optar por utilizar la segunda opción de stop, denominada *método de la barra de breakout*. Es similar, si no idéntico, al método de la barra actual, que implica situar el stop inicial entre 1/16 y 1/8 *por debajo* del mínimo de la ruptura. Es decir, cuando el maestro de la inversión compra en ruptura puede situar el stop inicial justo debajo de la totalidad de la base de los movimientos sesgados, o justo debajo de la barra que ha producido el *breakout*.

UNA NOTA FINAL SOBRE STOPS INICIALES

No debe olvidar nunca el punto que sigue a continuación. Las ganancias vienen solas. *Es perder adecuadamente lo que requiere gran habilidad, disciplina rígida y profunda madurez*. En Pristine detectamos de lejos los inversores principiantes porque vemos lo mucho que les cuesta tener pérdidas pequeñas. Los inversores experimentados han aprendido que su bien más preciado es su capital inicial, y que la única herramienta de la que disponen para mantenerlo intacto es el stop inicial. Por lo tanto, los inversores maduros se aferran a su stop a la velocidad de la luz y siguen adelante, sabiendo que mañana será otro día y otra inversión. Para los inversores que se aferran a su stop la vida *siempre* continúa. Pero la vida puede, y a menudo lo hace, terminar abruptamente para aquellos que no son lo bastante disciplinados como para hacerlo. No sea tacaño, amigo mío. Le animamos, en cambio, a que sea inteligente. Pague sus pólizas de seguros. En otras palabras, aférrese a sus stop iniciales. Un día le salvarán la vida, y nos lo agradecerá.

Herramienta n.º 2: El stop de equilibrio: jugando con el dinero del mercado

DESCRIPCIÓN DEL STOP DE EQUILIBRIO

Una vez haya iniciado una inversión y determinado su stop inicial, su primer objetivo es llegar al punto en el que no esté arriesgando *su* dinero, sino jugando con el dinero del mercado. En la primera fase de toda inversión, el dinero que arriesga es el suyo. Si algo va mal inmediatamente con la operación, se disparará el stop inicial, dando como resultado una pérdida de capital, por pequeña que sea (véase la sección sobre el stop inicial en este mismo capítulo). Aunque esto sucederá a veces, serán muchas más las ocasiones en las que el valor subirá lo bastante (o caerá lo bastante en el caso de venta en corto) como para trasladar el stop al precio de entrada. Veamos un ejemplo. Compra usted XYZ a 20 dólares con el objetivo de obtener unos beneficios de entre 1,75 y 2 dólares. Su stop inicial se establece en 19,25, lo que significa un riesgo de 75 centavos. Esto es lo que puede costarle el derecho, o la posibilidad, de perseguir el beneficio potencial de entre 1,75 y 2 dólares. No está mal. Si la inversión va mal de entrada, perderá usted 75 centavos. Sin embargo, si el valor avanza lo suficiente, rápidamente deseará elevar su stop inicial de 19,25 hasta su precio de entrada de 20 dólares. Subir el stop hasta el precio pagado por adquirir el valor cumple dos objetivos. En primer lugar, elimina prácticamente el riesgo. A partir de ese punto, juega usted con el dinero del mercado. No con el suyo. Lo peor que puede suceder, salvo noticias fatales de la noche a la mañana, es que tenga que salir de la inversión en o cerca de su precio de entrada. Sí, perderá la cantidad pagada por comisiones, pero eso debería considerarse como el coste de hacer negocios como inversor, no como una verdadera pérdida. Las comisiones son como los gastos fijos y el alquiler que se pagan en otros negocios. Son necesarios para la existencia del negocio y no podemos hacer nada al respecto. En segundo lugar, elevar el stop hasta el punto de equilibrio genera una ventaja psicológica. Ya que no está en peligro, puede ponerse cómodo; en sentido figurado, poner los pies sobre la mesa y relajarse. Llegado este punto, usted sabe que el valor o le hará ganar dinero o quedará eliminado sin que le cueste nada. Todo está en el mercado. Y eso está bien. Pero aquí está la advertencia. Debe saber *cuándo* subir su stop hasta el punto de equilibrio. Si lo hace demasiado prematuramente, se verá obligado a salir prematuramente de buenas inversiones. Si lo hace demasiado tarde, perderá innecesariamente los beneficios que tanto cuesta ganar. ¿Cuándo es, entonces, el momento adecuado? Es lo que tratamos a continuación.

LA REGLA DE 1 DÓLAR: UNA VEZ GANE, SIEMPRE GANARÁ

Una vez un valor (su empleado) ha avanzado favorablemente un dólar, debería inmediatamente ajustar su stop inicial y establecerlo en el punto de equilibrio. Dese cuenta de que no hemos dicho «una vez haya obtenido una ganancia de un dólar...». No. Usted cambiará su stop al punto de equilibrio una vez el valor haya aumentado (o bajado, en el caso de venta) un dólar por encima del precio de entrada ideal. Parece lo mismo, pero existe una importante diferencia. Continuando con el anterior ejemplo, usted ha comprado XYZ 20 dólares. Su stop inicial se sitúa en 19,25 y pretende obtener un beneficio de entre 1,75 y 2 dólares. El valor avanza hasta 21 dólares, subiendo con ello 1 dólar. Si tuviera que vender en este momento, no podría obtener 21 dólares. Una subida de 1 dólar, no siempre equivale a un beneficio de 1 dólar. Pero no es eso. Como ha subido 1 dólar, la acción que debería llevar a cabo sería la de subir el stop de 19,25 a 20 dólares, su punto de equilibrio. A partir de aquí, la navegación es fácil. Puede sentarse y relajarse, con la comodidad de que, a lo mejor, ganará dinero y, a lo peor, se quedará en el punto de equilibrio. Es el mercado quien paga ahora por su inversión. Y como ya hemos mencionado, eso tiene que gustarle. *Consejo:* Nuestros inversores utilizan una regla de 75 centavos cuando operan con valores por debajo de 12 dólares. Le animamos a que haga lo mismo.

UNA NOTA FINAL SOBRE STOPS DE EQUILIBRIO

Tenga en cuenta que la regla de 1 dólar está únicamente pensada para inversiones swing (inversiones que se mantendrán más de un día). En operaciones intradiarias debería utilizarse un incremento mucho menor, como 1/4 o 3/8.

Herramienta n.º 3: El método del stop móvil: su escalera hasta los beneficios

DESCRIPCIÓN DEL STOP MÓVIL

No hay duda. Su bien más preciado es el capital inicial. Su siguiente bien más preciado son los beneficios conseguidos. Los maestros de la inversión nunca se permiten perder beneficios o devolverlos. Ganar beneficios en el mercado de forma consistente es difícil. Y lo último que se desea es ganar unos buenos beneficios para luego dejarlos perder. Esta es la razón por la que hemos concebido el método del stop arrastrado, una técnica que ayuda a los inversores a liberar al valor ganador de ganancias potencialmente enormes, salvaguardando los beneficios conseguidos. Su aplicación es sencilla, aunque potente, básica y muy efectiva. Veamos cómo se desarrolla.

Ha comprado usted XYZ a 20 dólares, con un stop inicial a 19,25 dólares. El día en que ha adquirido el valor se considera el primer día de trabajo del valor. Ha contratado XYZ para que realice un trabajo para usted y es mejor que XYZ trabaje duro si no quiere ser eliminado. Sabemos que si XYZ sube 1 dólar, la regla de 1 dólar nos hará trasladar el stop al punto de equilibrio. Pero supongamos que al final del primer día de XYZ, sube sólo 1/2 y cierra a 20 3/8. De ser este el caso, el stop debe permanecer en 19 1/4. El segundo día, supongamos que XYZ consigue alcanzar un máximo de 20 5/8, pero cierra al mismo precio de 20 3/8. Es ahora cuando empezamos a aplicar la técnica del stop arrastrado. Al cierre del día dos, debemos trasladar nuestro stop inicial a 1/16 por debajo del mínimo (o por encima del máximo cuando es venta en corto) de esa jornada bursátil. Por lo tanto, para decirlo de otra manera, si el segundo día XYZ tuvo un máximo de 20 5/8, un mínimo de 19 7/8 y un precio de cierre de 20 3/8, el stop debería pasar de 9 1/4 a 19 13/16 (1/16 por debajo del mínimo del día). Y, después del cierre de cada día posterior, el inversor repetiría simplemente la operación, elevando su stop a 1/16 por debajo del mínimo de ese día. *Es lo que se conoce como realizar el seguimiento de los mínimos.* Continuemos con el ejemplo anterior. El primer día, el día de entrada, el stop inicial es a 19 1/4. Al cierre del segundo día, el stop se traslada a 19 3/4 (véase antes). Supongamos que durante tres días, XYZ sube a 21 dólares. Llegado este punto, usted movería rápidamente su stop al punto de equilibrio, o 20 dólares, siguiendo la regla de 1 dólar mencionada anteriormente. No lo olvide. Pero supongamos que después del cierre de ese día (día 3), XYZ tuvo un máximo de 21 3/8, un mínimo de 20 3/8 y un precio de cierre de 21 1/4. Movería entonces su stop a 20 5/16, 1/16 por debajo del mínimo del día. Ahora recuerde. Durante el día 3, movió su stop al punto de equilibrio basándose en la regla de 1 dólar. Fue una medida temporal que sirvió para traspasar el riesgo de usted al mercado. Pero ahora, con el mercado cerrado, deseará seguir utilizando nuestro método de stop arrastrado. Tiene un beneficio de 1 3/8 (21 3/8 cierre − 20 entrada = 1 3/8 de beneficio), y deseará empezar a proteger una parte de él. El día 4, si XYZ llega a 21 3/4 a 22 dólares, venderá, dado el hecho de que ha trabajado lo bastante duro como para alcanzar su objetivo de beneficios de entre 1,75 y 2 dólares. Si el valor no ha alcanzado su objetivo cerca del cierre del día 4, subirá su stop a 1/8 por debajo del mínimo de ese día. Y así sigue y sigue hasta que tiene que aplicarse a un stop, o alcanza su objetivo de beneficios, o... Sí, existe otra cuestión. Veámosla.

Herramienta n.º 4: El método de stop temporal: el tiempo es dinero

DESCRIPCIÓN DE STOP TEMPORAL

La inversión es un juego de dinero. Y el dinero está hecho de tiempo, por lo tanto, es básico no desperdiciarlo. Enseñamos a los inversores que trabajan con nosotros que utilicen lo que denominamos stops por tiempo. Como todas nuestras tácticas, es un método muy sencillo, aunque muy efectivo. El stop por tiempo nos evita tener el dinero comprometido durante un tiempo excesivo en valores no rentables. Mantiene nuestro dinero en movimiento, buscando oportunidades. Como inversor a corto plazo, nunca va a querer que su dinero permanezca mucho tiempo inmovil sin recibir recompensa a cambio. Eso no es invertir. Es comerciar. Su objetivo es buscar y largarse, no buscar y quedarse. Por lo tanto, la regla funciona como sigue.

Regla de stop por tiempo

Si un valor no ha alcanzado su objetivo de beneficios ni ha salido de él por haber llegado al stop en el plazo de cinco días, véndalo. Despida ese valor y siga adelante, independientemente de lo que sea o de lo que gane o pierda con él. Considere todo valor como un empleado que contrata para realizar un determinado trabajo (llegar a un precio objetivo) en un plazo de tiempo preciso (cinco días). Si al quinto día el empleado ha fracasado, despídalo. El tiempo es dinero. Las tácticas de inversión de tipo swing explicadas en este libro han sido concebidas para alcanzar sus objetivos de precio en un plazo de entre uno y tres días. Si hacia el quinto día (el día de compra cuenta como primer día) no se ha alcanzado el objetivo, lo que esperábamos que sucediera *no* ha sucedido y debería eliminarse el juego. Una vez más, el tiempo es dinero ¡y el maestro de la inversión no lo pierde!

Nota importante: Para inversiones intradiarias, el stop por tiempo es muy distinto. Normalmente concedemos a una inversión intradiaria un plazo de entre una y dos horas para que funcione. Cualquier plazo más allá de ese coloca al maestro de la inversión en lo que denominamos «modo esperanza». Y la esperanza, en lo que al mercado se refiere, es peligrosa. Recuérdelo.

16. Herramientas y tácticas de salida

Una guía paso a paso para finalizar sus inversiones como un profesional

Realizar beneficios es un arte que, una vez dominado, representa la coronación del profesionalismo. Mientras que entrar adecuadamente en el juego resulta crítico para el éxito del maestro de la inversión, saber cuándo y cómo realizar beneficios maximiza los buenos resultados que se obtienen por haber entrado bien. Hay muchos inversores que nunca saben cuándo es suficiente y, a causa de la avaricia, realizan una invitación al desastre permaneciendo más tiempo de lo debido en un valor. Jamás debemos olvidar que el último 1/8 de una inversión es el 1/8 más caro de todos y que el precio a pagar por ir detrás de ese 1/8, representa a menudo todo lo que se ha ganado hasta entonces. Más aún, el maestro de la inversión realmente astuto quiere desaparecer del mapa mucho antes de que el valor alcance su punto álgido. ¿Por qué? Porque el tope de todo movimiento a corto plazo queda saturado por los inversores noveles. Allí es donde están los «quiero y no puedo». Allí es donde se quedan colgados los que no saben, y los maestros de la inversión evitan como una plaga estas situaciones en las que quedan atascados los novatos. La mayoría de los maestros de la inversión comprenden perfectamente que ganar en el juego de la inversión implica ser un maestro en el arte de salirse a la mitad de los movimientos. Los intentos de agarrarse al máximo y al mínimo de un movimiento son habitualmente inútiles e innecesarios. Los únicos inversores que consistentemente compran en el mínimo y venden en el máximo son unos mentirosos.

Nos adentraremos ahora en el mundo escasamente poblado de los beneficios bien realizados. Utilizo el término «escasamente poblado» porque después de trece años dedicados a la inversión, me he dado perfecta cuenta de que hay muy pocos jugadores que dispongan de un plan de inversión, y muchos menos aún que dispongan de un plan de realización de beneficios. Los inversores a largo plazo, desprovistos de reglas inteligentes de realización de beneficios, se esconden detrás del vago concepto de la retirada. Su supuesto es que el «tiempo» los compensará de su carencia de un plan de juego. Pero la duración de la inversión no es excusa para tener un plan de acción difuso. Los inversores a corto plazo presentan también sus problemas. Muchos microinversores o inversores de día, preocupados por intentar protegerse de una nueva pérdida, se agarran a menudo a cualquier cosa que parezca un beneficio. A cada segundo que pasa, el nivel de miedo de estos inversores se intensifica, evitando con ello que capitalicen los cuantiosos beneficios que, a veces, incluso se presentan sin pedirlos. Resulta vital disponer de un juego de entrada adecuado. Saber cómo gestionar profesionalmente la inversión es asimismo un elemento clave del éxito. Ya hemos cubierto en anteriores capítulos estas dos importantes partes. Adentrémonos ahora en la última parte, que trata del arte de salir de la inversión como un profesional.

La venta incremental

Suponga que uno de sus métodos de entrada le ha colocado en una buena inversión. Su bien desarrollada habilidad para gestionar la inversión le ha mantenido en una postura fría, tranquila y ganadora a lo largo de los distintos movimientos del valor. Ahora, la mercancía que compró hace poco rato vale bastante más de lo que pagó por ella. Por un breve instante, siente pena por la persona mal informada que le vendió el valor, evidentemente a un precio muy barato. Pero un repaso rápido a la ganancia obtenida hasta ahora le libra de cualquier sentimiento de culpabilidad o sinsabor. Se da cuenta de que tiene que entrar en juego el tercer aspecto de la inversión: realizar beneficios. *¿Cuándo? ¿Dónde?* Se trata de algo clave. *Los mejores jugadores casi nunca venden la totalidad de su inventario (valor) a un punto único de precio.* Se dan cuenta de que esto sería igual que un comerciante que vende todos sus artículos a la primera oferta que recibe, sin permitir a otros potenciales compradores la oportunidad de ofertar un precio superior. ¿Y si su valor rentable (mercancía) pudiera alcanzar un precio aún mayor? A buen seguro que el precio del que disfruta ahora está bien, pero si posee usted el valor correcto, el precio puede llegar a ser mucho mejor. Y si el valor ha subido, ¿no es ello prueba suficiente de que posee usted la mercancía correcta? Pero, una vez más, ¿cuántas veces ha intentado usted resistirse a un precio mejor, más dulce, sólo para ver que el precio que podía haber obtenido fácilmente se lo lleva el viento? La necesidad de tener el dinero en mano, ¿es nerviosismo o prudencia? El deseo de ganar más, ¿es avaricia o inteligencia? ¿Cómo solucionar este dilema? Respuesta: *la venta incremental.* Siempre nos ha parecido que la mejor manera de realizar beneficios es vendiendo un valor dividiéndolo en dos o más partes. Esto no sólo soluciona el dilema de si el inversor debería realizar beneficios, sino que además facilita al inversor la oportunidad de obtener beneficios aún mayores. En resumen, la venta incremental es la respuesta que pone fin a la guerra civil que se desarrolla constantemente cuando el inversor tiene beneficios. Vender o no vender, esta es la pregunta que nos cuestionamos minuto a minuto. Nuestra opinión es que la respuesta a esta eterna pregunta es casi siempre «vender», pero sólo una parte de la totalidad. Veamos un ejemplo. Supongamos que un maestro de la inversión, llamémosle señor Velez, tiene un beneficio sobre el papel de un dólar en 1.000 acciones. Ha pasado de su punto de stop inicial al de equilibrio siguiendo nuestra regla del equilibrio. Ahora, el beneficio sobre el papel de un dólar está empezando a horadarle un agujero en el bolsillo. El señor Velez, sabiendo que el beneficio en mano vale el doble que sobre el papel, decide vender la mitad de lo que tiene, obteniendo con ello un beneficio de 500 dólares. Haciendo algo tan sencillo como esto, el señor Velez ha satisfecho su impaciencia de realizar beneficios. La ansiedad de perder todos los beneficios que tenía sobre el papel ha sido eliminada por completo y aún sigue permitiéndose la posibilidad de ganar más. El señor Velez siente de nuevo una agradable sensación de poder. ¿Por qué? Porque los demonios psicológicos que estaban jugando a la guerra con sus emociones han sido derrotados. Y, una vez más, ha recuperado la claridad y esa sensación tan importante de calma. El señor Velez está listo para emprender la siguiente fase de su rentable viaje: maximizar sus beneficios. *Consejo:* A pesar de la importancia del tema, calmarse y ocuparse de los demonios psicológicos que con frecuencia agobian al inversor, es un área a la que se le ha prestado escasa atención. El libro de Mark Douglas, titulado *The Disciplined Trader*, es la mejor obra que hemos visto sobre el tema. Visite nuestro sitio *web* para más libros al respecto. Hay pocos buenos libros que sirvan de verdadera referencia para el inversor activo. Este es uno de ellos.

Una nota personal de Oliver L. Velez

Siempre me había sentido agobiado por el dilema descrito anteriormente. Durante mis años de desarrollo como inversor, me encontraba con frecuencia perdiendo los beneficios realmente importantes, como resultado de vender con excesiva rapidez. Mi problema residía en el hecho de que me encanta el «sonido de la caja registradora». Siempre que intentaba corregir este problema conservando los valores durante más tiempo, perdían invariablemente fuerza y los beneficios que podría haber tenido se desvanecían. Esta arma de doble filo inconsistente en mis valores y mi rendimiento, me tenía eternamente confuso y constantemente frustrado. *Es decir, hasta que dejé de combatir contra ambas necesidades y empecé a intentar satisfacerlas ambas*. Esa fue para mí la respuesta. Ese fue el punto decisivo. Llevaba años intentando ponerme de uno u otro bando, obligándome a estar de un lado o de otro. Al principio, no caí en la cuenta de que no era necesario elegir entre lo uno o lo otro. Entonces comprendí que podía hacer ambas cosas. Podía satisfacer ambos demonios (los nervios y la avaricia) y salir con un equilibrio mejor. Fue entonces cuando empecé a utilizar el método de la venta incremental. Y permítame que le diga una cosa, funciona. Hasta el momento presente, soy un usuario apasionado de la venta incremental. No sólo eso, sigue siendo una parte potente de nuestro programa de formación interna. Todos nuestros inversores reciben formación sobre su adecuada utilización, independientemente de que sean microinversores o inversores swing.

Vender bien es el último peldaño de la escalera que conduce a la maestría en la inversión y cuando tiene más de una probabilidad de hacerlo bien, las probabilidades de hacerlo como un profesional aumentan exponencialmente. Así que utilícelo. Practique el método de la venta incremental. No se arrepentirá. La próxima ocasión en la que se encuentre en territorio rentable y esos dos demonios de los que acabo de hablar asomen su fea cabeza, lánceles un hueso a los dos. Una vez haya realizado algunos beneficios, concentre toda su atención en maximizar al máximo los beneficios que le quedan. ¿Cómo conseguirlo? Eso es lo que viene a continuación. Prosigamos.

Maximice beneficios

De acuerdo. Ha iniciado usted una inversión tan bien y con tanta confianza como cualquier maduro maestro de la inversión. Después de establecer su póliza de seguros (stop inicial), empieza a utilizar sus experimentadas habilidades de gestión de la inversión. Empieza a arrastrar su stop paso a paso, con una precisión tan calmada que despertaría el respeto incluso del profesional más astuto de Wall Street. Transcurrido un breve tiempo, se encuentra cómodamente asentado en territorio de beneficios, 1,5 dólares por acción. Ha movido rápidamente el stop hasta el punto de equilibrio, eliminando cualquier posibilidad de pérdida dolorosa. Llegado este momento, una amplia sonrisa empieza a abrirse paso en su rostro porque piensa en lo difícil que le parecían en su día unas acciones tan sencillas, aunque potentes, como estas. *Consejo:* El inversor que sabe lo que debe hacer a cada paso, actúa con una confianza y una seguridad que evocan la actitud del ganador.

La sonrisa, al máximo de su anchura, da paso al babeo de un niño. Sus ascendentes beneficios sobre el papel evocan ahora una conocida respuesta glandular, y empieza a ensalivar. Cuanto más controla su valor, más ensaliva. Después de secarse la boca con la mano, decide realizar parte de sus sabrosas ganancias. En un instante publica una orden de venta de 500 acciones de su lote de

1.000 acciones. ¡Bang! Alguien que no fue lo bastante listo como
para ver la oportunidad cuando la vio usted muerde el anzuelo. Ya
tiene la mitad en el bolsillo. Empieza a sacar pecho. Nota que una
fuerza secreta y poderosa le empuja los hombros hacia atrás. Se da
cuenta de que esta sensación no es otra que la de orgullo. Pero no
ese orgullo estúpido que a menudo poseen los lentos y los ignorantes. El orgullo que usted siente en este momento es el resultado de
llevar a cabo una serie de acciones complejas, sin problemas y sin
incidentes. Este orgullo es la marca del profesionalismo, la etique-
ta de la excelencia. Y bombea ahora en sus venas, están saturadas
de ello. Después de una breve pausa para experimentar el éxtasis de
su éxito, centra su atención en maximizar los beneficios que le restan. Estos son los pasos que debe dar para cabalgar sobre la ola de
victorias a la que se ha subido.

Subirse a la ola del ganador en tres sencillos pasos

1. *Mantenga el stop en el punto de equilibrio durante lo que
   queda de sesión.* Recuerde que ha vendido la mitad de sus
   propiedades y la jornada no ha terminado todavía. Se siente
   relajado, sabiendo que lo peor que puede pasarle es que gane
   dinero con el lote vendido y se quede en el punto de equilibrio con el resto. Llegado este punto, nadie puede quitarle ni
   lo que ya ha ganado, ni su serenidad.
2. *Al día siguiente, utiliza el método de stop de la barra anterior para establecer su nuevo stop. Nota:* Si este nuevo stop
   queda *por debajo* del stop de equilibrio, mantendrá el stop de
   equilibrio. Si el nuevo stop en el mínimo del día anterior es
   sólo ligeramente superior a su punto de equilibrio, también
   puede optar por mantener el stop de equilibrio. Es una cuestión de elección. Por supuesto, si el mínimo del día anterior
   es significativamente superior al punto de equilibrio, debería seguirlo.
3. *Cada día que pase utilizará el stop arrastrado hasta que se
   produzca cualquiera de los siguientes escenarios de venta:*

Conozca los momentos de venta

1. *Venderá lo que le queda del valor si este genera un hueco al alza a la apertura por un 1/2 o más.* Debería destacarse que los creadores de mercado y los especialistas generan huecos al alza en los valores para vender, no para comprar. También generan huecos a la baja para comprar, no para vender.
2. *Venderá lo que le queda del valor si en los últimos treinta minutos del día el valor se cotiza en o cerca del mínimo de la jornada.* Este es el primer signo de alarma (en un valor al alza) de que los vendedores han empezado a superar a los compradores.
3. *Venderá lo que le queda del valor si, después de haber subido de forma significativa durante la jornada, el valor retrocede por debajo de su precio de apertura.* El precio de apertura es como la parrilla de salida en una carrera. Mientras el valor está por encima de su precio de apertura, los «bulls» (compradores) están ganando la carrera. Si el valor cotiza por debajo de su precio de apertura, los «bears» (vendedores) están ganando ese día la carrera. No confunda los puntos 2 y 3; son distintos.
4. *Venderá lo que le queda del valor si este valor genera un hueco a la baja de más de un 1/2, y luego rompe el mínimo del día después de transcurridos treinta minutos.* Un nuevo mínimo del día treinta minutos después de un hueco bajista es bajista.

Nota: todo lo que hemos discutido supone una inversión de compra (long o larga), no de venta en corto. Si considera criterios contrarios para la venta en corto, obtendrá la guía que necesita para este caso.

Cuando llega el desastre

He dedicado mucho tiempo a comentar cómo manejar inversiones ganadoras. Pero como todos sabemos, la vida del maestro de la inversión no es siempre un camino de rosas. Los inversores activos, mucho más que cualquier otro tipo de jugador del mercado, aprenden a cómo manejar los momentos en los que llega el desastre. Cuando los inversores ven que la pesadilla más inimaginable se convierte en la fría realidad, deben saber qué hacer exactamente. Y eso no tienen que saberlo en cinco o diez minutos. Tienen que saber qué pasos dar en ese preciso instante. Tenga en cuenta que los inversores activos de hoy en día carecen por completo de ese lujo que denominamos tiempo. No pueden permitirse paralizarse, quedarse a un lado o alejarse cuando se acercan nubes de tormenta. Un mercado irritado no permite ni un solo momento de debilidad. Si hubo alguna vez un momento en que la victoria o la supervivencia van a toda velocidad, es cuando el mercado le entrega personalmente una bomba de relojería. Sólo un plan de contingencia bien meditado evoca el tipo de acción inmediata y de gestión profesional a la que me refiero. No hay nada más bello que contemplar a un maestro maduro de la inversión atrapado en las fauces de un golpe brutal. Igual que los domadores de leones que introducen la cabeza en la boca de la fiera, sus sentidos se agudizan, sus nervios se sensibilizan, sus acciones se tornan más deliberadas y certeras. Observándolo con detalle, se dará cuenta de que la conciencia del maestro de la inversión, ya afilada a lo largo de años de terribles experiencias, se fortalece. Todo pensamiento y acción emana una confianza que parecería más apropiada para una situación ganadora. Pero todos los grandes inversores saben que es ese tipo de control el que los inversores deben conservar frente a la adversidad. De lo contrario, ese enorme tiburón blanco, que denominamos mercados bajistas, acabaría haciéndole pedazos.

Mire, amigo mío, el mercado es tanto amigo como enemigo. Los que llegan a dominar el juego saben cómo tratar el mercado en ambas situaciones. Con unas pocas acciones, sencillas pero potentes, que detallaremos a continuación, también usted sabrá hacerlo. Queremos que todos nuestros lectores sepan lo que es la grandeza. Y no podrá considerarse grande hasta que sepa, sin la mínima sombra de duda, cómo manejarse frente a los desastres. A continuación, le explicamos cómo lo hacemos nosotros.

Cómo manejar el monstruo del hueco a la baja

1. *Cuando el valor inicie su sesión, controle su actividad durante un período completo de cinco minutos.* No tiene que hacer nada durante este tiempo. No tiene que vender. No tiene que comprar más. Su única acción consiste en controlar la triste cotización de su valor. Consejo: los creadores de mercado y los especialistas tienden a generar huecos excesivos bajistas en los valores para así comprarlos baratos, por lo que vender sus acciones hacia arriba durante los primeros cinco minutos de cotización es estadísticamente poco inteligente. No queremos decir con eso que el valor no pueda o no vaya a cotizar más bajo. Esta acción, simplemente evita que el inversor salte al lado vendedor junto con el resto del rebaño. El pánico, que alcanza habitualmente su punto álgido durante los cinco primeros minutos de cotización, no es el estado mental en el que el inversor tiene que actuar y mucho menos vender. *Regla:* Nunca venda sus acciones en estado de pánico. Hay momentos en los que vender es la alternativa correcta. Simplemente, no ganamos ni ganaremos siempre. Pero únicamente debe vender cuando lo haya pensado tranquila y claramente, en un estado controlado. Esperar a que pasen cinco minutos *antes* de actuar le ayudará a cumplir este objetivo. Mírelo de esta manera. Usted está ya machacado. A menos que esté operando con un valor de Internet de precio elevado, cinco minutos adicionales no le romperán mucho más.

2. *Después de pasados cinco minutos, distinga el mínimo del día* (el precio más bajo al que se ha cotizado el valor durante los primeros cinco minutos). Este será el precio más importante de su vida durante la media hora siguiente.

3. *Venda, como mínimo, la mitad de sus acciones si y cuando el valor se cotice por debajo del mínimo de los cinco minutos (* el mínimo del día establecido después de los primeros cinco minutos). ¿Por qué, a veces, es aceptable vender sólo la mitad? Porque el mínimo de los treinta minutos (no el de los cinco minutos) es el que realmente importa. Hasta que no permitamos que el valor cotice durante media hora, no le

habremos dado realmente la oportunidad de remontar. Entonces, ¿por qué vender la mitad al superar por debajo el mínimo de los cinco minutos? Sólo por si se da la circunstancia
de que el valor siga cayendo en picado durante los primeros
treinta minutos de cotización. Tenga en cuenta que lo que
estamos dándole son sólo ideas generales. No pretendemos
ser estúpidos. La verdad del tema es que tenemos un problema y estas acciones no son otra cosa que control de daños.
Vender la mitad del problema es algo que siempre proporciona mayor claridad. Cuanto menos atados estemos, mejor.
Esta es la razón por la cual desprendernos de la mitad de
nuestro dolor de cabeza es el mejor camino a seguir, *si el valor cae por debajo de un nuevo mínimo diario después de
que hayan transcurrido cinco minutos. Nota:* No debería pasarse por alto que para muchos inversores es mejor vender
todo el lote llegado este punto. La opción de vender la mitad
debería tenerla en cuenta únicamente en el caso de huecos
bajistas que no sean excesivamente pronunciados.

4. *Después de treinta minutos de cotización, distinga de nuevo
   el mínimo del día.* Tenga en cuenta ahora que este mínimo
   de treinta minutos será o bien más bajo que el mínimo de
   cinco minutos, o será el mismo. Si el valor cae por debajo
   de su mínimo de cinco minutos *antes* de que hayan transcurrido los treinta minutos, el mínimo que utilizará el inversor
   después de distinguir el de treinta minutos será inferior. Si
   no se viola el mínimo de cinco minutos durante la primera
   media hora, el mínimo de cinco minutos será el mismo que
   el mínimo de treinta minutos.

5. *Venda todo lo que tenga del valor si y cuando el valor des-
   cienda por debajo del mínimo de treinta minutos* (establecido durante los primeros treinta minutos de cotización). Tenga presente que esta es la verdadera línea a trazar en la
   arena. Igual que hemos explicado en la sección de este libro
   dedicada a comprar y vender con huecos, lo que sucede *después* de los primeros treinta minutos de cotización lo dice
   todo. Si el valor avanza hacia un nuevo máximo del día después de su primera media hora de cotización, la fuerza es au-
   téntica y debería ser respetada. Si el valor cae hacia un nuevo mínimo del día después de la primera media hora de

cotización, vigile. Ese valor debe ser eliminado. Nada de y sí, o de peros. ¡Fuera!

6. *Utilice el método del stop arrastrado.* Esta es la acción que debería tomar el inversor si el valor consiguiera permanecer por encima de su mínimo de treinta minutos a lo largo de toda la jornada. *Nota:* Algunos inversores optan por mantener el stop en el mínimo del día del desastre. Es decir, no utilizan el método del stop arrastrado. Su punto de vista es que mientras el valor permanezca por encima del hueco bajista, se puede considerar que ha tocado fondo. A veces, esta postura mejora el resultado. Pero el riesgo que corre el inversor al hacerlo es posiblemente perder la oportunidad de minimizar para siempre las pérdidas. He descubierto que esta alternativa resulta más útil en valores tecnológicos destacados que crean huecos bajistas, como Intel, Dell o Microsoft.

UNA POSTURA AGRESIVA

Algunos de los inversores más agresivos utilizarán la regla de los cinco minutos hacia arriba para aumentar la posición del valor con pérdidas. En otras palabras, si el valor supera el máximo establecido durante los primeros cinco minutos de cotización, compran más de ese valor con la idea de vender esa nueva compra varios niveles más arriba. Esta estrategia agresiva que enseñamos en nuestros seminarios es lo que se denomina *jugada bala*, y a menudo ayuda a los inversores astutos a reducir sus pérdidas. Sin embargo, es importante darse cuenta de que la regla de venta de los cinco minutos permanece intacta. La única diferencia aquí estriba en que se produce una compra adicional. El lado vendedor de la ecuación permanece inalterado. Es sólo una nota para los inversores de perfil agresivo.

Signos de peligro inminente

Nunca podremos evitar que se produzcan desastres, pero hay momentos en que los signos evidentes de peligro inminente pueden alertarnos, antes de que ocurra la debacle. Conocer estos síntomas puede ahorrar al maestro de la inversión miles y decenas de miles de dólares a lo largo de toda su vida. No sólo eso, en el escenario correcto, el inversor astuto puede incluso utilizar algunos de estos signos de alarma como una forma de obtener beneficios. Afrontémoslo. A veces, a los buenos inversores les ocurren cosas malas, pero conocer y controlar la aparición de las señales de alarma que mencionamos a continuación le garantizará que estas cosas malas le sucedan con mucha menos frecuencia que a los demás. Conozca detalladamente cada signo porque le salvarán su vida financiera. Y estoy dispuesto a apostar lo que quiera a que lo harán más de una vez.

Las señales de que el peligro es inminente son:

- El valor pierde la mayoría de lo que ha ganado durante las últimas dos horas de cotización.
- El valor cierra en su mínimo o cerca de él, después de inicialmente haberse mantenido decentemente arriba.
- El valor produce poco o ningún beneficio, con un volumen de negociación por encima de la media diaria.
- El valor abre con hueco alcista excesivo y luego cotiza por debajo del máximo de la barra anterior.
- El valor está batallando en la misma área de precio que desencadenó el declive anterior.
- Un importante creador de mercado (como GSCO, SBSH o MLCO) está vendiendo el valor de forma regular a lo largo del día.

Estos son algunos de los signos que suelen preceder el peligro. Búsquelos. En el juego de la venta en corto (short selling), venda.

Tercera parte

Mirando hacia delante

17. Cómo unirlo todo

Cómo unirlo todo utilizando gráficos diarios

AVNET, INC. (AVT)

Este gráfico diario de Avnet, Inc. (AVT) (figura 17.1) muestra el poder de la 200 SMA, combinada con diversos hechos más:

1. La 200 SMA (media móvil) actúa a modo de resistencia. La RB (barra reversa) bajista, con una cola de tope, revela la existencia de grandes vendedores.
2. Una NRB (barra de rango estrecho) que cierra por encima de su precio de apertura, pone fin a la caída de AVT en la zona de un hueco anterior. *Consejo:* Una NRB que cierra por encima de su precio de apertura es excepcionalmente potente. Tampoco debería olvidarse que los huecos actúan a menudo como áreas de soporte y/o resistencia.
3. Después de alcanzar un nuevo máximo, el retroceso de AVT termina bruscamente con un hueco bajista hacia la 200 SMA con volumen climático.

BROADCAST.COM (BRCM)

1. BRCM (figura 17.2) llega a su tope y sigue con una caída importante. *Consejo:* Los topes seguidos de grandes caídas actúan como puntos muy significativos de resistencia cuando vuelven a ponerse a prueba.

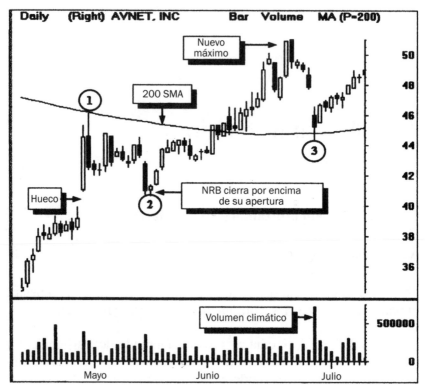

Fuente: The Executioner.com

FIGURA 17.1.

2. BRCM forma una RB alcista con una cola de fondo, revelando la existencia de grandes compras. Esta área se convierte en un punto clave de referencia para una nueva prueba.

3. BRCM vuelve a poner a prueba su anterior mínimo con volumen climático, confirmando un soporte principal de precio. A destacar que el anterior avance señalado como «A» era casi un 100 por cien de retroceso del declive anterior. Esto aumentaría las probabilidades de que BRCM se detuviese en el mínimo anterior.

4. Un RB bajista, con una cola de tope en el máximo anterior, revela la existencia de fuertes ventas. *Consejo:* Los inversores agresivos suelen comprar en RB que formen un soporte principal y venden en corto en RB que forman una resistencia mayor.

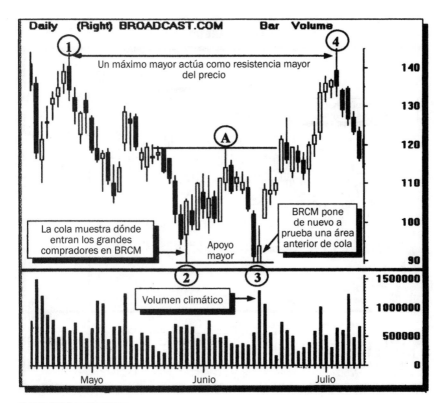

Fuente: The Executioner.com

FIGURA 17.2.

BMC SOFTWARE (BMCS)

1. La explosiva recuperación de BMCS (figura 17.3), desenca-
denada a partir de un hueco profesional, se detiene en seco
en la 200 SMA plana.
2. BCMS toca fondo después de experimentar un retroceso del
50 por ciento, una caída de entre tres y cinco barras, y una
RB alcista con una cola de fondo. El hecho de que todos estos acontecimientos gráficos se produzcan simultáneamente, representa un marco de compra muy atractivo.

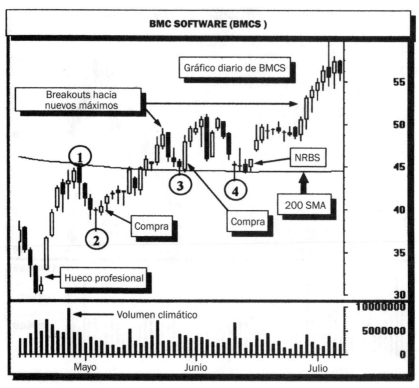

Fuente: The Executioner.com

FIGURA 17.3.

3. Después de otra caída de entre tres y cinco barras, BMCS encuentra un apoyo mayor simultáneo en su anterior máximo y en su 200 SMA.
4. La RB alcista con una cola de fondo, es seguida por dos RB que están también en la 200 SMA. La segunda NRB que cierra por encima de su precio de apertura es la señal clave de que BMCS está a punto de despegar.

ADVANCED FIBER COMMUNICATIONS (AFCI)

AFCI (figura 17.4) demuestra lo potente que puede llegar a ser el soporte menor de precio en combinación con otros hechos:

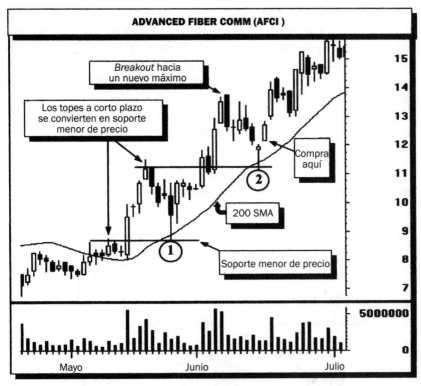

Fuente: The Executioner.com

FIGURA 17.4.

1. AFCI retrocede hacia su soporte menor de precio y su 20 SMA
   en alza y sube. La cola de fondo sugiere grandes compras.
2. Después de alcanzar un nuevo máximo, AFCI retrocede de
   nuevo hacia el soporte menor de precio y su 20 SMA en alza
   para formar una RB alcista con una cola de fondo. *Consejo:*
   El primer retroceso a partir de un nuevo máximo es típicamente una posibilidad de compra.

BIOGEN INC. (BGEN)

A mitad de junio, BGEN (figura 17.5) presentó una oportunidad de compra muy interesante para el maestro de la inversión que

estaba alerta en aquel momento. En el punto 1, BGEN retrocede para poner a prueba su anterior mínimo en el punto A. *Consejo:* Los mínimos anteriores actúan a modo de soporte principal de precio, sobre todo si vienen seguidos de roturas hacia nuevos máximos. Lo que resulta más atractivo es el hecho de que BGEN forma una RB alcista que cierra por encima de su apertura con una cola de fondo. El maestro de la inversión compra bien en la RB alcista, o bien, al día siguiente en el punto B.

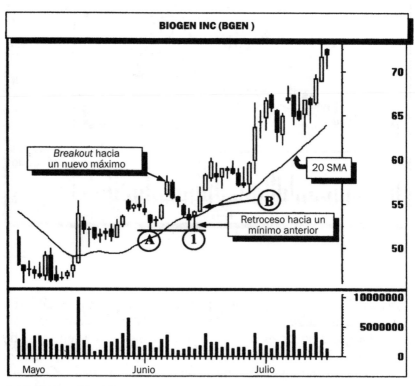

Fuente: The Executioner.com

FIGURA 17.5.

COMPUTER ASSOCIATES INTERNATIONAL (CA)

1. CA (figura 17.6) rebota al alza en su 20 SMA justo después de formar dos NRB. *Consejo:* Los maestros de la inversión comprarán en una NRB que cierra por encima de su apertura. Véase figura 17.6.

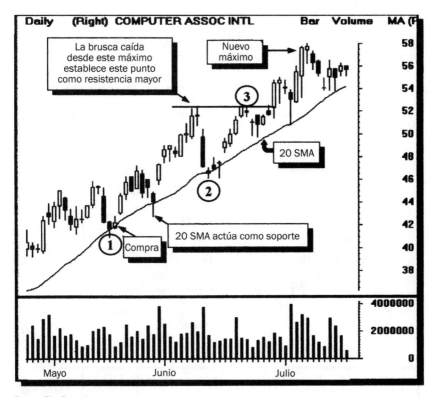

Fuente: The Executioner.com

FIGURA 17.6.

2. Después de moverse hacia un nuevo máximo, CA retrocede de nuevo a su 20 SMA, forma otra NRB que cierra por encima de su precio de apertura y luego remonta.
3. CA remonta para poner de nuevo a prueba su máximo anterior, formando una NRB tipo Doji que conduce rápidamente a una caída de dos dólares más. *Consejo:* Tenga presente que

con cada nuevo máximo se inicia un nuevo juego. Después de cada nuevo máximo, el maestro de la inversión intenta comprar a la siguiente caída, siempre y cuando tengan lugar uno o más de esos acontecimientos.

CONCORD EFS (CEFT)

Este gráfico diario de CEFT (figura 17.7) presentaba un escenario casi perfecto para una compra clave.

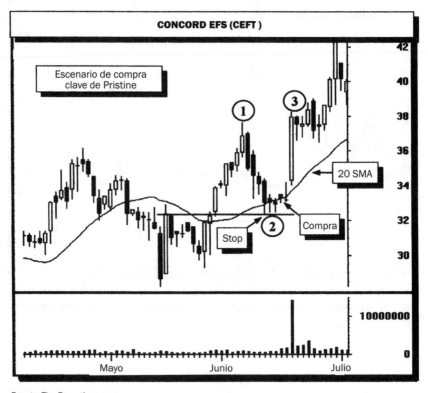

Fuente: The Executioner.com

FIGURA 17.7.

1. CEFT se recupera decididamente hacia un nuevo máximo. Esta firme recuperación le dice al maestro de la inversión que el siguiente retroceso representa una oportunidad de compra, siempre y cuando tengan lugar uno o más aconteci- mientos.
2. CEFT experimenta una caída de entre tres y cinco barras ha- cia el soporte menor de precio. Dos NRB con colas peque- ñas se materializan cerca de la 20 SMA. Todos estos aconte- cimientos alineados en el mismo punto, presentan una oportunidad de compra muy atractiva. El maestro de la in- versión compra CEFT en la próxima ocasión en que CEFT cotiza por encima del máximo anterior, luego determina su stop entre 1/16 y 1/8 por debajo del mínimo más bajo de la caída de entre tres y cinco barras.
3. Sigue entonces un movimiento de cinco puntos hacia arriba. *Consejo:* Cuanto mayor sea el número de acontecimientos, mayor será el movimiento esperado.

COMPUTER SCIENCES (CSC)

CSC (figura 17.8) muestra tres acontecimientos, todos ellos oportuniddes de negocio:

1. Después de que CSC alcanza un nuevo máximo, una cola al- cista detiene el retroceso en su 200 SMA. El maestro de la inversión compra por encima del máximo de la barra con la cola.
2. Después de otro máximo, CSC experimenta una caída de entre tres y cinco barras para volver a poner a prueba su mí- nimo anterior y su 200 SMA. Esto conforma un escenario de compra casi perfecto. El maestro de la inversión compra tan pronto como CSC cotiza por encima del máximo de la barra anterior.
3. Después de un nuevo máximo, CSC retrocede hasta el so- porte menor y forma una NRB. El maestro de la inversión compra por encima de la NRB.

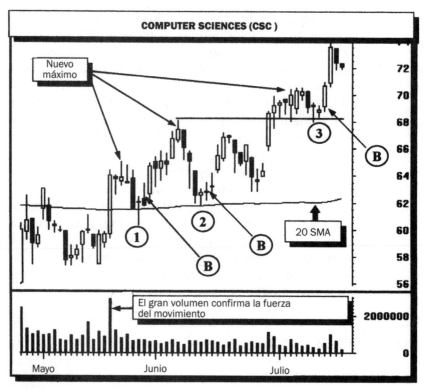

Fuente: The Executioner.com

FIGURA 17.8.

DOUBLECLICK (DCLK)

DCLK (figura 17.9) muestra el poder del soporte y la resistencia mayores combinados con otros acontecimientos.

1. DCLK cae con volumen climático para acabar su declive. No representa una oportunidad de inversión, pero sirve para llamar la atención, particularmente después del anterior aumento de volumen que proporcionó el primer signo de que había grandes compradores interesados.
2. DCLK se recupera hacia su anterior máximo, lo que sirve como resistencia mayor. La formación de la RB bajista en la

resistencia mayor establece una oportunidad de venta en corto. *Consejo:* Los maestros de la inversión suelen entrar en RB hacia el final de la jornada.

3. DCLK experimenta un retroceso del 100 por cien. La formación de una RB alcista a partir del soporte mayor establece el escenario para una compra perfecta. El maestro de la inversión compra en la RB o por encima del máximo de la RB al día siguiente. *Nota:* El maestro de la inversión intentaría vender en la resistencia mayor.

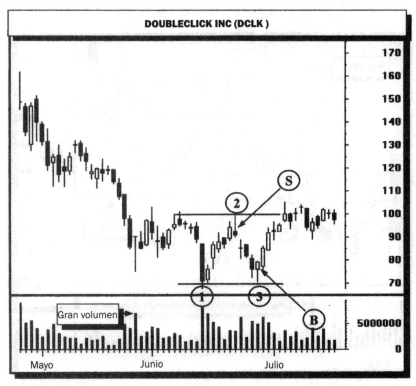

Fuente: The Executioner.com

FIGURA 17.9.

IMMUNEX CORP. (IMNX)

Este gráfico diario de IMNX (figura 17.10) muestra diversos acontecimientos, muy potentes, que habrían servido como signos o señales clave para el maestro de la inversión:

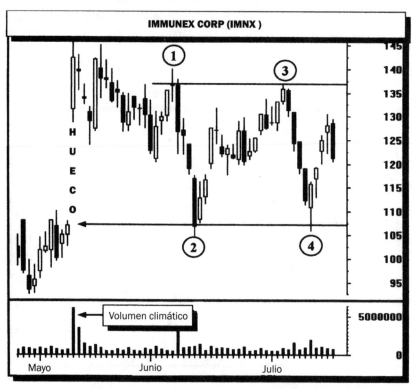

Fuente: The Executioner.com

FIGURA 17.10.

1. La barra de tope tipo Doji desencadenó una caída muy severa para IMNX. *Consejo:* Los topes que desencadenan caídas bruscas tienden a actuar como resistencia mayor cuando vuelven a ponerse a prueba.
2. IMNX detiene su caída después de cerrar el hueco que formó un mes antes. *Consejo:* Los huecos actúan como zonas de soporte y resistencia.

3. IMNX pone de nuevo a prueba su anterior máximo, que actúa ahora de resistencia mayor.
4. IMNX experimenta una caída de entre tres y cinco barras hacia su mínimo anterior, que actúa como soporte mayor. A destacar que en este retroceso IMNX forma una RB alcista perfecta con una cola. El maestro de la inversión compra el día de la RB, o por encima del máximo de la RB al día siguiente.

Cómo unirlo todo utilizando gráficos intradiarios

BROADCOM CORPORATION (BRCM)

El gráfico de quince minutos de BRCM (figura 17.11) demuestra el poder de la 200 SMA combinada con momentos de reversión. Una rápida ojeada bastará para constatar que la 200 SMA actuó como resistencia en cuatro puntos distintos:

1. Poco después de tocar la 200 SMA, BRCM abre un hueco bajista y cae cuatro puntos.
2. Después de crear un hueco al alza hasta la 200 SMA o la apertura del día siguiente, BRCM empieza otra gran caída que toca fondo con una cola en el momento de reversión de las 10:30 a.m.
3. Queda de nuevo en agua de borrajas una remontada a la 200 SMA plana, con la barra de tope cerrando por debajo de su apertura. *Consejo:* Una 200 SMA plana actuará como una resistencia de mayor importancia a una SMA con pendiente.
4. Un profundo retroceso del 40 por ciento toca fondo hacia la 1:30 p.m., momento de reversión, y una NRB, que cierra por encima de su apertura, dispara otra remontada hacia la 200 SMA.
5. BRCM abre al día siguiente cerca de la 200 SMA y sigue un nuevo declive en la zona de reversión de las 10:00 a.m.

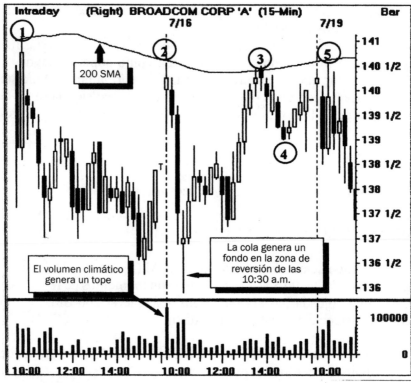

Fuente: The Executioner.com

FIGURA 17.11.

Cómo unirlo todo utilizando diversos plazos de tiempo

CYBERCASH, INC. (CYCH): Utilización del gráfico diario para determinar la acción a seguir

Una ojeada al gráfico de quince minutos de CYCH (figura 17.12) revela una base de movimientos laterales de diversos días de duración. *Consejo:* Comprar cuando se producen roturas de canales laterales intradiarios es una estrategia de inversión de bajo riesgo. Tenga en cuenta que el maestro de la inversión estudia ahora una imagen más detallada de los últimos dos días de cotización de CYCH.

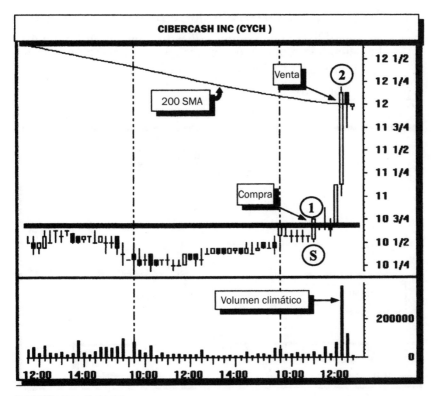

CIBERCASH INC (CYCH)

Venta

200 SMA

Compra

Volumen climático

Fuente: The Executioner.com

FIGURA 17.12.

1. El maestro de la inversión compra CYCH en la rotura del tope del canal lateral. No debe olvidarse que parte de esta base es la NBR vista en el gráfico diario. Realizada la compra, el maestro de la inversión intradiaria establece un stop mental por debajo de la barra de rotura. Véase «S» en la figura 17.12. *Consejo:* Los valores que avanzan hacia un nuevo máximo diario después de treinta minutos de cotización tienden a comportarse con robustez a lo largo de la jornada. Repase la regla de la compra de los treinta minutos mencionada en el capítulo 14.

2. Cuando CYCH explota hacia arriba, el maestro de la inversión es consciente de la 200 SMA por arriba. El volumen climático indica finalización del movimiento cerca de la 200 SMA, que es donde el maestro de la inversión intradiaria

busca ofrecer (vender) el valor, consiguiendo un beneficio de 1,25 dólares por acción. *Consejo:* Una 200 SMA por arriba detendrá normalmente en seco una recuperación intradiaria. La figura 17.13 nos cuenta la historia.

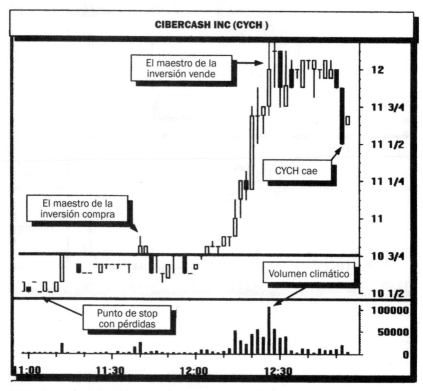

CIBERCASH INC (CYCH)

El maestro de la inversión vende

CYCH cae

El maestro de la inversión compra

Volumen climático

Punto de stop con pérdidas

Fuente: The Executioner.com

FIGURA 17.13.

CYBERCASH, INC. (CYCH): UTILIZACIÓN DEL GRÁFICO DE 15 MINUTOS PARA DETERMINAR CUÁNDO ENTRAR EN ACCIÓN

Este gráfico de dos minutos de CYCH (figura 17.13) demuestra el efecto que la 200 SMA del gráfico de quince minutos tiene sobre la recuperación intradiaria del valor. No es de sorprender que CYCH caiga bruscamente. *Consejo:* La 200 SMA por arriba es una excelente guía para que los maestros de la inversión intradiaria realicen beneficios. Tenga en cuenta que esta táctica funciona asimismo en sentido contrario.

CYBERCASH, INC. (CYCH): Utilización del gráfico
de 2 minutos para mayor precisión

El gráfico diario resultante de CYCH (figura 17.14) muestra cómo se llena un hueco, lo cual constituye otra poderosa razón de venta para el maestro de la inversión. *Consejo:* Los huecos actúan como zonas de soporte y resistencia. En este caso, la zona del hueco bajista es una forma de resistencia.

Fuente: The Executioner.com

FIGURA 17.14.

CYBERCASH, INC. (CYCH): Utilización del gráfico diario para determinar el punto de venta

Este gráfico diario de CYCH (figura 17.15) muestra cómo un maestro de la inversión puede capitalizar el concepto de volumen climático combinándolo con el de soporte mayor. Mostraremos también cómo el maestro de la inversión utiliza diversos plazos de tiempo para tomar decisiones más inteligentes.

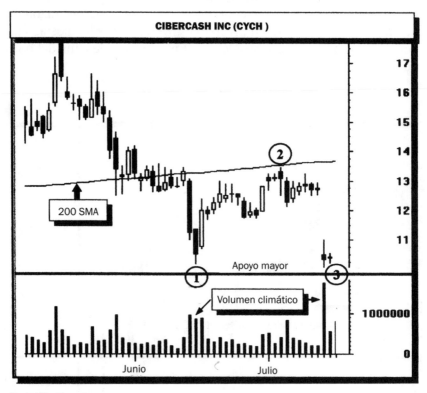

Fuente: The Executioner.com

FIGURA 17.15.

1. CYCH cae desde la zona de su 200 SMA. La caída finaliza con un gran aumento de volumen. El maestro de la inversión toma nota mentalmente de la fuerte recuperación que sigue.

Consejo: Un mínimo anterior del que surge una brusca recuperación servirá siempre como área clave de soporte mayor en una nueva prueba.

2. La 200 SMA actúa como resistencia y acaba desencadenando otra fuerte caída.

3. CYCH crea un hueco bajista con el volumen climático y conserva un soporte mayor de precio. El día después del hueco es a la baja, se forma una RBA, que señala la cercanía de que está a punto de producirse una fuerte remontada. El maestro de la inversión decide comprar por encima del máximo de la NRB, pero cambia primero al gráfico de cinco y/o quince minutos para obtener una visión más detallada.

CYBERCASH, INC. (CYCH): Utilización del gráfico diario para ver el resultado

Este gráfico diario final de CYCH (figura 17.16) muestra lo importantes que pueden ser los huecos como zonas de resistencia. A destacar lo abrupto que era el declive.

Tres exámenes para el maestro de la inversión

Examen 1: LEXMARK INTERNATIONAL (LXK): Busque los cuatro acontecimientos destacables

Preguntas

Este gráfico diario de LXK (figura 17.17) contiene cuatro acontecimientos clave. ¿Puede identificarlos?

1. _____

2. _____

3. _____

4. _____

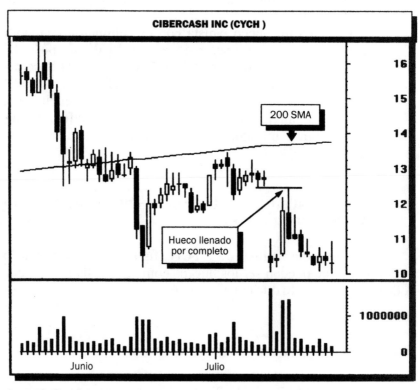

Fuente: The Executioner.com

FIGURA 17.16.

Respuestas

1. *Escenario de compra clave acentuado por una barra de rango estrecho (NRB)*. El maestro de la inversión compra LXK por encima del máximo de la NRB, con un stop inicial situado 1/16 por debajo del mínimo de la NRB. El maestro de la inversión vende en la barra de reversión unos 13 dólares por encima. *Nota:* En el gráfico, todas las ventas aparecen señaladas con una «V».

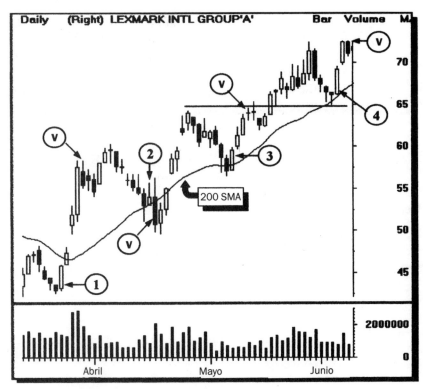

Fuente: The Executioner.com

FIGURA 17.17.

2. *Escenario de compra clave a partir de la 20 MA en alza.* El
   maestro de la inversión compra en el punto 2, con un stop
   inicial por debajo del mínimo de la barra anterior o de la actual. El maestro de la inversión se ve obligado a salir al día
   siguiente con una pérdida de varios puntos.
3. *Escenario de compra clave justo después de la 20 MA en
   alza.* El maestro de la inversión compra en el punto 3, con
   un stop inicial por debajo del mínimo de la barra anterior. El
   maestro de la inversión vende cerca del máximo anterior en
   el escenario mortal Doji, con un beneficio de casi 6 dólares.
   Consejo: El maestro de la inversión protege los beneficios de
   cada inversión utilizando la regla de un dólar y el método
   de stop arrastrado.

4. *Escenario de compra clave acentuado por una cola alcista, a partir de la 20 MA en alza y un soporte menor.* El maestro de la inversión compra en el punto 4, con un stop inicial por debajo del mínimo de la barra anterior. El maestro de la inversión vende cerca del anterior máximo para obtener un beneficio de entre 4 y 5 dólares.

EXAMEN 2: CONCENTRIC NETWORK (CNCX): BUSQUE LOS SEIS ACONTECIMIENTOS DESTACABLES

Preguntas

Este gráfico diario de CNCX (figura 17.18) contiene seis acontecimientos clave. ¿Puede identificarlos?

1. _____

2. _____

3. _____

4. _____

5. _____

6. _____

Respuestas

1. *Escenario de compra clave acentuado por una barra reversa (RB) alcista con una cola.* El maestro de la inversión compra en o por encima de la RB.
2. *Barra reversa alcista con una cola.* Esto sugiere que los compradores se muestran muy activos en la zona de precios situada entre 26 y 28 dólares. Tenga presente que no es un acontecimiento que señale una oportunidad de compra. Sólo sirve como signo de dónde los compradores se muestran ac-

tivos. *Consejo:* Comprar en o por encima de una RB alcista
debería realizarse únicamente en un retroceso a partir de un
nuevo máximo. CNCX se ha situado, de hecho, por debajo
de su anterior mínimo, calificándolo así como valor con tendencia a la baja.

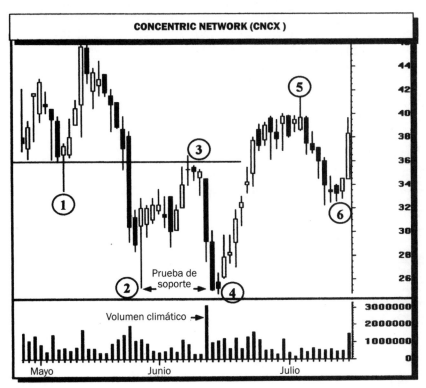

CONCENTRIC NETWORK (CNCX)

Fuente: The Executioner.com

FIGURA 17.18.

3. *Escenario de venta clave en la resistencia menor de precio.*
   Este escenario de venta está acentuado por una barra de rango estrecho (NRB). El maestro de la inversión vende en corto CNCX por debajo del mínimo de la NRB.
4. *Barra de rango estrecho (NRB) en soporte mayor de precio*
   poco después del volumen climático. El maestro de la inversión compra agresivamente por encima de la NRB.

5. *Nuevo máximo con una cola.* No es un acontecimiento que señala una oportunidad de venta. El nuevo máximo indica solamente que se puede comprar CNCX al siguiente retroceso, siempre y cuando se materialicen uno o más acontecimientos.

6. *Retroceso del cincuenta por ciento, estableciendo un escenario casi perfecto de compra clave, acentuado por una barra de rango estrecho (NRB).* El maestro de la inversión compra por encima de la NRB.

EXAMEN 3: COSTCO COMPANIES (COST): BUSQUE LOS SEIS ACONTECIMIENTOS DESTACABLES

Preguntas

Este gráfico diario de COST (figura 17.19) contiene seis acontecimientos clave. ¿Puede identificarlos?

1. _____

2. _____

3. _____

4. _____

5. _____

6. _____

Respuestas

1. *El volumen climático detiene la caída de COST, estableciendo una zona potencial de soporte de precio.* No se trata de un acontecimiento que indique una oportunidad de compra.

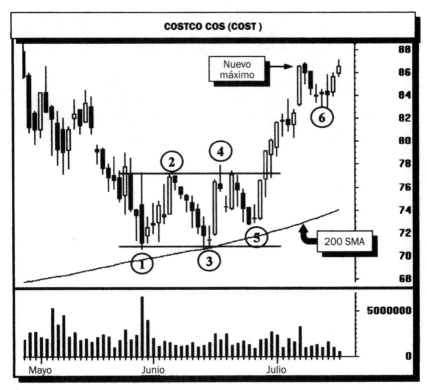

COSTCO COS (COST)

Nuevo máximo

200 SMA

Mayo   Junio   Julio

Fuente: The Executioner.com

FIGURA 17.19.

2. *Escenario de venta clave, acentuado por una barra de rango estrecho (NRB).* El maestro de la inversión vende en corto COST por debajo de la NRB.

3. *Escenario de compra clave justo en el soporte mayor de precio y la 200 SMA.* Debería destacarse que esta nueva puesta a prueba del mínimo anterior puede considerarse también como un retroceso del 100 por cien. El maestro de la inversión compra en la próxima ocasión en que COST cotiza por encima del máximo del día anterior.

4. *Barra reversa (RB) con una cola negativa en una resistencia de precio mayor.* A destacar que al día siguiente, COST abrió con un hueco bajista superior de dos puntos.

5. *Escenario de compra clave.* Mientras que este escenario no se correspondía con ningún otro acontecimiento, la barra tipo Doji que señalaba el fondo, era una indicación clave de que era probable que se materializara una recuperación.

6. *Escenario clave de compra con una serie de colas alcistas.* *Consejo:* El primer retroceso después de un nuevo máximo representa una oportunidad de compra, siempre y cuando se materialicen uno o más de los acontecimientos.

18. ESP

El futuro de las plataformas electrónicas de inversión

Una herramienta de inversión de la próxima generación

El maestro de la inversión que ha trabajado duro para adquirir las habilidades necesarias para participar con éxito en el mercado, se percata de que uno de los retos clave de la inversión a corto plazo es descubrir oportunidades de inversión de calidad, o escenarios, *en el mismo momento en que debería llevarse a cabo la acción*. Mientras que los inversores a plazos más largos invierten basándose en gráficos diarios y semanales, el inversor profesional a corto plazo suele tomar decisiones de inversión en base a gráficos intradiarios de rápido movimiento. Debido a ello, el inversor a corto plazo debe ser capaz de, rápida y eficientemente, identificar oportunidades de inversión *cuando se producen a lo largo de la jornada bursátil*.

El inversor a corto plazo en fase de formación es habitualmente capaz de identificar oportunidades de inversión de calidad, pero sólo *después* de que es demasiado tarde para emprender una acción, en la mayoría de los casos. Cuando el inversor repase centenares, e incluso miles de gráficos intradiarios de valores, advertirá muchas oportunidades rentables que ha dejado pasar minutos o incluso horas antes.

La ineludible realidad es que sólo encontrará unas pocas oportunidades de calidad en el momento adecuado en las que poder emprender una acción e iniciar una inversión de éxito. Pero aun muchos inversores en fase de formación debilitan su criterio de entrada con tal de «crear» oportunidades, lo que, naturalmente, tiende a deteriorar, más si cabe, su rentabilidad inversora. Ahí es donde los avances tecnológicos pueden resultar de gran ayuda.

Los maestros de la inversión aprovechan todas las herramientas que la tecnología les ofrece para mejorar la selección y el momento de sus inversiones. Tenga presente que los maestros de la inversión no confían únicamente en la tecnología como un punto de apoyo, esperando beneficiarse de ella sin obtener los conocimientos necesarios. Eso no puede ocurrir nunca, por avanzada que sea la tecnología. Los maestros de la inversión, más bien, utilizan la tecnología para mejorar aún más sus habilidades para obtener rentabilidad del mercado. Esperamos que capte este importante condicionante, puesto que los cementerios financieros están llenos de inversores que erróneamente creían que lo único que necesitaban para convertirse en inversores de éxito era el último grito tecnológico. Nada sustituirá jamás los conocimientos y las habilidades. El principal objetivo de la tecnología es utilizar con mayor eficiencia estos conocimientos y habilidades.

Habiendo dicho esto, la aparición de potentes sistemas electrónicos y de la tecnología de inteligencia artificial han permitido recientemente el desarrollo de nuevas y apasionantes herramientas para ayudar al inversor a corto plazo, y Pristine.com se ha instalado al frente de estos nuevos y dinámicos cambios con un producto revolucionario que denominamos ESP.

Identificación y alerta automatizada de inversiones

Los alumnos de nuestros seminarios de uno y tres días de duración y nuestros servicios de asesoría llevan tiempo reconociendo el valor de los escenarios de inversión, muchos de los cuales aparecen detallados en este libro. Sin embargo, con un universo compuesto por cerca de 10.000 valores, resulta muy difícil identificar rápidamente los que satisfacen los criterios de Pristine en los precisos momentos en que se presentan las oportunidades de inversión. Afortunadamente, el poder de la electrónica y la tecnología de inteligencia artificial nos ha permitido contrastar miles de valores con respecto a docenas de escenarios de inversión y sistemas en tiempo real, proporcionando una alerta instantánea siempre que se identifica una oportunidad Pristine en cualquier valor.

El producto ESP (*sales@pristine.com*) utiliza estas nuevas tecnologías para ayudar a los maestros de la inversión alertándoles de la presencia de oportunidades potenciales de inversión en cada escenario, estos sistemas van desde los métodos a largo plazo (de dos a cinco días), como la compra y venta de tipo swing, hasta los métodos de inversión diaria a más corto plazo (de una a dos horas), como las inversiones intradiarias en zonas de rotura. Existen actualmente cerca de veinte escenarios de inversión distintos programados en ESP y vamos añadiendo más continuamente. ESP alerta, además, al inversor de la presencia de valores que satisfagan otros criterios más genéricos, que siempre pueden interesar al maestro de la inversión. Estas alertas adicionales incluyen la notificación del momento en que un valor alcanza un nuevo máximo o mínimo a 52 semanas, o el momento en que un valor, con un aumento de volumen repentino, se ve acompañado por un brusco movimiento de precio.

Exploración y análisis automatizado de valores

Otra potente característica de ESP es su capacidad de exploración y análisis. ESP examina continuamente todos los valores basándose en criterios clave como:

- Porcentaje de ganadores y perdedores.
- Puntos ganados y perdidos.
- Valores más activos en base a su volumen.
- Valores más activos en base a movimientos en el último minuto transcurrido.
- Valores que alcanzan nuevos máximos o mínimos durante la jornada.

- Valores que se aproximan al punto que desencadena una oportunidad inversora.
- En ESP hay otros muchos análisis disponibles.

Estas listas se integran fácilmente y de manera directa en las pantallas de sistemas de acceso directo, como Executioner, para permitir al inversor repasar rápidamente los gráficos intradiarios y el estado de Nivel II de los valores candidatos. Las listas se actualizan continuamente para ofrecer al inversor información precisa sobre la cual tomar decisiones de inversión.

Cómo funciona

El producto ESP ha sido programado para identificar escenarios clave que se produzcan diariamente en el mercado. Un potente ordenador y los datos obtenidos vía satélite se combinan con un dispositivo de inteligencia artificial para definir las bases y descubrir oportunidades inversoras. Cada movimiento y cambio que se produce en todos los valores se controla continuamente. Mediante una tecnología cliente/servidor e Internet, las alertas y los resultados de la exploración que lleva a cabo ESP se emiten instantáneamente hacia el ordenador del inversor, en el momento en que se producen a lo largo de toda la jornada. Es importante destacar que los potentes ordenadores, los sistemas de *software* y las bases de datos se conservan en ordenadores internos de Pristine. Internet se utiliza únicamente para transmitir los resultados, es decir, las alertas y resultados de la exploración procesados por el sistema. Por lo tanto, la potencia del ordenador y los requisitos de ancho de banda necesarios en el aparato del usuario que utilice ESP son mínimos.

Somos de la opinión de que la tecnología de inteligencia artificial empezará a desempeñar un mayor papel en los mercados financieros de aquí en adelante y que ESP es uno de los primeros productos que utiliza plenamente esta tecnología en beneficio del inversor activo. ESP mejorará la rentabilidad inversora de los maestros de la inversión permitiéndoles concentrar su atención en una lista más pequeña de valores que presentan oportunidades potenciales de inversión. Utilizando la inteligencia de ESP, los maestros de la inversión pueden, rápida y eficientemente, realizar decisiones inversoras sin verse molestados por los procesos complicados e interminables que implican la clasificación de los miles de valores disponibles hasta encontrar los escenarios de calidad descritos en este libro. Como resultado de ello, los maestros de la inversión son capaces de mejorar drásticamente sus resultados. Pristine dentro de una caja. Algo maravilloso.

19. Conclusión

Usted es un líder

Gracias a nuestra década de compromiso con la formación de inversores activos e independientes y nuestra lucha incansable por la igualdad en Wall Street, mucha gente de todo el mundo nos considera como sus líderes. La responsabilidad que otorga miles de seguidores que confían en nuestras enseñanzas y nuestra guía es, sin duda alguna, muy grande. Recuerdo sentirme abrumado poco después de ser arrojado bajo las candilejas de la comunidad de la inversión de día. El pensamiento que más me dominaba por aquel entonces tenía que ver con mi propio nivel de progreso como inversor. «¿Quién era yo para andar dando consejos y sugerencias?» «¿No era aun yo mismo un inversor en fase de crecimiento y desarrollo?» «¿No sucumbía aún a algunos de los errores más evidentes que obsesionaban y atormentaban a los inversores intradiarios jóvenes y viejos?» Por supuesto que sí. Pero las peticiones relacionadas con mi liderazgo, mis conocimientos y mi experiencia no cesaban e, igual que mis seguidores crecieron, también lo hizo mi deseo de convertirme en más merecedor de este respeto mundial.

Fue solamente después de investigar la palabra «líder» que me lancé completamente a la tarea de liderar. Líder es una palabra que tiene un significado concreto en cada idioma. Según la historia, podemos seguirle la pista hasta el antiguo Egipto. En inglés, la palabra líder tiene más de mil años de antigüedad y poco ha cambiado a partir de su raíz anglosajona, *laedere*, que significa «gente que está de viaje».

Reflexione un instante sobre este significado. Líder es, de hecho, una palabra plural, refiriéndose a *gente que está de viaje*. No se refiere a una persona ni a un individuo, sino a *gente que está de viaje*. Esta definición es lo que me hizo sentir mucho mejor en cuanto a estar considerado como un líder. Como inversor en crecimiento, sentía que también yo estaba todavía en el viaje y, sí, un viaje que me convertía en un líder. Pero según la definición, *todos* somos líderes. Todos somos gente en un viaje. Así que, en realidad, yo no soy más líder que usted. Todo individuo hoy que lea este libro tiene derecho a decir en voz alta: «Soy un líder», siempre y cuando esta persona se encuentre en el camino. Mientras que es cierto que pocos caminos, si alguno, conducen al dominio de la inversión, nosotros tenemos que darle las gracias por dedicar tiempo a estudiar el nuestro.

Tiempo bien invertido

Creemos con todo convencimiento, que el tiempo que ha decidido dedicar a este libro demostrará ser un tiempo bien invertido. No sólo la sabiduría, las lecciones, las habilidades y las técnicas contenidas en este libro le ayudarán a alcanzar ese estado que tan cariñosamente denominamos maestría en inversión, sino que le ayudarán igualmente en cualquier otro camino que decida seguir en la vida. Muy poca gente sabe que lo que se necesita para disfrutar de una vida inversora de éxito es exactamente lo mismo que se necesita para disfrutar de una vida de éxito, en general.

Esperamos y soñamos con que este libro logre, de alguna manera, que hoy sea otro ejemplo esporádico de la historia de Wall Street en el que el individuo de a pie se equipara con los influyentes poderosos. Reconocemos que una de las mejores maneras de escribir el futuro de este sector es compartiendo las lecciones, las habilidades, las fuerzas, las actitudes y los tan duramente conseguidos avances que llevamos persiguiendo desde hace una década.

Nuestro deseo apasionado es tanto proteger como compartir el progreso y los avances que hemos realizado, y queremos asegurarnos de que los que vengan detrás nuestro tengan unos hombros donde apoyarse. Con este libro, espero que lo hayamos conseguido, de un modo u otro.

Usted «tendrá» éxito

A modo de cierre, me gustaría que supiera que estamos completamente de acuerdo con el filósofo que dijo: «Hay tres tipos de individuos en este mundo: los que *tendrán*, los que *no tendrán* y los que *no pueden tener*. El primero lo *consigue* todo. El segundo se *opone* a todo. Y el tercero *fracasa* en todo.» Comprar y terminar de leer este libro constituye un vivo testimonio de que usted no es ni un «no tendrán» ni un «no pueden tener», sino más bien, un miembro permanente de ese grupo de los que «tendrán». Y con un poco de paciencia y mucho estudio y dedicación, *conseguirá* todo lo que se proponga.

El resto depende de usted

Tenga en cuenta, solamente, que mientras que nosotros le hemos otorgado los conocimientos, la experiencia no se la va a dar nadie. Los inversores experimentados no pueden compartir su madurez con aquellos que desean progresar. Su única alternativa es facilitarles el conocimiento y las oportunidades para desarrollar sus propias experiencias. Este libro le proporciona los conocimientos y la oportunidad. El resto, amigo mío, depende de usted. Buena suerte.

Apéndice 1

Índices de valores

Símbolo	Nombre	Símbolo	Nombre
	NASDAQ 100 Stock Index (Symbol: NDX)		
COMS	3COM CORP	CSCO	CISCO SYSTEMS
ADPT	ADAPTEC INC	CTXS	CITRIX SYSTEMS
ADCT	ADC TELECOM INC	CMGI	CMGI INC
ADBE	ADOBE SYS INC	CNET	CNET INC
ALTR	ALTERA CORP	COMR	COMAIR HOLDGS INC
AMZN	AMAZON.COM INC	CMCSK	COMCAST CORP-SPL
APCC	AMER POWER CONV	CPWR	COMPUWARE CORP
AMGN	AMGEN INC	CMVT	COMVERSE TECH
ANDW	ANDREW CORP	CEFT	CONCORD EFS
APOL	APOLLO GROUP-A	CNXT	CONEXANT SYS
AAPL	APPLE COMPUTER	CEXP	CORP EXPRESS INC
AMAT	APPLIED MATERIAL	COST	COSTCO WHOLESALE
ATHM	AT HOME CORP	DELL	DELL COMPUTER
ATML	ATMEL CORP	PAYX	PAYCHEXINC
ADSK	AUTODESK INC	PSFT	PEOPLESOFT INC
BBBY	BED BATH & BEYOND	QCOM	QUALCOMM INC
BGEN	BIOGEN INC	QTRN	AUINTILES TRANS
BMET	BIOMET INC	QWST	QWEST COMMUNICAT
BMCS	BMC SOFTWARE INC	RTRSY	REUTERS GRP-ADR
CATP	CAMBRIDGE TECH	RXSD	REXALL SUNDOWN
CBRL	CBRL GROUP INC	ROST	ROSS STORES INC
CHIR	CHIRON CORP	SANM	SANMINA CORP
CIEN	CIENA CORP	SEBL	STEBEL SYSTEMS
CTAS	CINTAS CORP	SIAL	SIGMA-ALDRICH

NASDAQ 100 Stock Index (Symbol: NDX) *(Continuación)*

Símbolo	Nombre	Símbolo	Nombre
SSCC	SMURFIT-STONE CO	MSFT	MICROSOFT CORP
SPLS	STAPLES INC	MLHR	MILLER (HERMAN)
DLTR	DOLLAR TREE STOR	MOLX	MOLEX INC
EBAY	EBAY INC	NETA	NETWORK ASSOC
ERTS	ELEC ARTS INC	NXTL	NEXTEL COMM-A
EFII	ELEC FOR IMAGING	NWAC	NORTHWEST AIRLIN
ERICY	ERICSSON LM-ADR	NOVL	NOVELL INC
FAST	FASTENAL CO	NTLI	NTL INC
FHCC	FIRST HEALTH GRP	ORCL	ORACLE CORP
FISV	FISERV INC	PCAR	PACCAR INC
GENZ	GENZYME-GENL DIV	PHSY	PACIFICARE HLTH
GBLX	GLOBAL CORSSING	SPOT	PANAMSAT CORP
IMNX	IMMUNEX CORP	PMTC	PARAMETRIC TECH
INTC	INTEL CORP	SBUX	STARBUCKS CORP
INTU	INTUIT INC	STEI	STEWART ENTERPR
JDSU	JDS UNIPHASE	SUNW	SUN MICROSYSTEMS
KLAC	KLA-TENCOR CORP	SNPA	SYNOPSYS INC
LVLT	LEVEL 3 COMM INC	TECD	TECH DATA CORP
LNCR	LINCARE HOLDINGS	TLAB	TELLABS INC
LLTC	LINEAR TECH CORP	USAI	USA NETWORKS INC
LCOS	LYCOS INC	VRTS	VERITAS SOFTWARD
MXIM	MAXIM INTEGRATED	VISX	VISX INC
WCOM	MCI WORLDCOM INC	VTSS	VITESSE SEMICOND
MCLD	MCLEODUSA INC-A	WTHG	WORTHINGTON INDS
MCHP	MICROCHIP TECH	XLNX	XILINX INC
MUEI	MICRON ELECTRON	YHOO	YAHOO INC

Merrill Lynch 100 Tech (Symbol: MLO)

Símbolo	Nombre	Símbolo	Nombre
COMS	3 COM CORP	AUD	AUTOMAIC DATA
ADPT	ADAPTEC INC	BANF	BAAN COMPANY NV
ADCT	ADC TELECOM INC	BMCS	BMC SOFTWARE INC
ADBE	ADOBE SYS INC	BRCM	BROADCOM CORP-A
AMD	ADV MICRO DEVICE	CDN	CADENCE DESIGN
ALA	ALCATEL SA - ADR	CEN	CERIDIAN CORP
ALTR	ALTERA CORP	CSCO	CISCO SYSTEMS
AMZN	AMAZON.COM INC	CTXS	CITRIX SYSTEMS
APCC	AMER POWER CONV	JDEC	JD EDWARDS & CO
AOL	AMERICA ONLINE	JDSU	JDS UNIPHASE
ADI	ANALOG DEVICES	KEA	KEANE INC
AAPL	APPLE COMPUTER	KLAC	KLA-TENCOR CORP
AMAT	APPLIED MATERIAL	LXK	LEXMARK INTL-A
ASML	ASM LITHOGRAPHY	LLTC	LINEAR TECH CORP
ATHM	AT HOME CORP	LSI	LSI LOGIC CORP
ADSK	AUTODESK INC	LU	LUCENT TECH INC

Merrill Lynch 100 Tech (Symbol: MLO) *(Continuación)*

Símbolo	Nombre	Símbolo	Nombre
MXIM	MAXIM INTEGRATED	GIC	GEN INSTRUMENT
MU	MICRON TECH	HWP	HEWLETT-PACKARD
MSFT	MICROSOFT CORP	INKT	INKTOMI CORP
MOLX	MOLEX INC	INTC	INTEL CORP
MOT	MOTOROLA INC	IBM	INTL BUS MACHINE
NSM	NATL SEMICONDUCT	INTU	INTUIT INC
NTAP	NETWORK APPLIANC	IOM	IOMEGA CORP
NETA	NETWORK ASSOC	JBL	JABIL CIRCUIT
NN	NEWBRIDGE NETWRK	QCOM	QUALCOMM INC
NXTL	NEXTEL COMM-A	DSS	QUANTUM CO - DSSG
NOK	NOKIA CORP -ADR	RATL	RATIONAL SOFTWAR
NT	NORTEL NETWORKS	RNWK	REALNETWORKS INC
NOVL	NOVELL INC	SANM	SANMINA CORP
ORCL	ORACLE CORP	SAP	SAP AG-SPONS ADR
PMTC	PARAMETRIC TECH	SCI	SCI SYSTEMS INC
PAYX	PAYCHEX INC	SEG	SEAGATE TECH INC
PSFT	PEOPLESOFT INC	SEBL	SIEBEL SYSTEMS
PHG	PHILIPS ELEC - NY	SGI	SILICON GRAPHICS
CPQ	COMPAQ COMPUTER	SLR	SOLECTRON CORP
CA	COMPUTER ASSOC	SE	STERLING COMMERC
CSC	COMPUTER SCIENCE	STM	STMICROELECTRONT
CPWR	COMPUWARE CORP	STK	STORAGE TECH
DELL	DELL COMPUTER	SUNW	SUN MICROSYSTEMS
EGRP	E*TRADE GROUP	SNPS	SYNOPSYS INC
EBAY	EBAY INC	TECD	TECH DATA CORP
ECIL	ECI TELECOM	TLAB	TELLABS INC
ERTS	ELEC ARTS INC	TER	TERADYNE INC
EDS	ELEC DATA SYSTEM	TXN	TEXAS INSTRUMENT
EMC	EMC CORP/MASS	UIS	UNISYS CORP
ERICY	ERICSSON LM-ADR	VRTS	VERITAS SOFTWARE
FDC	FIRST DATA CORP	VTSS	VITESSE SEMICOND
FISV	FISERV INC	XRX	XEROX CORP
IT	GARTNER GROUP-A	XLNX	XILINX INC
GTW	GATEWAY INC	YHOO	YAHOO INC

AMEX Oil Index (Symbol: XOI)

Símbolo	Nombre	Símbolo	Nombre
AHC	AMERADA HESS CP	OXY	OCCIDENTAL PETE
ARC	ATLANTIC RICH CO	P	PHILLIPS PETE
BPA	BP AMOCO PLC-ADR	RD	ROYAL DUT PE-NYS
CHV	CHEVRON CORP	SUN	SUNOCO INC
COC/A	CONOCO INC-A	TX	TEXACOINC
XON	EXXON CORP	TOT	TOTAL FINA -ADR
KMG	KERR-MCGEE CORP	UCL	UNOCAL CORP
MOB	MOBIL CORP	MRO	USX-MARATHON GRP

AMEX Biotech Index (Symbol: BTK)

Símbolo	Nombre	Símbolo	Nombre
AMGN	AMGEN INC	IDPH	IDEC PHARMACEUT
BTGC	BIO-TECH GENERAL	IMNX	IMMUNEX CORP
BGEN	BIOGEN INC	MEDI	MEDIMMUNE INC
CEPH	CEPHALON INC	MLNM	MILLENNIUM PHARM
CHIR	CHIRON CORP	ORG	ORGANOGENESIS
CORR	COR THERAPEUTICS	PDLI	PROTEIN DESIGN
GENZ	GENZYME-GENL DIV	VRTX	VERTEX PHARM
GILD	GILEAD SCIENCES		

AMEX The Street.com Index (Symbol: ICX)

Símbolo	Nombre	Símbolo	Nombre
AMZN	AMAZON.COM INC	EN	E4L INC
AMTD	AMERITRADE HLDNG	EBAY	EBAY INC
BYND	BEYONG.COM CORP	EGGS	EGGHEAD.COM INC
BVSN	BROADVISION INC	ONSL	ONSALE INC
CDNW	CDNOW INC	POD	PEAPOD INC
COOL	CYBERIAN OUTPOST	PTVL	PREVIEW TRAVEL
DRIV	DIGITAL RIVER	UBID	UBID INC EGRP
EGRP	E*TRADE GROUP		

CROE Technology Index (Symbol: TXX)

Símbolo	Nombre	Símbolo	Nombre
COMS	3 COM CORP	LLTC	LINEAR TECH CORP
ADCT	ADC TELECOM INC	LU	LUCENT TECH INC
ADBE	ADOBE SYS INC	MU	MICRON TECH
AOL	UN AMERICA ONLINE	MSFT	MICROSOFT CORP
AAPL	APPLE COMPUTER	MOT	MOTOROLA INC
AMAT	APPLIED MATERIAL	ORCL	ORACLE CORP
CSCO	CISCO SYSTEMS	PMTC	PARAMETRIC TECH
CPQ	COMPAQ COMPUTER	QCOM	QUALCOMM INC
CA	COMPUTER ASSOC	SEG	SEAGATE TECH INC
CSC	COMPUTER SCIENCE	SUNW	SUN MICROSYSTEMS
DELL	DELL COMPUTER	SNPS	SYNOPSYS INC
GTW	GATEWAY INC	TLAB	TELLABS INC
HWP	HEWLETT-PACKARD	TXN	TEXAS INSTRUMENT
INTC	INTEL CORP	XLNX	XILINX INC
IBM	INTL BUS MACHINE	YHOO	YAHOO INC

The Street.com Net Index (Symbol: DOT)

Símbolo	Nombre	Símbolo	Nombre
AMZN	AMAZON.COM INC	MACR	MACROMEDIA INC
AOL	AMERICA ONLINE	MSPG	MINDSPRING ENTER
ATHM	AT HOM CORP	NETA	NETWORK ASSOC
BVSN	BROADVISION INC	ONSL	ONSALE INC
CHKP	CHECK POINT SOFT	OMKT	OPEN MARKET INC
CMGI	CMGI INC	RNWK	REALNETWORKS INC
EGRP	E*TRADE GROUP	RSAS	RSA SECURITY INC
EBAY	EBAY INC	SEEK	INFOSEEK
INKT	INKTOMI CORP	USWB	USWEB CORP
LCOS	LYCOS INC	YHOO	YAHOO INC

Morgan Stanley High Tech (Symbol: MSH)

Símbolo	Nombre	Símbolo	Nombre
COMS	3 COM CORP	INTU	INTUIT INC
AMZN	AMAZON.COM INC	LU	LUCENT TECH INC
AOL	AMERICA ONLINE	MU	MICRON TECH
AMAT	APPLIED MATERIAL	MSFT	MICROSOFT CORP
AUD	AUTOMATIC DATA	MOT	MOTOROLA INC
BRCM	BROADCOM CORP-A	NT	NORTEL NETWORKS
CSCO	CISCO SYSTEMS	ORCL	ORACLE CORP
CPQ	COMPAQ COMPUTER	PMTC	PARAMETRIC TECH
CA	COMPUTER ASSOC	PSFT	PEOPLESOFT INC
CSC	COMPUTER SCIENCE	SEG	SEAGATE TECH INC
DELL	DELL COMPUTER	SLR	SOLECTRON CORP
ERTS	ELEC ARTS INC	STM	STMICROELECTRONI
EDS	ELEC DATA SYSTEM	SUNW	SUN MICROSYSTEMS
EMC	EMC CORP/MASS	T LAB	TELLABS INC
FDC	FIRST DATA CORP	TXN	TEXAS INSTRUMENT
HWP	HEWLETT-PACKARD	XLNX	XILINX INC
INTC	INTEL CORP	YHOO	YAHOO INC IBM
INTL	BUS MACHINE		

Dow Jones Industrial Average (Symbol: INDU)

Símbolo	Nombre	Símbolo	Nombre
AA	ALCOA INC	GT	GOODYEAR TIRE
ALD	ALLIEDSIGNAL INC	HWP	HEWLETT-PACKARD
AXP	AMER EXPRESS	IBM	INTL BUS MACHINE
T	AT&T CORP	IP	INTL PAPER CO
BA	BOEING CO	JNJ	JOHNSON & JOHNSON
CAT	CATERPILLAR INC	MCD	MCDONALS CORP
CHV	CHEVRON CORP	MRK	MERCK & CO
C	CITIGROUP INC	MMM	MINNESOTA MINING
KO	COCA-COLA CO	JPM	MORGAN (J.P)
DIS	DISNEY (WALT) CO	MO	PHILIP MORRIS CO
DD	DU PONT (EI)	PG	PROCTR & GAMBLE
EK	EASTMAN KODAK	S	SEARS ROEBUCK
XON	EXXON CORP	UK	UNION CARBIDE
GE	GEN ELECTRIC	UTX	UNITED TECH CORP
GM	GEN MOTORS	WMT	WMT

Dow Jones Transportation Average (Symbol: TRAN)

Símbolo	Nombre	Símbolo	Nombre
ABF	AIRBORNE FREIGHT	NSC	NORFOLK SOUTHERN
ALEX	ALEXANDER & BALD	NWAC	NORTHWEST AIRLIN
AMR	AMR CORP	ROAD	ROADWAY EXPRESS
BNI	BURLINGTON/SANTA	R	RYDER SYSTEM INC
CNF	CNF TRANSPORTATI	LUV	SOUTHWEST AIR
CSX	CSX CORP	UAL	UAL CORP
DAL	DELTA AIR LINES	UNP	UNION PAC CORP
FDX	FDX CORP	U	US AIRWAYS GROUP
GMT	GATX CORP	USFC	USFREIGHTWAYS CP
JBHT	HUNT (JB) TRANS	YELL	YELLOW CORP

Dow Jones Utilities Average (Symbol: UTIL)

Símbolo	Nombre	Símbolo	Nombre
AEP	AMER ELEC PWR	PEG	PUB SERV ENTERP
CG	COLUMBIA ENERGY	RO	RELIANT ENERGY
ED	CONS EDISON INC	SO	SOUTHERN CO
CNG	CONS NATURAL GAS	TXU	TEXAS UTIL
DUK	DUKE ENERGY CORP	UCM	UNICOM CORP
EIX	EDISON INTL	WMB	WILLIAMS COS INC
ENE	ENRON CORP		
PE	PECO ENERGY CO		
PCG	PG&E CORP		

AMEX Airline Index (Symbol: XAL)

Símbolo	Nombre	Símbolo	Nombre
ALK	ALASKA AI RGROUP	KLM	KLM-NY SHARES
AMR	AMR CORP	NWAC	NORTHWEST AIRLINE
COMR	COMAIR HLDGS INC	LUV	SOUTHWEST AIR
CAL	CONTL AIR-B	UAL	UAL CORP
DAL	DELTA AIR LINES	U	US AIRWAYS GROUP

Interactive WK Internet (Symbol: IIX)

Símbolo	Nombre	Símbolo	Nombre
COMS	3COM CORP	EXDS	EXODUS COMM INC
AMZN	AMAZON. COM INC	HRBC	HARBINGER CORP
AOL	AMERICA ONLINE	SEEK	INFOSEEK CORP
ARBA	ARIBA INC	INKT	INKTOMI CORP
ATHM	AT HOME CORP	INTU	INTUIT INC
BRCM	BROADCOM CORP-A	LVLT	LEVEL 3 COMM INC
BVSN	BROADVISION INC	MSPG	MINDSPRING ENTER
CDNW	CDNOW INC	NETA	NETWORK ASSOC
CHKP	CHECKPOINT SOFT	NSOL	NETWORK SOLUTION
CKFR	CHECKFREE HLDGS	NOVL	NOVELL INC
CSCO	CISCO SYSTEMS	ONSL	ONSALE INC
CMGI	CMGT INC	OMKT	OPEN MARKET INC
CNET	CNET INC	PAIR	PARGAIN TECH
CPTH	CRITICAL PATH	PCLN	PRICELINE.COM
CYCH	CYBERCASH INC	PSIX	PSINET INC
DCLK	DOUBLECLICK INC	QCOM	QUALCOMM INC
EGRP	E*TRADE GROUP	QWST	QWEST COMMUNICAT
EELN	E-LOAN INC	RNWK	REALNETWORKS INC
ELNK	EARTHLINK NETWORK	RTHM	RHYTHMS NETCONNE
EBAY	EBAY INC	RSAS	RSA SECURITY INC

Apéndice 2

Glosario

Términos de mercado comúnmente utilizados

Acción: Inversión que representa parte de la propiedad de una empresa o de un fondo de inversión. *Véase también* «Valor».

Acumulación: Término normalmente aplicado a la transferencia de valores en el sector institucional, o a la presión compradora que provoca como resultado el aumento del valor de la acción.

American Depositary Receipts (ADR): Comprobantes mantenidos por un banco norteamericano que representan acciones en una empresa extranjera.

Análisis fundamental: Técnica de análisis que observa el estado financiero, la gestión y el puesto que una empresa ocupa en su sector para predecir los movimientos de los valores de dicha empresa.

Análisis técnico: Estudio de un valor o de un sector del mercado que utiliza datos de inversión, como el volumen y las tendencias de precios, para realizar predicciones sobre los movimientos de los valores.

Apertura con retraso: Retraso en la cotización de un valor más allá del horario normal de apertura, debido a que las condiciones del mercado juzgadas por los responsables del mercado exigen ese retraso (es decir, un influjo o desequilibrio de órdenes de compra o de venta y/o noticias pendientes por parte de la empresa).

Arbitraje: Técnica de comprar y vender valores bursátiles aprovechándose de pequeñas diferencias de precio.

Bandas de Bollinger: Líneas fijas por encima y por debajo del precio medio de un valor bursátil. A medida que aumenta la volatilidad, se ensanchan las bandas.

Bandera: Una brusca punta de precio, seguida por una consolidación lateral con un sesgo hacia la recuperación. Los precios, normalmente rompen este modelo de consolidación con un objetivo igual al mástil de la bandera precedente.

Beneficio por acción: Se calcula dividiendo el beneficio entre el número de acciones emitidas.

Beneficios: Ingresos de una empresa después de haber pagado los impuestos y todos los demás gastos. También denominado ingresos netos.

Big Board: Nombre alternativo para el mercado de valores de Nueva York.

Bloomberg-BTRD: Una ECN enfocada hacia las instituciones mayores que forma parte de la familia financiera Bloomberg.

Bono largo: Nombre común de un bono a treinta años emitido por el Tesoro de los Estados Unidos. Se considera un indicador clave de tendencias en tipos de interés a largo plazo.

Broker-dealer: Empresa bursátil que vende al público bonos u otros valores bursátiles. El broker-dealer es responsable del control de los brokers que tenga asociados.

Canal: En chartismo, un canal de precio incluye los precios a lo largo de una tendencia. Existen tres formas básicas de dibujar canales: paralelos, circulares y aquellos que conectan mínimos o máximos.

Capitalización de mercado: El valor total de mercado de una empresa o valor bursátil, que equivale al número de acciones por el precio actual de mercado de dichas acciones.

Colocación privada: La venta de valores u otras inversiones directamente a un inversor. Los valores bursátiles de una colocación privada no tienen que registrarse necesariamente en la Securities and Exchange Commission.

Compensar: Comprar o vender un producto o un valor bursátil para compensar una posible pérdida producida por cambios de precio en una venta o compra futura.

Compras de cobertura: Transacciones que invierten posiciones bajistas. En el mercado de valores, por ejemplo, acciones que se adquieren para sustituir las acciones que previamente se han tomado prestadas.

Consolidación: Una pausa que permite a los participantes del mercado valorar de nuevo el mercado y que prepara la escena para el siguiente movimiento de precio.

Corrección: Movimiento inverso, normalmente a la baja, en el precio de un valor bursátil, bono, producto, índice, o del mercado de valores en su totalidad.

Cortocircuitar: Medida utilizada por algunas de las principales Bolsas de valores y mercantiles, para restringir temporalmente las transacciones cuando los mercados suben o bajan demasiado rápido o hasta límites exagerados.

Cotización: La demanda para comprar un valor o la oferta para vender un valor, en un mercado determinado, en un momento determinado.

Cotización compuesta: Cantidad total de cotizaciones en todos los mercados de una acción que aparece en el New York Stock Exchange o en el American Stock Exchange. Incluye cotizaciones en esos mercados, en los cinco mercados regionales y en el mercado de valores del NASDAQ.

Cotización entre mercados: Red de comunicaciones electrónicas que une los sistemas de inversión entre mercados de las siete Bolsas registradas para animar la competencia entre ellas en valores del NYSE o del AMEX y una o más de las Bolsas regionales.

Cotización interna: En un sentido, se refiere a la cotización legal de un valor bursátil por parte de los directivos de la empresa, basándose en información disponible al público. En otro sentido, se refiere a la cotización ilegal de valores bursátiles por parte de cualquier inversor, basándose en información no disponible al público.

Cuña: Modelo técnico en el que dos líneas convergentes conectan un grupo de picos y depresiones de precio.

Chicago Board of Trade (CBOT): Un mercado mercantil.

Chicago Board Options Exchange (CBOE): Intercambio establecido por el Chicago Board of Trade para negociar valores.

Demanda al alza: Esto sucede cuando un creador de mercado traslada su demanda actual hacia la demanda más elevada. Es un signo alcista porque el creador de mercado pagará ahora un precio superior a otro creador de mercado en el mismo momento, con tal de comprar un valor.

Demanda para margen: Una demanda de un broker sobre un cliente para que deposite dinero o valores. Las demandas para margen adicional se realizan de acuerdo con la regulación T, que rige la cantidad de crédito que los brokers pueden avanzar a sus clientes para la adquisición de valores bursátiles.

Dip: Leve caída de los precios de los valores bursátiles, seguida por una recuperación.

División de acciones: Un cambio destacado en el número de acciones de una empresa que no altera el valor total de mercado de dicha empresa, ni el porcentaje que cada accionista tiene de la misma. Se emiten acciones adicionales para los accionistas ya existentes, a un tipo expresado como una ratio. Una división de 2 por 1, por ejemplo, dobla el número de acciones poseídas. Después de la división, los inversores serán propietarios de dos acciones por cada una que poseían antes de la misma. Las divisiones están normalmente consideradas como alcistas.

Doble filo: Perder dinero en ambos lados de un movimiento de precio.

Doble fondo / tope: Acción relativa al precio de un valor bursátil o de una media de mercado en el transcurso de la cual ha caído (avanzado) dos veces hasta aproximadamente el mismo nivel, indicando la existencia de un nivel de soporte (resistencia) y la posibilidad de que la tendencia a la baja (al alza) haya finalizado.

Dow Jones Industrial Average (DJIA): Referido con frecuencia como el indice Dow Jones, o el Dow, es el más conocido y el indicador más publicado del rendimiento del mercado de valores. El Dow realiza el seguimiento de los cambios de precios de treinta importantes valores industriales que se cotizan en el New York Stock Exchange. Su valor de mercado combinado equivale aproximadamente al 20 por ciento del valor de mercado de todos los valores que aparecen en el New York Stock Exchange.

Fecha de operación: La fecha en la que sus acciones fueron compradas o vendidas. El precio de la transacción queda determinado por valor neto de cierre en esa fecha. Esta fecha determina, también, la elegibilidad de dividendos.

Federal Open Market Committee (FOMC): El brazo político del Federal Reserve Board. Establece la política monetaria que cumpla los objetivos federales de regular el suministro de dinero y créditos. La herramienta principal del FOMC es la compra y venta de valores del Gobierno, lo que aumenta o disminuye el suministro de dinero, respectivamente. Establece también los tipos de interés principales, como el tipo de descuento.

Flota: El número de acciones sobrantes de una empresa para ser negociadas por el público.

Fondo indexado: Un fondo de inversión que pretende generar el mismo retorno que los inversores obtendrían si fueran propietarios de todos los valores de un índice de valores concreto, a menudo el índice S&P 500.

Fondos sectoriales: Fondos de inversión que invierten en un único sector de la industria como la biotecnología, oro, o Bancos regionales. Los fondos sectoriales tienden a generar una rentabilidad errática y a menudo dominan tanto el tope como el fondo de los gráficos de rentabilidad anual de los fondos de inversión.

Freno: Indicación de que en el New York Stock Exchange se han instalado frenos en la cotización.

Frenos inversores: Uno de los varios «cortocircuitos» adoptados por el NYSE y aprobado por la Securities and Exchange Commission, como respuesta al crack del mercado de valores de octubre de 1987.

Fundir: Vender un precio que va al alza o comprar un precio que va a la baja.

Gráfico diario: Gráfico donde los períodos se establecen de modo que sean períodos de un día. El precio que se representa en él es normalmente el precio de cierre de cada día.

Gráficos de velas: La actividad de los precios se agrega y se muestra para períodos concretos de tiempo y se codifica en forma de velas. Las velas publican visualmente el precio de apertura y de cierre, el máximo y el mínimo del período.

Hojas rosa: Cotizaciones impresas de los precios de oferta y demanda de valores OTC, publicados por National Quotation Bureau, Inc.

Hora y ventas: El ticker de hora y ventas muestra información sobre movimientos concretos a medida que tienen lugar. La institución vendedora es la responsable de publicar la operación (en un espacio de 90 segundos) y los inversores lo utilizan para comprender el sentimiento del mercado en un determinado momento.

Hueco de escape o de huida: Situación que se produce cuando un valor negociable sale de un rango negociándose a niveles de precio que dejan una zona de precios donde en un gráfico de barras no aparecen transacciones. Estos huecos aparecen a la finalización de importantes formaciones gráficas.

Hueco inverso: Formación gráfica donde el mínimo del día se sitúa por encima del rango del día anterior y el cierre está por encima de la apertura del día.

Indexar: Comprar y conservar un conjunto de diversos valores que se emparejen con el rendimiento de un barómetro amplio de los valores del mercado, como el índice S&P 500.

Indicadores de avance económico: Conjunto formado por once índices económicos que ayudan a predecir cambios probables en la economia en general. Los componentes son empleo medio, demandas de desempleo, pedidos de bienes de consumo, plazos de entrega mayores, pedidos de plantas industriales y equipamiento, permisos de construcción, pedidos en reserva de perecederos, precios de materiales, precios de valores bursátiles, oferta monetaria M2 y expectativas del consumidor.

Indicadores de retraso económico: Conjunto formado por siete índices económicas que tiende a arrastrar acontecimientos en la economía en general. Estos indicadores son la duración del desempleo, la tasa de inventario con respecto a ventas, el índice de costes laborales por unidad de producto, el tipo de interés preferencial medio, préstamos pendientes comerciales e industriales, la tasa de créditos personales pendientes con respecto a los ingresos personales, y el índice de precios al consumo de los servicios.

Indicadores económicos: Estadísticas clave para analizar las condiciones de negocio y realizar predicciones.

Índice bursátil de futuros: Contrato para comprar o vender el valor en dinero de un índice bursátil en una fecha concreta.

Índice compuesto NYSE: Índice que cubre los movimientos de precio de todos los valores listados en el New York Stock Exchange.

Índice de arbitraje: Comprar o vender cestas de valores y ejecutar simultáneamente operaciones en futuros sobre índices. Por ejemplo, si los valores están temporalmente más baratos que los futuros, un inversor de arbitraje compraría valores y vendería futuros para obtener un beneficio en la diferencia o margen entre los dos precios.

Índice de Precios al Consumo (IPC): Una medida de la inflación que mide los cambios acontecidos en los precios de los bienes de consumo. El índice se basa en una lista de productos y servicios concretos adquiridos en zonas urbanas y que publica mensualmente el Departamento de Trabajo.

Índice de Precios de Producción (IPP): Conjunto de estadísticas compilado por el Departamento de Trabajo que se utiliza como medida de la inflación a nivel mayorista. La estadística más relevante de todas ellas es el índice de producto final, que realiza el seguimiento de los productos que ya no deben pasar por más procesos y están listos para ser vendidos al usuario final.

Índice NASDAQ Composite: Un índice que cubre los movimientos de precio de todos los valores negociados en el mercado de valores NASDAQ.

Insider: Persona, un alto ejecutivo o un directivo, que posee información sobre una empresa, antes de que dicha información sea públicamente conocida.

Intercambio: Lugar centralizado donde negociar valores y productos, implicando normalmente un proceso de puja.

Inversión de día: La inversión de día es una mentalidad que siguen los inversores para aprovecharse de la liquidez y la ejecución disponibles a través de sistemas de inversión en tiempo real, como The Executioner. Los inversores inician el día a partir de cero, trabajan con movimientos intradiarios y finalizan el día sin inversiones abiertas.

Inversión en bloque: Comprar o vender 10.000 acciones de un valor o bonos por el valor de 200.000 dólares o más.

Inversores: Las personas que negocian los precios y ejecutan las órdenes de compra y venta, por cuenta de otro inversor o por su propia cuenta.

Línea de avance / declive: El número de valores a la baja se resta cada día del número de valores al alza. La diferencia neta se añade a una suma acumulada, si la diferencia es positiva, o se resta de la suma acumulada si la diferencia es negativa.

Lote extraño: Orden de comprar o vender menos de cien acciones de un valor.

Lote redondo: Unidad de inversión o múltiplo, generalmente consistente en 100 acciones de un determinado valor.

Market minder: Tabla personalizada que permite aislar y mostrar en pantalla campos de información clave de una lista de valores o índices. El usuario determina la lista y la visión deseada de las columnas.

Medias Dow Jones: Existen cuatro medias Dow Jones para realizar el seguimiento de los cambios de precios que se producen en diversos sectores. El Dow Jones Industrial Average realiza el seguimiento de los cambios de precio de los valores de treinta empresas industriales. El Dow Jones Transportation Average controla los cambios de precios de los valores de veinte empresas aéreas, ferroviarias y de transporte por carretera. El Dow Jones Utility Average calcula el rendimiento de los valores de quince empresas de gas, electricidad y agua. El Dow Jones 65 Composite Average controla los valores de las sesenta y cinco empresas restantes que no se incluyen en las otras tres medias.

Mercado alcista: Período de tiempo en el que aumenta el precio de los valores bursátiles.

Mercado bajista: Generalmente, un período de tiempo en que el precio de los valores bursátiles cae un 15 por ciento, o más.

Mercado cruzado: Situación en la que la demanda de un broker excede la oferta inferior de otro, o viceversa. Las reglas del NASD prohíben que los brokers entren intencionadamente en estas ofertas o demandas.

Mercado de efectivos: La negociación de valores según el precio actual, en contraposición con la negociación de valores para una recepción futura.

Mercado de subasta: Negociar valores bursátiles en un intercambio en el que los compradores compiten con otros compradores y los vendedores compiten con otros vendedores, para obtener el mejor precio. Un especialista gestiona y mantiene el orden de la negociación de valores individuales.

Mercado secundario: Mercado integrado por valores previamente ofrecidos o vendidos.

Mercados emergentes: Mercados financieros en naciones que están desarrollando economías basadas en el mercado de valores y que se han convertido en populares entre los inversores estadounidenses, como China y Perú.

Momento: El momento es el concepto más básico del análisis de oscilación. El momento es una ratio que indica si el mercado está recuperándose o cayendo.

Momento de mercado: Mover dinero dentro y fuera de los mercados de inversión en un esfuerzo destinado a aprovechar la recuperación y la caída de los precios.

NASDAQ: Mercado de valores electrónico dirigido por la National Association of Securities Dealers. Los brokers obtienen las cotizaciones a través de una red electrónica e invierten por teléfono o electrónicamente.

NASDAQ National Market: Una subdivisión del mercado de valores NASDAQ que incluye los mayores valores y más activos del NASDAQ. Las empresas que se incluyen en esta sección deben satisfacer estándares más estrictos que los necesarios para ser incluidas en otra gran subdivisión, el NASDAQ small-cap market.

National Association of Securities Dealers (NASD): Organización que agrupa las empresas especializadas en Bolsa de los Estados Unidos que prometen obedecer las reglas de la asociación. Establece normas éticas y estandariza las prácticas del sector, y dispone de una estructura disciplinaria que estudia alegaciones sobre violaciones a las normas. La NASD dirige, además, el mercado de valores NASDAQ.

New York Stock Exchange: Fundado en 1792, está integrado por aproximadamente 23.000 empresas que suman un total de acciones valorado en alrededor de cinco trillones de dólares.

Nivel I: Nivel I son datos de inversión y cotización que sólo muestran la oferta y la demanda actual, el último precio y volumen cotizado, y alguna información resumida diaria. En la pantalla no se ve quién está comprando y vendiendo, ni tampoco se sabe el número de acciones en venta a los distintos niveles de precio.

Números Fibonacci: Los números Fibonacci son una secuencia de guarismos en la que cada número sucesivo es la suma de los dos anteriores: 1, 2, 3, 5, 8, 13, 21, 34, 55, 89, 144, 610, etc. Existen cuatro estudios Fibonacci populares: arcos, abanicos, retrocesos y zonas horarias. La interpretación de estos estudios significa anticipar cambios en tendencias, a medida que los precios se acercan a las líneas generadas por los estudios Fibonacci.

Oferta: Precio de oferta. Véase «oferta» en la sección dedicada a Términos técnicos de uso común.

Oferta pública inicial (IPO): La primera vez que una empresa emite un valor al público.

Oferta secundaria: La venta al público de un bloque de valores, habitualmente grande, propiedad de un accionista existente.

Opción de compra: Acuerdo que da al inversor el derecho, pero no la obligación, de comprar un valor, bono, bien o cualquier otro instrumento a precios concretos, en un período también concreto de tiempo.

Opción de venta: Acuerdo que da al inversor el derecho, pero no la obligación, de vender un valor, bono, bien o cualquier otro instrumento a precios concretos, en un período también concreto de tiempo.

Opciones: Acuerdo que permite al inversor comprar o vender valores durante un período de tiempo concreto a un precio concreto. Las opciones se cotizan en diversos mercados, entre ellos el Chicago Board of Options Exchange, el American Stock Exchange, el Philadelphia Stock Exchange, el Pacific Stock Exchange y el New York Stock Exchange.

Orden abierta: Orden de compra o de venta que no ha sido todavía ejecutada o cancelada.

Orden de día: Orden de un inversor para comprar o vender un valor, que será cancelada al final del día si no se satisface.

Orden stop limitada: Una orden de stop que se convierte en una orden limitada después de que se haya alcanzado el precio especificado.

Oso: La persona que piensa que los precios, el mercado, un sector, etc., irán a la baja.

Over the Counter (OTC): Mercado donde las transacciones se realizan por teléfono y las redes electrónicas de los dealers, en lugar de en el parquet.

Pesca de fondo: Compra de valores cuyo precio ha tocado fondo o ha caído a niveles muy bajos.

Portafolio: El conjunto de valores bursátiles propiedad de un inversor.

Precio de cierre: El último precio de cotización de un valor al cierre del mercado.

Programa de inversión: Inversión en valores que implica la compra o venta de una cesta que incluye quince o más valores con valor de mercado total de un millón de dólares o superior. La mayoría de ellos se ejecutan en el New York Stock Exchange, utilizando sistemas electrónicos de inversión. El índice de arbitraje es el tipo más conocido.

Punto: Un cambio de un dólar en el precio de mercado de un valor equivale a un punto.

Realizar beneficios: Vender valores bursátiles después de un reciente, y a menudo rápido, aumento de precio.

Rebote del gato muerto: Rebote del mercado que ve cómo los precios suben y se recuperan.

Reserva Federal: El banco central de los Estados Unidos que establece la política monetaria. La Reserva Federal controla la oferta monetaria, los tipos de interés y los créditos, con el objetivo de mantener estable la economía estadounidense y su moneda. Gobernada por un gabinete de siete miembros, el sistema incluye doce bancos federales regionales, veinticinco sucursales y todos los bancos nacionales y estatales que forman parte del sistema.

Rusell 2000: Índice de valores de pequeña capitalización. Está integrado por los 2000 valores bursátiles más pequeños de Rusell 3000.

Secular: Largo plazo, en contrapartida a temporal o cíclico.

Securities and Exchange Commission (SEC): Agencia federal que refuerza las leyes de los valores bursátiles y estable estándares de confidencialidad de valores de cotización pública, incluyendo fondos de inversión. Fue creada en 1934 y consiste en cinco comisionados nombrados por el presidente y confirmados por el Senado.

Sentimiento de mercado: Medida de la actitud alcista o bajista de la masa.

Símbolo ticker: Letras que identifican un valor a efectos de mercado. El símbolo ticker de los valores bursátiles se utilizan también en las noticias y en los servicios de cotización de precios para identificar los valores.

Stop inverso: Orden para invertir la dirección cuando se alcanza un determinado precio.

Tasa de volumen de compra / venta: El volumen de opciones de venta dividido por el total de opciones de compra de un valor bursátil o índice.

Taza y Asa: «Cup and Handle». Modelo de acumulación observado en gráficos de barras que generalmente se prolonga entre 7 y 65 semanas. La taza es en forma de «U» y el asa dura normalmente más de 1 o 2 semanas. El asa es un impulso a la baja con escaso volumen de cotizaciones desde el lado derecho.

Teoría de la onda de Elliot: Publicada originalmente por Nelson Elliot en 1939, se trata de una técnica de reconocimiento de modelos que se fundamenta en la tesis de que los mercados de valores siguen un modelo o ritmo de cinco ondas hacia arriba y dos ondas hacia abajo hasta formar un ciclo completo de ocho ondas. Las ondas hacia abajo se conocen como ondas de «corrección».

Ticker: En sistemas de inversión como Executioner, pueden establecerse tickers para mostrar la posición del creador de mercado y/o detalles de la inversión, y siguen códigos de color para reconocer fácilmente la dirección del mercado.

Time out: Después de cursar una orden, sea en SOES o en una ECN, la orden estará «viva» únicamente durante un período de tiempo determinado. Transcurrido el mismo, su orden quedará «time out», lo que significa que le ha transcurrido el tiempo y quedará automáticamente cancelada en el siguiente intercambio. Los límites de tiempo varían según el tipo de orden.

Tipo de descuento: El tipo de interés que la Reserva Federal carga sobre los préstamos a los bancos y a otras instituciones financieras. Este tipo influye los tipos que estas instituciones financieras pueden cargar a sus clientes.

Tipo de los fondos federales: El tipo de interés que los bancos cargan sobre préstamos a bancos que necesitan más dinero para satisfacer las exigencias de la reserva bancaria. La Reserva Federal establece el tipo de interés.

Townsend Analytics: Townsend Analytics es el desarrollador de *software* que desarrolló Real Tick III y Executioner.

Valor: Inversión que representa parte de la propiedad de una empresa. Existen dos tipos de valor distintos: ordinario y preferencial. Los *valores ordinarios* proporcionan derecho a voto, pero no garantizan el pago de dividendos. Los *valores preferenciales* no proporcionan derecho a voto, pero tienen un pago de dividendos establecido, garantizado. *Véase también,* Acción.

Valor bursátil: Instrumento financiero que indica que su propietario posee una acción o acciones de una empresa o que ha prestado dinero a una empresa u organización gubernamental (bono).

Valor de mercado: Relación matemática entre el S&P 500 y el índice de futuros.

Valor listado: El valor de una empresa que se cotiza en un mercado de valores.

Valor no listado: Un valor no listado en el mercado de valores y normalmente negociado en el mercado OTC.

Valores blue chip: Valores de empresas reconocidas por su largo historial de buenos beneficios y dividendos.

Valores cíclicos: Acciones que tienden a subir cuando la economía va hacia arriba y a caer cuando la economía va hacia abajo.

Valores de baja capitalización: Acciones de empresas relativamente pequeñas, típicamente con un valor total de mercado, o capitalización, de menos de 600 millones de dólares.

Valores defensivos: Valores cuyo retorno de la inversión no tiende a ir tan a la baja como el mercado en general cuando caen los precios de los valores. En ellos se incluyen empresas con beneficios que tienden a subir a pesar del ciclo del negocio, como empresas del sector alimenticio y farmacéutico, o empresas que pagan dividendos relativamente elevados, como las de servicios públicos.

Valores penique: Mientras que muchas empresas legales tienen precios de acciones que no suben más que unos céntimos, el término «valores penique» se refiere a aquellos cuyo precio es inferior a cinco dólares y normalmente atañe a empresas especuladoras con poco o nulo negocio real altamente promovidas por empresas de brokers que lo venden todo.

VIX: El índice de volatilidad de CBOE.

Volatilidad: La característica de un mercado de valores que sube o baja los precios bruscamente en un breve período de tiempo.

Volumen: Número de acciones negociadas de una empresa o de la totalidad del mercado en un período determinado.

Zona o modelo de congestión: Serie de jornadas bursátiles en las que no se producen progresos visibles en los precios.

Términos de análisis técnico comúnmente utilizados

Los términos que siguen son términos técnicos comúnmente utilizados. Léalos, por favor, y familiarícese con ellos porque maximizarán su crecimiento y formación como maestro de la inversión.

Calma chicha del mediodía: Nos referimos con ello al período comprendido entre las 11:15 a.m. y las 2:15 p.m. Es el momento en que suelen fracasar las roturas. Es típicamente un momento de lentitud, cuando muchos de los creadores de mercado de Wall Street van a comer y a hacer otras cosas que no son invertir. Pristine aconseja que sólo los inversores expertos trabajen durante este horario. Pristine utiliza la calma chicha del mediodía para buscar valores que tengan escenarios favorables para posibles jugadas especuladoras posteriores, u oportunidades de inversión de cambio.

Compras de cobertura: Inversiones que invierten, o cierran, posiciones de venta. En el mercado de valores, por ejemplo, se compran acciones para sustituir las acciones tomadas anteriormente prestadas.

Creador de mercado: En un mercado de valores, un inversor responsable de mantener un mercado ordenado en un valor individual estando preparado para comprar o vender acciones. Se le conoce también como especialista.

Demanda: La demanda más alta es el precio mayor que alguien está dispuesto a pagar por un valor.

Día interno: Día en el cual el rango de precios queda dentro del rango de precios del día anterior.

Doji: Una vela en la que el precio de cierre y apertura de un valor es el mismo, o prácticamente el mismo.

ECN (Electronic Communication Network): La Red de Comunicación Electrónica incluye ARCA (Archipelago), BTRD (Bloomberg), INCA (Instinet), ISLD (Island), SelectNet (NASD) y REDI (Spear Leads). Las ECN funcionan como sistemas de emparejamiento de órdenes y permiten a los inversores anunciar un precio mejor que la demanda o la oferta actual. Utilizando las ECN, los inversores pueden obviar la red SOES y crear mercados jugando o repartiendo el margen.

Especialista: Un miembro del mercado de valores nombrado para mantener un mercado justo y ordenado en un valor en concreto. Los especialistas deben comprar y vender por su propia cuenta para contraatacar los desequilibrios temporales entre oferta y demanda.

Especulación: *Véase* Apéndice 3, para su definición.

Futuros: Un acuerdo para comprar o vender una cantidad determinada de un producto, valor o divisas, en una fecha futura concreta. Nosotros utilizamos el contrato de futuros S&P 500 (cambia cada trimestre) como indicador clave del mercado de valores.

Indicadores de mercado: Los indicadores de mercado se utilizan para calibrar la fuerza o debilidad del mercado. Pristine sigue el contrato de futuros S&P 500, el tick, trin, futuros sobre bonos y la fuerza o debilidad de determinados sectores.

Índice Standard & Poor's 500: Índice de referencia integrado por 500 grandes valores, mantenido por Standar & Poor's, una división de The McGraw-Hill Companies.

Instinet: Un método por el cual los grandes clientes institucionales pueden negociar valores durante horas en que el mercado está cerrado.

Intradiario: Información de precio y volumen que se produce durante una única jornada bursátil, en contraposición con la información diaria que resume las transacciones día a día.

Inversión de día: *Véase* Apéndice 3, para su definición.

Inversión de momento: Estilo de inversión en el que el inversor trata de identificar breves estallidos de presión vendedora o compradora para rápidamente entrar y salir de valores.

Inversión de tipo swing: *Véase* Apéndice 3, para su definición.

Island (ISLD): Island es una ECN.

Margen: La diferencia entre los precios de oferta y demanda.

Margen tick: La diferencia entre el máximo y el mínimo del indicador tick NYSE de cada jornada bursátil. Para inversión intradiaria, Pristine considera el tick por debajo de 1.000 como exceso de venta y el tick por encima de 1.000 como exceso de compra, y busca movimientos inversos intradiarios cuando estos niveles se corresponden con otros niveles extremos en el índice de futuros S&P y TRIN.

Media móvil: Las medias móviles son una forma de ver niveles de precio históricos. La media móvil tiene en cuenta un número determinado de períodos de precios (se añade un nuevo período y otro queda excluido del cálculo) para mostrar el precio medio a lo largo del tiempo. Cuanto más prolongado sea el período considerado por la media, más diferencia se apreciará entre dicha media y los precios más recientes. Pristine utiliza en sus gráficos medias móviles sencillas para llevar a cabo sus decisiones de inversión:

Duración del gráfico	Período de las medias móviles utilizadas
Diario	10, 20, 50, 100 y 200
Semanal	20, 50, 100 y 200
Horario	20 y 200
15 minutos	20 y 200
5 minutos	20 y 200
1 o 2 minutos	10 y 20

Momentos inversos: A lo largo de muchos años de inversión y de estudio de los mercados, Pristine ha descubierto y utilizado muy rentablemente diversos «períodos inversos». Se trata de momentos durante los cuales la dirección del mercado cambia a menudo su curso. Los momentos inversos de la mañana son 9:50-10:10 a.m. y 10:25-10:30 a.m. Por ejemplo, si el mercado está mostrando mucha fuerza en el inicio de la sesión, hemos tenido la experiencia de que la presión compradora suele cesar y cambiar de sentido hacia el final del primer momento inverso. Entonces, por ejemplo, si el mercado continúa a la baja, solemos ver que la presión vendedora remite y a menudo remonta en el momento inverso de 10:25-10:30 a.m. Las inversiones pueden resultar muy rentables hasta las 11:15 a.m., aproximadamente, lo que nos lleva al siguiente momento inverso a controlar. Nos referimos al período 11:15 a.m.-2:15 p.m. como el de la calma chicha del mediodía. Luego, las 2:15 p.m. representan nuestro primer momento inverso de la tarde, cuando los inversores están de vuelta a sus puestos para afrontar la continuación de la sesión. Cuando la situación interna del mercado es muy positiva, es incluso posible, después de esta hora, realizar inversiones de anticipadas tipo swing de medio lote, aprovechando roturas de los niveles de consolidación y el soporte en el gráfico de 15 minutos. Luego, el cierre del mercado de bonos a las 3:00 p.m. ofrece el siguiente momento inverso. Parece que el cierre del mercado de bonos ofrece a los inversores una cosa menos de la que preocuparse, de modo que el mercado cobra nuevos bríos en esa hora en una u otra dirección. Luego, el momento inverso final se produce alrededor de las 3:30 p.m. Como bien saben los inversores de Pristine, que un valor tenga buena pinta por la mañana o a primera hora de la tarde no significa que vaya a cerrar con el mismo aspecto. Los últimos treinta minutos de cotización pueden resultar extremadamente rentables para la especulación o para las inversiones de día o de tipo swing. Es durante este lapso temporal que muchos compradores esperan comprometerse y se producen recuperaciones potentes al cierre. Basándonos en estos principios, en Pristine creemos que la situación de menos riesgo se produce entre las 9:35-11:15 a.m. y entre las 2:15-4:00 p.m.

Nivel II: Los datos de Nivel II son una muestra a tiempo real de las demandas y ofertas de creadores de mercado y ECN. El estudio de estos datos permite al inversor conocer las intenciones de los creadores de mercado y la propensión que tiene el valor de moverse en múltiples niveles.

Oferta: La oferta más baja es el precio menor que alguien está dispuesto a aceptar por un valor.

Oferta de salida: Precio al que el creador de mercado vende sus valores y al que compra el público en general. Cuando usted ofrece al precio de salida, está básicamente adoptando el papel de un creador de mercado ofreciendo vender su valor al precio de oferta que típicamente aparece en una ECN, SelectNet o ARCA.

Orden limitada: Orden de comprar o vender un valor, cuando alcance un precio determinado.

Precio / mercado interno: La demanda más alta y la oferta más baja de un valor en cualquier momento.

Refresco: Lo mismo que decir «me quedo». Utilizado cuando un creador de mercado ha satisfecho la demanda o la oferta y el creador de mercado sigue allí, comprando o vendiendo el valor al precio que se cotiza.

Rotura: Punto en el que el mercado se aleja del canal de tendencia.

SelectNet: SelectNet es una ECN que cuadra órdenes y que tiene el apoyo del NASD. Las órdenes de SelectNet deben estar en o entre el margen.

Small order execution system (SOES): SOES fue desarrollado en 1984 y se hizo obligatorio en 1988 como respuesta al crack del mercado de valores de 1987. Se trata de un mercado no negociado donde los creadores de mercado realizan sus ofertas y demandas y en el que dichos creadores deben cumplir ciertos requisitos de participación acordados con la NASD.

Stop (stop de protección): El precio al cual un inversor saldrá de su inversión para recortar pérdidas en el caso de que la inversión no avance hacia la dirección deseada. El stop arrastrado, o progresivo, es una técnica que arrastra el precio del valor hacia arriba con un stop situado justo detrás de él.

Teenie: Un sexto de un punto.

Tick hacia abajo: La venta de un valor listado que se produce a un precio inferior al de la transacción previa.

Tick hacia arriba: La venta de un valor listado que se produce a un precio superior al de la transacción previa.

Ticks: Movimientos de precio hacia arriba, o hacia abajo, de un valor o índice. Un tick hacia abajo es la venta de un valor a un precio por debajo de la venta precedente. Un tick hacia arriba es una venta ejecutada a un precio superior al de la venta precedente.

TRIN: El índice de inversiones a corto plazo (o «índice ARMS») mide el ambiente de mercado teniendo en cuenta el volumen. El índice mide la concentración de volumen en valores que remontan o caen. El TRIN es la ratio entre la ratio remontada / caída, con respecto a la ratio volumen hacia arriba / volumen hacia abajo, o

$$TRIN = \frac{\text{\# de valores que suben / \# de valores que bajan}}{\text{Volumen hacia arriba / Volumen hacia abajo}}$$

Las lecturas de TRIN por encima de 1 indican condiciones de exceso de venta o más volumen relativo de valores en descenso, mientras que el TRIN por debajo de 1 indica condiciones de exceso de compra, o más volumen relativo de valores en ascenso. Para inversión intradiaria, Pristine considera una lectura de TRIN superior a 1,5 como un exceso exagerado de venta y por debajo de 0,35 como un exceso exagerado de compra, y busca cambios intradiarios cuando estos niveles se corresponden con otros niveles extremos en el índice de futuros S&P y el tick.

Venta al descubierto: Una estrategia de inversión que anticipa una caída en el precio de la acción. Se toma prestado de un broker un valor u otro instrumento financiero que luego se vende, creando una posición en la que se ha vendido lo que realmente no se tiene. Esta posición se cubre cuando el valor es recomprado para repagar el préstamo. El vendedor de cobertura obtiene beneficios al recomprar el valor a un precio más bajo que aquel en que lo vendió. Es necesario un tick hacia arriba (la venta más reciente acontecida en la oferta) para realizar ventas de cobertura.

Venta masiva: Período de ventas intenso en un mercado que empuja con fuerza los precios hacia abajo.

Definificiones de datos económicos

Coste por empleado: Cambio en el índice de coste por empleado en porcentaje anual, trimestral, por parte del Departamento de Trabajo.

Déficit comercial: Balance de comercio internacional de bienes y servicios, en billones de dólares, mensual, por parte del Departamento de Comercio.

Gasto personal: Cambio porcentual en los gastos de consumo personal, mensual, por parte del Departamento de Comercio.

Índice CRB: Índice de precios de mercaderías, lectura al final de mes, por parte del Commodity Research Bureau.
Índice NAPM: Índice de difusión de condiciones actuales de negocio en la fabricación, mensual, por parte de la National Association of Purchasing Management.
Índice NAPM de precios pagados: Índice de difusión de empresas pagando precios superiores, mensual, por parte de la National Association of Purchasing Management.
Ingresos personales: Cambio porcentual en los ingresos familiares, mensual, por parte del Departamento de Comercio.
Ingresos por hora: Cambio porcentual de los ingresos por hora en el sector privado, mensual, por parte del Ministerio de Trabajo.
IPC: Cambio porcentual del índice de precios al consumo, mensual, por parte del Departamento de Trabajo.
IPC subyacente: Cambio porcentual del índice de precios al consumo, excluyendo alimentación y energía, mensual, por parte del Departamento de Trabajo.

Nóminas: Cambios en nóminas no agrícolas, en miles, mensual, por parte del Departamento de Trabajo.
Nuevas construcciones: Inicio de nuevas construcciones familia-

res en porcentaje anual, mensual, por parte del Departamento de Comercio.

Pedidos de bienes duraderos: Cambio porcentual en la inversión en equipamiento no perecedero del fabricante, trimestral, por parte del Departamento de Comercio.

Pedidos de fabricación: Cambio porcentual de pedidos de productos manufacturados, mensual, por parte del Departamento de Comercio.

PIB: Cambio real en el producto interior bruto en porcentaje anual, trimestral, por parte del Departamento de Comercio.

PPI: Cambio porcentual en el índice de precios de producción de productos finales, mensual, por parte del Departamento de Trabajo.

PPI subyacente: Cambio porcentual del PPI para productos finales, excluyendo alimentación y energía, mensual, por parte del Departamento de Trabajo.

Producción industrial: Cambio porcentual en la producción industrial, mensual, por parte de la Reserva Federal.

Productividad: Cambio en sectores no agrícolas de la productividad en porcentaje anual, trimestral, por parte del Departamento de Trabajo.

Rotación de inventarios: Rotación de los inventarios de las empresas, en billones de dólares, trimestral, por parte del Departamento de Comercio.

S&P 500: Índice de valores S&P 500, lectura a fin de mes, por parte de Standard & Poor's.

Tasa de desempleo: Porcentaje de adultos desempleados entre la fuerza laboral, mensual, por parte del Ministerio de Trabajo.

Ten-year T-note: Rendimiento de los Bonos del Tesoro a diez años, media mensual del cierre diario, por parte de la Reserva Federal.

Thirty-year T-note: Rendimiento de los Bonos del Tesoro a treinta años, media mensual del cierre diario, por parte de la Reserva Federal.

Three-month T-bill: Rendimiento de los Letras del Tesoro a tres meses, media mensual del cierre diario, por parte de la Reserva Federal.

US$-Euro: Dólares por euro, media mensual del precio diario al mediodía, por parte de la Reserva Federal.

Utilización de capacidad: Porcentaje de capacidad industrial en uso, mensual, por parte de la Reserva Federal.

Ventas de viviendas existentes: Ventas de viviendas de otra propiedad en porcentaje anual, en millones, por parte de la Asociación Nacional de Agentes Inmobiliarios.

Ventas minoristas: Cambio porcentual de ventas en establecimientos minoristas, mensual, por parte del Departamento de Comercio.

Yen-US$: Yenes por dólar, media mensual del precio diario al mediodía, por parte de la Reserva Federal.

Apéndice 3

Tipos de inversión

El texto que sigue es una descripción de los tipos de inversión más comunes, completada con una breve descripción de cada estilo de inversión. Estos tipos de inversión no deberían confundirse con las estrategias y tácticas más concretas que enseñamos en los seminarios de inversión avanzada de Pristine, de uno y tres días de duración.

Inversión especuladora (Scalp trade): Estilo de inversión concebido para capitalizar pequeños movimientos, utilizando escenarios de precio que presentan oportunidades excepcionales de bajo riesgo. El objetivo habitual de la inversión especuladora es de 1/4 a 5/8, o más. La especulación exige familiaridad con las pantallas de Nivel II, así como la utilización de un sistema de acceso directo como The Executioner (*www.executioner.com*) para ejecutar instantáneamente las órdenes. Las mejores oportunidades especulativas se encuentran en valores con liquidez (que cotizan 500.000 o más acciones al día) y una representación de calidad en cuanto a creadores de mercado. Los escenarios de especulación de Pristine se encuentran normalmente utilizando gráficos en los períodos de tiempo intradiarios más reducidos, como dos, cinco y quince minutos.

Inversión de día: En términos convencionales, una inversión de día es aquella iniciada y cerrada en la misma jornada bursátil.

En la sala de inversión de Pristine, una inversión de día es una oportunidad con el potencial de convertirse en una inversión que pase la noche con nosotros y/o desarrollarse para pasar a una inversión de tipo swing, pero como que suele producirse a primera hora de la mañana, se trata normalmente con más agresividad en cuanto a cerrar sus beneficios parciales o totales. Las inversiones de día emplean, además, normalmente stops más estrechos que el de la inversión de tipo swing. Hemos descubierto que las mejores inversiones de día tienen normalmente «espacio para correr», con la resistencia lo bastante alejada como para garantizar la posibilidad de aguantar durante un breve retroceso o período de consolidación, en caso de que sea necesario. Las inversiones de día se encuentran habitualmente utilizando gráficos intradiarios con períodos de tiempo medios, como gráficos de quince minutos o de una hora.

Inversión de noche (overnight): Una inversión de noche es normalmente una inversión a la que se accede a última hora de la jornada en un valor que cierra en o cerca de su máximo (o mínimo, para ventas) con el potencial de abrir a la mañana siguiente con un hueco alcista o de ver un seguimiento. Como hemos mencionado anteriormente, la inversión de noche puede iniciarse también como una inversión de día que cierra lo bastante fuerte como para garantizar su mantenimiento después del cierre hasta el día siguiente. Estas inversiones se cierran con frecuencia a primera hora de la mañana siguiente (si no justo en el momento de inicio, o antes de él) con algunos inversores que optan por vender sólo la mitad y conservar la otra mitad durante un período más largo y buscar una ganancia potencialmente mayor.

Inversión de tipo swing: Una inversión de cambio es aquella que sigue la idea de obtener provecho de las idas y venidas naturales de los movimientos diarios de un valor. Las inversiones swing suelen iniciarse en una zona de soporte importante (o resistencia, para ventas) y pretenden obtener ganancias entre 1 y 4 dólares por acción, dependiendo de la situación. Las inversiones de swing se conservan habitualmente por un período que oscila entre dos y cinco días (o más) y se aprovechan de un nicho de mercado muy rentable dominado por los inversores más activos. Demasiado breves para que las grandes instituciones se preocupen por ellas y, a la vez, demasiado prolongadas para que los inversores del parquet (que normalmente no conservan sus posiciones hasta el día siguiente) se sientan cómodos con ellas, este período de tiempo ofrece la oportunidad ideal a los inversores independientes que disponen de la experiencia necesaria como para explotarlas rentablemente. Las inversiones de swing se encuentran principalmente utilizando gráficos diarios (y semanales), con referencias ocasionales a los gráficos de quince minutos.